Die Ausgabe

Daß Literaturgeschichte ni
daß sie lebendig, erzähleris
weniger will diese Geschic
Vom Mittelalter bis zur Ge   g.   u   Stro-
mungen der deutschsprachigen Dichtung, beschreibt daneben, in
kürzerer Zusammenfassung, die ideengeschichtlichen politischen
und gesellschaftlichen Veränderungen, die sie begleitet und beeinflußt haben. Die Lektüre erfordert kein spezielles Vorwissen: Es
ist das Ziel der Verfasser, so gradlinig und allgemeinverständlich
wie nur möglich zu schreiben, zwar auf der Höhe der wissenschaftlichen Kenntnisse, doch ohne Kompliziertheit und akribi-
sche Weitschweifigkeit.
Die bedeutendsten Dichtungen jeder Epoche werden ausführlich
nacherzählt und interpretiert, woran sich Hinweise auf die Umstände ihrer Entstehung knüpfen. Manches Geschichtliche, manches aus dem Leben und der Gedankenwelt der Autoren kommt
dabei zur Sprache. Eingeflochten ist außerdem eine stattliche Zahl
von Zitaten, dazu gedacht, den besonderen Stil, die Tonlage und
Atmosphäre der Werke eingehend zu belegen. Dergestalt entsteht
ein Bild der geistigen Bewegungen, in dem beides – Erklärung und
Original, Kommentar und Kommentiertes – zusammenwirkt, um
den Leser auf anschaulichste Weise durch die verschiedenen Epochen der deutschen Literatur zu führen.

Deutsche Literaturgeschichte
Band 2

Ernst und Erika von Borries:
Aufklärung und Empfindsamkeit,
Sturm und Drang

Deutscher
Taschenbuch
Verlag

Originalausgabe
1. Auflage März 1991
3. Auflage Februar 1996: 17. bis 20. Tausend
© 1991 Deutscher Taschenbuch Verlag GmbH & Co. KG,
München
Umschlaggestaltung: Celestino Piatti
Gesamtherstellung: C. H. Beck'sche Buchdruckerei,
Nördlingen
Printed in Germany · ISBN 3-423-03342-8

Eine populäre Literaturgeschichte für den interessierten Laien zu schreiben, war das Ziel dieser Arbeit. Sie will eine erste Einführung in die literarischen Epochen bieten und mit ihren wichtigsten Autoren bekannt machen.

Im Mittelpunkt steht daher die ausführliche Interpretation einzelner Werke, die exemplarisch die Epoche und die Eigenart eines Dichters erhellen soll. Aus der Fülle der literarischen Zeugnisse repräsentative Beispiele für diese Einzeldarstellungen auszuwählen, war nicht immer einfach, galt es doch, ästhetische Maßstäbe ebenso zu berücksichtigen wie – unabhängig vom poetischen Rang – das Epochentypische herauszuarbeiten, auch wenn manches davon heute befremdlich erscheinen mag; gelegentlich entschieden einfach persönliche Vorlieben. Im ganzen glauben die Autoren jedoch, zwischen populär Gewordenem, Zeitbedingtem und Bleibendem eine Mitte gefunden zu haben, die den Reiz einer Epoche, die Spannung des literarischen Prozesses vermitteln kann. Daß bei diesem Konzept grundsätzlich auf die Diskussion wissenschaftlicher Positionen und Meinungen verzichtet wurde, ebenso auf Anmerkungen, weiterführende Literaturhinweise usw., versteht sich von selbst; auch wurde kein vollständiger Überblick über die deutsche Literatur angestrebt.

Die üblichen Epochenbezeichnungen sowie die Gliederung in lyrische, dramatische und erzählende Dichtung wurden, soweit möglich, beibehalten. Da die originalen Texte die Interpretationen unmittelbar belegen und ergänzen sollen, werden in der Regel Gedichte vollständig abgedruckt, aus Dramen, Erzählungen und Romanen auch längere Passagen zitiert. Auf diese Weise will diese Literaturgeschichte auch dazu verführen, die Werke weiterzulesen, wiederzulesen.

Um die Anliegen einer literarischen Epoche einleuchtend darzustellen, wurden zur Einführung jeweils die politischen, sozial- und kulturgeschichtlichen Grundlagen vorangestellt; diese kurzen Überblicke berücksichtigen vor allem die literaturrelevanten Ereignisse und Entwicklungen.

Auf biographische Angaben wurde weitgehend verzichtet, ebenso fehlt eine Aufzählung des vollständigen Werks eines Dichters oder der nicht besprochenen Autoren einer Epoche; die Verfasser meinen aber, daß solche zum Verständnis nicht weiter notwendigen Informationen leicht in jedem Lexikon nachgelesen werden können.

Für freundlichen Zuspruch, Rat und Kritik danken wir unseren Freunden und dem Lektorat des Deutschen Taschenbuch Verlages, ebenso Ulrike Graf für tatkräftige Unterstützung.

München, im Juli 1990   Ernst und Erika von Borries

INHALT

AUFKLÄRUNG UND EMPFINDSAMKEIT (1680–1770)

I. Einführung in die Epoche

II. Die lyrische Dichtung

STURM UND DRANG (1770–1785)

IV. Die erzählende Dichtung

Anhang

AUFKLÄRUNG UND EMPFINDSAMKEIT
(1680–1770)

I. Einführung in die Epoche

1.1 Politische und sozialgeschichtliche Grundlagen

Der Absolutismus

Der Westfälische Friede, der 1648 den Dreißigjährigen Krieg beendete, hatte den Reichsfürsten die volle Souveränität, einschließlich des Bündnisrechts, gebracht. Reichspolitisch war damit jene Entwicklung abgeschlossen, die sich innerhalb der einzelnen Fürstentümer seit Beginn der Neuzeit vollzog: die Ablösung des Lehensstaates und der Aufbau zentral verwalteter Territorialstaaten, für die im 17. Jahrhundert der französische Absolutismus Ludwigs XIV. das Vorbild abgab. Das Reich hatte sich de facto zu einem Staatenbund gewandelt.

An der Spitze eines absolutistischen Staates stand der Fürst als Souverän, d.h. in seiner Person vereinigte sich alle staatliche Macht, er war, *legibus solutus* (losgelöst von den Gesetzen), nur noch Gott und seiner Rechtsordnung unterworfen. Der Fürst stützte sich auf eine rationalistisch organisierte Verwaltung, bestehend aus nur ihm verantwortlichen und von ihm abhängigen Beamten, auf das Heer und die Staatsreligion. Eine strenge staatliche Zensur hatte dabei alle die Stellung des Monarchen anzweifelnden oder gefährdenden Meinungen zu unterdrücken. Die mittelalterliche Demutsformel »von Gottes Gnaden« wandelte sich im Zeitalter des Absolutismus zum stolzen Begriff des »Gottesgnadentums«, das die weit über alle übrigen Sterblichen hinausragende Stellung des Monarchen kennzeichnete.

Die theoretische Voraussetzung für den Absolutismus hatte schon 1576 der Franzose Jean Bodin (1529–1596) geschaffen, der in seinen ›Six livres de la république‹ (›Sechs Bücher über den Staat‹) den Begriff der Souveränität geprägt hatte. Dazu kam die berühmte Lehre vom »Staatsvertrag« des Engländers Thomas Hobbes (1588–1679), nach der die Menschen, unfähig, anders untereinander Frieden zu halten, sich bei der Staatsgründung freiwillig einem Souverän unterwarfen, also aus vernünftiger Einsicht in ihr eigenes Unvermögen selbst zu Untertanen machten. *Homo homini lupus* (der Mensch ist des Menschen Wolf, d.h. schlimmster Feind): Die schier unendlichen Konfessionskriege, deren furchtbarster der Dreißigjährige Krieg war, hatten zu Hobbes' pessimistischem Menschenbild geführt, das den Staat als Ordnungsmacht zum obersten Wert, verkörpert in der Person des Souveräns, werden ließ.

Der aufgeklärte Absolutismus

Unter dem Einfluß des aufklärerischen Rationalismus und des Naturrechts (s. unten S. 21 ff.) wandelte sich, etwa ab der Jahrhundertwende, die Auffassung vom Staat: Der Staatsvertrag verpflichtete nun vernünftigerweise nicht mehr nur die Untertanen, sondern ausdrücklich auch den Staat, dessen zentrale Aufgabe es sei, Frieden und »Gemeinwohl«, ja die Glückseligkeit aller Bürger zu gewährleisten. Der Monarch verstand sich nicht mehr als Verkörperung seines Staates, sondern als dessen »erster Diener«, wie Friedrich II. es ausdrückte; mit seinem Regierungsantritt 1740 datiert man den Beginn des aufgeklärten Absolutismus.

In der politischen Praxis allerdings sah die schöne Idee eines das allgemeine Glück garantierenden Staates anders aus: Um die wirtschaftliche Lage der Untertanen zu verbessern und deren Zufriedenheit und Loyalität zu befördern, griff der Staat mit Hilfe einer ständig wachsenden Verwaltung in immer ausgedehntere Bereiche auch des privaten Lebens planend und reglementierend ein. Die Leistung der Bürger für die vom Staat als Fürsorge begriffene Bevormundung bestand in striktem Gehorsam; für diesen Verlust an persönlicher Freiheit gab es aber keinen Ersatz. In der politischen Realität blieb ferner als nicht aufzuhebender Widerspruch, daß, ungeachtet aller Rechtskodifikation, der Monarch selbst nie an dieses von ihm erlassene Recht zwingend gebunden war, d.h. *legibus solutus* blieb; gegen seine Willkür gab es gegebenenfalls keinen Schutz. In der zweiten Hälfte des 18. Jahrhunderts wurden daher die Freiheit als Grundlage der Menschenwürde und der Kampf gegen die »Tyrannen« zu Generalthemen von brennender Aktualität, in Deutschland vor allem in der Literatur des Sturm und Drang, denn eine Revolution war aufgrund der kleinstaatlichen Zersplitterung des Reichs unmöglich.

Das neue Bürgertum

Der Dreißigjährige Krieg hatte den Aufstieg des frühneuzeitlichen Stadtbürgertums (vor allem der Reichsstädte), das im Begriff gewesen war, sich zu einer wirtschaftlich, politisch und kulturell bedeutenden Kraft zu entwickeln, beendet: Die Städte waren weitgehend zerstört, verarmt, entvölkert; der europäische Handel, einst Grundlage ihres Reichtums, hatte sich an die Küste verlagert. Einen symbolischen Schlußpunkt unter die Entwicklung des Stadtbürgertums setzte der Zusammenbruch des Bank- und Handelshauses der Fugger im Jahre 1650.

Nur in ganz wenigen Städten, die vom Krieg mehr oder weniger verschont und durch ihre geographische Lage begünstigt waren, konnten sich Reste bürgerlicher Eigenständigkeit erhalten. Vor allem waren das Leipzig und Hamburg. Leipzig, die große sächsische Handelsmetropole, hatte bald Frankfurt a. M. als Messestadt überflügelt und war weit genug von der Residenzstadt Dresden entfernt, um sich eine gewisse Unabhängigkeit zu bewahren. »Klein-Paris« nannte man am Ende des 17. Jahrhunderts die Universitäts- und Weltstadt, die in wirtschaftlicher und vor allem auch in kultureller Hinsicht das Tor zu Frankreich darstellte. Frankfurt am Main dagegen hatte unter dem Zusammenbruch des Kontinentalhandels sehr gelitten und erholte sich erst im Laufe des 18. Jahrhunderts wieder. Das zweite bedeutende Zentrum war Hamburg, das durch seinen Hafen am internationalen Seehandel beteiligt war und vor allem mit England lebhaften Austausch – auch auf kulturellem Gebiet – pflegte. Die Impulse, die von England und Frankreich auf das deutsche Geistesleben ausgingen, wurden fast ausschließlich über diese beiden Metropolen vermittelt.

Gleichzeitig mit dem Niedergang des Stadtbürgertums war in den Residenzstädten und Verwaltungszentren der absolutistischen Fürsten ein neues Bürgertum entstanden, das beim Aufbau der Territorialstaaten eine wichtige Rolle spielte. Diese neue Bürgerschicht hatte keinen Anteil an den Zünften, Gilden usw., in denen das Stadtbürgertum traditionell politisch und gesellschaftlich repräsentiert war, sondern stand in unmittelbarer Abhängigkeit des Landesherrn; sie konnte aber durch eigene Leistung in der von den Fürsten gelenkten Wirtschaft und in dem anwachsenden Verwaltungsapparat zu Ansehen und Wohlstand gelangen.

Der Merkantilismus, die erste durchgeplante staatliche Wirtschaftspolitik, hatte in den ersten Jahrzehnten nach dem Dreißigjährigen Krieg primär die Landwirtschaft und die zugehörigen Gewerbe unterstützt. Im 18. Jahrhundert förderten die Fürsten planmäßig alle neuen auf Massenproduktion ausgerichteten Industrieformen wie Verlage und Manufakturen, um mit Hilfe des konjunkturellen Aufschwungs vor allem die Steuereinnahmen zu erhöhen; gleichzeitig versuchten sie, den Einfluß der Zünfte, die i. a. unternehmerische Initiativen bremsten, zurückzudrängen. So entstand ein vor allem städtisches Wirtschaftsbürgertum, das den wirtschaftlichen Aufschwung der absolutistischen Fürstenstaaten trug.

Zum andern entwickelte sich eine Schicht akademisch, vielfach juristisch gebildeter Beamter, denen die Verwaltung oblag. Um die Qualifikation der Beamten zu verbessern, gründeten und förderten die Landesherrn bewußt neue Universitäten und verbesserten das Schulsystem: Professoren und Lehrer, dazu die protestantischen Pfarrer, also im wesentlichen die geistige Elite, zählten ebenfalls zu den Staatsbediensteten.

Aus diesen Gruppen setzte sich das neue Bürgertum zusammen, das die Aufklärung als philosophische und literarische Epoche trug. Der Handwerkerstand dagegen, in der Zeit der stadtbürgerlichen Blüte hoch geachtet, sank zum Kleinbürgertum herab und nahm an den geistigen Bestrebungen der Epoche keinen Anteil.

Mit zunehmender Etablierung des absolutistischen Staates hatte der Adel seine traditionellen feudalen Unabhängigkeitsrechte aufgeben müssen. Seine Loyalität gegenüber dem neuen Staatswesen erkauften sich die Fürsten mit neuen Privilegien, insbesondere reservierten sie dem Adel ab dem letzten Drittel des 17. Jahrhunderts in steigendem Maße alle höheren, mit Macht verbundenen zivilen Beamtenstellen und alle Offiziersränge im Heer. Das bürgerliche Beamtentum wurde damit auf den Unter- und Mittelbau der rasch anwachsenden Staatsverwaltung beschränkt.

Die Entwicklung in Frankreich und England verlief für das dortige Bürgertum viel günstiger: Das von Jean Baptiste Colbert (1619–1683), dem Begründer des Merkantilismus, geförderte französische Großbürgertum hatte die Möglichkeit, durch Ämterkauf den persönlichen, nichterblichen Adel zu erwerben (*Noblesse de Robe*); das bedeutete eine wichtige Chance auf soziale Aufwertung. In England, wo sich nach der bürgerlich-puritanischen Diktatur Oliver Cromwells bereits um 1680 die ersten politischen Parteien bildeten, entstand nach der ›Declaration of Rights‹ 1689 die erste konstitutionelle Monarchie Europas. Sie beruhte auf dem Prinzip der Gewaltenteilung, das John Locke (1632–1704) theoretisch begründete. Der Absolutismus war in England also am Ende des 17. Jahrhunderts bereits überwunden, und das Bürgertum konnte sich dort zur staatstragenden Schicht entwickeln.

Die Entstehung eines bürgerlichen Bewußtseins

Das Bürgertum in Deutschland akzeptierte zu Beginn des 18. Jahrhunderts erst einmal die politische und gesellschaftliche Isolierung, in die es durch die Neuprivilegierung des Adels gedrängt worden war. Aber es entwickelte – in klarer Abgrenzung zu Hof und Adel, wenn nicht gar gegen diese – ein eigenes bürgerliches Bewußtsein.

Wirtschaftliches Planen und Handeln, vernünftiges Kalkulieren und Investieren im Sinne des Merkantilismus prägten das Denken des Großbürgertums, das im wirtschaftlichen Erfolg eine Chance sah, den eigenen Stand zu konsolidieren. Der in Bildungswesen und Verwaltung tätige Bürger profilierte sich durch seine intellektuelle Leistung.

Beiden Gruppen gemeinsam war ein hohes Arbeitsethos, das Tugenden wie Fleiß, Zuverlässigkeit, Pflichterfüllung und Leistungswillen einschloß, unterstützt durch die Lehren des protestantischen Pietismus, der die Bewährung des Christen im Alltag verlangte.

Mit wachsendem Selbstbewußtsein entdeckte das Bürgertum auch seine sittliche und geistige Überlegenheit gegenüber dem Hofadel, der als verderbt durch Macht und Luxus angesehen wurde, und dessen Selbstdarstellungsformen in spätbarockem Schwulst erstarrt waren. Begierig nahm es die Ideen des Rationalismus, der aus Frankreich stammenden Vernunftphilosophie, und die von Hugo Grotius in den Niederlanden begründete Naturrechtslehre auf (über beides wird noch zu sprechen sein) – in der Hoffnung, die gegebenen Machtverhältnisse auf geistigem Wege eines Tages überwinden zu können.

Die deutsche Aufklärung ging vom protestantischen Norden aus; sie war eine durch und durch bürgerliche Epoche; ihre Träger – Professoren, Lehrer, Theologen, Juristen usw. – waren i. a. als Beamte materiell an die Fürstenstaaten gebunden und insofern im Grundsatz loyal. Nur auf dem Sektor von Kunst und Wissenschaft gab es ein relatives Maß an Freiheit von staatlicher Bevormundung und Zensur. Erst gegen Ende des 18. Jahrhunderts sollte es mit dem Sturm und Drang auch revolutionäre Kritik am absolutistischen Obrigkeitsstaat geben.

1.2 Die Zeitschrift und ihr Publikum

Es spricht für das wachsende bürgerliche Selbstbewußtsein, wenn auf einmal über wissenschaftliche, literarische und moralische Fragen öffentlich diskutiert wurde. Zum idealen Medium für solche Auseinandersetzungen wurde die Zeitschrift: Mit der Aufklärung entsteht der moderne Journalismus in Europa. Die wichtigsten Vorläufer im 17. Jahrhundert waren das ›Journal des Savants‹ in Paris und die lateinischen ›Acta Eruditorum‹ – beides bedeutet soviel wie ›Zeitschrift für Gebildete‹. 1688 gab Christian Thomasius, der zunächst an den ›Acta‹ mitgearbeitet hatte, die deutschen ›Monatsgespräche‹ heraus als Teil seines Programms zur Begründung einer deutschen Wissenschaftssprache.

Den Durchbruch für das neue Medium bedeuteten die ›Moralischen Wochenschriften‹, die sich am Vorbild der ab 1709 von den Essayisten Sir Richard Steele und Joseph Addison herausgegebenen Zeitschriften ›The Tatler‹ (›Der Schwätzer‹), ›The Spectator‹ (›Der Beobachter‹) und ›The Guardian‹ (›Der Wächter‹) orientierten; Addison und Steele wollten damit dem galanten Hofleben und der allgemeinen Sittenlosigkeit im Sinne des Puritanismus entgegenwirken. Schon 1713/14 erschien in Hamburg eine gekürzte Übersetzung des ›Tatler‹, der ›Vernünfftler‹, die erste ›Moralische Wochenschrift‹ Deutschlands, die den Siegeszug des Mediums Zeitschrift eröffnete. Der Hamburger Patrizier und Literat Brokkes brachte 1724–26 den ›Patrioten‹ heraus. Johann Christoph Gottsched, der große Poetikreformer, der nicht nur des Englischen wenig mächtig war, sondern auch erstaunlich wenig Sinn für Ironie hatte, machte aus dem ›Tatler‹ seine ›Vernünftigen Tadlerinnen‹ (1725–27) und gab später den ›Biedermann‹ heraus (1727–29). Der pietistisch-empfindsame Dichter Immanuel Jakob Pyra gründete 1741 die ›Gedanken der unsichtbaren Gesellschaft‹, ein Blatt, das sein Gründungsjahr nicht überdauerte. Andere lebten länger: den ›Göttinger Gelehrten Anzeiger‹ (ab 1739) gibt es noch heute. Oft genug verrieten die Namen dieser Blätter das Programm ihrer Autoren und Herausgeber.

Die aufgeführten Titel mögen exemplarisch für die vielen literarischen Zeitschriften dieser Epoche stehen. Das neue Medium war bereits mit Beginn des Jahrhunderts etabliert, das der Holländer Gisbert Cuper schon 1708 als *siècle des journaux*, als »Jahrhundert der Zeitschriften«, bezeichnete. In ihrer Wirkung verschmolzen die ›Moralischen Wochenschriften‹ mit den literarisch-wissenschaftlichen Zeitschriften, da sie faktisch alle bedeutenden Schriftsteller des 18. Jahrhunderts als zeitweilige Mitarbeiter gewannen und ebenfalls Foren der Literaturkritik wurden. So kam es zu dem Paradox, daß die Kritik zur fruchtbarsten Literaturgattung der Zeit werden konnte. Die kritische Vernunft prüfte alles und jedes, hinterfragte jede Erkenntnis, jedes Urteil. Durch die Fülle von Zeitschriften wurde Kritik allgegenwärtig und erdrückend, zur »Tadelseuche«, gegen die sich schließlich, quasi als Kritik der Kritik, die ›Neuen Beyträge zum Vergnügen des Verstandes und Witzes‹ (kurz: ›Bremer Beiträge‹, 1744–50) wandten.

Die Zeitschrift verlangte vom Autor, da sie von möglichst vielen Käufern gelesen werden sollte, eine klare, allgemeinverständliche Sprache und leistete so einen gar nicht zu überschätzenden Beitrag zur Vereinheitlichung der deutschen Hoch- und Schriftsprache. Alle sprachwissenschaftlichen Bemühungen der Barockzeit dürfen ja nicht darüber hinwegtäuschen, daß in Deutschland eine allgemein verbindliche Hochsprache noch immer fehlte. Zwischen dem katholischen Süden und dem protestantischen Norden gab es erhebliche Unterschiede; insbesondere wehrte man sich im Süden gegen das »Meißnische« des »Erzketzers« Luther. Da erschien 1748 von Gottsched eine ›Grundlegung der deutschen Sprachkunst‹, die »nach den Mustern der besten Schriftsteller des vorigen und jetzigen Jahrhunderts abgefasset« war. Gottsched war um diese Zeit wegen seiner Poetik und vor allem wegen seiner Theaterreform (von der noch zu handeln sein wird) bereits eine berühmte Autorität. Das Werk erlebte schon zu seinen Lebzeiten mehrere Auflagen und Übersetzungen, eine Kurzfassung, der ›Kern der deutschen Sprachkunst‹, kam 1753 hinzu. Da Gottsched ebendas Deutsch in Regeln faßte, das auch die meistgelesenen Dichter der Zeit benutzten, und es auch vermied, sich zu offenkundig an das im Süden ungeliebte Protestantendeutsch anzulehnen, konnte sich schließlich auch in den katholischen Gebieten das Hochdeutsche als Schriftsprache durchsetzen.

Die Zeitschrift brachte auch einen neuen Typ des Autors hervor, der nun nicht mehr für einen Monarchen und dessen Hof dichtete, sondern für ein anonymes Publikum. Der Verkaufserfolg wurde gleichbedeutend mit der öffentlichen Anerkennung des Schriftstellers, der erstmals die Chance hatte, sich als Herausgeber, Kritiker, Redakteur und natürlich auch als Dichter wirtschaftlich über Wasser zu halten. Die Zahl der hauptberuflichen Schriftsteller, von denen auffallend viele aus evangelischen Pfarrhäusern stammten – wie etwa Gottsched, Gellert, Lessing, Claudius u.a. –, wuchs sprunghaft von etwa 2500 zu Beginn des 18. Jahrhunderts auf rund 10000 am Ende. Viele begannen mit einem Theologiestudium – schon weil es am billigsten war –, brachen dann aber ab und versuchten, sich mit Schreiben durchzubringen. Kaum einem ist dies letztlich gelungen, wenn das Ideal des freien Schriftstellers auch noch so hochstilisiert wurde. (Selbst der zeitweilig wie ein Gott gefeierte Klopstock hätte kaum von seinem Sendungsbewußtsein leben können, wäre ihm nicht von Graf Bernstorff Anstellung und Pension bei König Friedrich V. von Dänemark verschafft worden.) Noch Spitzwegs ›Armer Poet‹ von 1839 karikiert den Berufsdichter als Hungerleider.

So steht gleich zu Beginn des freien Schriftstellertums in Deutschland die Klage über die viel zu niedrigen Autorenhonorare. Neue Formen der wirtschaftlichen Sicherung wurden versucht: An die Stelle der fürstlichen Mäzene trat die Subskription, die

Vorausbestellung und meist auch Vorausbezahlung von angekündigten Buchprojekten durch das interessierte Publikum, dem so, zumindest theoretisch, einiger Einfluß auf die literarische Produktion zuwuchs.

Das Medium Zeitschrift veränderte auch Wissenschaftsbetrieb und Publikum. Der Humanist Erasmus von Rotterdam (1469–1536) hatte seine wissenschaftlichen Gedanken noch brieflich mit seinen Humanistenkollegen ausgetauscht. Im 18. Jahrhundert begann man, kleinere Ergebnisse, die für kein ganzes Buch ausreichten, als Aufsätze in Zeitschriften zu veröffentlichen. Die wissenschaftliche Kommunikation wurde dadurch unpersönlicher, stärker formalisiert, und sie ist es bis heute weitgehend geblieben. Gleichzeitig aber wurde die Zahl der Adressaten solcher Aufsätze erheblich größer, da der interessierte Gebildete, auch ohne Fachkollege zu sein, Zeitschriften bezog. Man schätzt, daß bis zur Jahrhundertmitte rund 15 Prozent der Bevölkerung Zeitschriften lasen, um 1800 war es vermutlich schon ein Viertel. Ab etwa 1770 begann die Blütezeit der sogenannten »Lesegesellschaften«, bürgerlicher Vereinigungen, in denen gemeinsam Literatur gelesen und besprochen wurde. (Gründungen solcher »Clubs« erfolgten noch lange; manche – wie die 1837 gegründete »Zwanglose Gesellschaft« in München – gibt es noch heute.)

Das wachsende Lesebedürfnis des Bürgertums deutet darauf hin, daß es in den Dichtungen und Schriften der Zeit ihm gemäße Ausdrucksformen und Gedanken fand. Erstmals seit dem Untergang des Stadtbürgertums wandte sich eine ganze geistesgeschichtliche Bewegung nicht an die Höfe, sondern an das Bürgertum, »verbürgerte« schließlich sogar den Adel. Der stürmische Aufschwung der deutschen Literatur des 18. Jahrhunderts, wie auch der Wissenschaft, ist gleichzusetzen mit der Entwicklung des Bürgertums zum primären Kulturträger in Deutschland.

1.3 Die geistigen Grundlagen

Zum Schlagwort der Epoche wurde wie in England *(age of enlightenment)* oder in Frankreich *(siècle de lumière)* eine Lichtmetapher: Aufklärung. Die Renaissance hatte begeistert geglaubt, mit dem Licht der wiederentdeckten Antike die Finsternis des Mittelalters zu vertreiben; nun wiederholte sich, stärker und tiefer, dieses Bewußtsein einer geistigen Befreiung durch das Licht der Vernunft.

Seit die Reformationskriege die konfessionelle Spaltung festgeschrieben hatten, war der Autoritätsverlust der Kirche nicht mehr aufzuhalten, wurde (nach ersten Ansätzen in Renaissance und Humanismus) endgültig die Vernunft zum Maßstab des Denkens und Handelns, die fortan kritisch alle Traditionen, insbesondere auch die kirchlichen Glaubenssätze hinterfragte. Die damit verbundene tiefgreifende Säkularisierung mündete schließlich in jenen Rationalismus, der das 18. Jahrhundert prägte und am Ende sogar zeitweilig zum Religionsersatz wurde, als Robespierre im Juni 1794 in Paris den Kult der Vernunft, des »höchsten Wesens«, ins Leben rief.

Rationalismus

Als Begründer des neuzeitlichen Rationalismus gilt der französische Philosoph und Mathematiker René Descartes (1596–1650). Zur Erkenntnis der Wahrheit, lehrte er, könne man nur durch streng logische Schlüsse gelangen, und analog zur Arithmetik, der Zahlenkunde, nach der sich jede Zahl in ihre kleinsten Einheiten zerlegen lasse, müsse auch die Philosophie nach den einfachsten Bausteinen, den »Substanzen«, suchen, aus denen sich die Wirklichkeit zusammensetze, um diese restlos erklären zu können. Wenn aber das, was der Mensch im Traum und was er im Wachen wahrnehme, gleichermaßen real erscheine, müsse sogar an der Wirklichkeit selbst gezweifelt werden. Was aber gelte dann überhaupt noch als unzweifelhaft? Das einzige, was Descartes sicher schien, war der Zweifel selbst; dies brachte ihn zu seinem berühmten Satz *Cogito ergo sum* (Ich denke, also bin ich), den Kernsatz seiner Lehre. Mit ihm führte er die Kategorie des menschlichen Bewußtseins in die Philosophie ein und definierte letztlich die Seele des Menschen als seine denkende Vernunft.

Descartes sah in Natur und Geist zwei völlig voneinander geschiedene Bereiche, die sich nur im Menschen berührten. Die materielle Natur verstand er als räumliche Ausdehnung *(res extensa)*; alle Entwicklung, alle Bewegung der Materie beruhe auf einem komplizierten mechanischen Kräftespiel, das Gott im Schöpfungsakt ausgelöst habe. Da Gott Geist *(res cogitans)* in seiner reinsten Form sei, könne er in die Geschicke seiner materiellen Schöpfung nicht unmittelbar eingreifen.

Mit Descartes' Lehre war die für die Neuzeit typische Trennung von Kirche und Welt, von Theologie und Philosophie vollzogen, welche das ganze Mittelalter hindurch noch eine Einheit gebildet hatten. Fragen nach dem Wesen der Natur, des Menschen und seiner Geschichte wurden nun nicht mehr nur im Rahmen des christlichen Weltbildes beantwortet, sondern man versuchte, vernunftgemäße Erklärungen zu finden, die Dinge aus sich selbst heraus zu begreifen. Im 17. und 18. Jahrhundert wurde daher die Frage nach der Gültigkeit der göttlichen Offenbarung, nach der Existenz nur theologisch erklärbarer Wunder zu einem zentralen Anliegen.

Die Newtonsche Mechanik

Was bei Descartes noch wirklichkeitsferne philosophische Spekulation war, wurde bei Isaac Newton (1643–1727) zur wissenschaftlichen Theorie, klar begründet durch Beobachtung, Experiment und Berechnung. Mit Hilfe der von ihm entdeckten Gravitationsgesetze und der Infinitesimalrechnung errichtete Newton ein geschlossenes physikalisches System, die »Newtonsche« Mechanik, die sogar die Planetenbewegungen zu erklären vermochte. Die Natur, die ganze Schöpfung schien bestimmten unveränderlichen Gesetzen zu gehorchen, deren Formel man nun gefunden glaubte.

Deismus, Theismus

Die neuen Erkenntnisse spalteten die Theologie in zwei Lager: Der aus England kommende *Deismus* nahm die Newtonsche Physik als entscheidende Bestätigung für seine Lehre, die zwar nicht die Existenz Gottes leugnete, wohl aber sein Einwirken auf die Welt. Gegen diese rationalistische Theologie wandte sich der *Theismus*, der die (traditionelle) Vorstellung eines in der Geschichte persönlich wirkenden Gottes vertrat, der sich durch Wunder offenbare.

Empirismus, Sensualismus

Parallel zum französischen Rationalismus entwickelte in England John Locke (1632–1704) die Philosophie des *Empirismus*, die zwischen theoretische Erkenntnis und Wirklichkeit die Erfahrung setzt, d.h. die Beobachtung, die Wahrnehmung durch die Sinne des Menschen: *Nihil est in intellectu, quod non fuerit in sensu* (Im Verstand ist nichts, das nicht vorher in den Sinnen war). Nach diesem Leitsatz bezeichnet man den Empirismus des ausgehenden 17. Jahrhunderts auch als *Sensualismus*. Locke unterscheidet zwei

Arten von Erfahrung: die (äußerliche) Sinneswahrnehmung und die (innerliche) Reflexion; der Verstand entwickle beides zu Begriffen. Das Bewußtsein des Menschen, bei Geburt noch leer, fülle sich erst durch solche Erfahrungen mit Inhalten; Denken und Fühlen seien nur Formen passiven Empfindens. Für Locke folgte daraus, daß Erkenntnis immer erfahrungsabhängig sei, also begrenzt sein müsse; denn die Erfahrungen aller Menschen und Völker seien verschieden. Damit führte Locke das Individuum und seine begrenzte persönliche Erkenntnis als Kategorie in die Philosophie ein und setzte sich deutlich gegen den Universalitätsanspruch der Rationalisten ab.

Monadenlehre, Gesetz von der prästabilierten Harmonie

Zwischen den beiden großen philosophischen Strömungen des Empirismus und des Rationalismus und ihren theologischen Entsprechungen, dem Theismus und dem Deismus, versuchte Gottfried Wilhelm Leibniz (1646–1716) zu vermitteln. Seine Metaphysik gründet sich auf die Vorstellung, daß die Welt aus unendlich vielen Krafteinheiten, sogenannten Monaden, bestehe. Diese Monaden tragen sowohl ihre eigene Entwicklung als auch die der anderen, mit denen sie in Berührung kommen, bereits in sich; in ihnen ist also gewissermaßen ein geistiges Abbild der Welt und ihrer Entwicklung vorgeprägt. Somit gibt es zwei Wirklichkeiten: die sichtbare der reinen Körperwelt und die unsichtbare der zugehörigen Monaden. Da Gott die höchste Vernunft darstellt (und seiner eigenen Schöpfung schaden zu wollen, unvernünftig wäre), muß das Entwicklungsgesetz, das er den Monaden im Schöpfungsakt mitgegeben hat, harmonisch sein. Daraus ist zu folgern, daß die Welt sich zu jedem Zeitpunkt ihrer Entwicklung im jeweils bestmöglichen Zustand befindet. Mit Leibniz' Gesetz von der prästabilierten Harmonie wurde somit die Fähigkeit Gottes, als reines Geistwesen unmittelbar in den Entwicklungsgang der Welt einzugreifen, zugleich verneint und für unnötig erklärt, da ja nach diesem Gesetz die Geschichte ohnehin notwendig vernünftig und daher harmonisch verlaufe. Der praktische Schluß aus Leibniz' Lehre lautete: Vernünftiges Handeln heißt, den Willen Gottes zu vollziehen, und damit richtig zu handeln; dies verspricht Erfolg, ja Glück. Hieraus speiste sich der heute so schwer verständliche Optimismus des 18. Jahrhunderts, das allem Leid, allem Bösen in der Welt zum Trotz an die Verwirklichung des Paradieses auf Erden mit Hilfe der Vernunft glaubte.

Naturrecht

Solange all diese Gedanken nur auf lateinisch veröffentlicht wurden, blieben sie auf einen akademischen Zirkel von Theologen, Juristen und Naturwissenschaftlern beschränkt. Bewußt an ein breites Publikum (auch an Frauen: »Weibes-Personen sind der Gelahrtheit so wohl fähig als Manns-Personen«) wandte sich der Jurist und Philosoph Christian Thomasius (1655–1728), der in Leipzig 1687 die erste Vorlesung auf deutsch hielt: ›Von Nachahmung der Franzosen‹; mit dieser Vorlesung datiert man den Beginn der Aufklärung in Deutschland. Thomasius war ein Vertreter des Naturrechts, worunter man das der göttlichen Ordnung oder der Natur innewohnende Recht versteht, das über Zeit und Ort wie über alles von Menschen gesetzte Recht hinaus Gültigkeit hat. Als Rationalist sah er allerdings das Naturrecht nicht in der Offenbarung Gottes begründet, sondern, unter dem Einfluß des Sensualismus, gewissermaßen im *common sense*, im auf Erfahrung gegründeten gesunden Menschenverstand. Alles staatlich verordnete Recht hielt Thomasius für obrigkeitlichen Zwang – was um die Mitte des 18. Jahrhunderts, als Thomasius' Ideen wieder aufgegriffen wurden, notwendig als deutliche Kritik am Absolutismus verstanden wurde.

Dieses Zeitalter, dem schmerzlich bewußt war, daß das Jahr 1648 eben nicht den ersehnten Frieden gebracht hatte, und das mit dem Spanischen Erbfolgekrieg (1701–1713/14) den ersten Weltkrieg der Moderne erlebt hatte, der quer durch Europa und auf allen Ozeanen ausgefochten wurde – dieses tief beunruhigte Zeitalter suchte neue Garanten der Ordnung und des Rechts, da es den Glauben an die Heilsbotschaft der christlichen Lehre verloren hatte. Wenn Thomasius als höchste Rechtsinstanz nicht Gott, sondern die auf Erfahrung bauende Vernunft setzte, so zeigt das exemplarisch, daß die Lehrautorität der Kirchen in den Augen des Bürgertums weitgehend dahin war.

Wolffs systematischer Rationalismus

Einer der bedeutendsten Philosophen der Zeit bis 1750 war Christian Wolff (1679–1754); seine Leistung lag weniger in originellen Ideen als darin, daß er die Fülle der Leibniz'schen Gedanken in ein geschlossenes philosophisches System brachte und sie popularisierte. Wolffs Wirkung war enorm, zumal fast alle Philosophielehrstühle in Deutschland mit seinen Schülern besetzt wurden. Als mathematischer Denker entwickelte er eine bis dahin in Deutschland ungekannte und z. B. von Immanuel Kant hochgerühmte begriffliche Klarheit und wurde so zum Schöpfer der wissenschaftlichen Philosophiesprache im Deutschen. Wolff machte die Vernunft endgültig zur allgemeinen Grundlage allen Denkens und Handelns: Ethik, Politik und Recht, alle Bereiche der Wirklichkeit seien den Regeln des Verstandes unterworfen, ließen sich durch sie beschreiben und erklären, hätten in ihnen ihre gemeinsame Wurzel. Mit Leibniz erklärte Wolff das Gute durch das Vollkommene und das Vollkommene als das widerspruchsfrei Vernünftige. (Ästhetische und moralische Kategorien treffen sich also im gemeinsamen Ursprung.) Vernünftiges Handeln ist demnach gutes Handeln.

Leid, Not, Konflikte, kurz alles, was das Leben belastet, entsteht nach Wolffs Auffassung nur aus Unvernunft, aus unlogischem, widersprüchlichem Denken und Handeln. Dies gilt für den einzelnen wie für den Staat. Die aufklärerische Utopie eines allgemeinen Friedens gründet auf dem Universalitätsanspruch des systematischen Wolffschen Rationalismus, der als Philosophie das Reglement des glücklichen Lebens aufstellen zu können glaubte. Die bürgerliche Hoffnung auf Überwindung aller Standesgrenzen, aller politischen Isolierung, ja letztendlich aller Herrschaft beruhte auf der Überzeugung, die Menschen, mit ihnen die Staaten, humanisieren zu können durch die Kraft der Vernunft. Der Wolffsche Rationalismus mündete folgerichtig in die Idee eines auch die nationalen Grenzen aufhebenden Weltbürgertums – ein Gedanke, der die deutschen Aufklärer nachhaltig prägte.

Für Wolff waren die Herrschaftsprivilegien des Adels und die absolute Macht der Fürsten nur vertretbar, wenn sie sich auf einen naturrechtlichen Vertrag gründeten, der die gegenseitigen Pflichten zur Förderung des Gemeinwohls, also des Guten und Nützlichen für alle Menschen in einem Staat festschriebe. Die Wolffsche »Systemphilosophie« entwickelte die Idee der rechtsstaatlichen Ordnung und begründete sie als vernünftig.

Auf Wolff geht die Idee des »aufgeklärten Absolutismus« zurück, der auch den Monarchen einer prinzipiellen Bindung unterwarf. Friedrich der Große (1740–1786) war von Wolffs Gedanken tief beeindruckt und rief ihn, den sein Vater Friedrich Wilhelm I. 1723 amtsenthoben hatte, unmittelbar nach seinem Regierungsantritt von 1740 nach Preußen zurück.

Kants Definition der Epoche

Die Ideen der Aufklärung bewegten die deutsche Öffentlichkeit das ganze Jahrhundert über. 1784 gab Immanuel Kant (1724–1804), der Begründer des deutschen Idealismus (vgl. Bd. III), die klassische Definition des Begriffs:

Aufklärung ist der Ausgang des Menschen aus seiner selbstverschuldeten Unmündigkeit. Unmündigkeit ist das Unvermögen, sich seines Verstandes ohne Leitung eines anderen zu bedienen. Selbstverschuldet ist diese Unmündigkeit, wenn die Ursache der selben nicht am Mangel des Verstandes, sondern der Entschließung und des Mutes liegt, sich seiner ohne Leitung eines anderen zu bedienen. Sapere aude! Habe Mut, dich deines eigenen Verstandes zu bedienen! ist also der Wahlspruch der Aufklärung!
(Beantwortung der Frage: Was ist Aufklärung?)

Es ist typisch für die deutsche Aufklärung, daß Kant noch am Ende der Epoche hauptsächlich für den theoretischen Gebrauch der Vernunft Freiheit forderte und nicht etwa politische Freiheit. Erst nach der Französischen Revolution, 1795, formulierte er in seiner Schrift ›Zum ewigen Frieden‹ politische Konsequenzen seiner philosophischen Erkenntnisse: Als Voraussetzungen für das friedliche Zusammenleben der Menschen nennt er als erstes eine »republikanische« Verfassung, worunter er aber nicht Demokratie versteht, sondern eine konstitutionelle Monarchie auf der Grundlage der Gewaltenteilung zwischen Exekutive und Legislative. (Gleiches gilt prinzipiell auch für die Völker untereinander, wenn auch auf föderativer Basis). Um eine rechtsstaatliche Verfassung zu garantieren, müßte ein absolutes moralisches Gesetz, das »allen [willkürlichen] Zwecken« übergeordnet wäre, jeden an der Politik Beteiligten verpflichten – Kants kategorischer Imperativ als Quintessenz seiner ›Kritik der praktischen Vernunft‹ wird hier auf die Politik angewendet: »Handle so, daß du wollen kannst, deine Maxime solle ein allgemeines Gesetz werden [der Zweck mag sein welcher er wolle]«. Erst dann bestünde, sagt Kant am Ende seiner Schrift, »gegründete Hoffnung«, daß der »Zustand eines öffentlichen Rechts, obgleich nur in einer ins Unendliche fortschreitenden Annäherung«, Wirklichkeit würde. Eine nüchterne Vernunft, bescheidene Hoffnungen bestimmen die politisch-philosophischen Entwürfe Kants am Ende dieses so optimistischen Aufklärungsjahrhunderts. Die beste aller Welten, die Leibniz als gegeben voraussetzte, existierte für Kant nicht, sondern war Aufgabe. Die von seinem Idealismus geprägte deutsche »Klassik« stellte diese Aufgabe in den Mittelpunkt ihrer künstlerisch-erzieherischen Bestrebungen, wenn auch in dem Bewußtsein, für eine ferne Zukunft zu wirken.

Die bürgerliche Resignation ist tief in der Ohnmacht gegenüber dem autoritär gebliebenen Absolutismus verwurzelt, und gab sich dieser noch so aufgeklärt wie der Staat Friedrichs des Großen, dessen religiöse Toleranz Kant so hoch rühmte. Von aller politischen Entscheidung ausgeschlossen, verlegte sich das deutsche Bürgertum auf Wissenschaft, Dichtung, bildende Kunst und, verschreckt von den Greueln der Französischen Revolution, verurteilte es schließlich selbst jeden, der es wagte, wider den absolutistischen Stachel zu löcken.

Rousseaus Kulturpessimismus, der »Gesellschaftsvertrag«

Einer der wichtigsten Gesellschaftskritiker und Schriftsteller des 18. Jahrhunderts, der bis in unsere Gegenwart hineingewirkt hat, war Jean Jacques Rousseau (1712–1778), »Bürger von Genf«, wie er sich nannte. Als Philosoph, Staatsrechtler und Pädagoge revolutionierte er das Denken und die Wertvorstellungen seiner Zeit. Rousseau rief zu einer neuen Natürlichkeit auf, zu einer Rückbesinnung auf die ursprünglichen Qualitäten des Menschen – Unabhängigkeit, Einfachheit und Mitmenschlichkeit –, die im Laufe der Vergesellschaftung verlorengegangen seien. Indem er die natürliche Freiheit als unveräußerlichen Besitz des Menschen und die politische Ungleichheit als von der Gesellschaft geschaffenes Unrecht definierte, gab er die entscheidenden Stichworte für die Französische Revolution. Napoleon soll an seinem Grab geäußert haben: »Es wäre besser gewesen für die Ruhe Frankreichs, dieser Mann hätte nie gelebt; er hat die Revolution vorbereitet.«

1750 gewann Rousseau den von der Akademie Dijon ausgeschriebenen Wettbewerb mit seiner Abhandlung über die Frage, »ob der Fortschritt der Wissenschaften und Künste zur Verbesserung der Sitten beigetragen habe«; sein ›Discours sur les sciences et les arts‹ (›Über Kunst und Wissenschaft‹), der bereits 1752 in deutscher Übersetzung erschien, machte ihn mit einem Schlag berühmt. Rousseau argumentiert in seiner Schrift nicht, wie üblich, wissenschaftlich distanziert, sondern gewissermaßen mit dem Herzen des einfachen Mannes aus dem Volk; leidenschaftlich widerspricht er dem allgemeinen Fortschrittsoptimismus seines aufgeklärten Zeitalters. Mit der Überzeugungskraft eigener schmerzlicher Erfahrung, die er vor allem in der feinen Pariser Hofgesellschaft gemacht hatte, beklagt er den Sittenverfall, polemisiert er gegen den Kult der Wissenschaften und der Künste, die die Kräfte des Herzens, das natürliche Empfinden verkümmern ließen. Seine Antwort auf die obige Frage der Akademie lautete: »Unsere Seelen sind in dem Maße verdorben, in dem unsere Wissenschaften und unsere Künste vollkommener geworden sind.« Von Natur aus, behauptet Rousseau, sei der Mensch gut, erst die Zivilisation habe ihn deformiert. Damit bezog er eine wesentlich andere Position als Thomas Hobbes, der den Naturzustand des Menschen als *bellum omnium contra omnes*, als Krieg aller gegen alle, bezeichnet hatte und damit zu den theoretischen Begründern absolutistischer Herrschaft geworden war: Aus Einsicht in ihre Unfähigkeit, Frieden untereinander zu halten, hätten sich, nach Hobbes, die Menschen einem souveränen Herrscher unterworfen.

In einem zweiten Diskurs, der ›Abhandlung über den Ursprung und die Grundlagen der Ungleichheit unter den Menschen‹, systematisierte und erweiterte Rousseau seine Ideen von der Selbstentfremdung des Menschen und seiner allmählichen Versklavung durch die Zivilisation. Zweifellos gebe es natürliche Unterschiede zwischen den Menschen – des Alters, der Kraft, der Begabung usw. –, doch die Ungleichheit, die sich in der unterschiedlichen Privilegierung der einzelnen Stände, in der Klassifizierung von Armen und Reichen, Mächtigen und Untertanen ausdrücke, widerspreche dem natürlichen Recht des Menschen und beruhe auf einem illegitimen Akt: Mit dem Übergang vom freien Naturzustand zum Gesellschaftszustand sei der Mensch einen unrechtmäßigen »Gesellschaftsvertrag« eingegangen, da dieser nicht auf freier Entscheidung, sondern auf der Eigentums- und Machtanmaßung der Stärkeren gründete; die so entstandene künstliche Ungleichheit habe sich, immer auf der Grundlage des Rechts des Stärkeren, perpetuiert, kulminiere schließlich in der »willkürlichen Gewalt« eines Despoten, der alle anderen mehr oder weniger zu Sklaven mache.

In der Entstehung des Privateigentums sah Rousseau den Beginn des verderblichen Prozesses, der zu jenem allgemeinen Kriegszustand unter den Menschen geführt habe, den Hobbes als ursprünglich verstanden hatte:

Der erste, der ein Stück Land eingezäunt hatte und dreist sagte: Das ist mein, und so einfältige Leute fand, die das glaubten, wurde zum wahren Gründer der bürgerlichen Gesellschaft. Wie viele Verbrechen, Kriege, Morde, Leiden und Schrecken würde einer dem Menschengeschlecht erspart haben, hätte er die Pfähle herausgerissen oder den Graben zugeschüttet und seinesgleichen zugerufen: Hört ja nicht auf diesen Betrüger. Ihr seid verloren, wenn ihr vergeßt, daß die Früchte allen gehören und die Erde keinem.

Dennoch stellte Rousseau ausdrücklich fest, daß die gesellschaftliche Entwicklung historisch notwendig war; sein »Zurück zur Natur!« kann also nicht als Rückkehr in den ursprünglichen Naturzustand gedeutet werden, sondern als eine innere Umkehr des Menschen, eine Rückbesinnung auf sein eigentlich gutes Wesen.

Im Urzustand habe der Mensch weder Tugend noch Laster, gut noch böse gekannt, diese moralischen Kategorien hätten sich erst während des Zivilisationsprozesses herausgebildet. Es hätten sich die Menschen ihres »Vermögens der Vervollkommnung« mißbräuchlich bedient, so daß sich ihre Bedürfnisse und die Mittel zu ihrer Befriedigung weit von dem ursprünglich Einfachen, Natürlichen entfernt hätten zu immer größerem Luxus, der nur auf Kosten anderer aufgebracht werden könne und so die Kluft zwischen den Menschen ständig vertiefe.

Um einen neuen rechtmäßigen, positiven Gesellschaftsvertrag zu schaffen, der dem Menschen zwar die natürliche Freiheit nicht zurückgibt, doch eine neue gesellschaftliche Freiheit gewinnen läßt, ist »das gänzliche Aufgehen jedes Gesellschaftsmitgliedes mit allen seinen Rechten in der Gesamtheit« notwendig. In seinem 1762 erschienenen ›Contrat sozial‹ (›Der Gesellschaftsvertrag oder Die Grundregeln des allgemeinen Staatsrechts‹) entwickelt Rousseau seine Utopie eines individuelle Freiheit und Gemeinwohl vereinenden Staatswesens: Aus der moralischen Freiheit, aus der freiwillig geleisteten Übereinstimmung von *volonté particulaire*, des Einzelwillens, mit dem Gemeinwillen, der *volonté générale*, erwachse der ideale Staat, in dem alle Bürger souverän und untertan zugleich seien, da ihr allgemeiner Wille die Gesetze mache, denen sich jeder einzelne unterwerfen müsse.

Die *volonté générale* ist jedoch keine Summe, sondern ein Extrakt, gezogen aus allen Einzelwillen auf dem Wege der Abstimmung; das Modell muß jede Gruppenbildung (Parteien, Verbände usw.) verbieten, damit keine Majorisierung stattfindet, enthält also in sich einen totalitären Ansatz, indem es gegebenenfalls mit Zwang Freiheit durchsetzt. (Damit wird Robespierre wenig später seine reale, fürchterliche Politik begründen.)

Der Mensch besitze einen freien Willen, daher seien Tugend und Laster als Übereinstimmungen bzw. Widersprüche zum Willen aller zu erklären. Um sicherzustellen, daß die Interessen des einzelnen auch wirklich im allgemeinen Willen aufgehen, bedarf es eines eigenen pädagogischen Konzepts. In seinem Buch ›Émile ou De l'éducation‹ (1762) legte Rousseau seine Vorstellungen einer »natürlichen Erziehung« dar, die auf der systematischen Erforschung und Förderung der frühkindlichen, also noch natürlichen, instinktmäßigen Verhaltensweisen des Menschen beruht (was auch

John Locke schon gefordert hatte). Die Hauptaufgabe des Erziehers ist demnach weit mehr der Schutz des Kindes vor schädlichen Einflüssen als die Vermittlung »künstlicher« Inhalte. »Nicht in der Tugend und in der Wahrheit« solle das Kind unterwiesen, sondern sein »Herz vor Laster und [sein] Verstand vor Irrtümern« bewahrt werden. Ein nach seinen Prinzipien erzogener Mensch, meinte Rousseau, sei gefeit gegen den schädigenden Einfluß der schon verderbten Gesellschaft, denn er vereine Gefühlsstärke, Urteilskraft und instinktmäßige Moralität in sich.

Mit Rousseaus Ideen setzten sich alle bedeutenden Pädagogen des 19. und 20. Jahrhunderts auseinander; die Reformpädagogik zu Beginn unseres »Jahrhunderts des Kindes« oder z. B. der Versuch einer »antiautoritären Erziehung« sind ohne ihn undenkbar. Zu seiner Zeit allerdings wurde er von Kirche und Staat heftig angegriffen; insbesondere wegen des leidenschaftlichen Plädoyers für eine natürliche Religion, wurde der ›Émile‹ öffentlich verbrannt; Rousseau entzog sich der Verfolgung, indem er auf Jahre ins englische Exil ging.

Die europäische Aufklärung wandelte sich um die Mitte des 18. Jahrhunderts unter dem Einfluß des englischen Sensualismus; den brillantesten, vehementesten und wirksamsten Angriff auf das frühaufklärerische Monopol der Vernunft trug Rousseau vor, dessen neuer Kult der Natur und des Gefühls in Deutschland die empfindsame Hochaufklärung entscheidend mitprägte. Für die junge Generation der Stürmer und Dränger aber war sein Werk schier eine Offenbarung.

Pietismus, Empfindsamkeit

Gegen Ende des 17. Jahrhunderts entstand in Deutschland die protestantische Bewegung des *Pietismus*, die sich als neue Reformation begriff, da die Luthers in orthodoxem Dogmatismus und verkrustetem Beamtentum erstarrt schien. Ähnlich wie die Mystik stellte der Pietismus die individuelle Glaubenserfahrung in den Mittelpunkt seiner Lehre. Der hierdurch zu lebendigem Glauben wiedergeborene Mensch wandelt sich in der Buße zu einem gottseligen Leben; dazu muß seine Seele von Gott erfüllt sein. Um auf die Zeichen göttlicher Gnade vorbereitet zu sein, horcht der pietistische Christ genau auf seine Seelenregungen und lotet alle Tiefen seiner persönlichen Glaubensempfindungen aus. Dieser individualistische Zug des Pietismus führte von dem kollektiven Gemeindegottesdienst weg zu kleinen Andachtszirkeln, den Konventikeln, bei denen im engsten Freundeskreis ein gemeinsames Glaubensgefühl intensiv erlebt werden konnte. Der Pietismus leitete damit jenen Seelen- und Freundschaftskult des 18. Jahrhunderts ein, dessen literarische Hinterlassenschaft uns heute zuweilen übertrieben sentimental erscheint, dessen Reichtum an fein differenzierten Gefühlsregungen jedoch unsere größte Bewunderung verdient. Liest man in den unzähligen Briefwechseln dieses Jahrhunderts, so bekommt man den Eindruck, als hätten sich die Menschen damals erst in der Mitteilung, im Spiegel gleichgesinnter und gleichgestimmter Freunde selbst erlebt. Im 18. Jahrhundert ist denn auch der Höhepunkt der deutschen Briefkultur anzusetzen.

Als Begründer des Pietismus gilt Philipp Jakob Spener (1635–1705), der in Frankfurt a. M. seit 1670 religiöse Hausversammlungen abhielt, die *Collegia pietatis*. Spener gewann Bedeutung durch eine Reihe von Schriften, die auf eine Reform der evangelischen Kirche abzielten. Als Berliner Propst (ab 1691) nahm er lebhaften Anteil an der Gestaltung der Reformuniversität Halle, wo auch sein Schüler August Hermann Francke (1663–1727) wirkte, der das berühmte Waisenhaus in Halle gründete. Francke war einer jener großen Theologen, die ihren als Auftrag verstandenen Glauben mit Genie und Überzeugungskraft in die Tat umsetzten, so daß ihr Lebenswerk noch Generationen hindurch in die Geschichte wirkte. Das Waisenhaus in Halle baute Francke unermüdlich zu einem wirtschaftlichen Großunternehmen aus mit Schulen, Lehrerbildungsanstalten, einer Druckerei, einem Buchverlag usw.; von hier aus nahm die Heidenmission der lutherischen Kirche ihren Anfang.

Mit Francke wurde der Pietismus auch zu einer pädagogischen Bewegung: Erziehung sollte dem Kind »nützliche Kenntnisse« für einen »gottseligen Wandel« vermitteln, sollte die »wilde Freiheit«, das »flatterhafte Wesen« der Kinder brechen, sie »demütig« machen, um »der Wirkung der göttlichen Gnade Platz und Raum zu geben«. Dieses Erziehungsprinzip, das christliche und bürgerliche Lebenstüchtigkeit anstrebte, hatte maßgeblichen Einfluß auf den preußischen Staat und die preußische Adelserziehung: Francke war Mitverfasser der Erziehungsinstruktion Friedrich Wilhelms I. Da der preußische Staat von einer Schule die Erziehung gehorsamer, fleißiger und treuer Untertanen forderte, wurden die Franckeschen Schulen Vorbild für die allgemeinen Volksschulen in Preußen.

Als praktisches Herzenschristentum verstanden, forderte der Pietismus die Bewährung des Glaubens in der Pflicht des Alltags und schuf damit ein neues Arbeitsethos, das von Fleiß, Pflichtbewußtsein, Gehorsam und Disziplin geprägt war. Das pietistische Ziel war die Verwandlung der Welt durch den als Gotteskind wiedergeborenen gläubigen Menschen. Im protestantischen Norden Deutschlands war somit eine Bewegung entstanden, deren Träger sich aus ihrem verinnerlichten Glaubenserlebnis heraus aktiv im täglichen Leben zu verwirklichen suchten. Das bürgerliche Arbeitsethos, das im Merkantilismus entwickelt worden war, fand hier seine christliche Rechtfertigung.

Im ganzen aber widersprach der Pietismus in seiner Gefühlsbetontheit der rein vernunftbestimmten Weltsicht der Frühaufklärung. Er mündete in die ab der Jahrhundertmitte sich immer stärker artikulierende gesamteuropäische Bewegung der *Empfindsamkeit*, die gegen den Primat des Intellekts die Intuition, das Gefühl setzte und die Sprache des Herzens entdeckte. Die Empfindsamkeit ist in Deutschland daher auch als säkularisierte Form des Pietismus anzusehen, dessen Seelen- und Freundschaftskult sie fortsetzte und gelegentlich bis zu sentimentaler Schwärmerei und Rührseligkeit steigerte. Die neue Gefühlskultur war von England stark beeinflußt: Der Sensualismus hatte das Individuum entdeckt und seinem Empfinden, als Voraussetzung aller Erkenntnis, höchsten Eigenwert zugemessen. Die »moralischen Wochenschriften« verbreiteten die neue privat-bürgerliche Tugend und grenzten sie von der durch Macht und Luxus pervertierten Moral des Hofes ab. Zum Durchbruch gelangte die Idee von der Kraft des empfindenden Herzens durch die erlebnishaften Naturdichtungen des englischen Lyrikers James Thomson, vor allem aber durch die Romane Samuel Richardsons und Laurence Sternes, für dessen ›Sentimental Journey‹ Lessing 1768 die Übersetzung ›Empfindsame Reise‹ vorschlug.

Die Empfindsamen versuchten ihr Publikum moralisch zu erziehen, indem sie ausführlich das Gefühlsleben ihrer liebenden und leidenden Helden darstellten: Gute Gefühle führten zur Glückseligkeit, die falschen Leidenschaften aber ins Unglück. Nicht der Verstand, sondern das Miterleben sollte begreifen lassen, was sittlich gut war: Im Weg, nicht in den Zielen unterschieden sich die Empfindsamen von den reinen Aufklärern, deren moralisches Wertesystem sie bejahten.

Im Zusammenwirken von Aufklärung, Empfindsamkeit und Pietismus entstand jene ausgeprägte, spezifisch deutsche Qualität der »Innerlichkeit«, die als Rückzug auf das private Ich auch Kompensation der eigenen Bedeutungslosigkeit in der politischen und gesellschaftlichen Realität war.

Der berühmte Literaturstreit: Gottsched, Bodmer und Breitinger

Dem Bürgertum, das die Vernunft als seine Domäne, ihren Gebrauch als seine Freiheit begriff, erschien die spätbarocke höfische Dichtung abgeschmackt und schwülstig. Die Dichtkunst wurde ja als fester Bestandteil der Philosophie verstanden, und so mußte sie in ihrem Wesen vernünftig begründet werden, mußten die hieraus abgeleiteten Gesetze der Dichtkunst den kritischen Verstand überzeugen können. Die barocken Regelpoetiken mit ihren Rezepturen, die lediglich über rhetorisch-poetische Gebrauchsmuster den Geschmack zu normieren suchten, wurden nun als unbefriedigend abgelehnt. So ist die Literatur des 18. Jahrhunderts geprägt von philosophischen Diskussionen über die Poesie, bis hin zu heftigsten Fehden, und von Versuchen, nach den Vorschriften der verschiedenen Schulen zu dichten.

1730 trat in Leipzig Johann Christoph Gottsched (1700–1766), Professor für Philosophie und Poesie, mit dem ›Versuch einer critischen Dichtkunst vor die Deutschen‹ an die Öffentlichkeit. Er orientierte sich wesentlich an dem Franzosen Nicolas Despréaux, genannt Boileau (1636–1711), dessen 1674 erschienene ›L'art poétique‹ die Dichtungstheorie der französischen Klassik zusammenfaßte.

Im zentralistischen Frankreich setzte die Académie Française die Regeln der Poetik fest. *Ordre* und *clarté* waren ihre Grundprinzipien: durch »Ordnung« und »Klarheit« sollte die Vernunft die Phantasie zügeln. Die Aufgabe der Dichtung wurde in Anknüpfung an die Poetik des Griechen Aristoteles (384–322 v. Chr.) in der »Mimesis«, der Nachahmung der Natur, gesehen; dabei habe die Vernunft die Wahrscheinlichkeit der Darstellung zu kontrollieren. Von Boileau übernahm Gottsched die Idee, das Schöne sei stets nach überzeitlichen Gesetzen gestaltet, »der Weg, poetisch zu gefallen«, sei »noch eben derselbe..., den die Alten so glücklich erwählet haben«. Die Vorstellung, der Geschmack sei unwandelbar, weil Geist und Natur des Menschen sich nicht veränderten, wird erst später durch Johann Gottfried Herder (1744–1803) überwunden. Für Gottsched galten noch als unbedingte Autoritäten Aristoteles und Horaz, dessen These *aut prodesse volunt aut delectare poetae* (nützen und erfreuen wollen die Dichter) auch er als zentrale Aufgabe der Dichtung betrachtete. Gottsched, dem vor allem der Nutzen der Dichtung wichtig war, wies dem Poeten die Rolle des Moralpädagogen zu, was dessen gesellschaftliche Stellung enorm aufwertete und zugleich sein dichterisches Wirken erheblich einschränkte.

Vom Dichter verlangte Gottsched daher nicht in erster Linie Kreativität, sondern vor allem Bildung, Scharfsinn, den darauf beruhenden »Witz« (Erkenntnisfähigkeit) und »guten« Geschmack, aber nur »derjenige Geschmack ist gut, der mit den Regeln übereinkommt, die von der Vernunft ... fest gesetzet worden«. In ungebrochenem Vertrauen auf die Vernunft wertete Gottsched die rein lyrischen, handlungslosen Gattungen ab; ihm galt die »Fabel«, womit der Grundplan der Handlung gemeint war, der die gedachte nützliche Moral sinnfällig werden läßt, als »Seele der ganzen Dichtkunst«.

Die Poesie ist eine Kunst, so der Wahrheit und Tugend viel Dienste thun kann. Wenn sie in den Händen eines verständigen und redlichen Bürgers ist, und mehr nach den Regeln der Weltweisheit, als nach dem verderbten Geschmacke des unverständigen Pöbels eingerichtet wird. Sie preiset die Tugend in Lobgedichten, und tadelt das Laster in Satyren. In Fabeln wird sie eine angenehme Sittenlehrerin und in Schauspielen eine Mahlerin des menschlichen Lebens. Da schildert sie denn die Unglücksfahrt der Lasterhaften und das Glück der Rechtschaffenen in der Tragödie; das auslachungswürdige Wesen der thörichten Neigungen gemeiner Leute in der Comödie, und die liebenswürdige Unschuld des güldenen Weltalters in Schäferspielen ab. Sie preiset ferner auch die Wohltaten Gottes, wenn sie dem Schöpfer alles Guten manches Lob- und Danck-Lied anstimmet. Sie tröstet die Traurigen, lehret die Unwissenden, stärcket die Zaghaften, lindert die Trübsal und versüsset sogar den Tod, wenn sie die Freude des ewigen Lebens mit den schönsten Farben abmahlet.

Im Unterschied zu den Barockpoetikern wertete Gottsched die Prosa wieder auf, forderte für sie, aber auch für die Versdichtungen, eine einfache, klare Sprache im Sinne von Horaz und der französischen Klassik; er wandte sich gegen alle Bildhaftigkeit (also etwa gegen Allegorien usw.) und alles »Dunkle«, rational nicht unmittelbar Eingängige. Wie die Philosophie, als eine ihrer Disziplinen, sollte die Dichtkunst das aufklärerische Licht der Vernunft verbreiten helfen.

Indem er sich ausschließlich am französischen Vorbild orientierte, wollte Gottsched die Voraussetzungen für eine der französischen Klassik gleichwertige deutsche Literatur schaffen. Mit eiserner Strenge kritisierte er alles, was nicht ganz seinem Konzept entsprach. Als Literaturrichter war er ein Diktator von enormem Einfluß, zumal sein Programm ja eine Erneuerung der deutschen Sprache einschloß. Die stürmische Entwicklung der deutschen Literatur vor allem in der zweiten Jahrhunderthälfte entzündete sich am Widerspruch gegen ihn; sein persönlicher Starrsinn hinderte ihn, sich neuen Impulsen zu öffnen.

Nach einem Jahrzehnt meldete sich ernstzunehmende Kritik an Gottscheds nachgerade dogmatischen Thesen: 1740 brachte Johann Jakob Bodmer (1698–1783) in Zürich seine ›Critische Abhandlung über das Wunderbare in der Poesie und dessen Verbindung mit dem Wahrscheinlichen‹ heraus, im gleichen Jahr erschien die ›Critische Dichtkunst‹ seines engen Freundes Johann Jakob Breitinger (1701–1776). Anfangs suchten die beiden Schweizer noch die Zustimmung Gottscheds, doch eröffnete seine schroffe Ablehnung bald den berühmten Literaturstreit, den Gottsched schließlich verlor, und der ihm eine Verachtung eintrug, wie er sie nicht verdient hatte.

Auf den ersten Blick schienen die beiden Züricher Freunde keine so wesentlich andere Literaturtheorie zu vertreten als der Leipziger Professor: Auch sie gingen von der moralpädagogischen Funktion der Dichtkunst und ihrem sittlichen Nutzen, vom Prinzip der Nachahmung der Natur, kurz: von dem als verbindlich erachteten Vorbild der Alten aus. Aber sie leugneten, anders als Gottsched, daß der Genuß sich über den Verstand einstelle. Die Natur solle nicht mehr nur (verstandesmäßig) »beobachtet«, sondern auch (mit dem Gefühl) »erkannt« werden, denn die Wahrheit der Dichtung sei Schein, nicht Abbild der Wirklichkeit; der Dichter solle das Wesen der Dinge »malen«, wie es seine Phantasie erkenne, und so »die Kraft der Gemüter einnehmen und entzücken«. Ziel der Dichtung ist nach diesem Verständnis nicht mehr nur die »Erleuchtung des Verstandes«, sondern auch die »Bewegung des Herzens«: »Alleine die Sachen, die nicht weiter bequem sind, als unsern Vorwitz zu stillen, ziehen uns nicht so sehr an sich, als die Sachen, die vermögend sind, uns das Herz zu rühren.« Wo Gottsched Wahrheit gefordert hatte, verlangten die Schweizer »Wahrscheinlichkeit«, ließen also außer dem Wirklichen auch das Mögliche gelten. Hier hat das »Wunderbare«, das Neuartige, Außerordentliche seinen Platz: es verleiht der Dichtung »eine Kraft, die Aufmerksamkeit des Lesers zu erhalten und eine angenehme Verwunderung zu gebären«. Mit einem Wort: Hatte Gottsched den lehrhaften Rationalismus zum alleinigen Prinzip erhoben – und damit die Langeweile –, so betonten die Schweizer die Bedeutung des Emotionalen und rechtfertigten es in ihrer Dichtungstheorie. Sie wandten sich wie Gottsched gegen die Übertreibungen der barocken Metaphorik und erkannten doch Gleichnis und Bild als wesentliche Elemente der Poesie, den Farben in der Malerei vergleichbar, wie denn auch die Wirkung der Dichtung auf das Gemüt eine Art innere Anschauung darstelle:

Also stehet es in dem Vermögen der poetischen Mahler-Kunst, alles, was mit Worten und Figuren der Rede auf eine sinnliche, fühlbare und nachdrückliche Weise kan nachgeahmet und der Phantasie, als dem Auge der Seele, eingepräget werden, nach dem Leben und der Natur abzuschildern. Hierinn übertrifft die Poesie alle anderen Künste, da ihr die gantze Natur in ihrem weiten Umkreise zum Muster der Nachahmung dienen muss. Alles was der menschliche Verstand von den Würckungen und Kräften der Natur in seinen Registern aufgezeichnet hat, kan der Poet durch sinnliche Bilder auszieren, und der Phantasie, als in einem sichtbaren Gemählde, vorlegen...

(Breitinger, Critische Dichtkunst)

Der Gedanke einer Gleichsetzung von Malerei und Dichtung und der Vergleichbarkeit ihrer künstlerischen Mittel beschäftigte die Literaturtheoretiker noch weit ins 18. Jahrhundert hinein. Im Zusammenhang mit der Diskussion, die Winckelmanns Interpretation der antiken Marmorgruppe ›Laokoon‹ ausgelöst hatte, werden wir insbesondere auf Lessings wichtige Entgegnung eingehen.

Wenn man überzeugt ist, daß die praktische Vernunft den Weg zum Glück weist, und die Dichtung ihre Prinzipien lehren soll, werden Poetik und Literaturkritik zu Prüfsteinen der Aufklärung, kann es keine Toleranz gegenüber abweichenden poetischen Theorien geben. Hieraus erklärt sich die Heftigkeit des Literaturstreits, in dem es letztlich um Grundfragen aufklärerischen Bemühens und nur vordergründig um die Probleme einer zeitgemäßen Regelpoetik ging. Daß die Auseinandersetzung dabei zum Teil sonderbare Blüten trieb, wird vor diesem Hintergrund verständlich. Gottsched lehnte z. B. Shakespeare entschieden ab, weil dieser gegen die Regeln der antiken Dichtungstheorie verstoße: so habe er etwa die drei Einheiten des Aristoteles nicht eingehalten, und manche seiner Stücke seien zu märchenhaft. Bodmer dagegen, der Shakespeare merkwürdigerweise »Sasper« nennt, schätzte ihn sehr. Ähnliche Uneinigkeit bestand hinsichtlich Homers, den der Schweizer ins Deutsche übersetzte, während Gottsched seine Werke als »zu unwahrscheinlich« abqualifizierte. Bodmer übersetzte 1732 auch Miltons ›Paradise lost‹, Gottsched dagegen bekämpfte die »Hirngeburten« des Engländers...

Die Wende zur Hochaufklärung: Winckelmann und Lessing

Schon Bodmer und Breitinger hatten die schöpferische Einbildungskraft des Dichters betont, die »Bewegung des Herzens« und Vergnügen auslösen und damit tiefere Wirkung erzielen könnte als nur vernünftige Einsicht. Damit war der Übergang von der rein rationalistischen, auf nützliche Belehrung ausgerichteten Kunstauffassung der Gottschedianer zur Hochaufklärung eingeleitet, in der, unter dem Einfluß von Empfindsamkeit und Sensualismus, die Aufgabe der Kunst ganz von ihrer Wirkung auf das Gemüt her definiert wurde.

In Deutschland war es der Wolff-Schüler Alexander Baumgarten (1714–1762), der um die Jahrhundertmitte die philosophische Disziplin der Ästhetik begründete, die Wissenschaft von der sinnlichen Erkenntnis, die nun neben die Logik als Theorie der rationalen Erkenntnis trat. Der Primat des Verstandes in der Beurteilung von Kunst war damit überwunden, die Aufmerksamkeit konzentrierte sich immer mehr auf die nicht exakt definierbaren, aber entscheidend bei der Kunstrezeption beteiligten Seelenkräfte des Menschen. Von dem neu erwachten Interesse für die Psyche des Menschen, seine inneren Erfahrungen, zeugt die Entstehung einer auf empirische Erforschung sich stützenden »Erfahrungspsychologie«, die sich der immer genaueren Beobachtung, Vergleichung und Beschreibung seelischer Vorgänge widmete. 1783 gab Karl Philipp Moritz in Berlin das erste ›Magazin für Erfahrungsseelenkunde‹ heraus.

Für die Kunstauffassung ergaben sich aus dem neuen psychologischen Wissen wichtige Konsequenzen: Die Forderungen nach Regelmäßigkeit und Klarheit, die den Verstand überzeugen sollten, traten zurück zugunsten des Lebendigen, des Neuen (Breitinger: »Verwundersamen«), des Natürlichen; nicht mehr die ebenmäßige, wohlgeordnete, vollkommene Natur galt als nachahmenswert, als »Quelle aller Schönheit« (Gottsched), sondern die künstlerische Fähigkeit, bei der Nachahmung der Natur ein vollkommenes Ganzes zu schaffen, das den Menschen rühre. Die poetische Wahrheit sollte sich nicht mehr in der Darstellung des Gesetzmäßigen, Allgemeinen erschöpfen, sondern mit den vielfältigen wirklichen Erfahrungen des Individuums übereinstimmen, d. h. seine Gefühle, seine Einbildungskraft und seine Vernunft ansprechen.

Obwohl die Kunst damit befreit war von der rein rationalistischen Didaktik, sahen auch die Hochaufklärer den Endzweck der Dichtung darin, das menschliche Herz zu rühren, um es zu bessern. Daran wurde im ganzen Zeitalter der Aufklärung auch nichts geändert. Die autonome, d. h. von allen Zwecken befreite Kunst wurde erst in der Klassik propagiert.

Der maßgebliche Theoretiker und Kritiker der empfindsamen Hochaufklärung wurde Gotthold Ephraim Lessing (1729–1781). Sein Gesamtwerk enthält nur zu etwa einem Drittel Dichtungen, alles übrige sind theoretische, kritische und nicht selten polemische Schriften. In seinen wichtigsten literaturkritischen und poetologischen Arbeiten, den ›Briefen, die neueste Literatur betreffend‹ (1760), ›Laokoon oder Über die Grenzen der Mahlerey und Poesie‹ (1766) und schließlich der ›Hamburgischen Dramaturgie‹ (1767–69), entwickelte er, hauptsächlich aus der Perspektive des dramatischen Dichters, allgemeinverbindliche Gedanken über Wesen und Aufgabe der Künste. Ob Literatur, Plastik oder Malerei: die Kunst hat den Menschen zum Mit-Leiden, zu tiefstem Mit-Fühlen zu führen, zum Sympathisieren im ursprünglichen Sinn, das weit über ein augenblickliches mitleidiges Berührt-Sein hinausgeht.

Auch Lessing wollte sein Publikum erziehen. »Der mitleidigste Mensch ist der beste Mensch, zu allen gesellschaftlichen Tugenden, zu allen Arten der Großmuth der aufgelegteste. . . . Wer uns also mitleidig macht, macht uns besser und tugendhafter . . .«, schrieb er an seinen Freund Nicolai im November 1756. Der Aufgabe, diese allgemeine Menschenliebe zu erreichen, ordnete Lessing letztlich alle künstlerischen Gesichtspunkte unter. Seine »Mitleidsästhetik« verlangt deshalb eine anschauliche und eindringliche Darstellung, so daß die Illusion entsteht, unmittelbar am Geschehen beteiligt zu sein. Die Forderung nach natürlichen Menschen, die im wirklichen Leben auch nie einseitig, sondern »gemischt« sind aus guten und schlechten Eigenschaften, aus sanften und leidenschaftlichen Gefühlen, ergab sich daraus von selbst. »Vom gleichen Schrot und Korne« wie der Leser oder Zuschauer, vom gleichen Stand also sollten die Figuren sein, um durch ähnliche Erfahrungen die Identifikation aufrechtzuerhalten. Lessing glaubte an eine natürliche Moralität des Menschen, die es immer »rege zu halten« gälte, damit aus der vernunftmäßigen Einsicht dauerndes tugendhaftes Verhalten würde.

Lessing hat keine systematische Poetik geschaffen, seine kunsttheoretischen Gedanken entwickelte er vor allem als Kritiker, d.h. ausgehend von Neuerscheinungen auf dem Buchmarkt, den Theateraufführungen am Hamburger Nationaltheater oder auch von der antiken ›Laokoon‹-Gruppe. Engagiert bis zur Leidenschaft, scharfsinnig, in geschliffener Prosa trug er seine ästhetischen Betrachtungen vor, wobei er immer wieder aufs anschauliche Beispiel zurückkam.

Um eine möglichst hohe Identifikation mit dem jeweiligen Kunstgegenstand zu erreichen, kam es Lessing auf »Wahrheit und Ausdruck« an, durch welche selbst »das Häßliche der Natur in ein Schönes der Kunst verwandelt werde« (›Laokoon‹ III). Maß und Regel, diese Schönheit zu erzeugen, hängen bei ihm von der einzelnen Kunstgattung und ihren spezifischen Darstellungsmitteln ab und sind nicht untereinander vergleichbar. Damit verwarf Lessing nicht nur die Vorstellung von der malenden Dichtung, die noch für Bodmers und Breitingers Poetik fundamental war, sondern griff Grundpositionen der zeitgenössischen Ästhetik an, die von einem übergeordneten Begriff der Schönheit ausging, für den die Antike das Maß gesetzt hatte.

Johann Joachim Winckelmann (1717–1768) war einer der enthusiastischsten Vermittler jener Idealität der griechischen Kunst. An die Renaissance anknüpfend, verurteilte er den übertriebenen, manierierten, unruhigen »Ausdruck« in Barock und Rokoko und forderte eine Erneuerung der Kunst durch die Nachahmung der Alten.

Winckelmann ging von der sinnlichen Erfahrung der Schönheit aus, die er im Kunstwerk vollkommener als in der Natur zu finden glaubte, da der Künstler die in der Natur vorhandenen Einzelschönheiten gewissermaßen als Summe darstellen könne. Für ihn vereinten sich »Natur« und »Ideal« auf besondere Weise in den griechischen Plastiken, denn das Idealische sei dort nicht aus einer abstrakten Idee, sondern aus der Anschauung der Natur und eigener »Weltweisheit« gewonnen. Die vollkommene künstlerische Darstellung erklärte er aus der Idealität des schöpfenden Künstlers, der da nur nachbilden könne, was er in sich selbst besäße; »edle Einfalt« und »stille Größe«, wie sie Winckelmann in den Meisterwerken griechischer Kunst fand, kennzeichneten für ihn auch Charakter und Lebensstil des griechischen Menschen. Mit dieser Vorstellung einer idealen Humanität des Griechentums prägte Winckelmann entscheidend die deutsche Klassik und Romantik.

In seiner kunsttheoretischen Schrift ›Gedanken über die Nachahmung der griechischen Werke in Mahlerei und Bildhauer-Kunst‹ (1755) steht der paradox klingende Satz: »Der einzige Weg für uns, groß, ja, wenn's möglich ist, unnachahmlich zu werden, ist die Nachahmung der Alten.« Damit meinte Winckelmann nicht bloßes Kopieren, sondern er forderte den Künstler auf, »den wahren Charakter« der Griechen zu empfinden und zu erkennen, um in diesem Geist dann Eigenes zu schaffen.

Bahnbrechend für die Dichtungstheoretiker der Folgezeit war Winckelmanns Verständnis der Alten. Er verließ die traditionelle Antikenrezeption des französischen Klassizismus, der sich als Nachfolge des romanischen Humanismus verstanden und hauptsächlich auf die römische Klassik bezogen hatte, und wandte seine Aufmerksamkeit und Begeisterung ausschließlich auf die griechischen Originale. In seinem großen kunstwissenschaftlichen Werk ›Geschichte der Kunst des Altertums‹, 1764 erschienen, stellte er zum erstenmal Kunstgeschichte im Ablauf von Zeiten und Epochen, als einen nach organischen Gesetzmäßigkeiten ablaufenden Vorgang dar; damit gab er Herder und Goethe, wie noch zu zeigen sein wird, entscheidende Denkanstöße. Auf Winckelmann geht der Philhellenismus des 18. und 19. Jahrhunderts zurück, der letztlich auch die Idee des humanistischen Gymnasiums ins Leben rief und der im Weltbild des Bildungsbürgertums, soweit dies noch besteht, bis heute eine Rolle spielt. Mit der Darstellung und systematischen stilgeschichtlichen Einordnung antiker Denkmäler wurde Winckelmann zum Begründer der antiken Kunstgeschichte und der klassischen Archäologie.

Weisheit und Harmonieempfinden sprächen aus dem Kunstschaffen der alten Griechen, sagt Winckelmann; ihre Figuren seien deshalb edel und groß, weil sie über alle wilde Leidenschaft erhaben, in gefaßter Stellung dargestellt seien. »Je ruhiger der Stand des Körpers ist, desto geschickter ist er, den wahren Charakter der Seele zu schildern: in allen Stellungen, die von dem Stande der Ruhe zu sehr abweichen, befindet sich die Seele nicht in dem Zustande, der ihr der eigentlichste ist, sondern in einem gewaltsamen und erzwungenen Zustande. Kenntlicher und bezeichnender wird die Seele in heftigen Leidenschaften; groß aber und edel ist sie in dem Stande der Einheit, in dem Stande der Ruhe.«

Als Beispiel für seine Interpretation führte Winckelmann die berühmte antike ›Laokoon‹-Gruppe an. Im Gegensatz zu Vergil, der Laokoon beim Anblick seiner von den Schlangen getöteten Kinder in ein »schreckliches Geschrey« ausbrechen ließ, habe der Bildhauer Laokoons Schmerz gemäßigt, ihm in Stellung und Gesichtsausdruck eine stoische Haltung mitgegeben: »sein Elend gehet uns bis an die Seele; aber wir wünschten, wie dieser große Mann, das Elend ertragen zu können.« Mäßigung, Ruhe, Erhabenheit – diese Eigenschaften machten für die Griechen die Schönheit eines Kunstwerks aus. Die Schönheit sei der bestimmende Maßstab gewesen, sie legte das Sittliche fest – nie umgekehrt.

1766 antwortete Lessing auf Winckelmanns Schrift mit seiner (Fragment gebliebenen) Arbeit ›Laokoon oder die Grenzen der Mahlerey und Poesie‹. Von der gleichen Feststellung wie Winckelmann ausgehend, daß in der Plastik Laokoons Ausdruck im Gegensatz zu Vergils Beschreibung gemildert sei, entwickelte er, Schritt für Schritt nach den Ursachen fragend, die Theorie von der Eigengesetzlichkeit der verschiedenen Kunstgattungen: Während der ungehemmte Affekt in der Dichtung wie in der Wirklichkeit rasch abgelöst werde von anderen Eindrücken, halte die Plastik einen einzigen Augenblick für immer fest; daher dürfe der bildende Künstler nicht den Moment der höchsten Leidenschaft fixieren, weil dieser bei dauernder Betrachtung unwahr werde, da er nicht vorübergehe, und Ekel bzw. Langeweile erzeuge. Um die Einbildungskraft des Betrachters anzuregen, wähle der große Künstler daher nicht den Augenblick der höchsten Empfindung, sondern einen, der die letzte Steigerung noch erwarten lasse oder bereits überschritten habe.

Daraus folgerte Lessing: Da Sprache etwas Fortlaufendes, ein *Nacheinander* von Worten und Inhalten sei, müsse die Dichtkunst auch Zustände in Handlungen und Abläufe umsetzen; Homer z. B. erreiche sein Ziel poetischer Illusion vollkommen, wenn er Helenas Schönheit aus ihrer Wirkung auf die alten Männer Trojas beschreibe, anstatt ihr Aussehen abzuschildern. Die Ausdrucksmittel von Malerei und Plastik dagegen seien Farben, Flächen und Formen, ihre Gegenstände müßten in ihrem räumlichen *Nebeneinander* im »fruchtbarsten« Augenblick dargestellt werden, in dem Vergangenes und Zukünftiges gleichermaßen gegenwärtig seien.

Die Vermischung der Künste, wie sie mit dem Schlagwort *ut pictura poesis* (wie ein Gemälde sei die Dichtung) traditionell gefordert wurde, griff Lessing also entschieden an. Am Beispiel von Hallers Blumenbeschreibung in dessen Lehrgedicht ›Die Alpen‹ (s. S. 47 ff.), die Breitinger seinerzeit als Musterbeispiel »poetischer Mahlerey« gelobt hatte, führt Lessing noch einmal die verschiedenen Wirkungsweisen von Malerei und Poesie vor: Das Ganze der Natur, das ja das Auge in einem Blick überschaue, werde bei Haller in Einzelteile aufgelöst, die im Augenblick hervorstächen und sich kaum beim Lesen so rasch wieder zu einem Bild zusammenfügen ließen, daß die »Täuschung« eines Ganzen entstünde. Gemälde körperlicher Gegenstände in der Dichtkunst bezeichnete Lessing als »frostiges Spielwerk, ... zu welchem wenig oder gar kein Genie gehöret«.

Lessing hatte nicht etwa als erster erkannt, daß Malerei und Dichtung zu unterscheidende Kunstgattungen seien; sein Verdienst war die systematische Darlegung und Darstellung dieser Erkenntnisse, die heute so ganz selbstverständlich erscheinen.

Die Entwicklung der Kunsttheorie im 18. Jahrhundert ist eine Kette von wechselseitigen Anregungen, Übernahmen und kritischen Urteilen; so haben sich mit Winckelmann und Lessing wieder andere Philosophen und Literaten auseinandergesetzt. Auf den für die Literaturgeschichte bedeutendsten, Johann Gottfried Herder, wird zu Beginn des Abschnittes über den »Sturm und Drang« ausführlich eingegangen werden.

Im ganzen aber traten in der Hochaufklärung neben die wissenschaftlich-akademische Diskussion in immer stärkerem Maße die Dichtungen selbst und führten die mannigfach erweiterten Möglichkeiten vor, die der empfindsame Individualismus bot. Klopstock und Wieland, die beide von Bodmer in ihren Anfängen gefördert wurden, führten die lyrische bzw. die epische Dichtung des 18. Jahrhunderts auf einen neuen Höhepunkt, Lessing schuf mit seinen Dramen Weltliteratur. Hatte Gottsched den Bürger für mündig erklärt, Literatur zu beurteilen, und dabei vor allem seine Vernunft angesprochen, so erreichten die empfindsamen Dichter eine beachtliche Popularisierung von Literatur, da sie auch die Gefühle ihrer Leser mobilisierten.

II. Die lyrische Dichtung

2.1 Lyrik der Aufklärung

Die Lyrik der Aufklärung hat eine öffentlich-gesellschaftliche Funktion, genügt sich also noch nicht als ästhetisches Kunstwerk oder Selbstaussage des lyrischen Ich, wie sie Johann Christian Günther am Ende der Barockzeit, verfrüht und unverstanden, versucht hatte. Im 17. Jahrhundert in den Dienst der höfisch-fürstlichen Repräsentation gestellt, sollte die Poesie nun, im »bürgerlichen Zeitalter«, den Menschen belehren und erziehen.

In Lehrgedichten – Essays und Abhandlungen in Versform – wurden Erkenntnisse und Ideen der Zeit verbreitet, wurde »aufgeklärt«: Der Themenkatalog reicht von der Theodizee (der philosophisch-theologischen Abhandlung ›Vom Ursprung des Übels‹ in dieser besten aller Welten), über naturwissenschaftliche Fragen (›Philosophisches Gedicht von den Kometen‹) und ethische Anliegen wie Tugend und Freundschaft bis hin zu juristischen Problemen und ganzen poetischen Systemen; selbst über die Bewässerung von Wiesen, über Baumzucht, Jagd, Fischfang oder die Pockenimpfung gibt es Lehrgedichte. Mit der neuen didaktischen Funktion aber änderten sich nicht nur die Themen, sondern auch Form und Sprache der Gedichte: Der pathetische Ton und die rhetorische Brillanz, um die sich die Barockpoeten bemühten, traten zurück; wenn »vernünftig« belehrt werden soll, muß die Sprache einfach, klar und anschaulich sein.

Barthold Hinrich Brockes

Der Begründer des Lehrgedichts in Deutschland war der Hamburger Patrizier und Gelehrte Barthold Hinrich Brockes (1680–1747). Sein Hauptwerk erschien in neun Teilen zwischen 1721 und 1748: ›Irdisches Vergnügen in Gott, bestehend aus physikalisch= und moralischen Gedichten‹. Schon der Titel zeigt das aufklärerische Programm: Zuwendung zur konkret-physikalischen Natur, Vergnügen und moralische Besserung als Zweck der Dichtung. Das Irdische ist für Brockes nun nicht mehr Sinnbild der Vergänglichkeit, wie noch dem Barock, sondern primär Gegenstand naturwissenschaftlich-empirischer Betrachtung, der sich in Millionen Einzelphänomene zerlegen läßt:

Wenn man einen Cörper nimmt, der nicht mehr als ein Daum
In der Fläch' an Länge hat; trifft man leichtlich so viel Raum,
Auf desselben Fläche an; Das man ihn in hundert Theile, welche
    sichtbar, theilen kann.
Wenn nun dieser Zoll ins Viereck, wie ein Würffel, wird genommen;
Wird man, in desselben Inhalt, an der Breite, Dick' und Länge
Von dergleichen Würffelchen eine wundersame Menge,
Nehmlich, nach der Meß-Kunst Regeln, eine Million bekommen,
Solcher, die noch alle sichtbar. Wenn wir nun, mit vieler Müh,
Eine Spitze von der Nadel schärffen, und so spitzig wetzen,
Als des kleinsten Würffels Breite ...

Nachdem Brockes dargelegt hat, in wie unendlich viele Teilchen
Wasser durch Verdampfen zerlegt werden kann, er also gewissermaßen ein Experiment beschrieben hat, folgt die Wendung zu
Gottes höchster Vernunft, der dies alles geschaffen hat und beherrscht:

Hier erstaunen wir mit Recht, wenn wir ernstlich überlegen,
Welch ein' unumschränckte Macht, Lieb' und Weisheit in der
    Führung
Solcher ungezehlten Theilchen, in der richtigen Regierung,
Billig zu verehren sey; da Er, eh' ein Tropfen Regen
Auf die Erd' herunter fällt; so viel Millionen Theile
Dazu dienstbar machen kann, solche Menge dazu nimmt,
Und solch ungezehlte Zahl uns zum Nutz dazu bestimmt.

Brockes war von der reflektierenden und argumentierenden Lyrik
des Engländers Alexander Pope, dessen didaktische Dichtung ›Es-
say on Man‹ er später auch übersetzte, zu eigenen Versuchen angeregt worden. Der englische Sensualismus, der die sinnliche Erfahrung als Voraussetzung aller geistigen Erkenntnis ansah, prägte
seine Gedichte. Brockes setzte alle Sinne – Augen, Ohren, Nase
und Geschmack – ein, um eine Einzelheit zu erfassen, ordnete und
erklärte das Beobachtete mittels seines Verstandes und schloß daraus auf Gottes Güte und Allmacht. Das Vollkommene ist das
Vernünftige, hatte Christian Wolff erklärt, und so wird für Brokkes die Vollkommenheit der Schöpfung zum Beweis der höchsten
Vernunft Gottes – wenn sie der Mensch nur recht wahrzunehmen
vermag. Jede Pflanze, jeder Käfer, jedes Staubkorn kann im Kleinen die sinnvolle Ordnung und Schönheit der Natur lehren; selbst
eine Leiche unter dem Seziermesser stellt sich als Wunderwerk
und »Meisterstück der bildenden Natur« dar; spontane Gefühle
wie Ekel und Grauen erweisen sich im Lichte des Erkennens als
falsch und unvernünftig.

»Irdisches Vergnügen« meint bei Brockes auch ein heiteres Sich-Begnügen in dem begrenzten Dasein, für das sein Garten steht. (Mörike, der Brockes sehr geschätzt hat, drückt mit seinem »holden Bescheiden« eine ähnliche Haltung aus.) Mit der Idylle des Schrebergartens hat seine liebevoll-naive Welterfassung jedoch nichts zu tun, eher mit pietistischer Frömmigkeit und Innigkeit. Eines seiner bekanntesten und schönsten Gedichte ist die ›Kirschblüte bei der Nacht‹; trotz seiner belehrenden Absicht wirkt die Rührung aus dem Glauben des Dichters überzeugend.

Kirschblüte bei der Nacht

Ich sahe mit betrachtendem Gemüte
Jüngst einen Kirschbaum, welcher blühte,
In kühler Nacht beim Mondenschein;
Ich glaubt', es könne nichts von größrer Weiße sein.
Es schien, ob wär ein Schnee gefallen.
Ein jeder, auch der kleinste Ast
Trug gleichsam eine rechte Last
Von zierlich-weißen runden Ballen.
Es ist kein Schwan so weiß, da nämlich jedes Blatt,
Indem daselbst des Mondes sanftes Licht
Selbst durch die zarten Blätter bricht,
Sogar den Schatten weiß und sonder Schwärze hat.
Unmöglich, dacht ich, kann auf Erden
Was Weißers angetroffen werden.

Indem ich nun bald hin, bald her
Im Schatten dieses Baumes gehe,
Sah ich von ungefähr
Durch alle Blumen in die Höhe
Und ward noch einen weißern Schein,
Der tausendmal so weiß, der tausendmal so klar,
Fast halb darob erstaunt, gewahr.
Der Blüte Schnee schien schwarz zu sein
Bei diesem weißen Glanz. Es fiel mir ins Gesicht
Von einem hellen Stern ein weißes Licht,
Das mir recht in die Seele strahlte.

Wie sehr ich mich im Irdischen ergetze,
Dacht ich, hat Er dennoch weit größre Schätze.
Die größte Schönheit dieser Erden
Kann mit der himmlischen doch nicht verglichen werden.

Das Gedicht wirkt, trotz aller spürbaren Bewunderung, kühl wie die Mondnacht, die hier beschrieben wird. Der Verstand und die Sinne leiten die Wahrnehmung des Dichters; »fast halb darob er-

staunt« ist die einzige Formulierung, die eine Gemütsregung ausdrückt.

Brockes bemüht sich, die Blütenfülle in dem filigranen Astwerk
des Baumes genau zu beschreiben. Die Vergleiche mit dem Schnee,
dann mit dem Schwan als Symbolen der Reinheit und Weiße erinnern an die Dichtung des Barock, ebenso das Oxymoron des »weißen Schattens«. Aber anders als im Barock löst die Schönheit der
Natur hier einen Denkprozeß aus: »Unmöglich, dacht ich, kann
auf Erden / Was Weißers angetroffen werden.« Der Dichter schaut
nun wie »von ungefähr« nach oben und nimmt dort einen noch
»weißern Schein« wahr: das wiederholte »tausendmal« drückt die
Unbeschreibbarkeit dieses Glanzes aus. Gott ist das Licht, heißt es
schon in der Bibel. Die Erkenntnis, daß Gott so viel mehr vermag
als alle irdische Macht und Schönheit, erhellt die Seele des Menschen, verschafft ihm Glaubensgewißheit. Deutlich ist in den letzten Zeilen die Moral abgesetzt: »Wie sehr ich mich im Irdischen
ergetze, / Dacht ich, hat Er dennoch weit größre Schätze.« Die
Natur ist geschaffen zum Vergnügen, als »Besitz« des Menschen,
der Krönung der Schöpfung. Gott wird nicht mystisch erfüllt,
sondern durch den Besitz noch »größrer Schätze« gedanklich als
dem Menschen überlegen eingeordnet. Die Frömmigkeit Brockes'
hat ihre Wurzeln und ihren Halt im Diesseits.

Die Prosanähe der freien Verse, vor allem in den erzählenden
Zeilen (»Indem ich nun bald hin, bald her...«), hat die strenge
Form des Barockgedichts abgelöst; auch der Verzicht auf eine
strophische Gliederung dient der Ausrichtung des Gedichts auf
seinen didaktischen Höhepunkt.

Naturbeschreibungen sind Brockes' Gedichte, nicht Naturerleb-
nisse. Zwischen Natur und Betrachter herrscht Distanz; das Gemüt ist nur insoweit in die Beobachtung einbezogen, als es zufrieden, ruhig und gewiß auf die Geborgenheit in der *harmonia mundi*
vertraut (Breitinger spricht von Brockes' »poetischer Gefühlslo-
gik«). Auch wenn die immer gleiche Methode des physiotheologi-
schen Gottesbeweises in den vielen hundert Gedichten auf Dauer
ermüdet, kommt Brockes das Verdienst zu, der deutschen Natur-
lyrik den Weg bereitet zu haben.

Wegen seiner klaren, genauen Sprache und der didaktischen
Ausrichtung seiner Gedichte wurde Brockes für Gottsched zu einem Musterpoeten aufklärerischer Lyrik, während Bodmer und
Breitinger ihren Landsmann Haller als vorbildhaft priesen, der
seine Reflexionen mit assoziationskräftigen kühnen Bildern verband und dadurch auch das Gemüt und die Phantasie ansprach.

Albrecht von Haller

Albrecht von Haller (1708–1777) war in erster Linie Naturwissenschaftler, enzyklopädisch gebildet wie kaum ein anderer in seiner Zeit. Den Optimismus der Aufklärung konnte er nicht teilen: Zweifel am Sinn und den Möglichkeiten der Wissenschaft quälten ihn zeit seines Lebens; den Offenbarungsglauben konnte er, der vernünftig-kritische Wissenschaftler, auch nicht mehr übernehmen. Über der Unvereinbarkeit von Wissen und Glauben wurde er düster und schwermütig.

Während Brockes die Natur quasi als »Demonstrationsmaterial« für seine von vornherein feststehenden Gottesbeweise nahm, war sie für Haller Folie seiner kulturphilosophischen Reflexionen (darin wurde er zum Vorbild für Schiller). Die zehnzeiligen Strophen seines fast 500 Verse umfassenden Lehrgedichts ›Die Alpen‹ (1732) führen jeweils ein in sich geschlossenes »Gemälde« vor, das am Ende eine allgemeine Erkenntnis formuliert. Die gedankliche Pointierung am Schluß sowie der Alexandrinervers, den Haller benutzte, weil er sich seiner Ansicht nach besonders für den systematischen Aufbau des Lehrgedichts eignete, stammen aus der Barockdichtung; Haller entschuldigt sich im Vorwort auch dafür, daß seinen Reimen noch »viele Spuren des Lohensteinischen Geschmacks« anhafteten.

›Die Alpen‹ sind ein Lehrgedicht, aber neben der Beobachtung will Haller auch Empfindung mitteilen, neben der Moral eine Idee vermitteln. Die dunkle, »malende« Sprache seiner poetischen Bilder, die die Gottschedianer so tadelten, ist Ausdruck seiner persönlichen Anteilnahme. Doch Haller – der Begründer der experimentellen Physiologie – war auch Wissenschaftler, der belehren wollte: Der Leser sollte nicht allein überzeugt werden, sondern die Bilder auch verstehen. Deshalb versah Haller sein Gedicht mit Anmerkungen, in denen er Vergleiche und Metaphern erläuterte, deshalb machte er genaue Angaben über Land und Leute. Die Zwitterhaftigkeit der Lehrgedichte, die Poesie und Wissensvermittlung in einem waren, wird hier besonders deutlich.

Eine botanische Exkursion in die Schweizer Alpen, die Haller im Sommer 1728 unternahm, regte ihn zu seinem Lehrgedicht an; auf die Ausführung, die er selbst als beschwerlich empfand, wandte er die »Nebenstunden vieler Monate«.

Die Alpen

Versuchts, ihr Sterbliche, macht euren Zustand besser,
Braucht, was die Kunst erfand und die Natur euch gab;
Belebt die Blumen-Flur mit steigendem Gewässer,

Teilt nach Korinths Gesetz gehaune Felsen ab;
Umhängt die Marmor-Wand mit persischen Tapeten,
Speist Tunkins Nest* aus Gold, trinkt Perlen aus Smaragd,
Schlaft ein beim Saitenspiel, erwachet bei Trompeten,
Räumt Klippen aus der Bahn, schließt Länder ein zur Jagd;
Wird schon, was ihr gewünscht, das Schicksal unterschreiben,
Ihr werdet arm im Glück, im Reichtum elend bleiben.

Wann Gold und Ehre sich zu Clives** Dienst verbinden,
Keimt doch kein Funken Freud in dem verstörten Sinn,
Der Dinge Wert ist das, was wir davon empfinden;
Vor seiner teuren Last flieht er zum Tode hin.
Was hat ein Fürst bevor, das einem Schäfer fehlet?
Der Zepter ekelt ihm, wie dem sein Hirten-Stab.
Weh ihm, wann ihn der Geiz, wann ihn die Ehrsucht quälet,
Die Schar, die um ihn wacht, hält den Verdruß nicht ab.
Wann aber seinen Sinn gesetzte Stille wieget,
Entschläft der minder sanft, der nicht auf Eidern lieget?

Beglückte güldne Zeit, Geschenk der ersten Güte,
Oh, daß der Himmel dich so zeitig weggerückt!
Nicht, weil die junge Welt in stetem Frühling blühte
Und nie ein scharfer Nord die Blumen abgepflückt;
Nicht, weil freiwillig Korn die falben Felder deckte
Und Honig mit der Milch in dicken Strömen lief;
Nicht, weil kein kühner Löw die schwachen Hürden schreckte
Und ein verirrtes Lamm bei Wölfen sicher schlief;
Nein, weil der Mensch zum Glück den Überfluß nicht zählte,
Ihm Notdurft Reichtum war und Gold zum Sorgen fehlte!

Ihr Schüler der Natur, ihr kennt noch güldne Zeiten!
Nicht zwar ein Dichterreich voll fabelhafter Pracht;
Wer mißt den äußern Glanz scheinbarer Eitelkeiten,
Wann Tugend Müh zur Lust und Armut glücklich macht?
Das Schicksal hat euch hier kein Tempe zugesprochen,
Die Wolken, die ihr trinkt, sind schwer von Reif und Strahl;
Der lange Winter kürzt des Frühlings späte Wochen,
Und ein verewigt Eis umringt das kühle Tal;
Doch eurer Sitten Wert hat alles das verbessert,
Der Elemente Neid hat euer Glück vergrößert.

Wohl dir, vergnügtes Volk! o danke dem Geschicke,
Das dir der Laster Quell, den Überfluß, versagt;
Dem, den sein Stand vergnügt, dient Armut selbst zum Glücke,
Da Pracht und Üppigkeit der Länder Stütze nagt.
Als Rom die Siege noch bei seinen Schlachten zählte,
War Brei der Helden Speis und Holz der Götter Haus;
Als aber ihm das Maß von seinem Reichtum fehlte,

* (Gemeint sind die chinesischen Schwalbennester aus Tongking.)
** (Lord Clive, der Eroberer Indiens.)

Trat bald der schwächste Feind den feigen Stolz in Graus.
Du aber hüte dich, was Größres zu begehren.
Solang die Einfalt daurt, wird auch der Wohlstand währen.

...

Zwar die Gelehrtheit feilscht hier nicht papierne Schätze,
Man mißt die Straßen nicht zu Rom und zu Athen,
Man bindet die Vernunft an keine Schulgesetze,
Und niemand lehrt die Sonn in ihren Kreisen gehn.
O Witz! des Weisen Tand, wann hast du ihn vergnüget?
Er kennt den Bau der Welt und stirbt sich unbekannt;
Die Wollust wird bei ihm vergällt und nicht besieget,
Sein künstlicher Geschmack beekelt seinen Stand;
Und hier hat die Natur die Lehre, recht zu leben,
Dem Menschen in das Herz und nicht ins Hirn gegeben.

Hallers Stil ist erhaben-feierlich, und erst bei genauerem Lesen
entschlüsseln sich Bild und Sinn. Durch Häufung der Substantive
bekommen die Verse ihre Wucht, ihr strenges Pathos (besonders
wenn ihnen der Genitiv vorangestellt ist, wie gleich zu Beginn bei
»Korinths Gesetz«, »Tunkins Nest«); auch die Metapherketten
und Hallers Vorliebe zu reihen (»Versuchts, Braucht, Belebt...«)
erinnern an den Barock. Der Alexandriner mit seiner Mittelzäsur
unterstreicht die antithetisch-rhetorische Tendenz des Gedichts.
Alle formale Verwandtschaft zum Barock darf jedoch nicht darüber hinwegtäuschen, daß Hallers Gedankenlyrik eindeutig didak-
tisch-moralischen Charakter hat. Die gelehrte Barockdichtung war
ein Spiel mit erlerntem Wissen, das analytische Lehrgedicht der
Aufklärung dagegen schöpfte aus der Wissenschaft und »Weltweisheit«, um den Leser weiterzubilden.

Die Naturschilderung verband Haller mit einer moralisch-philosophischen Idee. Schönheit und Erhabenheit der Alpenlandschaft
stimmen für ihn überein mit dem tugendhaften naturbezogenen
Leben der Bevölkerung, deren Weltabgeschiedenheit dem Dichter
als Idylle des »Goldenen Zeitalters« erscheint. Diese heile Natur-
welt kontrastiert er mit der sittenlosen städtischen Zivilisation und
dem Macht- und Prachtbedürfnis des Hofes. Haller nahm den
Gedanken Rousseaus vorweg, daß die Zivilisation den Menschen
verdorben habe, und nur das natürliche Leben wahres Glück ge-
währen könne – ohne jedoch schon sozialpolitische Folgerungen
daraus zu ziehen.

Im Kontrast verdeutlichen sich die Positionen; so malte Haller
die Unmoral aller Überfeinerung, allen Überflusses und Müßig-
gangs lebhaft aus und pries dagegen die bürgerlichen Tugenden:
Fleiß, Bescheidenheit, Gemeinschaftssinn usw. »Gesetzte Stille«,

nicht Aufbegehren predigt dieser Tugendkanon, ein Sich-Abfinden mit dem von Gott verhängten Geschick: »Dem, den sein Stand vergnügt, dient Armut selbst zum Glücke.« Auch vor übertriebener Vernunftgläubigkeit und dem Dünkel der Schulweisheit warnt der Gelehrte Haller seine bildungsbesessenen Zeitgenossen, lenken solche Beschäftigungen doch davon ab, sich selbst und Gott zu suchen. Gegen die theoretischen Erfahrungen des Gelehrten setzt er die Erfahrenheit des naiven Menschen, der noch weiß, gottgerecht zu leben, weil er Gesetze und Ordnung der Natur mit dem Herzen, nicht mit dem »Hirn« allein versteht.

Die folgenden Verse, in denen Haller den nie ganz zu ergründenden Schatz der Natur zu beschreiben sucht, insbesondere die Strophe »Dort ragt das hohe Haupt am edlen Enziane...«, hat Breitinger als vorbildlich für die von ihm geforderte »poetische Mahlerey« bezeichnet. Besser als »die genaueste historische Beschreibung eines Botanici oder auch die ähnlichste Zeichnung eines Mahlers« gelinge es Haller hier, unsere Sinne und Einbildung zu bezaubern, so daß wir »die Sachen in der Natur gegenwärtig vor uns« sähen. (Dieses positive Urteil greift später Lessing in seinem ›Laokoon‹-Aufsatz an; er meint, »Linien und Farben auf der Fläche« des Bildes drückten mehr aus als die Poesie, die die verschiedenen Einzelheiten der Natur nur nacheinander schildern, nicht aber im Augenblick »ein Ganzes fügen« könne, wie es die Malerei vermöge; s. S. 40f.) Auch Haller beschreibt neben dem großartigen Gebirgspanorama Blumen und Kräuter in feinsten Details, aber anders als bei dem Garten-Dichter Brockes ist sein Sprechen gedrängt und tiefsinnig.

Doch wer den edlern Sinn, den Kunst und Weisheit schärfen,
Durchs weite Reich der Welt empor zur Wahrheit schwingt,
Der wird an keinen Ort gelehrte Blicke werfen,
Wo nicht ein Wunder ihn zum Stehn und Forschen zwingt.
Macht durch der Weisheit Licht die Gruft der Erde heiter,
Die Silber-Blumen trägt und Gold den Bächen schenkt;
Durchsucht den holden Bau der buntgeschmückten Kräuter,
Die ein verliebter West mit frühen Perlen tränkt:
Ihr werdet alles schön und doch verschieden finden
Und den zu reichen Schatz stäts graben, nie ergründen!

Wann dort der Sonne Licht durch fliehnde Nebel strahlet
Und von dem nassen Land der Wolken Tränen wischt,
Wird aller Wesen Glanz mit einem Licht bemalet,
Das auf den Blättern schwebt und die Natur erfrischt;
Die Luft erfüllet sich mit reinen Ambra-Dämpfen,
Die Florens bunt Geschlecht gelinden Westen zollt;
Der Blumen scheckicht Heer scheint um den Rang zu kämpfen,

Ein lichtes Himmel-Blau beschämt ein nahes Gold;
Ein ganz Gebürge scheint, gefirnißt von dem Regen,
Ein grünender Tapet, gestickt mit Regenbögen.

Dort ragt das hohe Haupt am edlen Enziane
Weit übern niedern Chor der Pöbel-Kräuter hin;
Ein ganzes Blumen-Volk dient unter seiner Fahne,
Sein blauer Bruder selbst bückt sich und ehret ihn.
Der Blumen helles Gold, in Strahlen umgebogen,
Türmt sich am Stengel auf und krönt sein grau Gewand;
Der Blätter glattes Weiß, mit tiefem Grün durchzogen,
Bestrahlt der bunte Blitz von feuchtem Diamant;
Gerechtestes Gesetz! daß Kraft sich Zier vermähle;
In einem schönen Leib wohnt eine schönre Seele.

Hier kriecht ein niedrig Kraut, gleich einem grauen Nebel,
Dem die Natur sein Blatt in Kreuze hingelegt;
Die holde Blume zeigt die zwei vergüldten Schnäbel,
Die ein von Amethyst gebildter Vogel trägt.
Dort wirft ein glänzend Blatt, in Finger ausgekerbet,
Auf eine helle Bach den grünen Widerschein;
Der Blumen zarten Schnee, den matter Purpur färbet,
Schließt ein gestreifter Stern in weiße Strahlen ein;
Smaragd und Rosen blühn auch auf zertretner Heide,
Und Felsen decken sich mit einem Purpur-Kleide.

Haller öffnete den Blick für die erhabene Schönheit der Alpenlandschaft, die vordem nur eine Schrecken erregende Barriere vor
dem Reiseziel Italien gewesen war. (Die Dichter des Sturm und
Drang, der »Geniezeit«, fanden in den wild aufgetürmten Felsmas-
siven ihre titanenhaft empfundene Kraft gespiegelt.) Bereits zu
Lebzeiten Hallers erlebten ›Die Alpen‹ ein Dutzend Auflagen, so
groß war ihr Erfolg.

Das Lehrgedicht als Ausdruck des Vernunftoptimismus der
Aufklärung hält sich das ganze 18. Jahrhundert über (noch Goethes ›Metamorphosen‹ stehen in dieser Tradition); seine Blütezeit
liegt etwa zwischen 1720 und 1750. Dann beginnen sich deutlich
Einflüsse der eher empfindsamen Engländer James Thomson
(1700–1748) und Edward Young (1683–1765) durchzusetzen, so
daß es seine streng beschreibende und erzieherische Ausrichtung
immer mehr verliert. Brockes hatte schon 1745 Teile aus Thomsons ›Seasons‹ übersetzt, in denen der Gang durch die Jahreszeiten
auch mit seelischen Empfindungen verbunden wird.

Ewald Christian von Kleist

In Ewald Christian von Kleists (1715–1759) Lehrode ›Der Frühling‹ (1748) lassen sich Einflüsse Thomsons, ebenso von Hallers ›Alpen‹ erkennen; auch finden sich Merkmale der ab 1740 aus Frankreich herüberdrängenden Rokokolyrik (auf die später eingegangen wird) in dem Gedicht, das dennoch eine ganz eigene Schönheit und Sprachgewalt entfaltet.

Der Frühling

Empfang mich, schattiger Hain voll hoher grüner Gewölbe!
Empfang mich! Fülle mit Ruh und holder Wehmut die Seele!
Führ mich in Gängen voll Nacht zum glänzenden Throne der Tugend,
Der um sich die Schatten erhellt! Lehr mich, den Widerhall reizen
Zum Ruhm verjüngter Natur! Und ihr, ihr lachenden Wiesen,
Ihr holde Täler voll Rosen, von lauten Bächen durchirret,
Mit euren Düften will ich in mich Zufriedenheit ziehen
Und, wenn Aurora euch weckt, mit ihren Strahlen sie trinken.
Gestreckt im Schatten, will ich in güldne Saiten die Freude,
Die in euch wohnet, besingen. Reizt und begeistert die Sinnen,
Daß meine Töne die Gegend wie Zephirs Lispeln erfüllen
Und wie die rieselnden Bäche!

Auf rosenfarbnem Gewölke, bekränzt mit Tulpen und Veilchen,
Sank jüngst der Frühling vom Himmel. Aus seinem Busen ergoß sich
Die Milch der Erden in Strömen. Schnell rollte von Hügel und Bergen
Der Schnee in Haufen herab, und Felder wurden zu Seen. – – –
Allmählich versiegte die Flut. Von eilenden Dünsten und Wolken
Flohn junge Schatten umher. Es schien der Himmel erweitert
Und war voll Schimmer und Strahlen. Zwar streute der weichende Winter
Noch oft bei nächtlicher Umkehr von den geschüttelten Flügeln
Reif, Eis und Schauer von Schnee; noch ließen wütrische Stürme
Die rauhe, dumpfigte Stimm aus Islands Gegend ertönen,
Durchstreiften klagende Klüfte, verheerten taumelnde Wälder
Und bliesen Schrecken und Furcht herum, Verderben und Kälte.
Doch endlich siegte der vor noch ungesicherte Frühling.
Die Luft ward sanfter, es deckt' ein bunter Teppich die Felder,
Die Schatten wurden belaubt, ein sanft Getöne erwachte
Und floh und wirbelt' umher im Hain voll grünlicher Dämmrung;
Die Bäche färbten sich silbern, im Luftraum flossen Gerüche
Und Echo höret im Grunde die frühe Flöte des Hirten.

. . .

Hier, wo der spitzige Fels, bekleidet mit Sträuchern und Tannen,

Zur Hälfte den bläulichen Strom, sich drüber neigend, beschattet,
Will ich ins Grüne mich setzen auf seinen Gipfel und um mich
Tal und Gefilde beschauen. O welch ein frohes Gewühle
Belebt das streifigte Land! Wie lieblich lächelt die Anmut
Aus Wald und Büschen hervor! Ein Zaun von blühenden Dornen
Umschließt und rötet ringsum die sich verlierende Weite,
Vom niedrigen Himmel gedrückt. Von bunten Mohnblumen laufen,
Mit grünem Weizen versetzt, sich schmälernde Beete ins Ferne,
Durchkreuzt von blühendem Flachs. Feldrosenhecken und Schlehstrauch,
In Blüten gleichsam gehüllt, umkränzen die Spiegel der Teiche
Und sehn sich drinnen. Zur Seite blitzt aus dem grünlichen Meere
Ein Meer voll güldener Strahlen durch Phöbus' glänzenden Anblick.
Es schimmert sein gelbes Gestade von Muscheln und farbigten Steinen,
Und Lieb und Freude durchtaumelt in kleiner Fische Geschwadern
Und in den Riesen des Wassers die unabsehbare Fläche.
Auf fernen Wiesen am See stehn majestätische Rosse;
Sie werfen den Nacken empor und fliehn und wiehern für Wollust,
Daß Hain und Felsen erschallt. Gefleckte Kühe durchwaten,
Geführt vom ernsthaften Stier, des Meierhofs büschige Sümpfe,
Der finstre Linden durchsieht. Ein Gang von Espen und Ulmen
Führt zu ihm, welchen ein Bach durchblinkt, in Binsen sich windend,
Von Reihern und Schwänen bewohnt...

Die Natur löst bei Kleist vor allem Empfindungen aus. Wild-
dynamische Passagen wechseln hier mit sanft-idyllischen Szenen
ab, das erlebende Ich des Dichters tritt immer wieder in den Vor-
dergrund. Während Haller die gedankliche Auseinandersetzung
suchte, möchte Kleist, gereizt und begeistert von ihrer Schönheit,
die Natur besingen, indem er seine Empfindungen ausspricht, auf
das Gemüt des Lesers wirken. Den liedhaften Charakter der Lehrode unterstreicht der strophenfreie beweglichere Hexameter.

Die Ode beginnt mit der emphatischen Bitte an die Natur, sie
möge die Seele des Dichters empfindsam machen und sie lehren,
selbst Empfindungen zu wecken. Aus den »Gängen voll Nacht«
des dunklen Waldes betritt er die amoene Landschaft, deren liebliche Natürlichkeit gleichgesetzt wird mit Tugend, Zufriedenheit
und Freude. Einswerden mit der Natur will der Dichter, daß seine
»Töne die Gegend wie Zephirs Lispeln erfüllen«, bis sein Gesang
zum Bestandteil der Idylle selbst wird. Nicht wirkliche Natur
wird hier angesprochen, sondern fiktive: Zum Topos der Idylle
gehört seit der Antike der *locus amoenus* (der liebliche Ort), die
Waldlichtung mit »lachenden Wiesen«, »holden Tälern voll Rosen« und »rieselnden Bächen«.

Im zweiten Abschnitt dagegen, der noch homerisch mit »rosenfarbnem Gewölke« beginnt, lebt die Natur plötzlich: ergießt sich,
rollt, schüttelt, wütet, taumelt und bläst, wird endlich sanft und

bunt, färbt sich silbern und fließt ... Bildkräftige Verben geben die
lebendige Energie wieder, mit der der Frühling den Winter besiegt.
Der dynamische Verbalstil als Sprache des Affekts, der Perspekti-
venwechsel von amoener Stimmungslandschaft zum stürmischen
Vorfrühling sollen das »Gemüte mit einer süßen Unruhe« erfüllen,
wie Breitinger in seiner ›Critischen Dichtkunst‹ fordert.

Die nächsten Verse, scheinbar dem traditionellen Lehrgedicht
näher, weil sie die Landschaft mit Pflanzen und Tieren genau beschreiben, machen gerade den Unterschied zu einem Gedicht von
Brockes deutlich: Dieser wollte durch genaues Hinsehen sich dem
Wesen der Natur nähern, während Kleist die Wirkung der Landschaft auf sein Gemüt als wesentlich mitteilt. In die ausführliche
Beschreibung, die auf den Spuren des fröhlichen Landvolks Bild
an Bild reiht und dabei nicht die Biene, das Lachtäubchen, die
Nachtviolen oder die Laube der anmutigen Hausfrau ausläßt,
streut der Dichter moralische Erkenntnisse und Lehren; sie sind
also nicht mehr Hauptzweck und Mittelpunkt wie im strengen
Lehrgedicht.

Ähnlich wie Haller preist Ewald von Kleist das tugendhafte,
natürliche, mit Arbeit sinnvoll ausgefüllte Leben auf dem Lande
und setzt dagegen das künstliche, lasterhafte Treiben des Hofs, die
»güldnen Kerker« der Städte, die Ehrgeiz, Rachsucht und Habgier
gebären. Doch bleibt er nicht wie Haller bei der Kontrastmalerei
stehen, sondern fordert die Menschen auf, in die heitere Natur zu
fliehen: »Ihr seid zur Freude geschaffen, der Schmerz schimpft
Tugend und Unschuld. / Saugt Lust und Anmut in euch!« Kleist
mußte sich selbst zur Freude aufrufen; eine unerfüllt gebliebene
Liebe und die als Zwang erfahrene militärische Laufbahn in der
preußischen Armee verbitterten ihm das Dasein. So beschreibt er
die ländliche Idylle als Fiktion seiner Hoffnung auf Ruhe:

Ach, wär auch mir es vergönnt, in euch, ihr holden Gefilde,
Gestreckt in wankende Schatten am Ufer schwatzhafter Bäche,
Hinfort mir selber zu leben und Leid und niedrige Sorgen
Vorüberrauschender Luft einst zuzustreuen! ...

Die arkadische Idylle, mit der Detailgenauigkeit der Lehrdichtung
beschrieben, wird immer wieder gebrochen: Leid und Trauer holen den Dichter auf seiner Flucht vor der Wirklichkeit ein, stören
sein freudiges Loblied auf die Schöpfung und ihren Schöpfer. Der
anschließende Appell an die Fürsten, Frieden zu schaffen und zu
erhalten, ist keine Kritik am politischen System, sondern richtet
sich gegen das pseudo-heroische Denken absolutistischer Herr-

scher, die Schlachtenruhm zur eigenen Glorie brauchen, ohne Rücksicht auf ihre Untertanen:

Allein, der fräßige Krieg, vom zähnebleckenden Hunger
Und wilden Scharen begleitet, verheert oft Arbeit und Hoffnung.
Er stürmet rasend einher, zertritt die nährenden Halmen,
Reißt Stab und Reben zu Boden, entzündet Dörfer und Wälder
Für sich zum flammenden Lustspiel. Wie wenn der Rachen des Ätna
Mit ängstlich-wildem Geschrei, daß Meer und Klippen es hören,
Die Gegend um sich herum, vom untern Donner zerrüttet,
Mit Schrecken und Tod überspeit und einer flammenden Sündflut.

Ihr, denen zwanglose Völker das Steuer der Herrschaft vertrauen,
Führt ihr durch Flammen und Blut sie zur Glückseligkeit Hafen?
Was wünscht ihr, Väter der Menschen, noch mehrere Kinder? Ists wenig,
Viel Millionen beglücken? Erforderts wenige Mühe?
O mehrt derjenigen Heil, die eure Fittiche suchen,
Deckt sie gleich brütenden Adlern, verwandelt die Schwerter in Sicheln,
Laßt güldne Wogen im Meer fürs Land durch Schiffahrt sich türmen,
Erhebt die Weisheit im Kittel und trocknet die Zähren der Tugend!...

Am Schluß der Ode wiederholt Kleist den anfangs erwähnten Wunsch, mit der Natur eins zu werden, steigert ihn fast zum Todeswunsch:

Grünt nun, ihr holden Gefilde! Ihr Wiesen und schattigte Wälder
Grünt, seid die Freude des Volks! Dient meiner Unschuld hinfüro
Zum Schirm, wenn Bosheit und Stolz aus Schlössern und Städten
        mich treiben!
Mir wehe Zephir aus euch durch Blumen und Hecken noch öfter
Ruh und Erquickung ins Herz! Laßt mich den Vater des Weltbaus,
(Der Segen über euch breitet im Strahlenkreise der Sonne,
Im Tau und Regen) noch ferner in eurer Schönheit verehren
Und melden voll heiliger Regung sein Lob antwortenden Sternen:
Und wenn nach seinem Geheiß mein Ziel des Lebens herannaht,
Dann sei mir endlich in euch die letzte Ruhe verstattet!

Die Naturbetrachtung und -erfahrung führt bei Kleist nicht, wie im klassischen Lehrgedicht, zu einem gedanklichen Schluß, sondern zu einem Wunsch: nach Ruhe und Erquickung und dem unschuldigen Leben, das allein die Natur geben könne. Auch hier Rousseausche Gedanken und gleichzeitig die stoische Haltung des Barock: Der Tod ist das Ziel des Lebens, der Schöpfer weiß den richtigen Augenblick, uns zu erlösen.

In der ständischen Isolierung entwickelte das Bürgertum jene moralischen Werte der Zufriedenheit, »Menschenhuld«, Innigkeit usw., die zu einem Rückzug aus der Realität in die Welt der Idylle führten. In Brockes' begrenztem Garten deutete sich diese Sehnsucht nach einer freudigen, nur positiven Weltaneignung schon an. Erregender, schwärmerischer, auch persönlicher äußert sich die Flucht in die heile und heilende Natur bei Kleist: sie soll ihn von der Kerkerschaft der Stadt (d.h. den Zwängen der Gesellschaft) und von den Verhängnissen vergangener und zukünftiger Tage befreien.

2.2 Lyrik des Rokoko und der Anakreontik

Die vor-rousseausche Naturauffassung, der im deutschen Lehrgedicht immer auch ein mahnendes bzw. klagendes Moment anhaftet, mischte sich mit den Strömungen der Rokokodichtung, die, von Frankreich ausgehend, erst die englische, dann stärker und anhaltender die deutsche Literatur mitbestimmte. Am Hof Ludwigs XIV. aus der sorglos-heiteren Geselligkeit und sinnenfrohen Lebensart des Adels entwickelt, wurde die Mode von der englischen und deutschen bürgerlichen Dichtung aufgegriffen, allerdings von gewagten französischen Erotizismen und etwaiger satirischer Aggression gereinigt, so daß eine Synthese von Schönheit und Tugend, Genuß und Moral entstand. Der ethisch-erzieherischen Lehrdichtung stand etwa ab 1740 eine heitere, leichte Spielart der Poesie zur Seite, der beinahe alle Dichter des 18. Jahrhunderts zumindest zeitweise huldigten.

Die Freude am irdischen Leben auch in seiner Vergänglichkeit, die dem Aufklärungsoptimismus entsprang, wird in der Rokokolyrik zur Rechtfertigung, dieses Leben zu genießen, solange es währt. Es ist jedoch nicht mehr das *carpe diem!* (nutze den Tag!) des Barock, hinter dem immer das schwere *memento mori!* (bedenke, daß du sterben mußt!) stand; gerade in der Flüchtigkeit erblickte man nun den Reiz des Daseins, und auch die Lyrik selbst erhebt nicht den Anspruch unvergänglicher Bedeutung. Die Gedichte sind graziös und leicht, von liedhaftem Rhythmus; spielerisch variieren sie die immer gleichen Motive von Liebe, Wein, Natur, Geselligkeit und Freundschaft.

Wilhelm Ludwig Gleim

Die Dichter dieser kleinen geistreichen Lieder bezeichneten sich als »Anakreontiker«, da sie neben Horaz und Catull den antiken griechischen Dichter Anakreon als Meister der ländlich-heiteren Dichtkunst verehrten. Hochburg der Anakreontik wurde die Stadt Halle, wo ein Freundeskreis von Studenten diese Lyrik populär machte. Neben Wilhelm Ludwig Gleim (1719–1803) waren es Johann Nikolaus Götz und Johann Peter Uz, die zunächst Anakreon-Übersetzungen in reimlosen Versen lieferten, dann Stil und Atmosphäre dieser Dichtung selbst nachzuahmen suchten.

Gleim, von seinen Zeitgenossen als »Dichtervater« verehrt, gründete nicht nur den Freundeskreis in Halle, sondern auch 1747 einen »Freundschaftstempel« in Halberstadt, dessen Mitglieder sich gegenseitig Anregung und Publikum zugleich waren. Dieser Kreis gleichgesinnter Freunde wurde eingeladen, die heiteren Szenen der Poesie und die Freude an der anmutigen Form zu teilen.

Einladung zum Tanz

Kein tödliches Sorgen
Beklemmet die Brust!
Mit jeglichem Morgen
Erwach ich zur Lust.
Hier unter den Reben,
Die Bacchus gepflanzt,
Mir Schatten zu geben,
Sei heute getanzt!

Kommt, freundliche Schönen,
Gesellet euch hier!
Erfüllet die Szenen
Der Freude mit mir.
Laßt alten Betrübten
Geiz, Laster und Pein
Und folget Geliebten
In tanzenden Reihn.

Unschuldige Jugend,
Dir sei es bewußt!
Nur Feinde der Tugend
Sind Feinde der Lust.
Die Wolken der Grillen
Verraten genug
Boshaftigen Willen
Und bösen Betrug.

Denn Tugend und Freude
Sind ewig verwandt!
Es knüpfet sie beide
Ein himmlisches Band.
Ein reines Gewissen,
Ein ehrliches Herz
Macht munter zu Küssen,
Zu Tänzen und Scherz.

Ihr Faunen, ihr Nymphen!
Es gab euch ein Gott
Die Gabe zu schimpfen
Und Mienen zum Spott.
Des Tanzes Verächter
Verachten auch euch!
Ein höhnisch Gelächter
Verjage sie gleich.

Gleims Gedicht fordert zu Tanz und Fröhlichkeit auf, sein beschwingter Rhythmus unterstreicht noch die Stimmung. Beklemmende Gedanken an den Tod verscheucht der Dichter mit einem Satz. Bacchus als Sinnbild der heiteren Geselligkeit und Amor, der Gott der Verliebten, gehören zum Kanon anakreontischer Daseinsfreude. In diesem Lebensgefühl ist kein Platz für das Häßliche: die Alten, die Asketen, die Raffgierigen werden verspottet und ausgeschlossen. Die »Szenen der Freude«, fiktive Räume, sollen mit schönen Geliebten gefüllt werden, mit der unschuldigen Jugend, die sich vor Verrat und Betrug in der geschützten Idylle verbergen soll. (Das im Gedicht vertretene Jugendideal entspricht der Klugheit, der Erfahrung, denn das Alter mindert den wahren Lebensgenuß.) Rausch und Wollust gehören nicht zur heiteren Lebensphilosophie der Anakreontiker: »Feinde der Tugend« sind auch »Feinde der Lust«. Schäferliche Figuren, Faune und Nymphen, werden angerufen – seit der Antike stehen sie für ein spöttisch-befreiendes Gelächter: sie sollen die »Verächter des Tanzes«, die Prüden und Asketen, verlachen und verjagen.

»Szenen der Freude«, der Antike nachempfunden, beschreibt der Dichter, nicht eigenes Erleben. In alter Gattungstradition ist Schäferdichtung, zu der die anakreontische Lyrik zählt, poetische Fiktion, hat also keinen direkten Bezug zur Wirklichkeit. Dennoch bot diese Dichtung versteckte Möglichkeiten, die Enge bürgerlich-christlicher Moral zu fliehen und sie spöttisch zu kritisieren.

Einladung zur Liebe

Mädchen, wollt ihr mich nicht lieben?
Seht, hier lieg ich in dem Schatten!
Seht mich nur, ihr müßt mich lieben!
Rosen blühen auf den Wangen,
In den Adern glühet Feuer,
In den Mienen lacht Vergnügen,
In den Augen locket Liebe,
Und bewegen sich die Lippen,
So bewegt sie Scherz und Freude.
Mädchen, wollt ihr mich nicht lieben?
Seht, hier lieg ich in dem Schatten!
Mädchen, seht, wie schön ich liege!

Kein Wunder, daß im Halleschen Pietistenklima sich der »Mädchenkenner« – wie Gleim wegen seiner Vorliebe für galante Direktheiten der obigen Art genannt wurde – in der Vorrede zu seinen ›Scherzhaften Liedern‹ dann von solchen Freizügigkeiten distanzieren mußte: Die Dichter, so heißt es da, »schreiben nur, ihren Witz zu zeigen, und sollten sie auch dadurch ihre Tugend in Verdacht setzen. Sie charakterisieren sich nicht wie sie sind, sondern wie es die Art der Gedichte erfordert.«

Friedrich von Hagedorn

Um den Hamburger Patrizier Friedrich von Hagedorn (1708–1754) gesellte sich ein weiterer Kreis anakreontischer Dichter, der das Ideal einer weltmännisch-überlegenen Genußphilosophie pflegte. Das eher hektische *carpe diem!* des Barock konnte sich in der großzügigen Atmosphäre einer Weltbürgerstadt leichter zu einer selbstverständlichen Lebenszugewandtheit und Lebenslust entwickeln; einer moralischen Rechtfertigung wie die Geistlichen und Beamten aus Gleims Zirkel bedurften die Hamburger nicht.

Von Horaz, der ihm »Lehrer, Freund und Begleiter« war, übernahm Hagedorn die Form der Ode, die sich bei ihm mit herkömmlichen Liedformen mischte.

An die Freude

Freude, Göttin edler Herzen!
    Höre mich!
Laß die Lieder, die hier schallen,
Dich vergrößern, dir gefallen;
Was hier tönet, tönt durch dich.

Muntre Schwester süßer Liebe!
    Himmelskind!
Kraft der Seelen! Halbes Leben!
Ach, was kann das Glück uns geben,
Wenn man dich nicht auch gewinnt?

Stumme Hüter toter Schätze
    Sind nur reich.
Dem, der keinen Schatz bewachet,
Sinnreich scherzt und singt und lachet,
Ist kein karger König gleich.

Gib den Kennern, die dich ehren,
    Neuen Mut,
Neuen Scherz den regen Zungen,
Neue Fertigkeit den Jungen
Und den Alten neues Blut.

Du erheiterst, holde Freude,
  Die Vernunft!
Flieh auf ewig die Gesichter
Aller finstern Splitterrichter
Und die ganze Heuchlerzunft!

Gegen Gleims einfaches, volksliedhaftes Tanzlied, das stimmungs-
voll und einfühlsam idyllische Szenen besingt, wirkt diese Ode
kunstvoll durchgearbeitet und erschließt sich eher über den Verstand als über das Gemüt. Schon die Apostrophierung der Freude
als »Göttin edler Herzen« stimmt in eine höhere Gefühlslage, die
über den privat-idyllischen Ton des anakreontischen Liedes hin-
ausweist. Hier sind die Töne nicht sanft, sie »schallen«, zielen auf
eine stärkere, allgemeinere Wirkung ab.

Virtuos mischen sich in Hagedorns Ode barockes Pathos und
die Leichtigkeit des Rokoko. Die Freude wird auch als »muntre
Schwester süßer Liebe«, »Kraft der Seelen«, ja als »halbes Leben«
angesprochen; auch die dritte und vierte Strophe bekommen durch
Häufung und Reihung ein barockes Klangbild. Aber dem heiteren
Rokoko gilt Freude mehr als tief empfundenes Glück, das Scherzen ist ihr Element; als Ausdruck eines neuen Lebensgefühls (nach
der ernsten Strenge der Frühaufklärung) kann sie Jung und Alt
erfrischen und begeistern. Eine liebenswürdige Vernunft regiert im
Rokoko, die »finstern Splitterrichter«, die pedantisch den Wert
der Dichtung etwa nur nach ihrer Nützlichkeit beurteilen und die
Freude am Spiel mit Bildern und Worten nicht kennen, werden –
wie in Gleims Lied – verspottet und verwünscht.

Hagedorns Gedichte wurden zum großen Teil vertont, was ei-
nerseits für ihre Popularität spricht, mehr aber noch diese erst
bewirkte. Immer stärker setzte sich das Bedürfnis nach der sangbaren kleinen Form durch, die anzurühren vermochte. Das Publikum dieser Gedichte – es war ein ähnliches wie das der Wochenschriften – wurde größer, immer mehr Frauen, ganze Familien
lasen sie. Ab 1760 (erst!) setzte sich allgemein der Begriff »Lyrik«
durch, was mit der steigenden Beliebtheit der Gattung zusammen-
hängt, die in Gottscheds Poetiktheorie noch ganz am Schluß ran-
gierte. Das Naive, Einfache, Zärtlich-Artige der anakreontischen
Dichtung, die sich vom antiken Vorbild immer weiter entfernte,
traf sich mit den Ausdrucksformen des Volkslieds. Neue wichtige
Impulse, die das empfindsame Geschmacksideal der Zeit entscheidend prägten, empfing die deutsche Lyrik aus dem Halleschen
Pietismus.

2.3 Lyrik des Pietismus

Die protestantische Bewegung des Pietismus fordert wie die Philosophie der Aufklärung persönliche Erfahrung und Erkenntnis anstelle von Dogmen und Orthodoxie – »einen Weg zu Gott durch die Seele«. Dieses im Herzen empfundene Christentum wird literarisch in Briefen, Tagebüchern und Autobiographien bekannt, im kirchlichen Leben auch in der Predigt und im geistlichen Lied.

Gerhard Tersteegen

Zur Beobachtung der »Regungen der Seele« versenkt sich der Dichter in sich selbst, um Gott zu erfahren. Die Lieder des Leinewebers und Seelsorgers Gerhard Tersteegen (1697–1769) stehen ganz in der pietistischen Tradition. Sein ›Geistliches Blumen-Gärtlein Inniger Seelen Oder kurze Schlußreimen und Betrachtungen über allerhand Wahrheiten des Innwendigen Christentums‹ (1729) ist eine Sammlung andächtiger erbaulicher Lieder, von denen viele als Volkslieder weite Verbreitung fanden. Die Versenkung des Dichters in sich selbst oder in die Stille der Nacht ist für Tersteegen Voraussetzung dafür, »im Nun der Ewigkeit« Gott zu erkennen:

> Unser Vaterland ist nah
>
> Seel, schleuß die Augen zu vor diesem Rund der Erden;
> Entsinke sanft und still dir selbst, samt Ort und Zeit;
> Im Nun der Ewigkeit kann Gott geschauet werden;
> Dein Vaterland ist nah; wo läufst du doch so weit?

Einflüsse der katholischen Mystik zeigt nicht nur dieser kurze »Schlußreim«, der Gegensätze (»Nun« und »Ewigkeit«, »nah« und »weit«) verbindet wie Angelus Silesius in seinen Epigrammen, sondern das gesamte Gesang- und Erbauungsbuch, von dem es allein zu Lebzeiten Tersteegens sieben Auflagen gab. Das Bedürfnis nach dem herkömmlichen geistlichen Lied blieb also im 18. Jahrhundert, obwohl auch die »Alltags-Lyrik« zunehmend gefühlsbetont wurde, bestehen.

In dem folgenden Andachtslied spricht Tersteegen eine Grundsituation pietistischer Frömmigkeit an: die gemeinsame Anbetung Gottes in der Stille der Nacht.

Andacht bei nächtlichem Wachen

Nun schläfet man,
Und wer nicht schlafen kann,
Der bete mit mir an
Den großen Namen,
Dem Tag und Nacht
Wird von der Himmelswacht
Preis, Lob und Ehr gebracht;
O Jesu, Amen.

Weg, Phantasie!
Mein Herr und Gott ist hie;
Du schläfst, mein Wächter, nie;
Dir will ich wachen.
Ich liebe dich,
Ich geb zum Opfer mich
Und lasse ewiglich
Dich mit mir machen.

Es leuchte dir
Der Himmelslichter Zier;
Ich sei dein Sternlein, hier
Und dort zu funkeln.
Nun kehr ich ein;
Herr, rede du allein
Beim tiefsten Stillesein
Zu mir im Dunkeln.

Die erste Strophe endet wie ein Gebet, das ja mit der andächtigen Versenkung vollzogen wird. Die Phantasie, die so mächtig der Konzentration entgegenwirkt, muß verscheucht werden; Gottes Allgegenwart allein vermag über die irdischen Schwächen hinwegzuhelfen. Die unmittelbare Offenbarung löst im Menschen den Wunsch nach völliger liebender Hingabe an Gott aus.

In der Stunde der Einkehr, der Zwiesprache mit Gott, tritt auch der Dichter, der – wie ein funkelnder Stern auf Erden – Gottes Herrlichkeit verkünden will, zurück, um offen zu sein (und zu machen) für Gottes Wort.

2.4 Lyrik der Empfindsamkeit

Immanuel Jakob Pyra, Samuel Gotthold Lange

Im Geist des Pietismus gründeten im Jahr 1733 Immanuel Jakob Pyra (1715–1744) und Samuel Gotthold Lange (1711–1781) die »Gesellschaft zur Beförderung der deutschen Sprache«. Für die Seelenregungen, die man im Freundeskreis bekannte, sollte eine neue »Sprache des Herzens« gefunden werden, da sowohl die Alltags- wie die Literatursprache als nicht spontan und einfühlsam genug empfunden wurden, um die Wahrhaftigkeit des Gefühls und die Unmittelbarkeit der Gotteserfahrung auszudrücken. Die visionsartigen Eingebungen der Seele könnten nur in einer »fließenden« und »strömenden« Sprache wiedergegeben werden, die dem »Herausdrängen der Gedanken aus dem Überfluß des Herzens« auch formale Gestalt gäbe, forderte Pyra in seiner allegorischen Poetik ›Der Tempel der wahren Dichtkunst‹.

Der »wahren Dichtkunst« widersprachen die Spielregeln der Anakreontik, ihre geschlossenen Strophen und kunstvollen Reime, deren oberflächlich-sinnlicher Reiz nur ein »verwöhntes Ohr kitzelt«. Pyra wollte »das Herz rühren« im »Wechselgesang gleichgestimmter Seelen«, wollte wahre, erlebte Gefühle mitteilen. Um die Seelen der Zuhörer oder Leser wirklich begeistern zu können, mußten sie sich in der gleichen Stimmung (»Disposition«) befinden wie der Dichter. Dies war, wie schon erwähnt, in der kirchlichen Gemeinde nicht unmittelbar gegeben; an ihre Stelle trat daher immer öfter der enge Freundeskreis. Die in der Gemeinde erlebte Verbundenheit der Seele mit Gott wurde übertragen auf die Beziehung zum Freund, die dadurch etwas Heiliges gewann.

Bodmer fand in Pyras und Langes ›Freundschaftlichen Liedern‹ seine Forderung nach der »Bewegung des Herzens« erfüllt und gab sie 1745 heraus. Im Sinne seiner Poetik aber verstand er die mitgeteilten Gefühle als »Schein«, als literarisch gestaltet und nicht wirklich erlebt, zumal die beiden auch Elemente der anakreontischen Dichtersprache verwendeten. Bodmer ersetzte daher die Namen Pyra und Lange durch die konventionellen schäferlichen »Damon« und »Thirsis«.

Des Thirsis Treue

Mein Damon, ewiglich von mir geliebter Freund!
Von dessen felsenfester Liebe
Der ganzen Welt verlachter Sturm und Zorn

Mein standhaft Herz nicht würde reißen können;
Du, dessen hoch und edlen Geist,
Der Himmel, der uns einst besonders hold gewesen,
Mit vollem Segen mir zum Trost herabgesandt,
Als er, bevor dein Freund der Sonnen Glanz gesehen,
Mir ein so hohes Glück bestimmt,
Das kein gemeiner Geist auch nur zu schätzen wüßte:
Dein Thirsis bleibt getreu. Und du Zerstörerin
Der eitlen stolzen Wunderwerke,
Zeit, du tilgst nie aus meiner festen Brust
Des edlen Paars zu tief gegrabne Namen.
Ja, ja, es soll die Ewigkeit
O Damon, Doris, einst an daurnden Ehrenmälern
Die glänzenden verschlungnen Züge sehn,
Wie sie am sandigten und erlenvollen Ufer
Der hellen krebsereichen Spree
Durch euers Schäfers Hand tief eingeschnitten stehen.
Des Unglücks Wolken ziehn noch über meinem Haupt;
Ich sitze traurig in dem Dunkeln;
Nichts tröstet mich als Gott und eure Gunst
In meiner arm und frommen Mutter Armen,
Die mich durch ihren Schweiß ernährt.
Wie oft erzähl ich ihr mit Tränen in den Augen
Die Liebe, die ihr mir ohn Eigennutz erzeigt,
Wie groß und treu dein Herz, wie liebreich schön die Doris,
Was Hilas uns für Lust gemacht.
Sie weint und segnet euch mit aufgehobnen Händen.
Freund, ach, warum sind wir getrennt!
Ach, soll ich euch nicht ferner sehen!
Wo ist ein Freund, so edel als wie du,
Wo find ich, Doris, doch so eine holde Freundin?
Vergesset euren Thirsis nur,
Mein Damon, Doris, nicht vergeßt, vergeßt mich nimmer!
Was hab ich auf der Welt als euch, das mich erfreut?
Und läßt mein Unstern mich euch nicht mehr hier umarmen,
So seufz ich nach der Ewigkeit;
Ach Freund, mit welcher Lust werd ich euch dort umfangen!

Um das Gefühl unmittelbar »fließen« lassen zu können, gaben
Pyra/Lange alle Reglementierung durch Strophengliederung,
Reim oder Versmaß auf und überließen sich ganz dem freien
Rhythmus. Diese Freiheiten widersprachen frühaufklärerischer
Disziplin, ermöglichten aber erst jene Wahrhaftigkeit des Gefühls,
um die es den Dichtern zu tun war: »Empfindungen des Her-
zens . . ., ohne an die Kunst zu denken, so aufzusetzen . . ., wie wir
es fühlten.«

Die Emphase, mit der Pyra/Thirsis seinen »Damon« anhimmelt,
diesen »hohen, edlen Geist«, läßt den religiösen Ursprung des

Liedes kaum mehr erkennen. Gott wird nur einmal genannt, seine schenkende Liebe bereits der Gunst des Freundes gleichgesetzt. Die Dunkelheit bedeutet nicht wie bei Tersteegen Zeit der Ruhe, der Versenkung in Gott, sondern Trauer über die Trennung von den Freunden. Thirsis sehnt sich nach der Ewigkeit – nicht als Heimkehr zu Gott, sondern weil sie ihn mit dem Freund vereinigt.

Die als feierliche Zwiesprache mit dem Freund entstandenen Lieder sind weltliche Lyrik; sie haben trotz ihres Pathos einen persönlich-privaten Ton und zeigen die Übergänge pietistischer Gefühlstiefe zur bürgerlichen Empfindsamkeit an. Nicht mehr Standesunterschiede sollen nun die Gesellschaft teilen, sondern die Fähigkeit zur Empfindung, zu hohen ewigen Gefühlen trennt den »edlen« vom »gemeinen Geist«. Tränen werden zum Erkennungszeichen der edlen Seelen, die sich rühren lassen können.

Friedrich Gottlieb Klopstock

In seinem ›Tempel der wahren Dichtkunst‹ hatte Pyra der Poesie, auch in Abgrenzung zu den Anakreontikern, neuen Ernst und neue Würde verliehen; ein anderer sollte seine Idee vom weihevollen Dichterpriester – an sich ein uralter Gedanke – ganz für sich in Anspruch nehmen: Friedrich Gottlieb Klopstock (1724–1803). Nur von der Gottsched-Partei befehdet, war er über Jahrzehnte das gefeierte Genie des 18. Jahrhunderts, das die deutsche Dichtung endgültig von ihrer kargen didaktischen Bestimmung befreite, ihr Erhabenheit, ästhetischen Kunstwert beimaß – und ihre Ablösung von europäischen Vorbildern einleitete. ›Von der heiligen Poesie‹ nannte er seine Abhandlung, in der er der Dichtkunst ähnliche Wirkungen nachsagte wie der religiösen Offenbarung: Sie bewege die ganze Seele und erinnere »mächtig daran, daß wir unsterblich sind«; sie »feuert...das bewegte Herz an, schnell, groß und wahr zu denken«. Die empfindsame »Seele, die selber Hoheit hat«, lasse sich am stärksten bewegen. Klopstock führte also Pyras Trennung zwischen dem »edlen« und dem »gemeinen Geist« fort; seine Gemeinde von Auserwählten sollte diejenigen umfassen, die zu höchsten Empfindungen fähig seien – und das waren oft einfache, unverbildete Menschen. Endzweck aller Poesie war für Klopstock ihre moralische Schönheit, die dem Menschen seine »Hoheit« bewußt mache und ihn zu Höherem anfeuere – mit dieser Auffassung stand er also ganz in der Tradition der Aufklärung.

Im zweiten Teil seiner kühnen Staatsutopie ›Die Gelehrtenrepublik‹ entwickelte Klopstock auch dichtungstheoretische Gedanken: Der Dichter darf sich in seiner schöpferischen Arbeit nicht durch Kunstregeln einschränken lassen; das Gesetz des Dichtens trägt das Genie in sich selbst. Die Nachahmungstheorie lehnte er ab; Freiheit und Originalität forderte er und lieferte damit jene Stichworte eines Geniebegriffs, die der Sturm und Drang zu seiner zentralen Theorie entwickeln sollte. Klopstock hielt sich für einen zum Dichtertum Berufenen, und viele Zeitgenossen behandelten ihn auch wie einen Geweihten. (»Gott hat uns gesegnet! Unter uns Klopstock!«) Sein Sendungsbewußtsein hatte er schon als Gymnasiast; erst sechzehnjährig, plante und begann er sein gewaltiges Epos ›Der Messias‹, das in 20 Gesängen Christi Leidensweg und seine Auferstehung darstellt. 1748 erschienen die ersten drei Gesänge in den ›Bremer Beiträgen‹, die mit der Veröffentlichung des ›Messias‹ bewußt neue Maßstäbe setzen wollten. Klopstock wirkte tatsächlich revolutionierend.

Das christliche Epos vom ›Messias‹ mag in einem Kapitel über Lyrik fehl am Platze scheinen; die große lyrische Emphase aber, mit der Klopstock das handlungsarme Riesenwerk gestaltete, rechtfertigt seine Aufnahme an dieser Stelle, wie schon die ersten Verse zeigen.

Der Messias

Sing, unsterbliche Seele, der sündigen Menschen Erlösung,
Die der Messias auf Erden in seiner Menschheit vollendet,
Und durch die er Adams Geschlechte die Liebe der Gottheit
Mit dem Blute des heiligen Bundes von neuem geschenkt hat.
Also geschah des Ewigen Wille. Vergebens erhub sich
Satan wider den göttlichen Sohn; umsonst stand Juda
Wider ihn auf: er tats, und vollbrachte die große Versöhnung.
   Aber, o Tat, die allein der Allbarmherzige kennet,
Darf aus dunkler Ferne sich auch dir nahen die Dichtkunst?
Weihe sie, Geist Schöpfer, vor dem ich hier still anbete,
Führe sie mir, als deine Nachahmerin, voller Entzückung,
Voll unsterblicher Kraft, in verklärter Schönheit entgegen.
Rüste mit deinem Feuer sie, du, der die Tiefen der Gottheit
Schaut, und den Menschen aus Staube gemacht zum Tempel
               sich heiligt!
Rein sei mein Herz! So darf ich, obwohl mit der bebenden Stimme
Eines Sterblichen, doch den Gottversöhner besingen,
Und die furchtbare Bahn, mit verziehnem Straucheln, durchlaufen.
   Menschen, wenn ihr die Hoheit kennt, die ihr damals empfinget,
Da der Schöpfer der Welt Versöhner wurde; so höret
Meinen Gesang, und ihr vor allem, ihr wenigen Edlen,
Teure, herzliche Freunde des liebenswürdigen Mittlers,
Ihr mit dem kommenden Weltgerichte vertrauliche Seelen,
Hört mich, und singt den ewigen Sohn durch ein göttliches Leben ...

Homer und Vergil nacheifernd, wollte Klopstock ein großes deutsches Heldengedicht schreiben; lange suchte er nach einem geeigneten Nationalhelden, bis er, durch visionsartige Träume, vor allem aber durch Bodmers Milton-Übersetzung von ›Paradise lost‹ beflügelt, das christliche Weltgedicht in Angriff nahm. Das Epos, seit der Renaissance immer noch die angesehenste Gattung, schien ihm ganz der Erhabenheit des Stoffes zu entsprechen. Das große Thema ist die Erlösung der Menschheit, die Klopstock in hymnischen Versen feiert; zum Neuen Bund versöhnt Christus, der Mittler, den zürnenden Gott. Der Dichter als Prediger letzter Wahrheiten fleht um die göttliche Inspiration, wohl wissend, daß sein Gesang nur von »wenigen Edlen« verstanden wird.

Äußere Stationen der Leidensgeschichte Jesu setzt Klopstock in die Sprache der Innerlichkeit, der fühlenden Seele um. Der Dichter müsse selbst »herzlichen Anteil« nehmen, um den Zuhörer »zu gleicher Teilnehmung« reizen zu können, forderte er (sehr pietistisch). So werden die Geister des Himmels und der Hölle heraufbeschworen, um dem Geschehen Gegenwärtigkeit und »herzrührende« Kraft zu verleihen; die lebende, die tote und die noch ungeborene Menschheit läßt Klopstock auftreten, setzt Farben und Klänge des unendlichen Weltalls in eine Sprache um, die wie ein gewaltiger Strom den Zuhörer mitreißt. Damit sind die Grenzen des klassischen Epos gesprengt, das eine distanzierte Erzählhaltung verlangte. Der ruhige Fluß der traditionellen Ependichtung ist bei Klopstock einer heftig erregten Bewegung gewichen; sie schien ihm die einzig angemessene Ausdrucksform für das unerhörte Heilsgeschehen. Das Publikum, »der aus Staub gemachte Mensch«, fühlte sich tatsächlich des gemeinen Alltags enthoben, vernahm andächtig, mit Tränen der Verzückung, die »furchtbare Laufbahn« von der Passion bis zum Gericht Christi.

Aber die Erde ward still vor der sinkenden Dämmrung.
    Die Dämmrung
Wurde dunkler, stiller die Erde. Schatten mit bleichem
Schimmer, ängstliche trübe Schatten beströmten die Erde.
Stumm entflogen die Vögel des Himmels in tiefere Haine;
Bis zum Wurme verschlichen bestürzt die Tiere der Felder
Sich zur einsamen Höhle. Die Lüfte verstummten, und tote
Stille herrschte. Der Mensch sah schweraufatmend gen Himmel.
Jetzo wurd es noch dunkler, und nun, wie Nächte! Der Stern stand,
Hatte die Sonne verlöscht. In fürchterlichsichtbare Nächte
Lagen die weiten Gefilde der Erde gehüllt, und schwiegen.
    Aber am hohen Kreuz hing Jesus Christus herunter
In die Nacht; und es rann, mit des Duldenden Blute, des Todes
Schweiß. Die Erde lag in ihrer Betäubung. Betäubter

Bleibt der Freund nicht am Grabe des frühentfliehenden Freundes,
Oder, wer große Taten versteht, am Marmor des edlen
Patrioten, der Tugenden nachließ. Starrer Gebärde,
Hängt er über der heiligen Trümmer, und weint nicht. Auf einmal
Faßt ihn mit anderem Wüten der Schmerz, erschüttert ihn! Also
Lag die Erde betäubt, so bebte sie auf. Der bewegte
Golgatha schauerte jetzo mit ihr bis zum obersten Kreuze.
Und des Geopferten Wunden ergossen das ewige Leben
Strömender, da das umnachtete Kreuz mit Golgatha bebte.
Fürchterlich überschattet die Nacht den Hügel des Todes,
Und den Tempel, und dich, Jerusalem. Selber die Engel
Sahn ihr reineres Licht in Abenddämmrung erblassen.
Und es strömte sein Blut. Nun stand die Menge vor Schrecken
Eingewurzelt, und sah mit wildem Blicke zum Kreuz auf ...

Die schreckliche Weltminute des Kreuzestodes hat Klopstock hier
in ihrer ganzen Bedrohlichkeit wiedergeschaffen – mit eigenen
Worten und Bewegungen des Verses, die das Unheil, den angehal-
tenen Atem der Erde gegenwärtig machen. Das Feuer des Nach-
schöpfers beseelt die Szene, macht sie nachempfindbar für den
Leser. Die Dinge besäßen weit mehr Leben und Gefühlskraft, als
in der normalen Sprache zum Ausdruck komme, meinte Klopstock. So dynamisiert er zum Beispiel noch die Bewegungsverben,
spürt dem letzten Flüchten der Kreatur, bevor sie das Entsetzen
lähmt, nach: »ängstliche, trübe Schatten beströmten die Erde«,
»die Vögel entflogen des Himmels«, »bis zum Wurme verschlichen bestürzt die Tiere« ... Die lastende Dunkelheit und Erstarrung der Erde im Augenblick der ungeheuren Tat überträgt der
Dichter, indem er nun statische Verben verwendet: »Stille herrschte«, »der Stern stand«, »die Erde lag« ... Es ist nicht nur dunkel
wie die Nacht, sondern »wie Nächte«. Das ist rational gar nicht zu
fassen, bewirkt aber emotional eine Steigerung.

Klopstock vergleicht den Zustand der Erde in ihrer schmerzli-
chen Betäubung mit der Lähmung, die die Nachricht vom uner-
warteten Tod des Freundes (oder auch des Patrioten) auslöst, bevor der wütende Schmerz sich in einem Strom von Tränen entladen kann. Die Metapher des trauernden Freundes verlängert den
Augenblick der Erstarrung, spannt die Erwartung – bis dann mit
um so größerer Gewalt das Beben und Schauern der Erde einsetzt.

Wie bei Pyra nehmen die Empfindungen für den Freund den
ersten Platz im Herzen ein. Es fällt heute schwer, in diesen Bildern
vom fühlenden Freund – noch abwegiger: vom Patrioten, der der
Nachwelt Begriffe von Tugend hinterläßt – auch nur annähernd
die unerhörte Menschensohn-Opferung umschrieben zu finden.
Wenn aber das Herz als Gefäß der Seele betrachtet wird – wie es

damals geschah –, sind Gefühl und Zärtlichkeit Ausdruck einer reichen, edlen Humanität, die zu Gott führt. Von daher begründet sich der so hohe ethische Wert des empfindsam-fühlenden Herzens.

Bewußt hat Klopstock seine Dichtung auf den Empfindungsgehalt hin komponiert: Der Gedanke werde erst dann Poesie, wenn durch die Harmonie von Silbenmaß und Wortklang, durch einen dem Inhalt angepaßten Rhythmus jener Funke entstehe, der das Herz entflammen und erfreuen könne. Dem Hexameter gab Klopstock jenen an feierliche Prosa gemahnenden, fließenden Rhythmus, der, unbeengt vom Reim, sogar die Zäsuren der Versenden oft durch Enjambement aufhebt. Durch seine meisterliche Handhabung des Hexameters bereicherte er die deutsche Epik, in der bis dahin der Alexandriner vorgeherrscht hatte; alle früheren Versuche (z. B. von Harsdörffer) konnten keine literarische Tradition begründen.

Der ›Messias‹ gilt als Höhepunkt der empfindsamen Dichtung, die das reine Vernunftsdenken der Aufklärung durch »Gefühlsdenken« ersetzte. Das empfindende Ich, dem Denken und Fühlen nicht mehr getrennt sind, spricht stellvertretend für andere Individuen; nicht im Mitteilen privaten Erlebens, sondern im überpersönlichen Ausdruck eigenen Gefühls entsteht die Einheit von Dichter und Publikum.

In der Horazischen Ode fand Klopstock die angemessene Gedichtform, großen Empfindungen erhabenen Ausdruck zu verleihen. (Ode, d. h. griech. »Gesang«, bezeichnet eine feierlich-getragene lyrische Gattung mit strenger, höchst kunstvoller Strophengliederung.) Wie seinerzeit Horaz die griechischen Odenformen dem Lateinischen anpaßte, gelang Klopstock die vollendete Anverwandlung der Horazischen Ode für das Deutsche. Die komplizierten metrischen und rhythmischen Bedingungen des Odenverses erfüllte er, indem er bewußt die Regeln des deutschen Satzbaus durchbrach, gegen »Ordnung und Klarheit« Gottschedischer Aufklärung.

Die Themen seiner Oden kreisen immer wieder um den Schöpfer, um Poesie, Liebe, Freundschaft und nicht zuletzt um Patriotismus, denn auch die Liebe zum Vaterland wurde ihm zur »heiligen Flamme« und zum Zeichen der Menschlichkeit.

Eine seiner berühmtesten Oden schrieb Klopstock 1750 nach einer Fahrt auf dem Zürcher See mit den im Hause Bodmer gewonnenen Freunden.

Der Zürchersee

Schön ist, Mutter Natur, deiner Erfindung Pracht
Auf die Fluren verstreut, schöner ein froh Gesicht,
    Das den großen Gedanken
       Deiner Schöpfung noch *einmal* denkt.

Von des schimmernden Sees Traubengestaden her,
Oder, flohest du schon wieder zum Himmel auf,
    Komm in rötendem Strahle
       Auf den Flügeln der Abendluft,

Komm, und lehre mein Lied jugendlich heiter sein,
Süße Freude, wie du! gleich dem beseelteren
    Schnellen Jauchzen des Jünglings,
       Sanft, der fühlenden Fanny gleich.

Schon lag hinter uns weit Uto, an dessen Fuß
Zürch in ruhigem Tal freie Bewohner nährt;
    Schon war manches Gebirge
       Voll von Reben vorbeigeflohn.

Jetzt entwölkte sich fern silberner Alpen Höh,
Und der Jünglinge Herz schlug schon empfindender,
    Schon verriet es beredter
       Sich der schönen Begleiterin.

»Hallers Doris«, die sang, selber des Liedes wert,
Hirzels Daphne, den Kleist innig wie Gleimen liebt;
    Und wir Jünglinge sangen
       Und empfanden wie Hagedorn.

Jetzo nahm uns die Au in die beschattenden
Kühlen Arme des Walds, welcher die Insel krönt;
    Da, da kamest du, Freude!
       Volles Maßes auf uns herab!

Göttin Freude, du selbst! dich, wir empfanden dich!
Ja, du warest es selbst, Schwester der Menschlichkeit,
    Deiner Unschuld Gespielin,
       Die sich über uns ganz ergoß!

Süß ist, fröhlicher Lenz, deiner Begeistrung Hauch,
Wenn die Flur dich gebiert, wenn sich dein Odem sanft
    In der Jünglinge Herzen,
       Und die Herzen der Mädchen gießt.

Ach du machst das Gefühl siegend, es steigt durch dich
Jede blühende Brust schöner, und bebender,
    Lauter redet der Liebe
       Nun entzauberter Mund durch dich!

Lieblich winket der Wein, wenn er Empfindungen,
Beßre sanftere Lust, wenn er Gedanken winkt,
   Im sokratischen Becher
      Von der tauenden Ros' umkränzt;

Wenn er dringt bis ins Herz, und zu Entschließungen,
Die der Säufer verkennt, jeden Gedanken weckt,
   Wenn er lehret verachten,
      Was nicht würdig des Weisen ist.

Reizvoll klinget des Ruhms lockender Silberton
In das schlagende Herz, und die Unsterblichkeit
   Ist ein großer Gedanke,
      Ist des Schweißes der Edlen wert!

Durch der Lieder Gewalt, bei der Urenkelin
Sohn und Tochter noch sein; mit der Entzückung Ton
   Oft beim Namen genennet,
      Oft gerufen vom Grabe her,

Dann ihr sanfteres Herz bilden, und, Liebe, dich,
Fromme Tugend, dich auch gießen ins sanfte Herz,
   Ist, beim Himmel! nicht wenig!
      Ist des Schweißes der Edlen wert!

Aber süßer ist noch, schöner und reizender,
In dem Arme des Freunds wissen ein Freund zu sein!
   So das Leben genießen,
      Nicht unwürdig der Ewigkeit!

Treuer Zärtlichkeit voll, in den Umschattungen,
In den Lüften des Walds, und mit gesenktem Blick
   Auf die silberne Welle,
      Tat ich schweigend den frommen Wunsch:

Wäret ihr auch bei uns, die ihr mich ferne liebt,
In des Vaterlands Schoß einsam von mir verstreut,
   Die in seligen Stunden
      Meine suchende Seele fand;

O so bauten wir hier Hütten der Freundschaft uns!
Ewig wohnten wir hier, ewig! Der Schattenwald
   Wandelt' uns sich in Tempe,
      Jenes Tal in Elysium!

Edle Gedanken und Gefühle darzustellen, bedurfte es einer besonderen, ausgesuchten Form. Klang und Stellung des Worts kommen größte Bedeutung zu, der alogische Satzbau unterstreicht das Höhergestimmtsein des Sprechenden: »Schön ist, Mutter Natur, deiner Erfindung Pracht«. Ausrufe und Anreden steigern den Ton der Begeisterung, ebenso der mit Vorliebe gebrauchte Komparativ: »beseelter«, »empfindender«, »beredter«, »bebender«, »sanfter« ... Die Natur ist erfinderisch, schöpferisch, großartig. Kraftvolle Bündelungen wie »deiner Erfindung Pracht« oder »mit der Entzückung Ton« verstärken – durch den vorgestellten Genitiv – den Ausdruck. Keine konkrete Beschreibung, keine »Nachahmung« der Natur bremst die emotionale Bewegung. Schöner noch als die Natur erscheint dem Dichter das Gesicht des Freundes, der »den großen Gedanken [der] Schöpfung noch einmal denkt«: Im Gegenüber, das wie er fühlt, erlebt der Empfindsame die eigene Emphase mit gesteigerter Intensität.

Die extrem verschachtelten Sätze erschweren das rationale Verstehen: »›Hallers Doris‹, die sang, selber des Liedes wert, Hirzels Daphne« – das soll heißen: Hirzels Frau, schäferlich Daphne genannt, sang das seinerzeit bekannte Lied an »Doris« von Haller. Auf die Wirkung des Liedes, das die Freunde affizierte, kam es Klopstock an, deshalb betont er das Objekt durch die Anfangsstellung.

Während ein klarer Satzbau Ruhe und Gelassenheit spiegelt, zielt der Empfindsame mit seiner »schönen Unordnung« auf den Überraschungseffekt beim Leser. »Unvermutetes, scheinbare Unordnung, schnelles Abbrechen des Gedankens, erregte Erwartung, alles dies setzt die Seele in eine Bewegung, die sie für die Eindrücke empfänglicher macht«, schreibt Klopstock. Als in der 8. Strophe »Göttin Freude« sich offenbart, gibt der Dichter die erregte Stimmung mit Satzfragmenten wieder: »Göttin Freude, du selbst! dich, wir empfanden dich! / Ja, du warst es selbst ...« Gepreßt, gestammelt scheinen diese Worte, wie sie das übervolle Herz hervorbringt. Mit den Anreden der »Mutter Natur«, der »süßen Freude«, die wie in Hagedorns Ode als »Göttin« bezeichnet wird, hebt Klopstock sein Lied auf eine allegorische Ebene, den Idyllen Gleims und Hagedorns verwandt, deren Lieder die Freunde sangen. Frühlingshafte Begeisterung, Liebe, Wein, süße, reizende Freundschaft – im Rokoko spielerisch-unverbindlicher Ausdruck von Lebensgenuß – werden bei Klopstock zu großem Gefühl vertieft. Selbst der Wein, »vom Säufer verkannt«, wird idealistisch überhöht: er verspricht »beßre, sanftere« Empfindungen, »sokratische« Weisheit und Entschlußkraft. (Dabei war Klopstock durchaus den realen Lebensgenüssen zugetan, was Bodmer so irritierte, daß es zum Bruch der »heiligen« Freundschaft kam.)

Gipfel des Glücks, wichtiger als Ruhm und Unsterblichkeit, ist das Gefühl der Freundschaft, das bereits auf Erden ewiges Leben verheißt. Das Herz des freundschaftsseligen Dichters ist treu und voller Zärtlichkeit: »Treuer Zärtlichkeit voll«, sagt Klopstock und drängt so zusammen, was sonst nur nacheinander (und schwächer) auszudrücken ist. Die durch das Naturerleben gesteigerten Empfindungen sind so mächtig, daß sie schließlich die Natur zur empfundenen Idylle verwandeln: »Der Schattenwald / Wandelt' uns sich in Tempe, / Jenes Tal in Elysium!«

Die Empfindsamen feierten die Freundschaft als schöpferische Kraft; die Homoerotik, wie sie der heutige Leser in den emphatischen Freundschaftsergüssen zu finden glaubt, war im 18. Jahrhundert noch keine Bewußtseinsebene, dafür waren die Tabus viel zu stark. Auch die Liebe zwischen den Geschlechtern wurde zur leidenschaftsfreien, ja ätherischen Beziehung hochstilisiert. Die »schönen Seelen« zogen sich an und vereinigten sich in der Liebe zur gegenseitigen Vollendung. Nur im anakreontischen Arkadien und in der deutschen Rokokolyrik gab es körperhafte Liebe; die deutsche Empfindsamkeit stellte sich gegen die welsche Galanterie.

Das Feuer des Göttlichen beseelt auch die Briefe, die sich Freunde und Liebende schrieben. Zu den großen Briefwechseln dieses Jahrhunderts der Briefkultur gehört der zwischen Klopstock und seiner späteren Frau Meta Moller (die bei der Geburt ihres ersten Kindes starb). Anfang November 1752 schrieb der Dichter an seine »Klopstockin«:

Mit welchem Entzücken denke ich an Dich, meine Meta, mein einziges Kleinod, mein Weib. Wenn ich Dich in meiner Phantasie vorstelle, so ist meine Seele erfüllt mit himmlischen Gedanken, welche mich entzückend beschäftigen – sie glühen in meiner Brust, aber keine Worte können sie ausdrücken. Du bist mir teurer als alle, welche durch Blut und Freundschaft in der ganzen Schöpfung mit mir verbunden sind. Meine Schwester, meine Freundin, Du bist mein durch Liebe, durch die reinste, heiligste Liebe, welche die Vorsehung (o wie dankbar bin ich für diesen Segen) in meine Seele gelegt hat. Es dünkt mir, als ob Du, meine Zwillingsschwester mit mir im Paradiese geboren wärst ...

Wenig später, im Jahr 1753, schrieb Klopstock ›Das Rosenband‹ für sie, eines der schönsten, vollkommensten Liebesgedichte in deutscher Sprache. Den »seraphischen Ton« seiner Oden, der seine Lyrik für den modernen Menschen so schwer zugänglich macht, hat er hier ganz aufgegeben. Leicht wie Rokokopoesie beginnt es:

Das Rosenband

Im Frühlingsschatten fand ich sie;
Da band ich sie mit Rosenbändern:
Sie fühlt' es nicht, und schlummerte.

Ich sah sie an; mein Leben hing
Mit diesem Blick an ihrem Leben:
Ich fühlt' es wohl, und wußt' es nicht.

Doch lispelt' ich ihr sprachlos zu,
Und rauschte mit den Rosenbändern:
Da wachte sie vom Schlummer auf.

Sie sah mich an; ihr Leben hing
Mit diesem Blick an meinem Leben,
Und um uns ward's Elysium.

Das Gedicht deutet nur scheinbar eine rokokohafte Szene an. Nicht im Schatten eines Baumes wird das Mädchen überrascht (wie es den Anakreontikern reizvoll erschien), sondern der Dichter findet sie im Schatten ihres Frühlings, ihrer unberührten Jugend; sie fühlt die Liebe noch nicht, die Bindung mit den Rosenbändern. Der Mann sucht und findet, fesselt sie und spürt, ohne noch zu wissen, daß diese Begegnung schicksalhaft in sein Leben greift. Ganz Empfindung, »sprachlos«, kann er nur lispeln und mit den Rosenbändern rauschen; mit der Sprache des Herzens also weckt er die Geliebte. In der Begegnung ihrer Blicke, des Ich und Du, findet sie nun ihrerseits den Geliebten, der ihr Leben verändern wird. Das Liebeserlebnis, metaphorisch im Austausch der Blicke, der Seelen, angedeutet, gipfelt im Elysium, das im Unterschied zur Idylle einen erlebten Seelenzustand kennzeichnet. Der Parallelismus der Strophen zwei und vier spiegelt das wechselseitige innere Erleben. Mit ganz sparsamen Mitteln hat Klopstock Motive der galanten Rokokotändelei verwandelt zum Ausdruck eines elementaren Liebeserlebnisses, der bis heute Gültigkeit besitzt.

Wie kaum ein anderer seit Luther hat Klopstock die deutsche Sprache schöpferisch bereichert, die Verssprache vor allem, der er im Gegensatz zur eher rationalistischen »kalten Prosa« der Aufklärer eine vordem unerreichte Gefühlsintensität und -fülle verlieh.

Wilhelm Ludwig Gleim

Der sich ab der Jahrhundertmitte immer deutlicher artikulierende deutsche Patriotismus, literarisch gegen die Frankreichorientierung der Gottschedianer gerichtet, steigerte sich bei Klopstock zu einem Postulat an die Poesie: »So ist der höchste sittliche Wert, den der religiöse Sänger zu verkünden hat, neben Gott das Vaterland ...« Wenn er in einigen Oden begeistert die Errungenschaften der Französischen Revolution, »des Jahrhunderts edelste Tat«, besang (was er später allerdings widerrief), so stets mit der mahnend bedauernden Frage: »Und wir?« Im übrigen suchte er die deutsche Literatur anzubinden an eine ebenso fiktive wie nebelhafte germanische Bardentradition.

Der irisch-keltische Begriff »Barde« bezeichnet einen Sänger religiöser und heroischer Lieder, den es in Irland bis ins 14. Jahrhundert gab. Klopstock übernahm die assoziationskräftige Bezeichnung, in schwärmerischer Anknüpfung an die germanische Vorzeit, um das Nationalgefühl im Leser zu befördern. Damit begründete er eine durchaus auch unheilvolle Tradition von Dichtungen in Bardenmanier, die bis ins Dritte Reich wirkte.

Ludwig Gleim griff 1758 in seinen ›Preußischen Kriegsliedern in den Feldzügen von 1756 und 1757 von einem Grenadier‹ die vaterländische Begeisterung des verehrten Klopstock auf; affektive Unmittelbarkeit erreichte er, indem er vortäuschte, ein Soldat spräche direkt vom Schlachtfeld aus.

Bei der Eröffnung des Feldzuges 1756

Krieg ist mein Lied! Weil alle Welt
Krieg will, so sei es Krieg!
Berlin sei Sparta! Preußens Held
Gekrönt mit Ruhm und Sieg!

Gern will ich seine Taten tun,
Die Leier in der Hand,
Wenn meine blutgen Waffen ruhn
Und hangen an der Wand.

Auch stimm ich hohen Schlachtgesang
Mit seinen Helden an
Bei Pauken- und Trompetenklang,
Im Lärm von Roß und Mann;

Und streit, ein tapfrer Grenadier,
Von Friedrichs Mut erfüllt!
Was acht ich es, wenn über mir
Kanonendonner brüllt?

Ein Held fall ich; noch sterbend droht
Mein Säbel in der Hand!
Unsterblich macht der Helden Tod,
Der Tod fürs Vaterland!

Auch kömmt man aus der Welt davon
Geschwinder wie der Blitz;
Und wer ihn stirbt, bekömmt zum Lohn
Im Himmel hohen Sitz!

Wenn aber ich als solcher Held
Dir, Mars, nicht sterben soll,
Nicht glänzen soll im Sternenzelt,
So leb ich dem Apoll!

So werd aus Friedrichs Grenadier,
Dem Schutz, der Ruhm des Staats;
So lern er deutscher Sprache Zier
Und werde sein Horaz.

Dann singe Gott und Friederich,
Nichts Kleiners, stolzes Lied!
Dem Adler gleich erhebe dich,
Der in die Sonne sieht!

Die Form der Chevy-Chase-Strophe (4 Kurzverse mit stumpfem Reim), die bei den meisten englischen bzw. schottischen Volksballaden üblich war, hatte Klopstock 1749 in Deutschland bekannt und Gleim mit seinen Kriegsliedern populär gemacht. Quer durch alle Stände ging die Begeisterung für den siegesgewissen preußischen Grenadier, der so gar nicht wie ein gemeiner Soldat sprach. Die Rolle, die ihm der Dichter zuweist, hat nichts mit kriegerischer Realität zu tun, sondern dient der Verherrlichung des Preußenkönigs (der die Grenadiere erstmals als militärische Einheit formierte) und seiner Kriegskunst.

»Krieg ist mein Lied!« – in Bardenmanier eröffnet Gleim sein Gedicht, mit stolzem Ausruf, der wie die Fanfare zum Angriff klingt. »Weil alle Welt / Krieg will, so sei es Krieg!« Das ist die großartige Pose eines Feldherrn, ganz und gar nicht eines Untergebenen. Auch die gelehrt-historische Anspielung auf die Kriegskunst der Spartaner paßt nicht zu einem einfachen Grenadier, sondern ist Teil seiner Rolle: »Preußens Held«, den König, soll er mit seinem Lied verherrlichen. Die Ent-Persönlichung des Soldaten geht so weit, daß er seine Leistungen im Krieg als des Königs Taten ausgibt. Ein »tapfrer Grenadier« stirbt zudem leicht und geschwind den »Tod fürs Vaterland«; ein Platz im Himmel ist ihm dafür sicher.

Der Typus des braven Soldaten schlechthin, wie ihn sich der König und seine Anwerber wünschen, soll mit solch modischvolksliedhafter Dichtung für den Krieg gewonnen und in seine Pflicht eingeübt werden. Ein gut Teil Volksverdummung steckt in diesen »Liedern für das Volk«, wie ja in den Kinder- und Bauernliedern auch, die nebenbei zu angeblich gottgewolltem Gehorsam und fröhlicher Schufterei anhalten.

Volkspoesie ist das nicht; die hymnische Ode ist hier nur volksliedhaft verkleidet. (Lied und Ode waren bei Entstehung der Volkspoesie noch synonym gebrauchte Begriffe.) Herder griff später diesen falsch verstandenen Volkston an, ebenso die Dichter des Sturm und Drang.

Matthias Claudius

Wirklich volkstümliche Poesie schrieb Matthias Claudius (1740–1815), den man nach der von ihm herausgegebenen Zeitschrift auch den ›Wandsbecker Boten‹ nannte. Sein berühmtes ›Kriegslied‹ dringt in die Seele, heute wie vor 200 Jahren.

Kriegslied

's ist Krieg! 's ist Krieg! O Gottes Engel wehre,
    Und rede Du darein!
's ist leider Krieg – und ich begehre
    Nicht schuld daran zu sein!

Was sollt' ich machen, wenn im Schlaf mit Grämen
    Und blutig, bleich und blaß
Die Geister der Erschlagnen zu mir kämen,
    Und vor mir weinten, was?

Wenn wackre Männer, die sich Ehre suchten,
    Verstümmelt und halb tot
Im Staub sich vor mir wälzten und mir fluchten
    In ihrer Todesnot?

Wenn tausend tausend Väter, Mütter, Bräute,
    So glücklich vor dem Krieg,
Nun alle elend, alle arme Leute,
    Wehklagten über mich?

Wenn Hunger, böse Seuch' und ihre Nöten
    Freund, Freund und Feind ins Grab
Versammleten, und mir zu Ehren krähten
    Von einer Leich' herab?

Was hülf' mir Kron' und Land und Gold und Ehre?
    Die könnten mich nicht freun!
's ist leider Krieg – und ich begehre
    Nicht schuld daran zu sein!

Claudius schrieb ohne jede Pose, in keiner Manier, sondern aus dem Herzen, einfach, wahrhaftig, christlich-demütig, wie er war. Sein ›Kriegslied‹ spricht im Gegensatz zu Gleims Gedichten von wirklichen Menschen, von »wackren Männern«, die die versprochene Ehre suchten und nun in Todesnot, »verstümmelt und halb tot« sich im Staub wälzen. In seinem verzweifelten Begehren, »nicht schuld« an diesem fürchterlichen Krieg zu sein, und eben doch sich als Christ mitverantwortlich fühlend, bittet er Gott um Hilfe: er möge sein Gnadenwort sprechen. Der Krieg ist nicht mit

Gott (wie bei Gleim), sondern gegen Gott und gegen die Menschen; er bringt unvorstellbares Leid über alle Beteiligten – das heute so abgedroschene Wort »leider« ist hier noch in seiner wahren Bedeutung erhalten. Wie häufig auch in seiner Prosa, gibt sich der hochgebildete Dichter den Schein des Einfältig-Naiven, um desto freimütiger seinem Herzen Luft machen zu können. Indem er ahnungslos fragt: »Was sollt' ich machen... was?« und alle Schreckensvisionen des Krieges auf sich bezieht, kann er dem König einen Spiegel vorhalten, in dem dieser die wahre Katastrophe des Krieges erkennen *muß*. In der ersten Fassung des Gedichts gab es noch eine 7. Strophe, die lautete:

> Doch Friede schaffen, Fried im Land und Meere:
>   Das wäre Freude nun!
> Ihr Fürsten, ach, wenn's irgend möglich wäre!
>   Was könnt Ihr Größers tun?

Da spielt Claudius noch deutlicher den Naiven, hinter dessen einfältig vorgebrachter Bitte der innige Wunsch und die Aufforderung stecken, den Frieden wiederherzustellen und das Unglück, das der Krieg für Sieger wie Besiegte bringt, zu beenden. Auch Resignation schwingt mit, berechtigter Zweifel, daß der Herrscher die schwierige Aufgabe des Friedenerhaltens überhaupt als groß begreift.

Matthias Claudius wandte sich bewußt von der »Göttersprache« der »Klopstockianer« ab und bemühte sich um eine natürliche, verständliche Alltagssprache. Seine Einfachheit war indes nicht simpel, sondern höchst artifiziell: es war sozusagen die nach der geistigen Durchdringung wiedergewonnene einfache Form.

Darin sah Herder, der 1773 zum Sammeln von Poesie aus dem Volke aufrief, deren »Lebhaftigkeit und Rhythmus«, »Naivetät und Stärke der Sprache« er vor den »neueren schöngedruckten Dichtern« pries, die wahre Kunst. Als mustergültiges Volkslied nahm er Claudius' ›Abendlied‹, für das der Dichter die Melodie von Paul Gerhardts ›Nun ruhen alle Wälder‹ vorschlug, in seine Sammlung auf.

Abendlied

> Der Mond ist aufgegangen,
> Die goldnen Sternlein prangen
>   Am Himmel hell und klar;
> Der Wald steht schwarz und schweiget
> Und aus den Wiesen steiget
>   Der weiße Nebel wunderbar.

Wie ist die Welt so stille,
Und in der Dämmrung Hülle
   So traulich und so hold!
Als eine stille Kammer,
Wo ihr des Tages Jammer
   Verschlafen und vergessen sollt.

Seht ihr den Mond dort stehen? –
Er ist nur halb zu sehen,
   Und ist doch rund und schön!
So sind wohl manche Sachen,
Die wir getrost belachen,
   Weil unsre Augen sie nicht sehn.

Wir stolze Menschenkinder
Sind eitel arme Sünder
   Und wissen gar nicht viel;
Wir spinnen Luftgespinste
Und suchen viele Künste
   Und kommen weiter von dem Ziel.

Gott, laß uns dein Heil schauen,
Auf nichts Vergänglichs trauen,
   Nicht Eitelkeit uns freun!
Laß uns einfältig werden
Und vor dir hier auf Erden
   Wie Kinder fromm und fröhlich sein!

Wollst endlich sonder Grämen
Aus dieser Welt uns nehmen
   Durch einen sanften Tod!
Und, wenn du uns genommen,
Laß uns in Himmel kommen,
   Du unser Herr und unser Gott!

So legt euch denn, ihr Brüder,
In Gottes Namen nieder;
   Kalt ist der Abendhauch.
Verschon uns, Gott! mit Strafen,
Und laß uns ruhig schlafen!
   Und unsern kranken Nachbar auch!

Viele seiner Gedichte nannte Claudius »Lieder«, womit ihr volkstümlicher Charakter, ihre allgemeine Eingängigkeit, schon angezeigt sind. Dieses ›Abendlied‹ ist so populär geworden, daß man
leicht übersieht, wie kunstvoll es gestaltet ist (im übrigen fällt auf,
daß wir heute meist nur die erbaulichen, naturbezogenen Strophen
singen und die tiefergehende Mahnung an die Vergänglichkeit
weglassen).
Lutherisch-protestantische Klarheit und pietistische Empfind-

samkeit kennzeichnen Claudius' Sprache, die, ungehindert aller modischen Strömungen, immer wieder seine feste fromme Gesinnung zum Ausdruck bringt. Der Glaube gab ihm Zuversicht im Leben; im Gesetz der Natur, im Segen des Lichts wurde Gott ihm offenbar. So beginnt das Lied mit einem Stimmungsbild der Natur, das symbolhaft die Geborgenheit in Gottes Hand und die (pietistische) Einkehr in der Stille der Nacht nachvollzieht. Mit der Anrede des »ihr« wird das persönliche Erlebnis des Dichters der pietistischen Brüdergemeinde weitervermittelt.

Claudius war kein großer Freund der Aufklärung: Sowohl in seiner Neigung zum geoffenbarten Glauben wie in seiner Skepsis dem aufklärerischen Wissensoptimismus gegenüber schrieb er gegen den Strom der Zeit. Das Göttliche läßt sich nicht erklären, sagt er hier, nur fühlen und erfahren. Noch so viele Theorien (»Luftgespinste«), Experimente und Beschreibungen können dem Geheimnis Gottes nicht auf die Spur kommen; sie dienen nur dem »eitlen Selbstbedürfnis« des Menschen, führen ihn ab vom eigentlichen Ziel: nämlich ins Reich Gottes zu gelangen. »Fromm und fröhlich« sollen die Menschen werden, wie die Kinder – darum bittet er Gott im Gebet kniend (»vor dir hier auf Erden«).

Mit der Gebetsformel »Du unser Herr und Gott« schließt seine Bitte um einen gnädigen Tod, der nicht endgültig ist, sondern ein Hinübergehen aus »dieser Welt« in Gottes Welt. Die Beziehung zu Gott und die Beziehung zum Nächsten waren die Angelpunkte in Claudius' Dasein. Wenn das Gedicht am Schluß – mit dem »kalten Abendhauch« zur Nachtstimmung der ersten Strophe zurückkehrend – die Brüder, die Mitmenschen mit einschließt in seine Fürbitte, erfüllt der Dichter damit das christliche Gebot der Nächstenliebe. Das war bei Claudius keine Phrase, sondern der gute Grund seines Wesens, dem er im Leben und Schreiben treu blieb.

Matthias Claudius mußte vielen als skurriler Einzelgänger erscheinen, war ihm doch das Schwärmen in hohen Empfindungen und Ideen, die Streit- und Schreiblust, auch das Kraftgenialische seiner Zeitgenossen fern. Ihn interessierte der »inwendige Mensch«, dem er sich in behutsam gewählten Worten, in einer aufrichtigen, bescheidenen, ursprünglichen Tonart zu nähern versuchte, mahnend und tröstend zugleich.

III. Die Dramatische Dichtung

3.1 Die Theaterreform Gottscheds

Dem neu erwachenden Bürgertum bot die deutsche Schaubühne, das Theater, zu Beginn des 18. Jahrhunderts wenig Befriedigung: Die immer bombastischer werdenden Haupt- und Staatsaktionen spätbarocker Hofaufführungen empfand man als überladen und schwülstig; die als Tragödien bezeichneten blutrünstigen Spektakel der Wanderbühnen stießen ebenso ab wie deren sogenannte Komödien, in denen derb-ordinäre Zoten Geist und Pointen ersetzen mußten. Das Schuldrama hatte lediglich lokale Bedeutung.

Die Vernunft, die der Philosophie den Weg gewiesen hatte, sollte nun auch die Bühne erhellen und reformieren. In seiner ›Critischen Dichtkunst‹ hatte Gottsched dem Theater einen hervorragenden Platz eingeräumt. Als Professor der Poetik wollte er es »unmöglich ... dem Spott und der Verachtung« der Zeitgenossen »ausgesetzt seyn lassen«, wie er in einem akademischen Vortrag betonte, denn ihm, der Dichtung grundsätzlich unter moralisch-philosophischen Gesichtspunkten betrachtete, erschien das Drama als »hauptsächlichste Gattung« der Poesie. Während die Komödie dem Menschen einen Spiegel seines »unvernünftigen« Handelns vorhalte, der ihm seine Lächerlichkeit vor Augen führe, könne die Tragödie als edelste Form des Dramas »die stärksten Leidenschaften« erregen, »Verwunderung, Mitleiden und Schrecken«: sie »lehret und warnet in fremden Exempeln; sie erbauet, indem sie vergnüget, und schicket ihre Zuschauer allezeit klüger, vorsichtiger und standhafter nach Hause«.

Gottsched verteidigte die »regelmäßigen und wohleingerichteten Tragödien« als »Nachahmungen der Natur« und setzte sie entschieden gegen die »Misgeburten der Schaubühne« ab, die »unter dem prächtigen Titel, der Haupt- und Staatsactionen, mit untermischten Lustbarkeiten des Harlekins, pflegen aufgeführt zu werden«. Ein »verächtlicher Held« könne nicht zur moralischen Besserung des Zuschauers beitragen; es müßten die »Großen und Gewaltigen dieser Erden« zum Exempel dienen. Nicht weil, wie man zu Opitz' Zeiten glaubte, Kaiser und Potentaten allein zu »edlen Empfindungen« fähig seien, bleibe ihnen die Tragödie vorbehalten, sondern weil ihr großes Vorbild auch bei dem einfachen Bürger den »heimlichen Ehrgeiz, nicht schlechter als sie befunden zu werden, auslöse«. Die Möglichkeit, daß die Menschen »von mittlerm und geringerm Stande« aus den Schicksalen der »Fürsten und Helden« lernten, leugnete Gottsched keineswegs, allein er faßte die Aufgabe der Tragödie sehr viel weiter: Die Staatstragödie sollte auch die Politik moralisieren und der Vernunft öffnen, also eine Art Staatsethik entwickeln, die dem bürgerlichen Streben nach Ordnung, Wohlstand und sozialer Sicherheit entgegenkomme. Das Theater als »moralische Anstalt«, wie es später Schiller ausdrückte, sollte auch auf den politischen Absolutismus zurückwirken. So wurde die barocke »Ständeklausel«, wonach die Tragödie den Königen und Potentaten, die Komödie den Bürgern und Bauern vorbehalten sei, von Gottsched nur neu begründet, nämlich vom politisch-moralischen Nutzen der Tragödie her, als solche aber beibehalten.

Auch die aristotelische Forderung nach den drei Einheiten übernahm Gottsched, definierte sie aber unter dem Gesichtspunkt der »poetischen Nachahmung«: Die Beschränkung auf einen Schauplatz (Einheit des Orts), der Verzicht auf Neben- und Parallelhandlungen (Einheit der Handlung) und die Raffung auf einen in etwa der Aufführungsdauer entsprechenden Zeitraum (Einheit der Zeit) machten das Bühnengeschehen erst wahrscheinlich, glaubhaft und sicherten dadurch die Wirkung der moralischen Lehre.

Im Ergebnis also ist Gottscheds Dramentheorie streng konservativ, hier mußte, zumal die französischen Vorbilder höfisch orientiert waren, bald bürgerliche Kritik einsetzen. Da seine Poetik aber alle Dichtungsgattungen in ein einheitliches, von der Wirkung bestimmtes philosophisches System brachte, gab Gottsched den Anstoß zu einer Neubesinnung auf das Wesen der Literatur, die ja von allen Zeitgenossen als zentrales Medium der Aufklärung angesehen wurde. Für das Theater bedeutete dies die entscheidende Aufwertung.

Um die Jahrhundertwende rechnete man die Schauspieler noch zu den Gauklern, den unehrlichen Leuten: Dem Magister Velten, der mit seiner Truppe Ende des 17. Jahrhunderts die ersten Molière-Übersetzungen am Dresdner Hof aufgeführt hatte, verweigerte man sogar auf dem Totenbett das Abendmahl. So ist es um so beachtlicher, daß Gottsched nicht nur von der Universitätskanzel herab seine Poetikgedanken verkündete, sondern mit den Schauspielern selbst praktische Theaterreform versuchte. In Karoline Neuber (1697–1760) fand er eine kongeniale Schauspielerin, die seine Anliegen verstand und teilte. Die »Neuberin« war die Gattin des Prinzipals der Neuberschen Komödiantentruppe in Leipzig, die sich im Niveau deutlich vom sonst üblichen Klamauk abhob. Der erste gemeinsame Spielplan brachte Tragödien des Franzosen

Jacques Pradon, dann den ›Cid‹ Pierre Corneilles (in der Übersetzung des Leipziger Bürgermeisters Lange). Gottsched selbst übersetzte Jean-Baptiste Racines ›Iphigénie‹. Im Januar 1731 wurde sein eigenes Drama ›Sterbender Cato‹ auf der Neuberschen Bühne uraufgeführt – ein schwaches Stück aus heutiger Perspektive. Nein, Gottsched, der so viel von Sprache und Dichtung wußte, verstand nichts vom Dichten, hatte nicht jene schöpferische Kraft, die, gepaart mit strengem Fleiß, erst Kunst hervorbringt. Der Affekt, das leidenschaftliche Gefühl war dem strengen, eher trockenen Wissenschaftler verschlossen.

Gottsched wußte sehr wohl um seine »Unfähigkeit in der tragischen Poesie«, er wollte nur ein Muster für die »regelmäßige deutsche Originaltragödie« liefern. Trotz seiner Schwäche wurde der ›Cato‹ ein großer Erfolg und immer wieder neu inszeniert. Dabei sind Gottscheds Helden unlebendig, besitzen keine Leidenschaften, sondern teilen nur Überlegungen mit, sind maßvoll und vernünftig im Handeln. Der Alexandrinervers zeigt hier seine ganze Schwäche: er wirkt langatmig und macht eine spontane Äußerung fast unmöglich.

Der Stoff der fünfaktigen Tragödie ›Sterbender Cato‹ ist ziemlich unergiebig: es geht um den Selbstmord des Cato Uticensis nach dem Siege Caesars im Jahre 46 v. Chr. In der letzten Szene bringen Diener den Sterbenden aus seiner Kammer auf die Bühne:

ARTABAN: Das ist nun dein Triumph! So Cäsar, kanst du siegen!
PHOCAS: Nun ist es aus mit Rom, so hoch es auch gestiegen.
PORTIUS: Mein Vater! sterbt doch nicht!
CATO, *den man getragen bringt:* So weit, hier setzt mich her.
  Getrost, mein Sohn, getrost! Das Reden fällt mir schwer.
  Tritt näher Portius. Wie stehts mit unsern Freunden?
  Sind sie schon eingeschifft? Entkommen sie den Feinden?
  Sprich, ob ich ihnen sonst noch irgend dienen kan?
  Du aber, rufe nie den Feind um Gnade an.
  Versäume niemals was, die Freyheit Roms zu retten;
  Itzt folgt sie mir ins Grab! Ich sterbe sonder Ketten,
  Und bin recht sehr erfreut, daß, da ich frey gelebt,
  Ich noch ein Römer bin, indem man mich begräbt.
  Dem Beyspiel folge nach! Du stammst aus meinem Saamen,
  Befleisse dich denn auch dem Cato nachzuahmen!
  (Er umarmt ihn.)
  Gehab dich wohl mein Sohn! Du aber, Portia,
  Die ich vorlängst verlohr, itzt wenig Stunden sah,
  Und wiederum verliehr. Gedenke meiner Liebe,
  Und folg in allem Thun dem Tugendhaften Triebe,
  Der dich bereits erfüllt. Beweine nicht mein Grab;
  Rom, Rom, dein Vaterland dringt dir die Thränen ab!

Verdamme Cäsars Glut, die dich zur Sclavin machet,
Und weil was römisches in deiner Brust erwachet,
So wehle künftig mir den Held zum Tochtermann,
Der den Tyrannen straft und Rom befreyen kan.
Umarme mich mein Kind! Ihr Freunde, seht mich sterben!
Ihr seufzet? thut es nicht! Beweinet Roms Verderben!
Lebt wohl und Rom getreu. Ihr Götter! hab ich hier
Vielleicht zu viel gethan: Ach! so vergebt es mir!
Ihr kennt ja unser Herz, und prüfet die Gedanken!
Der Beste kan ja leicht vom Tugend-Pfade wanken.
Doch ihr seyd voller Huld! Erbarmt euch! – – Ha!

ARTABANUS: Er stirbt!   .

PHOCAS: O Schmerz! O harter Fall! Der größte Mann verdirbt,
Den jemahls Rom gesehn! Das Ebenbild der Götter,
Und hätten sie gewollt, des Vaterlandes Retter.

PORTIUS: Kommt, trag den todten Leib vor Cäsars Angesicht,
Wer weis, ob ihm nicht noch sein hartes Herze bricht;
Wenn er den Helden sieht in seinem Blute liegen.

ARTABANUS: O Rom! Das ist die Frucht von deinen Bürgerkriegen!

(V.8)

Wie Martin Opitz ein Jahrhundert zuvor, versuchte Gottsched die
deutsche Sprache literaturfähig zu machen, der deutschen Literatur im europäischen Konzert wieder eine Stimme zu geben; wie
Opitz entstammte er einer Schicht, die noch nach literarischer
Identität suchte, deshalb knüpfte er erst einmal an die alten Traditionen an. Aber während sich Opitz an den verhältnismäßig kleinen Kreis der späthumanistischen Akademiker wandte, der, soweit
nicht ohnehin von Adel, hohe gesellschaftliche Anerkennung ge-
noß, war Gottscheds »Zielgruppe« der ganze Stand, das Bürgertum, das um seine gesellschaftliche und politische Anerkennung
kämpfte.

Gottscheds Theaterreform scheiterte letztlich an der Verengung
auf das wirkungspoetische Prinzip, das in der Praxis gähnende
Langeweile auslöste. Seine Autorität und seine empfindliche Überheblichkeit waren so groß, daß seiner Schule kein dichterisches
Genie erwachsen konnte, obwohl bedeutende Dramatiker wie Johann Elias Schlegel (1719–1749), der Onkel der großen Romantiker Friedrich und August Wilhelm Schlegel, oder auch sein später
ärgster Widersacher, Gotthold Ephraim Lessing, zunächst in seiner Manier zu schreiben begannen. Was Gottsched schließlich als
regelmäßiges Drama anerkannte, druckte er in seiner Sammlung
›Deutsche Schaubühne nach den Regeln und Exempeln der Alten‹
ab, einem sechsbändigen Werk, das allerdings heute nur noch für
die Literaturgeschichte von Bedeutung ist. Gottscheds große kulturhistorische Leistung liegt darin, dem Theater neuen Wert gege-

ben und einen Weg gewiesen zu haben, von dem sich abzusetzen dann leichter war.

Die ersten Angriffe kamen von Bodmer und Breitinger, wie schon in den Ausführungen über die Poetik gesagt. Was das Theater betrifft, waren die Schweizer der Meinung, daß es nicht mechanisch eine historische Begebenheit »nachahmen«, sondern auf den Effekt, auf die Gemütsbewegung hin komponiert sein solle. Der Dichter dürfe durchaus einzelne Teile der »Historie« verändern, ohne der »Natur Gewalt anzuthun«, wenn es der Illusion eines wirklichen Geschehens diene und die emotionale Wirkung des Stücks dadurch vergrößert werde.

Den vernichtenden Angriff trug schließlich eine Generation später Lessing vor, der intellektuelle Schärfe, sprachliche Brillanz und dichterisches Genie gleichermaßen besaß. Seine scharfe Polemik war so überzeugend, daß sich die Literaturgeschichte heute noch schwer tut, Gottscheds Wirken einigermaßen gerecht zu werden.

3.2 Die »ernste« Komödie

Im Gegensatz zur politischen Staatstragödie sollte nach Gottsched die Komödie, indem sie Unvernunft und Torheit (»Laster«) dem Gelächter preisgab und ihre Themen und Stoffe dem allgemein menschlichen, privaten Bereich entnahm, eine Art Privatethik vermitteln. Lachen durfte der Zuschauer, weil er sich als der Besserwissende, Überlegene fühlen konnte, und seine Lektion nahm er dennoch mit nach Hause: »Der Gegenstand der beschämenden Bemerkungen der Zuschauer will man durchaus nicht sein, es koste auch, was es wolle; und wenn man sich auch nicht wirklich bessert, so ist man doch gezwungen, sich zu verstellen, damit man öffentlich weder für lächerlich noch für verächtlich gehalten werde.« Die Komödie sollte also auf satirische Weise Verhaltensnormen lehren, die – weil vernünftig – den Menschen glücklich machen mußten. So dreht sich das Karussell der (auf dieser Theorie beruhenden) »sächsischen Typenkomödie« der Frühaufklärung immer wieder um die »Sitten«, und es ist sicher keine zufällige Parallele, wenn das selbstbewußter werdende Bürgertum des 18. Jahrhunderts eine ähnliche Vorliebe für »Benimmbücher« entwickelte wie seinerzeit der Ministerialenadel im späteren Mittelalter für die »Tischzuchten« (vgl. Bd. I).

Die Werke der Adelgunde Gottsched, die ihren Mann so tatkräftig unterstützte, und die frühen Arbeiten Johann Elias Schlegels folgen ganz dieser Maxime. Das Komische an sich, das keinerlei moralischen Zweck verfolgte, bekämpfte Gottsched vor allem in der Figur des Hanswursts, des Harlekins, den er 1737 in einem feierlichen Akt von der Neuberschen Bühne vertreiben ließ. Auf Dauer allerdings konnten die Gottschedischen Komödienhelden, deren Fehler und Marotten bis zur Karikatur überzogen waren, das Publikum weder fesseln noch überzeugen; die Schwäche der rein auf moralische Wirkung abzielenden Poetik zeigte sich auch in diesem Genre.

Aus Frankreich kamen (wie so oft in der deutschen Literaturgeschichte) die ersten Impulse zu einer lebensnäheren Komödie: Pierre de Marivaux (1688–1763), Pierre-Claude Nivelle de La Chaussée (1692–1754) und andere entwickelten die *comédie sérieuse* (ernste Komödie), auch *comédie larmoyante* (rührendes Lustspiel) genannt. In ihr mischten sich Freud und Leid zu einem guten Ausgang. Ihre Helden wurden nicht mehr verlacht als krankhafte Typen, wie Molières ›Eingebildeter Kranker‹, oder weil sie in ihrem ständischen Streben nach oben zu weit gegangen waren, wie sein ›Georges Dandin‹; sie sollten vielmehr ernst genommen werden, weil sie gescheit, differenziert und tugendhaft waren.

In Deutschland versuchte vor allem Johann Fürchtegott Gellert mit eigenen Werken (›Die zärtlichen Schwestern‹, ›Die kranke Frau‹) und einer gründlichen poetischen Theorie die neue ernsthafte Komödie heimisch zu machen. Die Gottschedische Komödie hatte die »guten Sitten« zu lehren versucht durch den satirischen Spiegel des »Lasters«, des unvernünftigen Fehlverhaltens; durch vernünftige Einsicht sollte der Zuschauer richtiges Verhalten lernen. Das rührende Lustspiel Gellerts dagegen wollte die Fähigkeit zur Rührung, zum Mitleiden ansprechen und fördern, »eine stärkere Empfindung der Menschlichkeit erregen ..., welche sogar mit Tränen, den Zeugen der Rührung, begleitet wird«. Die Tugend der Menschlichkeit seiner Helden, die Fürsorge, Liebe, Brüderlichkeit einschloß, kontrastierte Gellert mit dem persönlichen Gewinnstreben, das in der Frühaufklärung noch als Wirken am gesellschaftlichen Gemeinwohl positiv besetzt war. Für die Dichter der Empfindsamkeit wurde die zwischenmenschliche Beziehung zum zentralen Anliegen ihres dramatischen Schaffens.

Mit Gellert avancierte die Komödie zu einer ernsthaften, bewegenden Kunstform, in der das Bürgertum seine eigenen Lebensprobleme dargestellt fand. Natürlich verwischte sich dadurch der Unterschied zur Tragödie, was die Kritiker dem rührenden Lustspiel deutlich ankreideten.

Lessing hielt das rührende Lustspiel durchaus für einen Fortschritt, da es so viele Identifikationsmöglichkeiten bot, so viele

Emotionen auslösen konnte. Freilich sei die *comédie larmoyante* noch nicht jene Stufe, auf der die Lustspieldichter stehenbleiben dürften. »Das Possenspiel will nur zum Lachen bewegen; das weinerliche Lustspiel will nur rühren; die wahre Komödie will beides. Man glaube nicht, daß ich dadurch die beiden in eine Klasse setzen will; es ist noch immer der Unterschied zwischen beiden, der zwischen Pöbel und Leuten von Stand ist.« Von April 1767 bis November 1768 war Lessing Dramaturg in Hamburg, wo ein Kreis wohlhabender, gebildeter Geschäftsleute ein »Nationaltheater« gegründet hatte. Hier wurde am 30. September 1767 die ›Minna von Barnhelm oder Das Soldatenglück‹ uraufgeführt. Lessing hatte mit besonderer Sorgfalt an dem Stück gearbeitet, wollte er doch ein Modell, ein Vorbild für den neuen, »wahren« Komödientyp schaffen, den er in der oben zitierten ›Abhandlung über das rührende Lustspiel‹ entworfen hatte.

Gotthold Ephraim Lessing, Minna von Barnhelm oder
Das Soldatenglück. Ein Lustspiel in fünf Aufzügen

In einem Berliner Wirtshaus wartet der abgedankte Major von Tellheim auf seine Rehabilitierung: Als preußischer Offizier hatte er während des Siebenjährigen Krieges den sächsischen Ständen Kontributionen (Kriegssteuern) gegen Wechsel persönlich vorgeschossen, da das Land wegen des Krieges ausgeplündert war. Nach Kriegsende aber wurde der Wechsel vom preußischen Staat eingezogen unter dem Verdacht, es handle sich um Bestechungsgelder. Den nunmehr mittellosen, verwundeten und tief in seiner Ehre gekränkten Tellheim quartiert der Wirt, ohne zu fragen, in ein schlechtes Zimmer ein, weil er in den besseren Räumen ein reiches sächsisches Edelfräulein unterbringen will. Zur Verletzung seiner Offiziersehre kommt so noch die Beleidigung durch den Wirt, der ihn, den schuldlos in Not Geratenen, mißachtet.

Die Personen der Handlung sind der Major von Tellheim, sein zum Diener avancierter Troßknecht Just und sein ehemaliger Wachtmeister Werner, auf der anderen Seite das sächsische Fräulein mit ihrer Zofe Franziska. Dazwischen agiert der neugierige Wirt. Das Fräulein aber ist Minna von Barnhelm, die auf der Suche nach ihrem verschollenen Verlobten Tellheim nach Berlin gekommen ist.

Das Wirtshaus als Handlungsort eignet sich vortrefflich, Kommen und Gehen der Akteure, ihr intimes Zusammensein und ihr Wegstreben, in Szene zu setzen. Die Nähe zur Wirklichkeit, die Lessing so wichtig war, damit das Volk sich angesprochen fühlen

konnte, wird erst recht durch die Aktualität der Handlung herge-
stellt: Der Siebenjährige Krieg war beendet, aus den Kriegsdien-
sten entlassene, vielleicht auch enttäuschte Soldaten gab es genug
zwischen Hamburg und Berlin. Die Wirren des Krieges waren
allen Zuschauern noch lebendig in Erinnerung.

Major von Tellheim verkörpert den preußischen Offizier, dem
seine Ehre höchste Tugend ist. So konnte Lessing es auch wagen,
einen Adeligen im Lustspiel auftreten zu lassen: seine Ehre zu
verteidigen, war eine dem Adel selbstverständliche Lebenshaltung.
Einzig, daß Tellheim übertrieben und starr an diesem Ehrbegriff
festhält, macht ihn ein wenig lächerlich. Ansonsten kennzeichnen
ihn Eigenschaften, die ihm rasch die Sympathie der Zuschauer
sichern: Großherzig, ritterlich, feinfühlig ist dieser neuartige Typus des Helden, liebenswürdig noch in seiner Schwäche, kurz: ein
Mensch.

Selbst nicht mehr in der Lage, den Wirt zu bezahlen, erläßt
Tellheim der Witwe seines Freundes großmütig dessen Schulden,
weigert er sich, die fünfhundert Goldstücke anzugreifen, die ihm
sein Wachtmeister Werner übergeben hatte. Werner, der den Major rückhaltlos bewundert, will ihm sein ganzes Vermögen schenken, allein Tellheim will niemandem etwas schuldig sein, will sogar
mit Just brechen, der Werner auf die verzweifelte Lage aufmerksam gemacht hatte. Just soll ihm die Rechnung machen:

v. TELLHEIM: Bist du da?

JUST *(indem er sich die Augen wischt):* Ja!

v. TELLHEIM: Du hast geweint?

JUST: Ich habe in der Küche meine Rechnung geschrieben, und die Küche
ist voll Rauch. Hier ist sie, mein Herr!

v. TELLHEIM: Gib her!

JUST: Haben Sie Barmherzigkeit mit mir, mein Herr. Ich weiß wohl, daß
die Menschen mit Ihnen keine haben; aber –

v. TELLHEIM: Was willst du?

JUST: Ich hätte mir ehr den Tod als meinen Abschied vermutet.

v. TELLHEIM: Ich kann dich nicht länger brauchen; ich muß mich ohne
Bedienten behelfen lernen. *(Schlägt die Rechnung auf und lieset)* »Was
der Herr Major mir schuldig: Drei und einen halben Monat Lohn, den
Monat 6 Taler, macht 21 Taler. Seit dem ersten dieses an Kleinigkeiten
ausgelegt 1 Tlr. 7 Gr. 9 Pf. Summa Summarum 22 Taler 7 Gr. 9 Pf.« –
Gut, und es ist billig, daß ich dir diesen laufenden Monat ganz bezahle.

JUST: Die andere Seite, Herr Major –

v. TELLHEIM: Noch mehr? *(Lieset)* »Was dem Herrn Major ich schuldig:
An den Feldscher für mich bezahlt 25 Taler. Für Wartung und Pflege
während meiner Kur für mich bezahlt 39 Tlr. Meinem abgebrannten
und geplünderten Vater auf meine Bitte vorgeschossen, ohne die zwei
Beutepferde zu rechnen, die er ihm geschenkt, 50 Tlr. Summa Summa-

rum 114 Tlr. Davon abgezogen vorstehende 22 Tlr. 7 Gr. 9 Pf. Bleibe dem Herrn Major schuldig 91 Tlr. 16 Gr. 3 Pf.« – Kerl, du bist toll! –

JUST: Ich glaube es gern, daß ich Ihnen weit mehr koste. Aber es wäre verlorne Tinte, es dazu zu schreiben. Ich kann Ihnen das nicht bezahlen; und wenn Sie mir vollends die Liverei nehmen, die ich auch noch nicht verdient habe, – so wollte ich lieber, Sie hätten mich in dem Lazarette krepieren lassen.

v. TELLHEIM: Wofür siehst du mich an? Du bist mir nichts schuldig, und ich will dich einem von meinen Bekannten empfehlen, bei dem du es besser haben sollst als bei mir.

JUST: Ich bin Ihnen nichts schuldig, und doch wollen Sie mich verstoßen?

v. TELLHEIM: Weil ich dir nichts schuldig werden will.

JUST: Darum? nur darum? – So gewiß ich Ihnen schuldig bin, so gewiß Sie mir nichts schuldig werden können, so gewiß sollen Sie mich nun nicht verstoßen. – Machen Sie, was Sie wollen, Herr Major; ich bleibe bei Ihnen; ich muß bei Ihnen bleiben. – ...

(I.8)

Tellheim und sein Diener reden nur scheinbar aneinander vorbei. »Kerl, du bist toll!« legt Just in seiner Bescheidenheit so aus, als mahne ihn sein Herr, auch die immateriellen Wohltaten, die er ihm erwiesen, in die Schuldrechnung aufzunehmen. Das absichtsvolle Mißverstehen und das Wortspiel mit der Wendung »schuldig sein« offenbaren erst die gute menschliche Beziehung zwischen beiden, die sich in Zahlen gar nicht ausdrücken läßt. Just, der einfache Mann aus dem Volk, der so viel warmherziger Anhänglichkeit fähig ist, steht mit seinem adeligen Herrn menschlich auf einer Stufe.

Tellheim versetzt schließlich die letzte Kostbarkeit, seinen Verlobungsring, um den Wirt bezahlen zu können. Minna erfährt von dem Wirt, daß es ihr Verlobter Tellheim ist, dessen Quartier sie bekommen hat, erkennt den Ring sofort und löst ihn ein. Sie will auch alle Schulden Tellheims bezahlen. In ihrem Glück, den Geliebten wiedergefunden zu haben, kann Minna sich kaum fassen.

DAS FRÄULEIN: Ich habe ihn wieder! – Bin ich allein? – Ich will nicht umsonst allein sein. *(Sie faltet die Hände)* Auch bin ich nicht allein! *(und blickt aufwärts.)* Ein einziger dankbarer Gedanke gen Himmel ist das vollkommenste Gebet! – Ich hab ihn, ich hab ihn! *(Mit ausgebreiteten Armen)* Ich bin glücklich! und fröhlich! Was kann der Schöpfer lieber sehen als ein fröhliches Geschöpf! – *(Franziska kömmt.)* Bist du wieder da, Franziska? – Er jammert dich? Mich jammert er nicht. Unglück ist auch gut. Vielleicht, daß ihm der Himmel alles nahm, um ihm in mir alles wiederzugeben!

FRANZISKA: Er kann den Augenblick hier sein – Sie sind noch in Ihrem Negligé, gnädiges Fräulein. Wie, wenn Sie sich geschwind ankleideten?

DAS FRÄULEIN: Geh! ich bitte dich. Er wird mich von nun an öfterer so als geputzt sehen.

FRANZISKA: O, Sie kennen sich, mein Fräulein.

DAS FRÄULEIN *(nach einem kurzen Nachdenken):* Wahrhaftig, Mädchen, du hast es wiederum getroffen.

FRANZISKA: Wenn wir schön sind, sind wir ungeputzt am schönsten.

DAS FRÄULEIN: Müssen wir denn schön sein? – Aber, daß wir uns schön glauben, war vielleicht notwendig. – Nein, wenn ich ihm, ihm nur schön bin! – Franziska, wenn alle Mädchen so sind, wie ich mich jetzt fühle, so sind wir – sonderbare Dinger. – Zärtlich und stolz, tugendhaft und eitel, wollüstig und fromm. – Du wirst mich nicht verstehen. Ich verstehe mich wohl selbst nicht. – Die Freude macht mich drehend, wirblicht. –

FRANZISKA: Fassen Sie sich, mein Fräulein, ich höre kommen –

DAS FRÄULEIN: Mich fassen? Ich sollte ihn ruhig empfangen?

(II.7)

Minna tanzt fast vor Glück! In den wenigen Sätzen dieser kurzen Szene stellt Lessing das liebenswürdige Geschöpf bereits in ihren wesentlichen Zügen vor. Minna vertraut ganz dem Leben und dem gütigen Gott, der die Geschicke der Menschen wohl in seinen Händen hält. Gegen alle Typologie der alten Aufklärungskomödie, die jeweils *eine* Eigenschaft als »belachungswürdig« herausstellte, charakterisiert sich Minna selbst als überzeugend lebendiger Mensch mit allen seinen Gegensätzen: »zärtlich und stolz, tugendhaft und eitel, wollüstig und fromm«. Tugenden und Untugenden liegen nahe beieinander – nur gut oder nur schlecht ist kein Mensch. Erst der »gemischte Charakter«, wie der Fachausdruck lautet, kommt der Wirklichkeit nahe und ermöglicht die innere Beteiligung des Zuschauers.

Endlich kommt es zum Wiedersehen der beiden Liebenden, aber Tellheim verhält sich abweisend.

DAS FRÄULEIN: Lieben Sie mich noch, Tellheim? – Ja oder nein?

V. TELLHEIM: Wenn mein Herz –

DAS FRÄULEIN: Ja oder nein!

V. TELLHEIM: Nun, ja!

DAS FRÄULEIN: Ja?

V. TELLHEIM: Ja, ja! – Allein –

DAS FRÄULEIN: Geduld! – Sie lieben mich noch: genug für mich. – In was für einen Ton bin ich mit Ihnen gefallen! Ein widriger, melancholischer, ansteckender Ton. – Ich nehme den meinigen wieder an. – Nun, mein lieber Unglücklicher, Sie lieben mich noch und haben Ihre Minna noch und sind unglücklich? Hören Sie doch, was Ihre Minna für ein eingebildetes, albernes Ding war, – ist. Sie ließ, sie läßt sich träumen, Ihr ganzes Glück sei sie. – Geschwind kramen Sie Ihr Unglück aus. Sie mag versuchen, wieviel sie dessen aufwiegt. – Nun?

v. TELLHEIM: Mein Fräulein, ich bin nicht gewohnt zu klagen.

DAS FRÄULEIN: Sehr wohl. Ich wüßte auch nicht, was mir an einem Solda-ten, neben dem Prahlen, weniger gefiele als das Klagen. Aber es gibt eine gewisse kalte, nachlässige Art, von seiner Tapferkeit und von sei-nem Unglücke zu sprechen –

v. TELLHEIM: Die im Grunde doch auch geprahlt oder geklagt ist.

DAS FRÄULEIN: O mein Rechthaber, so hätten Sie sich auch gar nicht unglücklich nennen sollen. – Ganz geschwiegen oder ganz mit der Spra-che heraus! – Eine Vernunft, eine Notwendigkeit, die Ihnen mich zu vergessen befiehlt? – Ich bin eine große Liebhaberin von Vernunft; ich habe sehr viel Ehrerbietung für die Notwendigkeit. – Aber lassen Sie doch hören, wie vernünftig diese Vernunft, wie notwendig diese Not-wendigkeit ist.

v. TELLHEIM: Wohl denn; so hören Sie, mein Fräulein. – Sie nennen mich Tellheim; der Name trifft ein. – Aber Sie meinen, ich sei der Tellheim, den Sie in Ihrem Vaterlande gekannt haben; der blühende Mann, voller Ansprüche, voller Ruhmbegierde; der seines ganzen Körpers, seiner ganzen Seele mächtig war; vor dem die Schranken der Ehre und des Glückes eröffnet standen; der Ihres Herzens und Ihrer Hand, wenn er schon Ihrer noch nicht würdig war, täglich würdiger zu werden hoffen durfte. – Dieser Tellheim bin ich ebensowenig, – als ich mein Vater bin. Beide sind gewesen. – Ich bin Tellheim, der verabschiedete, der an seiner Ehre gekränkte, der Krüppel, der Bettler. – Jenem, mein Fräu-lein, versprachen Sie sich; wollen Sie diesem Wort halten?

DAS FRÄULEIN: Das klingt sehr tragisch! – Doch, mein Herr, bis ich jenen wiederfinde, – in die Tellheims bin ich nun einmal vernarret, – dieser wird mir schon aus der Not helfen müssen. – Deine Hand, lieber Bett-ler! *(Indem sie ihn bei der Hand ergreift)*

v. TELLHEIM *(der die andere Hand mit dem Hute vor das Gesicht schlägt und sich von ihr abwendet):* – Das ist zuviel! – Wo bin ich? – Lassen Sie mich, Fräulein! – Ihre Güte foltert mich. – Lassen Sie mich!

DAS FRÄULEIN: Was ist Ihnen? Wo wollen Sie hin?

v. TELLHEIM: Von Ihnen!

DAS FRÄULEIN: Von mir? *(Indem sie seine Hand an ihre Brust zieht)* Träumer?

v. TELLHEIM: Die Verzweiflung wird mich tot zu Ihren Füßen werfen.

DAS FRÄULEIN: Von mir?

v. TELLHEIM: Von Ihnen! – Sie nie, nie wiederzusehen! – Oder doch so entschlossen, so fest entschlossen, – keine Niederträchtigkeit zu bege-hen, – Sie keine Unbesonnenheit begehen zu lassen! –Lassen Sie mich, Minna!! *(Reißt sich los und ab.)*

DAS FRÄULEIN *(ihm nach):* Minna Sie lassen? Tellheim! Tellheim!

(II.9)

In dieser Szene kann Minnas liebevoll-ironischer Ton den ver-zweifelten Tellheim nicht mehr erreichen. Gerade weil Tellheim seine Ehre vor der Welt verloren hat, muß er auf Minna verzich-ten, »Vernunft und Notwendigkeit« befehlen es ihm. Die Hochzeit mit einem entehrten Offizier würde Minna nach den Gesetzen der damaligen Zeit selbst entehren. Wider diese *gesellschaftliche* Vernunft, die sich gegen sein Gefühl richtet, steht Minnas *natürliche* Vernunft, die den Menschen höher stellt als gesellschaftliche Normen. Für sie muß Ehre vor dem eigenen Ich bestehen, vor dem eigenen Gewissen, nicht vor der Welt. Minna, die so viel Verstandesschärfe besitzt, läßt ihr Herz sprechen, während in Tellheim die rein »vernünftige« Vernunft, ein abstraktes Gesetz, dominiert; beides sollte nach dem Ideal der Hochaufklärung im Einklang stehen. Mann und Frau haben so ihre Aufgabe in der Welt, finden erst in der Ergänzung zur menschlichen Vollkommenheit. ›Minna von Barnhelm oder Das Soldatenglück‹ führt hinreißend selbstverständlich die Gleichberechtigung der beiden Geschlechter vor Augen.

Als Kontrastfigur zu dem unbiegsamen Tellheim tritt Leutnant Riccaut de la Marlinière ins Spiel ein, ein französischer Abenteurer in preußischen Diensten. Abgedankt, wie Tellheim, einer »Affaire d'honneur« wegen, abgebrannt wie Tellheim, »vis-a-vis du rien«, hat er nicht die geringsten Skrupel, Geld von Minna anzunehmen, um es zu verspielen bzw. durch Falschspiel zu vermehren. »Corriger la fortune« nennt er das: »... Betrügen! O, was ist die deutsche Sprak für ein arm Sprak! für ein plump Sprak!« Das Wortspiel mit der »Affaire d'honneur«, der Ehrensache, die bei Riccaut vermutlich auch auf einen Betrug hinauslief, macht die Welten zwischen den beiden »Ehrenmännern« deutlich: Neben diesem windigen, dabei nicht unsympathischen Schlawiner wirkt Tellheim, bei aller Hochachtung, die man vor seiner Haltung haben kann, auch ein wenig weltfremd und lächerlich. Wenn Minna auf Riccauts Frage: »Sie sprek nit Französisch, Ihro Gnad?« antwortet:

Mein Herr, in Frankreich würde ich es zu sprechen suchen. Aber warum hier? Ich höre ja, daß Sie mich verstehen, mein Herr. Und ich, mein Herr, werde Sie gewiß auch verstehen; sprechen Sie, wie es Ihnen beliebt.

(IV.2)

versetzt Lessing ganz nebenbei der modischen Französelei des Literaturbetriebs einen Seitenhieb.

Die komische Szene mit dem Leutnant verzögert den eigentlichen Handlungsverlauf als »retardierendes Moment«, wie es die Dramaturgie im 4. Akt erfordert, und steigert damit die Spannung vor dem Höhepunkt. Gleichzeitig deutet Riccaut beiläufig an, daß »die Sak von unserm Major sei auf dem Point zu enden und gutt zu enden«; nach der vorangegangenen, ans Tragische grenzenden Szene hebt er so das Stück wieder einen Augenblick ins Lustspielhafte, erinnert daran, daß es ja einen guten Ausgang geben wird.

Gleich nach der Riccaut-Szene wechselt das Stück wieder ins Ernste. Auch in der zweiten Begegnung der Liebenden setzt Minna Tellheims düster-eigensinnigem Beharren auf seinem Unglück ihr heiteres Selbstvertrauen und ihre Leichtigkeit entgegen. Erst als ihr Tellheim seine Kränkung, den Vorwurf der angeblichen Bestechung, genau erläutert und in Hohnlachen über den ungerechten Lauf der Welt ausbricht, ist Minna tief betroffen.

DAS FRÄULEIN: O, ersticken Sie dieses Lachen, Tellheim! Ich beschwöre Sie! Es ist das schreckliche Lachen des Menschenhasses! Nein, Sie sind der Mann nicht, den eine gute Tat reuen kann, weil sie üble Folgen für ihn hat. Nein, unmöglich können diese üblen Folgen dauern! Die Wahrheit muß an den Tag kommen. Das Zeugnis meines Oheims, aller unsrer Stände –

V. TELLHEIM: Ihres Oheims! Ihrer Stände! Ha, ha ha!

DAS FRÄULEIN: Ihr Lachen tötet mich, Tellheim! Wenn Sie an Tugend und Vorsicht glauben, Tellheim, so lachen Sie nicht! Ich habe nie fürchterlicher fluchen hören, als Sie lachen ...

(IV.6)

Tellheim, dem eine Welt zusammengebrochen ist, bleibt nur das »Lachen des Menschenhasses«, das zur Lästerung wird. Eines der tiefsten Anliegen der Aufklärung war die Theodizee, die Rechtfertigung Gottes trotz des Bösen in der Welt, und nicht nur für Lessing war es eine der schlimmsten Sünden, »den guten Grund in dem ewigen unendlichen Zusammenhange aller Dinge« zu leugnen. Deshalb muß Minna dieses Lachen so gebieterisch untersagen.

Einen Augenblick scheint es, als sei die Wendung zum Guten noch möglich, nämlich als Minna von Riccauts Mitteilung berichtet, der König selbst habe sich in des Majors Sache eingeschaltet; doch Tellheim ist nicht mehr in der Lage, an wirkliche Gerechtigkeit zu glauben. Da greift Minna zu einem letzten Mittel: Wenn ihre Liebe ihn nicht erweichen kann, muß ihn Mitleid zu sich bringen. Sie gibt ihm den Ring zurück, als löse sie ihre Verlobung, spricht von ihrem Unglück, das sie ihm nicht zumuten könne, und überläßt es Franziska, dem völlig verstörten Major das Schauermärchen ihrer Enterbung und Flucht zu erzählen. Die Szene endet nun wirklich ganz komödienhaft: Der Zuschauer weiß bereits, daß es *sein* Ring ist, den sie ihm gegeben hat – ebenjener, den sie beim Wirt ausgelöst hatte. In Wahrheit also wollte sie ihn dadurch neu an sich binden.

Die Intrige, die nur das Publikum durchschaut, ist das klassische Mittel, die Handlung einer Komödie voranzutreiben. Während sie aber in den Lustspielen der Gottsched-Schule faktisch die einzige Möglichkeit bildet, die Torheit bloßzustellen, dient die »Ringintrige« Minnas der inneren Befreiung Tellheims. Als sie vorgibt, selbst in Not zu sein, kann er sich zurückstellen: Ritterlichkeit und Ehre fordern von ihm, Minna zu schützen.

Als schließlich ein Brief des Königs Tellheims volle Rehabilitierung bringt, glaubt er sich schon im Glück und erst recht würdig, Minna zu heiraten – da verfällt das Fräulein noch einmal ihrer Lust am Spiel: Tellheims Lektion war ihr noch nicht gründlich genug.

DAS FRÄULEIN: ... Kurz, hören Sie also, Tellheim, was ich fest beschlossen, wovon mich nichts in der Welt abbringen soll –

V. TELLHEIM: Ehe Sie ausreden, Fräulein, – ich beschwöre Sie, Minna! – überlegen Sie es noch einen Augenblick, daß Sie mir das Urteil über Leben und Tod sprechen!

DAS FRÄULEIN: Ohne weitere Überlegung! – So gewiß ich Ihnen den Ring zurückgegeben, mit welchem Sie mir ehemals Ihre Treue verpflichtet, so gewiß Sie diesen nämlichen Ring zurückgenommen: so gewiß soll die unglückliche Barnhelm die Gattin des glücklichern Tellheim nie werden!

V. TELLHEIM: Und hiermit brechen Sie den Stab, Fräulein?

DAS FRÄULEIN: Gleichheit ist allein das feste Band der Liebe. – Die glückliche Barnhelm wünschte, nur für den glücklichen Tellheim zu leben. Auch die unglückliche Minna hätte sich endlich überreden lassen, das Unglück ihres Freundes durch sich, es sei zu vermehren oder zu lindern. – Er merkte es ja wohl, ehe dieser Brief ankam, der alle Gleichheit zwischen uns wieder aufhebt, wie sehr zum Schein ich mich nur noch weigerte.

V. TELLHEIM: Ist das wahr, mein Fräulein? – Ich danke Ihnen, Minna, daß Sie den Stab noch nicht gebrochen. – Sie wollen nur den unglücklichen Tellheim? Er ist zu haben. *(Kalt)* Ich empfinde eben, daß es mir unanständig ist, diese späte Gerechtigkeit anzunehmen; daß es besser sein wird, wenn ich das, was man durch einen so schimpflichen Verdacht entehret hat, gar nicht wiederverlange. – Ja, ich will den Brief nicht bekommen haben. Das sei alles, was ich darauf antworte und tue! *(Im Begriffe, ihn zu zerreißen)*

DAS FRÄULEIN: *(das ihm in die Hände greift)*: Was wollen Sie, Tellheim?

V. TELLHEIM: Sie besitzen.

DAS FRÄULEIN: Halten Sie!

V. TELLHEIM: Fräulein, er ist unfehlbar zerrissen, wenn Sie nicht bald sich anders erklären. – Alsdann wollen wir doch sehen, was Sie noch wider mich einzuwenden haben!

DAS FRÄULEIN: Wie? in diesem Tone? – So soll ich, so muß ich in meinen eignen Augen verächtlich werden? Nimmermehr! Es ist eine nichtswürdige Kreatur, die sich nicht schämet, ihr ganzes Glück der blinden Zärtlichkeit eines Mannes zu verdanken!

V. TELLHEIM: Falsch, grundfalsch!

DAS FRÄULEIN: Wollen Sie es wagen, Ihre eigene Rede in meinem Munde zu schelten? ... (V.9)

Nun ist der verbohrte Tellheim mit seinen eigenen Waffen geschlagen. Nachdem er seine Lektion wirklich begriffen hat, müßte Minna einlenken, aber sie treibt das Spiel noch weiter und beharrt darauf, sich selbst ihren Schutz zu suchen. Immer schneller wirbelt jetzt die Komödie ihrem Ende zu. Just tritt ein und flüstert Tellheim ins Ohr, daß der Wirt den Ring an das Fräulein von Barnhelm verkauft habe. Nun scheint sich für Tellheim alles zusammenzureimen: Minna hat von Anfang an falsch gespielt, um sich von ihm zu trennen. Diese letzte Krise steigert den Menschenhaß Tellheims zu schrillen Tönen. Der gute Werner, der ihm sein ganzes Geld bringt, wird sein Opfer.

V. TELLHEIM: Behalte dein Geld!
WERNER: Es ist ja Ihr Geld, Herr Major. – Ich glaube, Sie sehen nicht, mit wem Sie sprechen.
V. TELLHEIM: Weg damit! sag ich.
WERNER: Was fehlt Ihnen? – Ich bin Werner.
V. TELLHEIM: Alle Güte ist Verstellung, alle Dienstfertigkeit Betrug!
WERNER: Gilt das mir?
V. TELLHEIM: Wie du willst!
WERNER: Ich habe ja nur Ihren Befehl vollzogen. –
V. TELLHEIM: So vollziehe auch den, und packe dich!
WERNER: Herr Major! *(ärgerlich)* Ich bin ein Mensch –
V. TELLHEIM: Da bist du was Rechts!
WERNER: Der auch Galle hat –
V. TELLHEIM: Gut! Galle ist noch das Beste, was wir haben.

(V.11)

Tellheim tritt das höchste Gesetz, die Tugend der Menschlichkeit, mit Füßen. Dem Zuschauer aber geht das nicht mehr unter die Haut, er weiß ja, daß es nur eines Wortes bedarf, alles aufzuklären. Minna sieht, daß sie zu weit gegangen ist.

DAS FRÄULEIN: Geschwind umarmen Sie mich, Tellheim, und vergessen Sie alles –
V. TELLHEIM: Ha, wenn ich wüßte, daß Sie es bereuen könnten! –
DAS FRÄULEIN: Nein, ich kann es nicht bereuen, mir den Anblick Ihres ganzen Herzens verschafft zu haben! – Ah, was sind Sie für ein Mann! – Umarmen Sie Ihre Minna, Ihre glückliche Minna! Aber durch nichts glücklicher, als durch Sie! *(Sie fällt ihm in die Arme.)* Und nun ihm entgegen! –
V. TELLHEIM: Wem entgegen?
DAS FRÄULEIN: Dem besten Ihrer unbekannten Freunde.
V. TELLHEIM: Wie?
DAS FRÄULEIN: Dem Grafen, meinem Oheim, meinem Vater, Ihrem Vater. – – Meine Flucht, sein Unwille, meine Enterbung; – hören Sie denn nicht, daß alles erdichtet ist? – Leichtgläubiger Ritter!

V. TELLHEIM: Erdichtet? – Aber der Ring? der Ring?

DAS FRÄULEIN: Wo haben Sie den Ring, den ich Ihnen zurückgegeben?

V. TELLHEIM: Sie nehmen ihn wieder? – O, so bin ich glücklich! – Hier, Minna! – *(Ihn herausziehend)*

DAS FRÄULEIN: So besehen Sie ihn doch erst! – O über die Blinden, die nicht sehen wollen! – Welcher Ring ist es denn? Den ich von Ihnen habe, oder den Sie von mir? – Ist es denn nicht eben der, den ich in den Händen des Wirts nicht lassen wollen?

V. TELLHEIM: Gott! was seh ich? was hör ich?

DAS FRÄULEIN: Soll ich ihn nun wiedernehmen? soll ich? – Geben Sie her, geben Sie her! *(Reißt ihn ihm aus der Hand und steckt ihn ihm selbst an den Finger.)* Nun? ist alles richtig?

V. TELLHEIM: Wo bin ich? – *(Ihre Hand küssend)* O boshafter Engel! – mich so zu quälen?

DAS FRÄULEIN: Dieses zur Probe, mein lieber Gemahl, daß Sie mir nie einen Streich spielen sollen, ohne daß ich Ihnen nicht gleich darauf wieder einen spiele. – Denken Sie, daß Sie mich nicht auch gequälet hatten?

V. TELLHEIM: O Komödiantinnen, ich hätte euch doch kennen sollen!

FRANZISKA: Nein, wahrhaftig; ich bin zur Komödiantin verdorben. Ich habe gezittert und gebebt und mir mit der Hand das Maul zuhalten müssen.

DAS FRÄULEIN: Leicht ist mir meine Rolle auch nicht geworden. – Aber so kommen Sie doch!

V. TELLHEIM: Noch kann ich mich nicht erholen. – Wie wohl, wie ängstlich ist mir! So erwacht man plötzlich aus einem schreckhaften Traume!

(V.12)

Alles endet in eitel Harmonie: Der Graf gibt dem Paar seinen Segen, Tellheim versöhnt sich mit Werner, der auf der Bühne mit Franziska zurückbleibt.

FRANZISKA *(vor sich):* Ja, gewiß, es ist ein gar zu guter Mann! – So einer kömmt mir nicht wieder vor. – Es muß heraus! *(Schüchtern und verschämt sich Wernern nähernd)* Herr Wachtmeister!

WERNER: *(der sich die Augen wischt):* Nu? –

FRANZISKA: Herr Wachtmeister –

WERNER: Was will Sie denn, Frauenzimmerchen?

FRANZISKA: Seh' Er mich einmal an, Herr Wachtmeister. –

WERNER: Ich kann noch nicht; ich weiß nicht, was mir in die Augen gekommen.

FRANZISKA: So seh' Er mich doch an!

WERNER: Ich fürchte, ich habe Sie schon zu viel angesehen, Frauenzimmerchen! – Nun, da seh' ich Sie ja! Was gibt's denn?

FRANZISKA Herr Wachtmeister, – – braucht Er keine Frau Wachtmeisterin?

WERNER: Ist das Ihr Ernst, Frauenzimmerchen?

FRANZISKA: Mein völliger!

WERNER: Zöge Sie wohl auch mit nach Persien?
FRANZISKA: Wohin Er will!
WERNER: Gewiß? – Holla! Herr Major! nicht groß getan! Nun habe ich
wenigstens ein ebenso gutes Mädchen und einen ebenso redlichen
Freund als Sie! – Geb' Sie mir Ihre Hand, Frauenzimmerchen! Topp! –
Über zehn Jahr ist Sie Frau Generalin oder Witwe!

(V.15)

Franziska und Werner haben es leichter. Ihre Liebe kontrastiert als
Parallelhandlung das mühsame Sich-Finden von Minna und Tellheim; denn Franziska, die das Verwirrspiel nie so weit getrieben
hätte, ist das andere, unverbildete Ich Minnas, und der biedere,
gütig-treue Werner entspricht, geradlinig, wie er ist, wesentlich
dem Major. Lessing konzipierte diese beiden Figuren ganz nach
dem Rousseauschen Ideal vom natürlichen, nicht durch Konventionen deformierten Menschen. Wenn Werner am Schluß Tellheim
seinen treuen Freund nennen kann, gibt Lessing damit der bürgerlichen Hoffnung Ausdruck, daß die Tugend der Menschlichkeit
die ständischen Schranken überwinden könnte. Deshalb wird keine der bürgerlichen Figuren, nicht einmal der Wirt, entwürdigt
und dem Gelächter preisgegeben.

»Die Komödie«, schreibt Lessing, »will durch Lachen bessern;
aber nicht eben durch Verlachen; nicht gerade diejenigen Unarten,
über die sie zu lachen macht, noch weniger bloß und allein die, an
welchen sich diese lächerlichen Unarten finden. Ihr wahrer allgemeiner Nutzen liegt in dem Lachen selbst; in der Übung unserer
Fähigkeit, das Lächerliche zu bemerken; es unter allen Bemänte-
lungen der Leidenschaft und der Mode, es in allen Vermischungen
mit noch schlimmern oder mit guten Eigenschaften, sogar in den
Runzeln des feierlichen Ernstes, leicht und geschwind zu bemerken.« Indem er die Grenzen der Gattung so weit steckte, sprengte
Lessing letztlich den Rahmen der Komödie. ›Minna von Barnhelm‹ ist ein vollkommenes Kunstwerk, das alle Regeln der Cha-
rakterkomödie und des rührenden Lustspiels erfüllt und zugleich
alle Fragen nach der literarischen Einordnung überflüssig macht.
Größere Vollendung in dieser Gattung war nicht denkbar; Lessing
hat nie einen weiteren Versuch gemacht.

Am 21. Juli 1731 fand in London die Uraufführung der Tragödie
›The London Merchant or The History of George Barnwell‹ des
Juweliers George Lillo statt. Der Abend wurde ein ungewöhnli-
cher Erfolg: Der englische Hof interessierte sich für das Stück,
mehrere Druckauflagen folgten noch im selben Jahr; wenig später
lagen französische Übersetzungen vor; 1752 kam die erste deutsche Fassung heraus.

Gleich in der ersten Szene des ersten Akts erfährt der Kauf-
mannslehrling George Barnwell (und mit ihm der Zuschauer) von
der staatstragenden Rolle, die sein Stand in England spielt; nicht
nur das Geschäftsgebaren des Kaufmanns, sondern auch sein Pri-
vatleben sind also notwendig von öffentlichem Interesse. (Im englischen Verfassungsstaat hatte sich seit der ›Declaration of Rights‹
von 1709 das Großbürgertum tatsächlich zu einem bedeutenden
politischen Faktor entwickelt.) Der eigentliche Gegenstand des
Stücks ist ein handfester Kriminalfall, in dessen Verlauf der Held,
anfangs ein anständiger junger Mann, zum Verbrecher wird. Lillo
machte denn auch aus der Geschichte ein moralisches Lehrstück.
Nicht die formalen Qualitäten, sondern allein die Tatsache, daß es
Lillo gelungen war, Themen des bürgerlichen Privatlebens schlüs-
sig als Tragödienstoff zu begründen, sicherte dem Stück das allgemeine europäische Interesse. Wichtig war zudem, daß der englische Hof das Drama offensichtlich gutgeheißen hatte. Damit war
die »Ständeklausel«, das Tragödienmonopol der Kaiser und Könige, überwunden. Das kontinentale Bürgertum empfand diese Befreiung so stark, daß es Lillos Modell übernahm, ohne nach den
nationalen Voraussetzungen zu fragen.

Als um die Jahrhundertmitte die erste deutsche Übersetzung von
Lillos Stück vorlag, war durch die *comédie larmoyante* der Boden
für eine bürgerliche Tragödie schon bereitet. Dabei darf man im
»bürgerlichen Trauerspiel« nicht nur den Ausdruck eines neuen
Selbstbewußtseins des Bürgertums sehen. »Bürgerlich« meint in
diesem Zusammenhang, daß allgemein menschliche Themen der
privaten Moral, Angelegenheiten des Herzens und der Familie und
nicht mehr politisch-öffentliche, die Handlung bestimmen. Der als
bürgerliche Moral verstandene Tugendkanon, der Mitleid, Zärtlichkeit und Güte und andere Qualitäten der Menschlichkeit einschloß, wurde als allgemeingültig und überständisch, verbindlich
auch für die Fürsten und den Adel begriffen. Deren Verhaltensnormen wie Machtwille und Ehrgeiz, von den politisch Abhängigen oft genug als absolutistische Willkür erfahren, mußten von

daher als unmoralisch beurteilt werden. Wenn also bürgerliche Trauerspiele immer einen Bezug zu höfisch-adeligem Verhalten haben, so verbirgt sich dahinter der Aufklärungsoptimismus, der an die moralische Besserung auch der Herrschenden glaubte, sowie die bürgerliche Hoffnung, die ständischen Gegensätze überwinden zu können.

Unter dem Eindruck des ›Kaufmanns von London‹ schrieb Lessing sein erstes bürgerliches Trauerspiel, ›Miß Sara Sampson‹, steigerte die Vorlage dabei zum tragischen Schicksal der verführten Unschuld: Mellefont hat ein zügelloses Leben hinter sich, in der Liebe zu Sara gewinnt er wieder an moralischer Integrität. In dem Landgasthof, in den er sich mit Sara geflüchtet hat, trifft seine verlassene Geliebte, Lady Marwood, ein, entschlossen, um ihn zu kämpfen. Für die Marwood, die von Mellefont eine Tochter, Arabella, hat, ist die Ehe nur das Mittel, ihre gesellschaftliche Ehre wiederherzustellen, keine Herzensangelegenheit wie für Sara. Zwischen beiden Seiten schwankt Mellefont. Er ist allerdings nicht mehr der höfische Typ des skrupellosen Verführers, denn bei Sara hat er wieder zu weinen gelernt – und Tränen waren gewissermaßen das Erkennungszeichen der Tugendhaften, der Empfindsamen. In langen Monologen enthüllen nun die einzelnen Figuren jede Facette ihres Ichs, ihre Wünsche, ihre Schuldgefühle; sie sind keine Typen mehr, sondern eher Individuen mit guten und schlechten Eigenschaften, eben »gemischte« Charaktere, wie sie die Hochaufklärung forderte. Als Mellefont sich für Sara entscheidet, vergiftet die Marwood die Konkurrentin. Noch im Sterben legt Sara Mellefont und Arabella ihrem Vater ans Herz. Mellefont aber richtet sich im Bewußtsein seiner Schuld selbst. Zurück bleibt erschüttert der alte Sampson, der zu spät gekommen war, um seiner Tochter Sara zu verzeihen. »Laßt uns auf Arabellen denken. Sie sey, wer sie sey; sie ist ein Vermächtnis meiner Tochter.« So endet das Drama mit der Utopie einer Familiengemeinschaft, die nicht durch Verwandtschaft, sondern durch soziale Tugenden begründet ist.

Von der Uraufführung der ›Miß Sara Sampson‹ am 10. Juli 1755 auf der Ackermannschen Bühne in Frankfurt a. d. Oder schrieb der Dichter Ramler an Gleim: »Die Zuschauer haben dreieinhalb Stunden zugehört, stille gesessen wie die Statuen und geweint.« Die ersehnte Einheit von Dichter, Schauspieler und Zuschauer war zum ersten Male gelungen: In einer gänzlich unpolitischen, rein menschlichen Tragödie hatte ein Dichter erstmals versucht, »die Leidenschaften nicht [zu] beschreiben, sondern vor den Augen der Zuschauer entstehen und ohne Sprung in einer so illusorischen Stetigkeit wachsen zu lassen, daß dieser sympathisieren muß, er mag wollen oder nicht.«

Wenige Jahre später lieferte Lessing diesem ersten praktischen Versuch einer »modernen« Tragödie die poetische Theorie nach: Seine Abrechnung mit Gottsched und der von ihm initiierten Mittelmäßigkeit füllt wichtige Teile der ›Briefe, die neueste Literatur betreffend‹, einer literarischen Zeitschrift, die der Berliner Verleger Nicolai herausgab. Temperamentvoll, in geschliffener Polemik, trug Lessing seinen Frontalangriff vor: »›Niemand‹«, zitiert er am Beginn des berühmten 17. Literaturbriefs vom 16. Februar 1759, »›wird leugnen, daß die deutsche Schaubühne einen großen Teil ihrer ersten Verbesserung dem Herrn Professor *Gottsched* zu danken habe.‹ Ich bin dieser Niemand, ich leugne es geradezu. Es wäre zu wünschen, daß sich Herr Gottsched niemals mit dem Theater vermengt hätte. Seine vermeinten Verbesserungen betreffen entweder entbehrliche Kleinigkeiten oder sind wahre Verschlimmerungen.« Gottsched lebte immerhin noch (er starb erst Jahre später) und war für weite Kreise des gebildeten Bürgertums noch immer der unangefochtene Literaturpapst.

Wohl meint Lessing auch, daß sich das deutsche Theater vor Gottsched in schlimmem Zustand befunden habe, doch dann wendet er sich scharf gegen das ganze französisierende Theater Gottscheds und setzt dagegen das englische Shakespeares, an dem das Volk mehr Geschmack gefunden hätte; auch hätte ein Shakespeare »ganz andere Köpfe unter uns erweckt«, als es Gottsched gelungen sei. »Denn ein Genie kann nur von einem Genie entzündet werden; und am leichtesten von so einem, der alles bloß der Natur zu danken zu haben scheinet und durch die mühsamen Vollkommenheiten der Kunst nicht abschrecket. Auch nach den Mustern der Alten die Sache zu entscheiden, ist Shakespeare ein weit größerer tragischer Dichter als Corneille; obgleich dieser die Alten sehr wohl, und jener fast gar nicht gekannt hat. Corneille kömmt ihnen in der mechanischen Einrichtung, Shakespeare in dem Wesentlichen näher. Der Engländer erreicht den Zweck der Tragödie fast immer, so sonderbare und ihm eigene Wege er auch wählet; und der Franzose erreicht ihn fast niemals, ob er gleich die gebahnten Wege der Alten betritt.«

Hinter dieser Absage an die klassizistische Regelpoetik steckt ein gänzlich neuer ästhetischer Ansatz: Kunst ist für Lessing nicht lernbar, wie noch Gottsched glaubte, denn Regeln erfaßten nur die Äußerlichkeiten, nie das Wesen eines Kunstwerks. Das Drama aus sich selbst heraus zu erklären, war Lessings Anliegen in seiner Hamburger Zeit, als er die Aufführungen des Nationaltheaters mit seinen Kritiken begleitete. In dieser ›Hamburgischen Dramaturgie‹ entwickelte er seine Theorie von einem modernen deutschen Theater. Unangezweifelt ließ Lessing die Autorität des Aristoteles, deutete dessen Dramentheorie aber schöpferisch um, indem er die Katharsis, die Reinigung der Leidenschaften des Menschen, neu begriff: Nicht Jammer und Schrecken läuterten den Zuschauer, wie es noch die französische Klassik und mit ihr Gottsched aufgefaßt hatten, sondern Mitleid und Furcht – Mitleid mit dem Schicksal des tragischen Helden und Furcht vor einem ähnlichen eigenen Unglück. Dies gelinge dadurch, daß man das Publikum inneren Anteil am tragischen Geschehen nehmen lasse (»sympathisieren« nennt es Lessing). Deshalb forderte er auch Helden »vom gleichen Schrot und Korn« wie die Zuschauer, weil erst durch Identifikation die christlichen Tugenden der Demut und der Nächstenliebe eingeübt würden. Formale Forderungen wie die von Gottsched so verteidigte Ständeklausel oder die Lehre von den drei Einheiten wurden für ihn dagegen nebensächlich: Die Tragödie sollte den ganzen Menschen erfassen und verändern – das war ihr Hauptzweck.

Das Hamburger Unternehmen scheiterte bald wieder, und bitter beklagte Lessing im letzten Stück seiner ›Hamburgischen Dramaturgie‹ den »gutherzigen Einfall, den Deutschen ein Nationaltheater zu verschaffen, da wir Deutsche noch keine Nation sind«. Die Zukunft gehörte den – gewissermaßen verbürgerlichten – Hof- und Nationaltheatern, die den Gottschedischen Klassizismus schließlich überwanden.

Gotthold Ephraim Lessing, Emilia Galotti
Ein Trauerspiel in fünf Aufzügen

1757, also zwei Jahre nach der Uraufführung der ›Miß Sara Sampson‹, begann Lessing mit der Arbeit an einer neuen Tragödie, der ›Emilia Galotti‹. Als stoffliche Vorlage diente ihm die bei dem antiken Historiker Livius überlieferte Erzählung der Virginia, die von ihrem Vater Virginius getötet wurde, da er sie anders vor der Begierde des adeligen Appius Claudius nicht retten konnte; ihr Tod löste einen Volksaufstand aus. Der Virginia-Stoff ist in der europäischen Literatur seit dem 16. Jahrhundert vielfach dramatisch bearbeitet worden, in Deutschland zuerst von Hans Sachs. Der Barock, aber auch der Klassizismus französischer Prägung hätte aus dem Stoff vermutlich eine Haupt- und Staatsaktion gemacht – Lessing dagegen interessierte die Familientragödie, die menschliche Katastrophe aller Beteiligten. An Friedrich Nicolai schrieb er am 21. Januar 1758 (wobei er nicht von sich, sondern von einem fiktiven »jungen Tragikus« spricht): »Sein jetziges Sujet ist eine bürgerliche Virginia, der er den Titel Emilia Galotti gegeben. Er hat nehmlich die Geschichte der römischen Virginia von allem dem abgesondert, was sie für den ganzen Staat interessant machte; er hat geglaubt, daß das Schicksal einer Tochter, die von ihrem Vater umgebracht wird, dem ihre Tugend werther ist, als ihr Leben, für sich schon tragisch genug, auch fähig genug sei, die ganze Seele zu erschüttern, wenn auch gleich kein Umsturz der ganzen Staatsverfassung darauf folgte.«

›Emilia Galotti‹, an der Lessing fast 15 Jahre lang gearbeitet hatte, wurde dann doch ein Stück von gesellschaftlicher und politischer Brisanz. Auch wenn die Handlung in ein italienisches Renaissance-Fürstentum verlegt war, drängte sich die Parallele zum kleinstaatlichen Absolutismus in Deutschland auf; der Ständekonflikt der Livius-Vorlage besaß ja gerade hier höchste Aktualität. Lessings Kritik ging aber weiter, sie richtete sich gegen autoritäre Herrschaft überhaupt, ob sie nun im Staat durch den Fürsten oder in der Familie durch den Vater ausgeübt wurde.

Seiner Mätresse, der Gräfin Orsina, müde, verliebt sich der Prinz Hettore in die Bürgertochter Emilia Galotti. Sein Kammerherr, der Marquese Marinelli, berichtet als neuesten Gesellschaftsklatsch, daß Emilia noch am selben Tage den Grafen Appiani heiraten werde, und spottet über das »Mißbündnis« des Grafen mit einem »Mädchen ohne Vermögen und ohne Rang«. Da offenbart ihm der Prinz seine Liebe und fleht ihn schließlich an, alles zu tun, um die Hochzeit zu hintertreiben. Die bis dahin empfindsamtugendhafte, »bürgerliche« Zuneigung des Prinzen verändert sich an dieser Stelle, schlägt um in tatbestimmtes höfisches Verhalten: »Geschmachtet, geseufzet hab’ ich lange genug; – länger als ich gewollt hätte: aber nichts getan! und über die zärtliche Untätigkeit bei einem Haar alles verloren!« Jetzt besinnt er sich seiner Macht.

Keinen Augenblick denkt der intrigante Höfling Marinelli über die moralische Seite seines Tuns nach, für ihn ist der Wille des Herrschers oberstes Gesetz, und kühl berechnend, ein wenig amüsiert macht er sich ans Werk. Der Prinz ist schier besessen von seinem Wunsch, Emilia zu besitzen. So bewilligt er eine fast unverschämte Bittschrift, nur weil die Bittstellerin auch Emilia heißt. Leichtsinnig bis zur Verantwortungslosigkeit ist der Prinz, seine augenblicklichen Wünsche und Begierden lassen ihn seine Pflichten völlig vergessen. Er will so rasch als möglich nach Dosalo, seinem Lustschloß, wo ihm Marinelli Emilia zuzuführen plant. Der I. Akt schließt mit dem Eintreten des Rates Camillo Rota.

DER PRINZ: Kommen Sie, Rota, kommen Sie. – Hier ist, was ich diesen Morgen erbrochen. Nicht viel Tröstliches! – Sie werden von selbst sehen, was darauf zu verfügen. – Nehmen Sie nur.

CAMILLO ROTA: Gut, gnädiger Herr.

DER PRINZ: Noch hier ist eine Bittschrift einer Emilia Galot... Bruneschi, will ich sagen. – Ich habe meine Bewilligung zwar schon beigeschrieben. Aber doch – die Sache ist keine Kleinigkeit. – Lassen Sie die Ausfertigung noch anstehen. – Oder auch nicht anstehen; wie Sie wollen.

CAMILLO ROTA: Nicht, wie ich will, gnädiger Herr.

DER PRINZ: Was ist sonst? Etwas zu unterschreiben?

CAMILLO ROTA: Ein Todesurteil wäre zu unterschreiben.

DER PRINZ: Recht gern. – Nur her! geschwind.

CAMILLO ROTA: *(stutzig und den Prinzen starr ansehend):* Ein Todesurteil – sagt ich.

DER PRINZ: Ich höre ja wohl. – Es könnte schon geschehen sein. Ich bin eilig.

CAMILLO ROTA: *(seine Schriften nachsehend):* Nun hab ich es doch wohl nicht mitgenommen! – Verzeihen Sie, gnädiger Herr. – Es kann Anstand damit haben bis morgen.

DER PRINZ: Auch das! – Packen Sie nur zusammen: ich muß fort – Morgen, Rota, ein mehres! *(Geht ab)*

CAMILLO ROTA: *(den Kopf schüttelnd, indem er die Papiere zu sich nimmt und abgeht):* »Recht gern«? – Ein Todesurteil »recht gern«? – Ich hätt es ihn in diesem Augenblicke nicht mögen unterschreiben lassen, und wenn es den Mörder meines einzigen Sohnes betroffen hätte. »Recht gern! recht gern!« – Es geht mir durch die Seele, dieses gräßliche »Recht gern«!

(I.8)

Den Konflikt, der sich unausweichlich aus der Verbindung von Herrscheramt und Menschsein ergibt, spitzt Lessing in dieser Szene spektakulär zu, so daß der Zuschauer kaum anders kann, als leidenschaftlich mit Camillo Rota zu »sympathisieren« im Zorn auf den Prinzen. Unmittelbarer einleuchtend, als es jede direkte Aussage vermöchte, macht Lessing seine grundsätzliche Kritik am absolutistischen Herrschaftssystem evident: Der Prinz müßte stets »ruhig«, also sachlich und rational handelnd, das Gemeinwohl seines Staates befördern; in Wahrheit aber ist er als Mensch genauso seinen Affekten ausgeliefert wie jeder andere – mit dem gefährlichen Unterschied, daß er seine Macht voll zur Befriedigung seiner Begierden einsetzen kann. Darin liegt für Lessing ein Grundproblem aller absolutistischen Einzelherrschaft.

Kurze Szenen, rascher Wechsel kennzeichnen das ganze Stück; die große Rede, das deklamatorische Theater, wie es noch die Gottsched-Schule forderte, ist zurückgedrängt zugunsten des mimischen Spiels. Der Charakter der einzelnen Figuren wird nicht mehr wie im moralischen Lehrstück beschrieben, enthüllt sich auch nicht in langen Monologen wie in ›Miß Sara Sampson‹, sondern zeigt sich unmittelbar in ihrem Handeln und in sparsamen, um so beredteren Worten wie diesem »Recht gern«. Camillo Rota, dieses unbedeutende Rädchen im Getriebe der Großen, muß die Menschlichkeit retten, muß noch die Würde eines Mörders verteidigen vor dem Unmenschen, der Hettore in diesem Augenblick seiner Leidenschaften ist.

Der II. Akt spielt im Hause der Galottis, wohin überraschend der Vater Odoardo von seinem Landgut heimgekehrt ist, einem spontanen Impuls folgend und der Besorgnis »Wie leicht vergessen sie etwas!«. Auch Odoardo, der herrische Patriarch seiner Familie, ist affektgesteuert und tut sich schwer mit der vernünftigen Besonnenheit, die nach bürgerlicher Idealvorstellung Voraussetzung wahrer Menschlichkeit ist. Claudia, seine Frau, berichtet ihm, Emilia sei allein zur Messe gegangen, was den sittenstrengen Vater schon murren läßt. Als er dann noch hört, der Prinz habe vor kurzem Emilia gesehen und bewundert, gerät er in Zorn.

ODOARDO: Lobeserhebungen? Und das alles erzählst du mir in einem Tone der Entzückung? O Claudia! Claudia! eitle, törichte Mutter!
CLAUDIA: Wieso?
ODOARDO: Nun gut, nun gut! Auch das ist so abgelaufen. – Ha! wenn ich mir einbilde – – Das gerade wäre der Ort, wo ich am tödlichsten zu verwunden bin! – Ein Wollüstling, der bewundert, begehrt. – Claudia! Claudia! der bloße Gedanke setzt mich in Wut. – Du hättest mir das sogleich sollen gemeldet haben. – Doch, ich möchte dir heute nicht gern etwas Unangenehmes sagen. Und ich würde, *(indem sie ihn bei der Hand ergreift)* wenn ich länger bliebe. – Drum laß mich! laß mich! – Gott befohlen, Claudia! – Kommt glücklich nach!

(II.4)

Odoardo Galotti hätte die Tochter am liebsten immer in seiner Nähe auf dem Lande behalten, so verderbt und gefährlich scheinen ihm die Stadt und die Ausstrahlung des Hofes. In seiner durchaus nicht abwegigen Einbildung sieht er schon den wollüstigen Prinzen die Tochter verführen, und »das gerade wäre der Ort«, wo er »am tödlichsten zu verwunden« ist. Odoardos Ehre ist sein unbescholtener tugendfester Charakter; von der makellosen Unschuld seiner Tochter hängt auch seine Ehre ab: deshalb muß er Emilia so ängstlich im Auge behalten. Das Selbstwertgefühl des Bürgertums war noch schwach und leicht verletzbar, wenn die Tochter sich etwa von dem vorgeschriebenen Tugendpfad nur ein Schrittchen entfernte. Aber an diesem Festtag mag Odoardo nicht offen mit seiner Frau sprechen, um die Hochzeitsstimmung nicht zu trüben. Wieder gibt er einem Impuls nach; richtig – im Sinne des bürgerlichen Ideals – wäre gewesen, mit Claudia seine Sorgen offen zu besprechen. Vernünftiges Abwägen, auch von Gefühlen, ist ihm jedoch nicht gegeben. Dabei weiß der Zuschauer ja bereits, wie sehr Odoardo mit seinem Argwohn im Recht ist. Dadurch, daß ein offenes Gespräch nicht stattfindet, kann sich nun der tragische Konflikt entwickeln.

Emilias Mutter teilt den Haß des Vaters auf den Hofadel nicht, sie akzeptiert auch die rigorose Abkehr des Bürgers Odoardo vom gesellschaftlichen und politischen Leben der Residenzstadt nicht. Claudia ist weicher, nachgiebiger, sicher auch von ihrem Charakter her wirklichkeitsnäher als ihr Mann. »O, der rauhen Tugend«, sagt sie, als Odoardo aufgebracht davongeritten ist, »alles scheint ihr verdächtig, alles strafbar! – Oder, wenn das die Menschen kennen heißt: – wer sollte sich wünschen, sie zu kennen.« – Claudia, die »eitle, törichte Mutter«, wie ihr Mann sie schimpft, fühlt sich auch geschmeichelt, als der Prinz die Schönheit und den munteren Witz ihrer Tochter lobt.

Spätere Literaturkritik hat in Odoardo das moderne selbstbewußte Bürgertum gesehen, in Claudia das alte kriecherische Plebejertum, das noch in der Verführung der Tochter am Glanz des Hofes zu partizipieren hofft. Solch ideologisierende Interpretation widerspricht doch wohl Lessings Absichten: Als Dichter wollte er natürliche Menschen in ihrer Vielseitigkeit darstellen; als Aufklärer glaubte er an eine allgemeine, auf Vernunft und Tugend gegründete Erziehung zur Menschlichkeit, hinter der Standes- oder gar Klassengegensätze zweitrangig wurden.

Was der Vater ahnungsvoll vorausgesehen hat – ein Schritt »ist genug zu einem Fehltritt« – scheint tatsächlich eingetreten zu sein. Emilia stürzt aufgelöst ins Zimmer und berichtet voller Schrecken, man habe in der Kirche versucht, sie zu verführen. Ihre Unschuld und ihre Wahrhaftigkeit lassen es ihr bereits als Sünde erscheinen, überhaupt zugehört zu haben. Doch zeigt ihr Bericht, wie sehr sie, obgleich geängstigt, empört, auch beeindruckt ist.

EMILIA: Eben hatt' ich mich – weiter von dem Altare, als ich sonst pflege – denn ich kam zu spät – auf meine Knie gelassen. Eben fing ich an, mein Herz zu erheben, als dicht hinter mir etwas seinen Platz nahm. So dicht hinter mir! – Ich konnte weder vor noch zur Seite rücken, – so gern ich auch wollte, aus Furcht, daß eines andern Andacht mich in meiner stören möchte. – Andacht! das war das Schlimmste, was ich besorgte. – Aber es währte nicht lange, so hört ich, ganz nah an meinem Ohre, – nach einem tiefen Seufzer, – nicht den Namen einer Heiligen, – den Namen, – zürnen Sie nicht, meine Mutter – den Namen Ihrer Tochter! – Meinen Namen! – O, daß laute Donner mich verhindert hätten, mehr zu hören! – Es sprach von Schönheit, von Liebe – Es klagte, daß dieser Tag, welcher mein Glück mache, – wenn er es anders mache – sein Unglück auf immer entscheide. – Es beschwor mich – – hören mußt ich dies alles. Aber ich blickte nicht um; ich wollte tun, als ob ich es nicht hörte. – Was konnt ich sonst? – Meinen guten Engel bitten, mich mit Taubheit zu schlagen; und wann auch, wann auch auf immer! – Das bat ich; das war das einzige, was ich beten konnte. – Endlich ward es Zeit, mich wieder zu erheben. Das heilige Amt ging zu Ende. Ich zitterte, mich umzukehren. Ich zitterte, ihn zu erblicken, der sich den Frevel erlauben dürfen. Und da ich mich umwandte, da ich ihn erblickte –

CLAUDIA: Wen, meine Tochter?

EMILIA: Raten Sie, meine Mutter; raten Sie. – Ich glaubte in die Erde zu sinken. – Ihn selbst.

CLAUDIA: Wen, ihn selbst?

EMILIA: Den Prinzen. (II.6)

Diese für Emilias Charakterisierung so wichtige Passage ist auf sehr verschiedene Weise interpretiert worden; tatsächlich kann Emilia hier nicht eindeutig aus ihrem Verhalten erklärt werden. Da Lessing nicht mehr – wie in ›Miß Sara Sampson‹ – die einzelnen Figuren ihre Gefühle offen darlegen und reflektieren läßt, sondern diese indirekt, aus ihrem Verhalten charakterisiert, da er außerdem individuelle Geschöpfe in ihren »vermischten Leidenschaften« auf die Bühne stellen wollte, darf Emilia auch nicht so ausrechenbar sein. Auf diese Szene übertragen, heißt das: Wenn Emilia so verstört aus der Kirche kommt, kann das »Ihn selbst«, das sie so zitternd vorbringt, bedeuten, daß ihr der Prinz nicht gleichgültig war, seit sie ihn auf dem Fest der Grimaldis gesehen hatte. Oder heißt es: Da Seine Hoheit, der erlauchte Prinz selbst, sich den »Frevel« erlaubt hat, wagte sie es nicht, ihn mit einem stolzen und vernichtenden Blick in die Schranken zu weisen? Dazu hatte sie, die Bürgerliche, »nicht das Herz«, und deshalb mußte sie fliehen. Aber solche Fragestellung ist wohl zu modern; Emilia war in eine Verwirrung der Gefühle geraten und handelte in jedem Falle ohne »ruhige« Überlegung, also falsch. Erst als sie sich in dem Gespräch mit der Mutter wieder beruhigt hat, kann sie ihren Verstand einsetzen: »Ich hätte mich noch wohl anders dabei nehmen können und würde mir ebensowenig vergeben haben.« Jetzt ist Emilia wieder die vernünftige Tochter ihres Vaters; jetzt wird ihr klar, daß sie aus verletztem Tugendstolz selbst einem Fürsten fest und energisch solches Verhalten hätte verbieten können.

Am Ende ihres Berichts hat Emilia den einzig richtigen Gedanken, nämlich dem Grafen, ihrem Bräutigam, alles zu erzählen. Doch die Mutter verwehrt es, sie solle den Grafen nicht ohne Not »unruhig« machen. »Den Liebhaber könnt' es sogar schmeicheln, einem so wichtigen Mitbewerber den Rang abzulaufen. Aber wenn er ihm den nun einmal abgelaufen hat: ah! mein Kind – so wird aus dem Liebhaber oft ein ganz anderes Geschöpf.

Dein gutes Gestirn behüte dich vor dieser Erfahrung.« Was wie vernünftige Belehrung klingt, entspringt wohl eigener schmerzlicher Erfahrung mit der »strengen Tugend« Odoardos, die sie fürchten gelernt hat. Emilia, die noch unverheiratete Tochter, ist – wie der Bürger im absolutistischen Staat – ganz in ein starres Autoritätsgefüge eingebunden: »Nun ja, meine Mutter! ich habe keinen Willen gegen den Ihrigen.« Autoritäre Herrschaft ruft notwendig Angst und Heimlichkeit hervor; wieder wird ein klärendes Gespräch verhindert, das den tragischen Ausgang hätte aufhalten können.

Mutter und Tochter sind wieder ganz ruhig, als Graf Appiani erscheint; die Abreise steht unmittelbar bevor. Da kommt der Marquese Marinelli und überbringt Appiani den Auftrag des Prinzen, sofort als sein persönlicher Gesandter nach Massa abzureisen. Appiani, der Marinelli verachtet, lehnt höhnisch ab; es kommt zum Streit. Beleidigt fordert Marinelli den Grafen zum Duell, drückt sich aber im letzten Moment.

Mit dem III. Akt wechselt der Schauplatz nach Dosalo, dem Lustschloß des Prinzen. Marinelli berichtet Hettore von Appianis Weigerung, erwähnt auch die Duellforderung, behauptet allerdings, Appiani habe den Termin verschoben. Marinelli ist feige, zynisch, intrigant, ein maskenhaft glatter Höfling, der sich als Werkzeug des Prinzen mißbrauchen läßt und sein bißchen Macht auch noch zu genießen scheint. Ihn und den Grafen, obwohl beide von Adel, trennen Welten. Appiani hätte sich nie für einen schmeichlerischen und kriecherischen Hofdienst hergegeben. Er will zurückgezogen auf seinen Gütern »sich selbst leben«, er heiratet eine Bürgerliche, bewundert Emilias Vater als »das Muster aller männlichen Tugenden«, will ihm nachstreben. So ein Appiani muß beinahe zwangsläufig blaß und vage, ein utopischer Held bleiben. Als einzige unschuldige, nur gute Figur dieses Stücks wird er das Opfer intriganter Machenschaften zur Befriedigung einer fürstlichen Laune.

Marinelli hat Räuber gedungen, die die Hochzeitskutsche überfallen, Emilia entführen und in des Prinzen Lustschloß bringen sollen. Nicht vorhergesehen war, daß Graf Appiani zur Waffe greift, einen der Komplizen erschießt und dafür selbst tödlich verwundet wird.

Auch Marinelli, die graue Eminenz des Bösen, der die Fäden der Tragödie zieht, erregt nicht nur Abscheu, sondern auch Mitleid. Was ist das für ein armseliges Leben, nach Belieben des Fürsten wie ein Freund gehoben, dann wieder wie ein Hund getreten zu werden. Sein Auftrag, Emilias Hochzeit zu verhindern, hätte Marinelli in jedem Fall die Unzufriedenheit, ja den Zorn des Fürsten eingetragen. Das Begehren des Prinzen ist die eigentliche Schuld. Die Mächtigen aber haben immer die Möglichkeit, ihre Schuld anderen zuzuschieben.

Marinelli kennt dieses Falschspiel genau: ein Gewissen, einen eigenen Standpunkt darf er in seiner Rolle gar nicht haben. Marinelli beherrscht sie perfekt. So gibt er vor, sein Leben (etwa in der Duellforderung) für den Prinzen eingesetzt zu haben; so heuchelt er später, er gäbe alles, selbst die Gnade des Prinzen – »diese unschätzbare, nie zu verscherzende Gnade« – dafür, daß Appiani noch lebte, schon um seine beleidigte Ehre rächen zu können. Unmittelbar nach dem Überfall auf die Kutsche redet er aber ganz anders. Als er von Angelo, dem Räuberhauptmann, hört, Appiani sei tödlich verwundet, meint er: »Gut das! – Aber doch nicht so recht gut. – Pfui, Angelo, so ein Knicker zu sein! Einen zweiten Schuß wäre er ja wohl noch wert gewesen. – Und wie er sich vielleicht nun martern muß, der arme Graf! – Pfui, Angelo! Das heißt sein Handwerk sehr grausam treiben – und verpfuschen. – Aber davon muß der Prinz noch nichts wissen. Er muß erst selbst finden, wie zuträglich ihm dieser Tod ist. – Dieser Tod! – Was gäb ich um die Gewißheit! – «

Da scheint der wahre Marinelli sich zu zeigen, der von dem stolzen Appiani und seinem »Sie sind mit Ihrem ›Ja wohl‹ – ja wohl ein ganzer Affe!« tief gekränkt sein mußte, da er ja tatsächlich kaum mehr als der Affe seines Herrn ist.

Emilia, die nach dem Überfall ins Schloß gebracht worden ist, führt der Prinz in ein Nebenzimmer und sucht sie zu beruhigen. Die Mutter abzuwiegeln, wird Marinellis Aufgabe; doch bei Claudia richten Lügen und Höflichkeiten nichts mehr aus. Als sie Marinelli im Schloß des Prinzen erblickt, wird ihr der Zusammenhang mit dem unerhörten Geschehen in der Kirche und dem Überfall auf die Kutsche klar. Außer sich vor Empörung, schreit sie Marinelli an:

CLAUDIA: ... Ha, Mörder! feiger, elender Mörder! Nicht tapfer genug, mit eigner Hand zu morden: aber nichtswürdig genug, zu Befriedigung eines fremden Kitzels zu morden! – morden zu lassen! – Abschaum aller Mörder! – Was ehrliche Mörder sind, werden dich unter sich nicht dulden! Dich! Dich! Dich! Denn warum soll ich dir nicht alle meine Galle, allen meinen Geifer mit einem einzigen Worte ins Gesicht speien? – Dich! Dich, Kuppler!

MARINELLI: Sie schwärmen, gute Frau. – Aber mäßigen Sie wenigstens Ihr wildes Geschrei und bedenken Sie, wo Sie sind.

CLAUDIA: Wo ich bin? Bedenken, wo ich bin? – Was kümmert es die Löwin, der man die Jungen geraubet, in wessen Walde sie brüllet?

(III.8)

Eine schwache, kriecherische Claudia ist das nicht, die hier dem Marquese ihre Verachtung vor die Füße spuckt! Sie reagiert ganz natürlich – eine Mutter, die mit dem Mut der Verzweiflung um ihr Kind kämpft.

Noch leidenschaftlicher ist der Ausbruch der verlassenen Gräfin Orsina. Ebenso rasch wie Claudia durchschaut sie das Komplott; sie kennt ja das Hofleben und die Launen der Fürsten, die nur zu befehlen brauchen. Dennoch ist sie tief verletzt in ihrer Würde, denn sie hat den Prinzen geliebt; solche Gefühle passen nicht zu den Spielregeln der Galanterie, sind Teil bürgerlicher Empfindsamkeit. Selbst dem Hochadel zugehörig und als ehemalige Geliebte des Prinzen kann sie als einzige die Wahrheit und ihren Haß offen herausschreien. In ihrer Raserei sagt die Orsina gefährliche Dinge, die der ängstliche Marinelli für das Geschwätz einer Wahnwitzigen erklärt. Die Wahrheit muß sich wie Wahnsinn anhören und ist doch dem hellsten Verstand entsprungen. Die erbarmungslos fallengelassene Gräfin kann auf die leidenschaftliche Anteilnahme des Publikums rechnen, wenn sie zuerst »philosophisch« analysierend, dann immer emotionaler, bis zur Raserei sich steigernd, ihre Anklage gegen den Prinzen vorbringt. Da die Orsina nicht einmal mehr vorgelassen wird zum Prinzen, sucht sie sich in Emilias Vater einen Arm für ihre Rachepläne. Der alte Galotti, aufgeschreckt durch die Nachrichten von dem Überfall, weiß noch gar nichts Genaueres, als er in Dosalo ankommt. Die Orsina entdeckt ihm alles: »Verzeihen Sie! Die Unglücklichen ketten sich so gern aneinander. – Ich wollte treulich Schmerz und Empörung mit Ihnen teilen.« Als Odoardo heiß ist vor Empörung, gibt sie ihm ihren Dolch.

ORSINA: Stecken Sie beiseite! geschwind beiseite! – Mir wird die Gelegenheit versagt, Gebrauch davon zu machen. Ihnen wird sie nicht fehlen, diese Gelegenheit: und Sie werden sie ergreifen, die erste, die beste, – wenn Sie ein Mann sind. – Ich, ich bin nur ein Weib; aber so kam ich her! fest entschlossen! – Wir, Alter, wir können uns alles vertrauen. Denn wir sind beide beleidiget; von dem nämlichen Verführer beleidiget. – Ah! Wenn Sie wüßten, – wenn Sie wüßten, wie überschwenglich, wie unaussprechlich, wie unbegreiflich ich von ihm beleidiget worden und noch werde: – Sie könnten, Sie würden Ihre eigene Beleidigung darüber vergessen. – Kennen Sie mich? Ich bin Orsina, die betrogene, verlassene Orsina. – Zwar vielleicht nur um Ihre Tochter verlassen. – Doch was kann Ihre Tochter dafür? – Bald wird auch sie verlassen sein. – Und dann wieder eine! – Und wieder eine! – Ha! *(wie in der Entzükkung)* welch eine himmlische Phantasie! Wann wir einmal alle, – wir, das ganze Heer der Verlassenen, – wir alle, in Bacchantinnen, in Furien verwandelt, wenn wir alle ihn unter uns hätten, ihn unter uns zerrissen, zerfleischten, sein Eingeweide durchwühlten, – um das Herz zu finden, das der Verräter einer jeden versprach und keiner gab! Ha! das sollte ein Tanz werden! das sollte!

(IV.7)

Das Bild entfesselter Leidenschaft, das Orsina phantasiert, rückt Lessing schon nahe an die Sturm-und-Drang-Dichter. Auch Claudia läßt sich von ihrer Angst und Empörung mitreißen. Gesteht Lessing ihnen den Ausbruch heftiger Affekte zu, weil sie Frauen sind? Odoardo Galotti jedenfalls muß seine Natur beherrschen und einen kühlen Kopf behalten, auch wenn sein Blut in Hitze ist.

Dramaturgisch dient der IV. Akt der Steigerung der Spannung, ohne die Handlung wesentlich voranzutreiben, er verzögert nur noch die Katastrophe. Odoardo schickt seine Frau mit der Gräfin zurück in die Stadt. Ihn bewegt außer Trauer und Empörung die Sorge, alles sei vielleicht mit Emilias Einverständnis geschehen.

So ist der Knoten geschürzt; die Handlung des V. Aktes beschränkt sich auf vier Personen: Marinelli, den Prinzen, Emilia und Odoardo. Alleingelassen mit Orsinas Dolch und seinen Mordgedanken, holt die Vernunft Odoardo bald wieder ein:

Noch niemand hier? – Gut, ich soll noch kälter werden. Es ist mein Glück. – Nichts verächtlicher als ein brausender Jünglingskopf mit grauen Haaren! Ich hab es mir so oft gesagt. Und doch ließ ich mich fortreißen, und von wem? Von einer Eifersüchtigen, von einer für Eifersucht Wahnwitzigen. – Was hat die gekränkte Tugend mit der Rache des Lasters zu schaffen? Jene allein hab ich zu retten ...

(V.2)

Als der unverschämte Marinelli Odoardo klarzumachen sucht – unter dem Vorwand der notwendigen gerichtlichen Untersuchung des Mordes an Appiani –, daß Emilia vom Prinzen in die Stadt gebracht werden soll, ist der mühsam abgekühlte Galotti bereits wieder in Rage: »... Schon wieder, schon wieder rennet der Zorn mit dem Verstande davon ... Ruhig, alter Knabe, ruhig.« Wie einem Kind muß sich Galotti zureden. Im Grunde hat er es schwer, seine spontanen Gefühle im Zaum zu halten. Daß der »Hitzkopf« immer wieder mit ihm durchgeht, macht aber auch den Ausgang der Tragödie erst glaubhaft. Die fremde Umgebung des Schlosses, das doppelzüngige, gewandte Parlieren des Prinzen und seines Kammerherrn verwirren den Alten, dagegen ist seine Vernunft nicht gewappnet. Empört und resigniert zugleich, da man ihm, dem Vater, seine Tochter vorenthält – »Ich lasse mir ja alles gefallen; ich finde ja alles ganz vortrefflich ...« – bittet er schließlich nur noch um ein Gespräch unter vier Augen mit Emilia.

SIEBENTER AUFTRITT
EMILIA. ODOARDO

EMILIA: Wie? Sie hier, mein Vater? – Und nur Sie? – Und meine Mutter? nicht hier? – Und der Graf? nicht hier? – Und Sie so unruhig, mein Vater?

ODOARDO: Und du so ruhig, meine Tochter?

EMILIA: Warum nicht, mein Vater? – Entweder ist nichts verloren oder alles. Ruhig sein können und ruhig sein müssen: kömmt es nicht auf eines?

ODOARDO: Aber, was meinest du, daß der Fall ist?

EMILIA: Daß alles verloren ist; – und daß wir wohl ruhig sein müssen, mein Vater.

ODOARDO: Und du wärest ruhig, weil du ruhig sein mußt? – Wer bist du? Ein Mädchen? und meine Tochter? So sollte der Mann und der Vater sich wohl vor dir schämen? – Aber laß doch hören: was nennest du alles verloren? – daß der Graf tot ist?

EMILIA: Und warum er tot ist! Warum! – Ha, so ist es wahr, mein Vater? So ist sie wahr, die ganze schreckliche Geschichte, die ich in dem nassen und wilden Auge meiner Mutter las? – Wo ist meine Mutter? Wo ist sie hin, mein Vater?

ODOARDO: Voraus; – wenn wir anders ihr nachkommen.

EMILIA: Je eher, je besser. Denn wenn der Graf tot ist, wenn er darum tot ist – darum! was verweilen wir noch hier? Lassen Sie uns fliehen, mein Vater!

ODOARDO: Fliehen? – Was hätt es dann für Not? – Du bist, du bleibst in den Händen deines Räubers.

EMILIA: Ich bleibe in seinen Händen?

ODOARDO: Und allein, ohne deine Mutter, ohne mich.

EMILIA: Ich allein in seinen Händen? – Nimmermehr, mein Vater. – Oder Sie sind nicht mein Vater. – Ich allein in seinen Händen? – Gut, lassen Sie mich nur, lassen Sie mich nur. – Ich will doch sehn, wer mich hält, – wer mich zwingt, – wer der Mensch ist, der einen Menschen zwingen kann.

ODOARDO: Ich meine, du bist ruhig, mein Kind.

EMILIA: Das bin ich. Aber was nennen Sie ruhig sein? Die Hände in den Schoß legen? Leiden, was man nicht sollte? Dulden, was man nicht dürfte?

ODOARDO: Ha! wenn du so denkest? – Laß dich umarmen, meine Tochter! – Ich hab es immer gesagt: Das Weib wollte die Natur zu ihrem Meisterstücke machen. Aber sie vergriff sich im Tone, sie nahm ihn zu fein. Sonst ist alles besser an euch als an uns. – Ha, wenn das deine Ruhe ist, so habe ich meine in ihr wieder gefunden! Laß dich umarmen, meine Tochter! – Denke nur: unter dem Vorwande einer gerichtlichen Untersuchung – o des höllischen Gaukelspieles! – reißt er dich aus unsern Armen und bringt dich zur Grimaldi.

EMILIA: Reißt mich? bringt mich? – Will mich reißen, will mich bringen: will! will! – Als ob wir, wir keinen Willen hätten, mein Vater!

ODOARDO: Ich war auch so wütend, daß ich schon nach diesem Dolche griff *(ihn herausziehend)*, um einem von beiden – beiden! – das Herz zu durchstoßen.

EMILIA: Um des Himmels willen nicht, mein Vater! – Dieses Leben ist alles, was die Lasterhaften haben. – Mir, mein Vater, mir geben Sie diesen Dolch.

ODOARDO: Kind, es ist keine Haarnadel.

EMILIA: So werde die Haarnadel zum Dolche! – Gleichviel.

ODOARDO: Was? Dahin wär es gekommen? Nicht doch, nicht doch! Besinne dich. – Auch du hast nur *ein* Leben zu verlieren.

EMILIA: Und nur *eine* Unschuld!

ODOARDO: Die über alle Gewalt erhaben ist. –

EMILIA: Aber nicht über alle Verführung. – Gewalt! Gewalt! wer kann der Gewalt nicht trotzen? Was Gewalt heißt, ist nichts: Verführung ist die wahre Gewalt. – Ich habe Blut, mein Vater, so jugendliches, so warmes Blut als eine. Auch meine Sinne sind Sinne. Ich stehe für nichts. Ich bin für nichts gut. Ich kenne das Haus der Grimaldi. Es ist das Haus der Freude. Eine Stunde da, unter den Augen meiner Mutter; – und es erhob sich so mancher Tumult in meiner Seele, den die strengsten Übungen der Religion kaum in Wochen besänftigen konnten. – Der Religion! Und welcher Religion? – Nichts Schlimmers zu vermeiden, sprangen Tausende in die Fluten und sind Heilige! – Geben Sie mir, mein Vater, geben Sie mir diesen Dolch.

ODOARDO: Und wenn du ihn kenntest, diesen Dolch! –

EMILIA: Wenn ich ihn auch nicht kenne! – Ein unbekannter Freund ist auch ein Freund. – Geben Sie mir ihn, mein Vater; geben Sie mir ihn!

ODOARDO: Wenn ich dir ihn nun gebe – da! *(Gibt ihr ihn)*

EMILIA: Und da! *(Im Begriffe, sich damit zu durchstoßen, reißt der Vater ihr ihn wieder aus der Hand.)*

ODOARDO: Sieh, wie rasch! – Nein, das ist nicht für deine Hand.

EMILIA: Es ist wahr, mit einer Haarnadel soll ich – *(Sie fährt mit der Hand nach dem Haare, eine zu suchen, und bekömmt die Rose zu fassen.)* Du noch hier? – Herunter mit dir! – Du gehörest nicht in das Haar einer, – wie mein Vater will, daß ich werden soll!

ODOARDO: O, meine Tochter!

EMILIA: O, mein Vater, wenn ich Sie erriete! – Doch nein, das wollen Sie auch nicht. Warum zauderten Sie sonst? – *(In einem bittern Tone, während daß sie die Rose zerpflückt)* Ehedem wohl gab es einen Vater, der, seine Tochter von der Schande zu retten, ihr den ersten den besten Stahl in das Herz senkte – ihr zum zweiten das Leben gab. Aber solche Taten sind von ehedem! Solche Väter gibt es keine mehr!

ODOARDO: Doch, meine Tochter, doch! *(Indem er sie durchsticht)* – Gott, was hab ich getan! *(Sie will sinken, und er faßt sie in seine Arme.)*

EMILIA: Eine Rose gebrochen, ehe der Sturm sie entblättert. – Lassen Sie mich sie küssen, diese väterliche Hand.

DER PRINZ *(im Hereintreten):* Was ist das? – Ist Emilien nicht wohl?

ODOARDO: Sehr wohl; sehr wohl!

DER PRINZ *(indem er näher kömmt):* Was seh ich? – Entsetzen!

MARINELLI: Weh mir!

DER PRINZ: Grausamer Vater, was haben Sie getan!

ODOARDO: Eine Rose gebrochen, ehe der Sturm sie entblättert. – War es nicht so, meine Tochter?

EMILIA: Nicht Sie, mein Vater – Ich selbst – ich selbst –

ODOARDO: Nicht du, meine Tochter; – nicht du! – Gehe mit keiner Unwahrheit aus der Welt. Nicht du, meine Tochter! Dein Vater, dein unglücklicher Vater!

EMILIA: Ah – mein Vater – *(Sie stirbt, und er legt sie sanft auf den Boden.)*

ODOARDO: Zieh hin! – Nun da, Prinz! Gefällt sie Ihnen noch? Reizt sie noch Ihre Lüste? Noch, in diesem Blute, das wider Sie um Rache schreiet? *(Nach einer Pause)* Aber Sie erwarten, wo das alles hinaus soll? Sie erwarten vielleicht, daß ich den Stahl wider mich selbst kehren werde, um meine Tat wie eine schale Tragödie zu beschließen? – Sie irren sich. Hier! *(Indem er ihm den Dolch vor die Füße wirft)* Hier liegt er, der blutige Zeuge meines Verbrechens! Ich gehe und liefere mich selbst in das Gefängnis. Ich gehe und erwarte Sie als Richter. – Und dann dort – erwarte ich Sie vor dem Richter unser aller!

DER PRINZ *(nach einigem Stilleschweigen, unter welchem er den Körper mit Entsetzen und Verzweiflung betrachtet, zu Marinelli):* Hier: heb ihn auf. – Nun? Du bedenkst dich? – Elender! – *(Indem er ihm den Dolch aus der Hand reißt)* Nein, dein Blut soll mit diesem Blute sich nicht mischen. – Geh, dich auf ewig zu verbergen! – Geh! sag ich. – Gott! Gott! – Ist es zum Unglücke so mancher nicht genug, daß Fürsten Menschen sind; müssen sich auch noch Teufel in ihren Freund verstellen?

(V.7 und 8)

Emilias Todesentschluß ist immer wieder als unbefriedigend empfunden worden. Ist ihre hochstilisierte Sittlichkeit aus der strengen Erziehung heraus noch glaubhaft, so bleibt ihre plötzliche Angst vor der eigenen Sinnlichkeit doch im Abstrakten stecken, läßt sich nirgends ihrem Verhalten entnehmen. Diese Schwäche erkannte Lessing auch selbst. Dennoch gibt es eine menschliche Logik im Ablauf der Katastrophe:

Emilia hat sich in Dosalo ziemlich rasch von der Aufregung des Überfalls, von dem Jammer über den Tod ihres Bräutigams, den sie ahnt, erholt, hat sich gefaßt und dem Prinzen auf eine ihn beschämende Art Distanz geboten. Was die Mutter über ihren Charakter sagte, bewahrheitet sich nun: »Sie ist die Furchtsamste und Entschlossenste unsers Geschlechts. Ihrer ersten Eindrücke nie mächtig, aber nach der geringsten Überlegung in alles sich findend, auf alles gefaßt.« Ruhig tritt sie dem Vater entgegen, beschämt auch ihn mit seiner argwöhnischen Angst, ruft ihn zum Handeln auf. Als sie merkt, daß Fliehen nicht möglich ist, daß sie wie ein Vogel gefangen ist in den Fängen des Prinzen, entschließt sie sich zu sterben, als Heilige zu sterben. Sie weiß, daß sie den Verführungen der Welt nicht so unbedingt Widerstand leisten kann, wie es der Vater, wie es das Gesetz der Tugend verlangt. Sie hat im Hause der Grimaldi die Freude kennengelernt – die Bezauberung der Sinne durch Musik und Tanz und den leichten geselligen Umgangston, mag das im weitesten heißen. Sie hat dort ihre Empfänglichkeit für solche Lebensreize entdeckt, ihr junges Blut, das in ihrem eigenen Zuhause streng vom Vater unterdrückt wurde. Aus Angst vor ihrer eigenen Natur beschließt sie den Märtyrertod. Um den Vater zu reizen, um ihm seine Skrupel vor dem Töten zu nehmen, spielt Emilia nun diese vage, unbewußte Angst vor ihrer Sinnlichkeit hoch. In ihrer Entschlossenheit ist dem Vater über, reißt ihn, der so leicht seine Beherrschung verliert, hin zu einer hitzigen Tat, die er bei ruhiger Überlegung sicher nicht vollbracht hätte. Im Affekt, in hilfloser Verzweiflung, tötet Odoardo seine Tochter. Er opfert sie einer Tugendidee, die er nicht souverän und menschlich handhaben kann, die sich als starre und von Angst eingeengte Moral erweist. Dreifach macht er sich schuldig, indem er das Naturrecht der Blutsverwandtschaft verletzt, das allgemeine Gesetz und das Gesetz der wahren Tugend bricht. Tugend im bürgerlich-empfindsamen Sinn meint eine moralische Kraft, die auf der Übereinstimmung von Herz und Kopf basiert und die Würde des Mitmenschen respektiert.

Wenn er seiner Familie seine Wertvorstellungen aufzwingt, handelt Odoardo genauso absolutistisch, unbürgerlich und unmoralisch wie der Prinz Hettore, der Emilia durch List oder Gewalt in Besitz nehmen will – nur daß der Prinz auf Erden den Vorteil hat, die Verantwortung für sein Tun auf sein Werkzeug Marinelli abwälzen zu können. Durch humanes Eingehen auf den Mitmenschen, durch eine offene Kommunikation zwischen gleichberechtigten Partnern, muß eine vernünftige Übereinkunft möglich sein, die allein die tragischen Folgen absoluter Herrschaft – in Staat und Familie – verhindern kann. Lessing teilte den Optimismus der Aufklärung, er glaubte daran, daß durch Erziehung des Menschen auch absolutistische Herrschaftsstrukturen humanisierbar seien.

In der Figur Emilias deutet Lessing die emanzipatorische Energie an, mit der der Schwache Unterdrückung und Gewalt trotzen kann. Das neue selbstbewußte Bürgertum, das nicht mehr bereit ist, »die Hände in den Schoß [zu] legen«, zu »leiden, was man nicht sollte«, zu »dulden, was man nicht dürfte«, spricht aus Emilias Worten. Zwar gibt es noch kein aktives Auflehnen, keine Revolution, sondern nur das tragisch-resignative Selbstopfer als Ausweg aus der realen Ohnmacht, aber das kritische Bewußtsein des Bürgers, notwendige Vorstufe realer Opposition, wehrt sich bereits.

Gotthold Ephraim Lessing, Nathan der Weise
Ein dramatisches Gedicht in fünf Aufzügen

In seiner Hamburger Zeit hatte sich Lessing mit dem Sohn und der Tochter des Philosophen Hermann Samuel Reimarus (1694–1768) angefreundet, einem der wichtigsten Vertreter des Deismus in Deutschland. Lessing war von Reimarus' nachgelassener Bibelkritik tief beeindruckt und gab unter dem Titel ›Fragmente eines Ungenannten‹ ab 1774 Auszüge davon heraus, einen Teil sogar als ganzes Buch. Die Radikalität von Reimarus' Thesen entzündete einen jahrelangen Theologenstreit, in dessen Verlauf Lessing in eine scharfe Polemik vor allem mit dem Hamburger Hauptpastor Goeze (1717–1786) geriet. Der »Fragmentenstreit« schlug schließlich solche Wellen, daß Herzog Carl von Braunschweig Lessing alle weiteren Veröffentlichungen theologischer Art verbot und die ihm gewährte Zensurfreiheit durch Kabinettsordre vom 13. Juli 1778 wieder aufhob.

Weit davon entfernt aufzugeben, kündigte Lessing schon im September 1778 Reimarus' Tochter Elise sein Schauspiel ›Nathan der Weise‹ mit den Worten an: »Ich muß versuchen, ob man mich auf meiner alten Kanzel, auf dem Theater wenigstens noch ungestört will predigen lassen.« Den Stoff entnahm er einer Novelle aus Boccaccios ›Decamerone‹. Zwischen August 1778 und April 1779 arbeitete er dann ältere Entwürfe zu dem Schauspiel aus, das einen Schlußpunkt unter den Fragmentenstreit setzen sollte. »Dramatisches Gedicht« nannte Lessing seinen ›Nathan‹, weil es mehr Lehrgedicht als Schauspiel war; er hielt es eigentlich für unspielbar, für ein Lesedrama. Die Uraufführung wagte, nach Lessings Tod, die Döbbelinsche Theatertruppe am 14. April 1783 in Berlin; sie fiel glatt durch, da Döbbelin der Rolle des Nathan nicht gewachsen war. Erst mit Schillers Inszenierung vom 28. November 1801 in Weimar gewann das Stück seinen festen Platz im Repertoire der deutschen Bühnen.

Der Jude Nathan, in Jerusalem der »Weise« genannt, erfährt bei Rückkehr von einer Reise, daß seine Tochter Recha um ein Haar verbrannt wäre, hätte sie nicht ein Tempelritter gerettet, den Sultan Saladin wunderbarerweise begnadigt hatte. Die Exposition des

Dramas nennt Ort und Zeit der Handlung: Jerusalem, die Stadt der Weltreligionen, zur Zeit der Kreuzzüge, als Christentum, Islam und Judentum Ende des 12. Jahrhunderts in mühsam aufrechterhaltener Neutralität miteinander lebten. Die wichtigsten Personen sind eingeführt; auch klingt in dieser ersten Szene ein Motiv an, das die Handlung bis zum Schluß mittragen wird: Daja, die Gesellschafterin Rechas, äußert Zweifel, daß Recha die rechtmäßige Tochter Nathans sei. Nachdem der Tempelherr alle Dankesversuche Dajas und Rechas schroff abgelehnt hat und sogar seit einiger Zeit verschwunden scheint, beginnt das schwärmerische Mädchen Recha zu träumen, ein Engel habe sie gerettet. (Der weiße Mantel der Tempelritter mag die Phantasie des Mädchens angeregt haben.) Da greift Nathan sofort ein, denn von Wundern dieser Art will er nichts wissen; seiner Überzeugung getreu muß er der Tochter das Schwärmen, das den Geist trübt, statt ihn zu schärfen, austreiben.

NATHAN: .... – Meiner Recha wär
    Es Wunders nicht genug, daß sie ein *Mensch*
    Gerettet, welchen selbst kein kleines Wunder
    Erst retten müssen? Ja, kein kleines Wunder!
    Denn wer hat schon gehört, daß Saladin
    Je eines Tempelherrn verschont? daß je
    Ein Tempelherr von ihm verschont zu werden
    Verlangt? gehofft? ihm je für seine Freiheit
    Mehr als den ledern Gurt geboten, der
    Sein Eisen schleppt; und höchstens seinen Dolch?

                                                (I.2)

Doch Recha ist nicht überzeugt, obwohl Daja bestätigt, der Templer sei wegen seiner Ähnlichkeit mit Saladins totem Lieblingsbruder begnadigt worden. Da sie vernünftigen Argumenten nicht zugänglich ist, ängstigt Nathan sie bewußt, der Tempelritter könne krank, ja tot sein, weil sie und Daja ihm in ihrem undankbaren Wunderglauben die nötige Hilfe versagt hätten. Immer wieder führt er die beiden in die Welt der Wahrscheinlichkeit zurück, bis es das empfindsame Mädchen kaum mehr erträgt.

NATHAN: ... Recha! Recha!
    Es ist Arznei, nicht Gift, was ich dir reiche.
    Er lebt! – komm zu dir! – ist wohl auch nicht krank;
    Nicht einmal krank!
RECHA: Gewiß? – nicht tot? nicht krank?
NATHAN: Gewiß, nicht tot! – Denn Gott lohnt Gutes, hier
    ´ Getan, auch hier noch. – Geh! – Begreifst du aber,
    Wieviel *andächtig schwärmen* leichter als

Gut handeln ist? wie gern der schlaffste Mensch
Andächtig schwärmt, um nur – ist er zu Zeiten
Sich schon der Absicht deutlich nicht bewußt –
Um nur gut handeln nicht zu dürfen?
RECHA: Ah,
Mein Vater! laßt, laßt Eure Recha doch
Nie wiederum allein! – Nicht wahr, er kann
Auch wohl verreist nur sein? – . . .

(I.2)

Nathan, der Lessings theologische Meinung vertritt, verbietet
Recha ihren Wunderglauben, der die Menschen in schwärmerischer Passivität verharren läßt, anstatt sie zum Handeln zu bewegen, d.h. die als vernünftig, richtig und gut erkannten Werte im
Leben praktisch zu verwirklichen. Damit ist ein Kernproblem in
Lessings Auseinandersetzung mit dem Dogmatiker Goeze ange-
schnitten: Sich zurückzuziehen auf den Besitz geoffenbarter
Wahrheiten, wie sie Bibel- und Wunderglauben lehren, bedeutet
für Lessing geistigen und moralischen Stillstand, legitimiert geradezu »schlaffes« Untätig-Sein. Im Zeitalter der Vernunft müssen
die geoffenbarten Wahrheiten kritisch hinterfragt, immer wieder
neu auf ihre theoretische und praktische Gültigkeit überprüft werden, bis sie schließlich zu reinen »Vernunftwahrheiten« geworden
sind. In seiner gleichzeitig entstandenen Schrift ›Erziehung des
Menschengeschlechts‹ (1777–80) hat Lessing die im ›Nathan‹ poetisch realisierten Gedanken fragmentarisch, mehr räsonierend als
systematisch, niedergelegt. Danach bedurfte es der Offenbarung in
der gewissermaßen noch unaufgeklärten Kindheitsphase des Menschengeschlechts, während es für die erwachsene Menschheit
»schädlich« wäre, daran festzuhalten, und das Volk »kindisch«
halte, »abergläubisch«, voll Verachtung für das Faßliche und Leichte«. Auf den Unterschied zwischen mündigem Erwachsenen und
dem wundersüchtigen, des Unerhörten bedürfenden, kindischen
Volk hat Lessing angespielt, wenn er Nathan in dem ausführlichen
Lehrgespräch über »Wunder« sagen läßt:

NATHAN: . . . – Der Wunder höchstes ist,
Daß uns die wahren, echten Wunder so
Alltäglich werden können, werden sollen.
Ohn dieses allgemeine Wunder hätte
Ein Denkender wohl schwerlich Wunder je
Genannt, was Kindern bloß so heißen müßte,
Die gaffend nur das Ungewöhnlichste,
Das Neuste nur verfolgen.

(I.2)

Lessings dramatisches Konzept ist weniger auf Handlung als auf Reflexion und Argumentation angelegt. Das macht die Rolle des Nathan auch so schwierig: Immer gelassen, das Gute in seinem Gegenüber suchend und (weise) findend, bildet er den ruhenden Pol, während die anderen Figuren die Handlung vorantreiben, bis er in der Schlußszene alle Fäden zur Lösung in der Hand halten wird. So gelingt es ihm schließlich auch, den jungen Tempelherrn, der hochfahrend und hochsinnig jeden Dank abgewehrt hatte, über alle Schranken des Vorurteils und der Religion hinweg für sich zu gewinnen.

NATHAN: Stellt und verstellt Euch, wie Ihr wollt. Ich find
　　Auch hier Euch aus. Ihr wart zu gut, zu bieder,
　　Um höflicher zu sein. – Das Mädchen, ganz
　　Gefühl; der weibliche Gesandte, ganz
　　Dienstfertigkeit; der Vater weit entfernt –
　　Ihr trugt für ihren guten Namen Sorge;
　　Floht ihre Prüfung; floht, um nicht zu siegen.
　　Auch dafür dank ich Euch –
TEMPELHERR: 　　　　　　　　Ich muß gestehn,
　　Ihr wißt, wie Tempelherren denken sollten.
NATHAN: Nur Tempelherren? *sollten* bloß? und bloß,
　　Weil es die Ordensregeln so gebieten?
　　Ich weiß, wie gute Menschen denken, weiß,
　　Daß alle Länder gute Menschen tragen.
TEMPELHERR: Mit Unterschied doch hoffentlich?
NATHAN: 　　　　　　　　　　　　　　Jawohl;
　　An Farb, an Kleidung, an Gestalt verschieden.
TEMPELHERR: Auch hier bald mehr, bald weniger, als dort.
NATHAN: Mit diesem Unterschied ists nicht weit her.
　　Der große Baum braucht überall viel Boden;
　　Und mehrere, zu nah gepflanzt, zerschlagen
　　Sich nur die Äste. Mittelgut, wie wir,
　　Findt sich hingegen überall in Menge.
　　Nur muß der eine nicht den andern mäkeln;
　　Nur muß der Knorr den Knubben hübsch vertragen;
　　Nur muß ein Gipfelchen sich nicht vermessen,
　　Daß es allein der Erde nicht entschossen.
TEMPELHERR: Sehr wohl gesagt! – Doch kennt Ihr auch das Volk,
　　Das diese Menschenmäkelei zuerst
　　Getrieben? Wißt Ihr, Nathan, welches Volk
　　Zuerst das auserwählte Volk sich nannte?
　　Wie? wenn ich dieses Volk nun – zwar nicht haßte,
　　Doch wegen seines Stolzes zu verachten
　　Mich nicht entbrechen könnte? Seines Stolzes,
　　Den es auf Christ und Muselman vererbte,
　　Nur sein Gott sei der rechte Gott! – Ihr stutzt,
　　Daß ich, ein Christ, ein Tempelherr, so rede?

Wenn hat und wo die fromme Raserei,
Den bessern Gott zu haben, diesen bessern
Der ganzen Welt als besten aufzudringen,
In ihrer schwärzesten Gestalt sich mehr
Gezeigt als hier? als itzt? Wem hier, wem itzt
Die Schuppen nicht vom Auge fallen ... Doch
Sei blind, wer will! – Vergeßt, was ich gesagt,
Und laßt mich! *(Will gehen)*

NATHAN: Ha! Ihr wißt nicht, wieviel fester
Ich nun mich an Euch drängen werde. – Kommt,
Wir müssen, müssen Freunde sein! – Verachtet
Mein Volk, so sehr Ihr wollt. Wir haben beide
Uns unser Volk nicht auserlesen. Sind
Wir unser Volk? Was heißt denn Volk?
Sind Christ und Jude eher Christ und Jude
Als Mensch? Ah! wenn ich einen mehr in Euch
Gefunden hätte, dem es gnügt, ein Mensch
Zu heißen!

TEMPELHERR: Ja, bei Gott, das habt Ihr, Nathan!
Das habt Ihr! – Eure Hand! – Ich schäme mich,
Euch einen Augenblick verkannt zu haben.

NATHAN: Und ich bin stolz darauf. Nur das Gemeine
Verkennt man selten.

TEMPELHERR: Und das Seltene
Vergißt man schwerlich. – Nathan, ja:
Wir müssen, müssen Freunde werden.

                                        (II.5)

Als »Menschenfreund« tritt Nathan hier auf, als Weltbürger, der
über alle Individualität und Verschiedenartigkeit der Rasse, Natio-
nalität und Religion hinweg im Gegenüber den Menschen sucht
und liebt. Der Freundschaftskult des 18. Jahrhunderts, der alle
Grenzen des Standes aufzuheben vermochte, zeugt von diesem
höchsten Ideal der Aufklärung. So müssen der Jude und der
Christ, Nathan und der Tempelherr, nachdem sie sich als Menschen erkannt haben, Freunde werden.

Die gegenseitige Achtung von Juden und Christen war Lessing
ein lebenslanges Anliegen. Schon 1749 hatte er in dem Lustspiel
›Die Juden‹ die Überheblichkeit des christlichen Antisemitismus
gegeißelt und überhaupt den ersten respektablen Juden auf eine
deutsche Bühne gebracht. Am Ende dieses Stücks sagt der Baron,
eine der beiden Hauptfiguren: »O wie achtungswürdig wären die
Juden, wenn sie alle Ihnen glichen.« Worauf der »Reisende«, der
Jude, antwortet: »Und wie liebenswürdig die Christen, wenn sie
alle Ihre Eigenschaften besäßen.« So versuchte der erst zwanzigjährige Lessing den Antisemitismus als unvernünftige Torheit lä-

cherlich zu machen, und schon damals klang bei ihm das große Thema der auf Menschlichkeit gegründeten Toleranz an. 1754 schloß Lessing in Berlin mit dem jüdischen Philosophen Moses Mendelssohn eine tiefe, lebenslange Freundschaft. Mendelssohn (1729–1786), als Philosoph in der Tradition von Wolff und Leibniz stehend, kämpfte entschieden für die Rechte der Juden und suchte vielfältig das Verhältnis von Christen und Juden zu verbessern. Ihm setzte Lessing in Gestalt des Nathan ein Denkmal.

Das Gespräch zwischen Nathan und dem Tempelherrn unterbricht Daja mit der Nachricht, der Sultan wolle Nathan sprechen. Daß Saladin keine Waren zu sehen wünsche, sondern ihn »in Person«, wundert Nathan. Sein Freund Al Hafi warnt ihn, der Sultan brauche Geld. Der Derwisch Al Hafi ist Kämmerer bei ihm geworden, denn »ein Bettler wisse, wie Bettlern / Zumute sei; ein Bettler habe nur / Gelernt, mit guter Weise Bettlern geben«. Al Hafi grämt sich, denn er muß für Saladins Großmut einzelnen gegenüber die Mittel bereitstellen und Unzählige dazu mit Steuern und Abgaben bedrücken; dennoch ist die Staatskasse ständig leer. Jetzt will Saladin bei Nathan leihen, und gerade das hatte Al Hafi verhindern wollen.

Im 3. Aufzug kommt es zur Begegnung des Tempelherrn und Rechas: Ihre beginnende Liebe wird gleich überschattet von der Sorge um Nathan, der sich noch immer im Palast aufhält. Mitten in den III. Akt, also ins Zentrum des ganzen Dramas, setzte Lessing das Gespräch zwischen Saladin und Nathan. Es wurde eines der berühmtesten der gesamten deutschen Dramenliteratur.

SALADIN: Tritt näher, Jude! – Näher! – Nur ganz her! –
  Nur ohne Furcht!
NATHAN: Die bleibe deinem Feinde!
SALADIN: Du nennst dich Nathan?
NATHAN: Ja.
SALADIN: Den weisen Nathan?
NATHAN: Nein.
SALADIN: Wohl! nennst du dich nicht, nennt dich das
  Volk.
NATHAN: Kann sein, das Volk!
SALADIN: Du glaubst doch nicht, daß ich
  Verächtlich von des Volkes Stimme denke? –
  Ich habe längst gewünscht, den Mann zu kennen,
  Den man den Weisen nennt.
NATHAN: Und wenn es ihn
  Zum Spott so nennte? Wenn dem Volke weise
  Nichts weiter wär als klug? und klug nur der,
  Der sich auf seinen Vorteil gut versteht?
SALADIN: Auf seinen wahren Vorteil, meinst du doch?

NATHAN: Dann freilich wär der Eigennützigste
 Der Klügste. Dann wär freilich klug und weise
 Nur eins.
SALADIN: Ich höre dich erweisen, was
 Du widersprechen willst. – Des Menschen wahre
 Vorteile, die das Volk nicht kennt, kennst du.
 Hast du zu kennen wenigstens gesucht;
 Hast drüber nachgedacht: das auch allein
 Macht schon den Weisen.
NATHAN: Der sich jeder dünkt
 Zu sein.
SALADIN: Nun der Bescheidenheit genug!
 Denn sie nur immerdar zu hören, wo
 Man trockene Vernunft erwartet, ekelt. *(Er springt auf.)*
 Laß uns zur Sache kommen! Aber, aber
 Aufrichtig, Jud, aufrichtig!
NATHAN: Sultan, ich
 Will sicherlich dich so bedienen, daß
 Ich deiner fernern Kundschaft würdig bleibe.
SALADIN: Bedienen? Wie?
NATHAN: Du sollst das Beste haben
 Von allem; sollst es um den billigsten
 Preis haben.
SALADIN: Wovon sprichst du? doch wohl nicht
 Von deinen Waren? – Schachern wird mit dir
 Schon meine Schwester. (Das der Horcherin!) –
 Ich habe mit dem Kaufmann nichts zu tun.
NATHAN: So wirst du ohne Zweifel wissen wollen,
 Was ich auf meinem Wege von dem Feinde,
 Der allerdings sich wieder regt, etwa
 Bemerkt, getroffen? – Wenn ich unverhohlen ...
SALADIN: Auch darauf bin ich eben nicht mit dir
 Gesteuert. Davon weiß ich schon, soviel
 Ich nötig habe. – Kurz –
NATHAN: Gebiete, Sultan.
SALADIN: Ich heische deinen Unterricht in ganz
 Was anderm, ganz was anderm. – Da du nun
 So weise bist: so sage mir doch einmal –
 Was für ein Glaube, was für ein Gesetz
 Hat dir am meisten eingeleuchtet?
NATHAN: Sultan,
 Ich bin ein Jud.
SALADIN: Und ich ein Muselman.
 Der Christ ist zwischen uns. – Von diesen drei
 Religionen kann doch eine nur
 Die wahre sein. – Ein Mann wie du bleibt da
 Nicht stehen, wo der Zufall der Geburt
 Ihn hingeworfen; oder, wenn er bleibt,
 Bleibt er aus Einsicht, Gründen, Wahl des Bessern.

Wohlan! so teile deine Einsicht mir
Denn mit. Laß mich die Gründe hören, denen
Ich selber nachzugrübeln nicht die Zeit
Gehabt. Laß mich die Wahl, die diese Gründe
Bestimmt – versteht sich, im Vertrauen – wissen,
Damit ich sie zu meiner mache. – Wie?
Du stutzest? wägst mich mit dem Auge? – Kann
Wohl sein, daß ich der erste Sultan bin,
Der eine solche Grille hat; die mich
Doch eines Sultans eben nicht so ganz
Unwürdig dünkt. – Nicht wahr? – So rede doch!
Sprich! – Oder willst du einen Augenblick,
Dich zu bedenken? Gut, ich geb ihn dir. –
(Ob sie wohl horcht? Ich will sie doch belauschen;
Will hören, ob ichs recht gemacht. –) Denk nach!
Geschwind denk nach! Ich säume nicht, zurück
Zu kommen.
(Er geht in das Nebenzimmer, nach welchem sich Sittah begeben.)

SECHSTER AUFTRITT
NATHAN *allein*

      Hm! Hm! – wunderlich! – Wie ist
Mir denn? – was will der Sultan? was? – Ich bin
Auf Geld gefaßt, und er will – Wahrheit. Wahrheit!
Und will sie so, – so bar, so blank, – als ob
Die Wahrheit Münze wäre! – Ja, wenn noch
Uralte Münze, die gewogen ward! –
Das ginge noch! Allein so neue Münze,
Die nur der Stempel macht, die man aufs Brett
Nur zählen darf, das ist sie doch nun nicht!
Wie Geld im Sack, so striche man in Kopf
Auch Wahrheit ein? Wer ist denn hier der Jude?
Ich oder er? – Doch wie? Sollt er auch wohl
Die Wahrheit nicht in Wahrheit fordern? – Zwar,
Zwar der Verdacht, daß er die Wahrheit nur
Als Falle brauche, wär auch gar zu klein! –
Zu klein? – Was ist für einen Großen denn
Zu klein? – Gewiß, gewiß: er stürzte mit
Der Türe so ins Haus! Man pocht doch, hört
Doch erst, wenn man als Freund sich naht. – Ich muß
Behutsam gehn! – Und wie? wie das? – So ganz
Stockjude sein zu wollen, geht schon nicht. –
Und ganz und gar nicht Jude, geht noch minder.
Denn wenn kein Jude, dürft er mich nur fragen,
Warum kein Muselman? – Das wars! Das kann
Mich retten! – Nicht die Kinder bloß speist man
Mit Märchen ab. – Er kömmt. Er komme nur!

SIEBENTER AUFTRITT
SALADIN UND NATHAN

SALADIN: (So ist das Feld hier rein!) – Ich komm dir doch
    Nicht zu geschwind zurück? Du bist zu Rande
    Mit deiner Überlegung? – Nun, so rede!
    Es hört uns keine Seele.

NATHAN: Möcht auch doch
    Die ganze Welt uns hören.

SALADIN: So gewiß
    Ist Nathan seiner Sache? Ha! das nenn
    Ich einen Weisen! Nie die Wahrheit zu
    Verhehlen! für sie alles auf das Spiel
    Zu setzen! Leib und Leben! Gut und Blut!

NATHAN: Ja! ja! wanns nötig ist und nutzt.

SALADIN: Von nun
    An darf ich hoffen, einen meiner Titel,
    Verbesserer der Welt und des Gesetzes,
    Mit Recht zu führen.

NATHAN: Traun, ein schöner Titel!
    Doch, Sultan, eh ich mich dir ganz vertraue,
    Erlaubst du wohl, dir ein Geschichtchen zu
    Erzählen?

SALADIN: Warum das nicht? Ich bin stets
    Ein Freund gewesen von Geschichtchen, gut
    Erzählt.

NATHAN: Ja, *gut* erzählen, das ist nun
    Wohl eben meine Sache nicht.

SALADIN: Schon wieder
    So stolz bescheiden? – Mach! erzähl, erzähle!

NATHAN: Vor grauen Jahren lebt' ein Mann im Osten,
    Der einen Ring von unschätzbarem Wert
    Aus lieber Hand besaß. Der Stein war ein
    Opal, der hundert schöne Farben spielte,
    Und hatte die geheime Kraft, vor Gott
    Und Menschen angenehm zu machen, wer
    In dieser Zuversicht ihn trug. Was Wunder,
    Daß ihn der Mann in Osten darum nie
    Vom Finger ließ und die Verfügung traf,
    Auf ewig ihn bei seinem Hause zu
    Erhalten! Nämlich so. Er ließ den Ring
    Von seinen Söhnen dem geliebtesten
    Und setzte fest, daß dieser wiederum
    Den Ring von seinen Söhnen dem vermache,
    Der ihm der liebste sei; und stets der liebste,
    Ohn Ansehn der Geburt, in Kraft allein
    Des Rings, das Haupt, der Fürst des Hauses werde. –
    Versteh mich, Sultan!

SALADIN: Ich versteh dich. Weiter!

NATHAN: So kam nun dieser Ring, von Sohn zu Sohn,
   Auf einen Vater endlich von drei Söhnen;
   Die alle drei ihm gleich gehorsam waren,
   Die alle drei er folglich gleich zu lieben
   Sich nicht entbrechen konnte. Nur von Zeit
   Zu Zeit schien ihm bald der, bald dieser, bald
   Der dritte, – so wie jeder sich mit ihm
   Allein befand und sein ergießend Herz
   Die andern zwei nicht teilten, – würdiger
   Des Ringes, den er denn auch einem jeden
   Die fromme Schwachheit hatte zu verprechen.
   Das ging nun so, solang es ging. – Allein
   Es kam zum Sterben, und der gute Vater
   Kömmt in Verlegenheit. Es schmerzt ihn, zwei
   Von seinen Söhnen, die sich auf sein Wort
   Verlassen, so zu kränken. – Was zu tun? –
   Er sendet in geheim zu einem Künstler,
   Bei dem er, nach dem Muster seines Ringes,
   Zwei andere bestellt und weder Kosten
   Noch Mühe sparen heißt, sie jenem gleich,
   Vollkommen gleich zu machen. Das gelingt
   Dem Künstler. Da er ihm die Ringe bringt,
   Kann selbst der Vater seinen Musterring
   Nicht unterscheiden. Froh und freudig ruft
   Er seine Söhne, jeden insbesondre,
   Gibt jedem insbesondre seinen Segen –
   Und seinen Ring – und stirbt. – Du hörst doch, Sultan?

SALADIN *(der sich betroffen von ihm gewandt):*
   Ich hör, ich höre! – Komm mit deinem Märchen
   Nur bald zu Ende. – Wirds?

NATHAN: Ich bin zu Ende.
   Denn was noch folgt, versteht sich ja von selbst. –
   Kaum war der Vater tot, so kömmt ein jeder
   Mit seinem Ring, und jeder will der Fürst
   Des Hauses sein. Man untersucht, man zankt,
   Man klagt. Umsonst; der rechte Ring war nicht
   Erweislich; –
   (Nach einer Pause, in welcher er des Sultans Antwort erwartet)
          fast so unerweislich, als
   Uns itzt – der rechte Glaube.

SALADIN: Wie? das soll
   Die Antwort sein auf meine Frage?...

NATHAN: Soll
   Mich bloß entschuldigen, wenn ich die Ringe
   Mir nicht getrau zu unterscheiden, die
   Der Vater in der Absicht machen ließ,
   Damit sie nicht zu unterscheiden wären.

SALADIN: Die Ringe! – Spiele nicht mit mir! – Ich dächte,
   Daß die Religionen, die ich dir

Genannt, doch wohl zu unterscheiden wären,
Bis auf die Kleidung, bis auf Speis und Trank!
NATHAN: Und nur von seiten ihrer Gründe nicht. –
Denn gründen alle sich nicht auf Geschichte?
Geschrieben oder überliefert! – Und
Geschichte muß doch wohl allein auf Treu
Und Glauben angenommen werden? – Nicht? –
Nun wessen Treu und Glauben zieht man denn
Am wenigstens in Zweifel? Doch der Seinen?
Doch deren Blut wir sind? doch deren, die
Von Kindheit an uns Proben ihrer Liebe
Gegeben? die uns nie getäuscht, als wo
Getäuscht zu werden uns heilsamer war? –
Wie kann ich meinen Vätern weniger
Als du den deinen glauben? Oder umgekehrt.
Kann ich von dir verlangen, daß du deine
Vorfahren Lügen strafst, um meinen nicht
Zu widersprechen? Oder umgekehrt.
Das nämliche gilt von den Christen. Nicht?
SALADIN: (Bei dem Lebendigen! Der Mann hat recht.
Ich muß verstummen.)
NATHAN: Laß auf unsre Ring'
Uns wieder kommen. Wie gesagt: die Söhne
Verklagten sich; und jeder schwur dem Richter,
Unmittelbar aus seines Vaters Hand
Den Ring zu haben – wie auch wahr! –, nachdem
Er von ihm lange das Versprechen schon
Gehabt, des Ringes Vorrecht einmal zu
Genießen. – Wie nicht minder wahr! – Der Vater,
Beteurte jeder, könne gegen ihn
Nicht falsch gewesen sein; und eh er dieses
Von ihm, von einem solchen lieben Vater,
Argwohnen laß: eh müß er seine Brüder,
So gern er sonst von ihnen nur das Beste
Bereit zu glauben sei, des falschen Spiels
Bezeihen; und er wolle die Verräter
Schon auszufinden wissen; sich schon rächen.
SALADIN: Und nun, der Richter? – Mich verlangt zu hören,
Was du den Richter sagen lässest. Sprich!
NATHAN: Der Richter sprach: Wenn ihr mir nun den Vater
Nicht bald zur Stelle schafft, so weis ich euch
Von meinem Stuhle. Denkt ihr, daß ich Rätsel
Zu lösen da bin? Oder harret ihr,
Bis daß der rechte Ring den Mund eröffne? –
Doch halt! Ich höre ja, der rechte Ring
Besitzt die Wunderkraft, beliebt zu machen,
Vor Gott und Menschen angenehm. Das muß
Entscheiden! Denn die falschen Ringe werden
Doch das nicht können! – Nun; wen lieben zwei

Von euch am meisten? – Macht, sagt an! Ihr schweigt?
Die Ringe wirken nur zurück? und nicht
Nach außen? Jeder liebt sich selber nur
Am meisten? – O, so seid ihr alle drei
Betrogene Betrüger! Eure Ringe
Sind alle drei nicht echt. Der echte Ring
Vermutlich ging verloren. Den Verlust
Zu bergen, zu ersetzen, ließ der Vater
Die drei für einen machen.

SALADIN: Herrlich! Herrlich!

NATHAN: Und also, fuhr der Richter fort, wenn ihr
Nicht meinen Rat, statt meines Spruches, wollt:
Geht nur! – Mein Rat ist aber der: Ihr nehmt
Die Sache völlig, wie sie liegt. Hat von
Euch jeder seinen Ring von seinem Vater:
So glaube jeder sicher seinen Ring
Den echten. – Möglich, daß der Vater nun
Die Tyrannei des *einen* Rings nicht länger
In seinem Hause dulden wollen! – Und gewiß,
Daß er euch alle drei geliebt und gleich
Geliebt: indem er zwei nicht drücken mögen,
Um einen zu begünstigen. – Wohlan!
Es eifre jeder seiner unbestochnen,
Von Vorurteilen freien Liebe nach!
Es strebe von euch jeder um die Wette,
Die Kraft des Steins in seinem Ring an Tag
Zu legen! komme dieser Kraft mit Sanftmut,
Mit herzlicher Verträglichkeit, mit Wohltun,
Mit innigster Ergebenheit in Gott
Zu Hülf! Und wenn sich dann der Steine Kräfte
Bei euren Kindes-Kindeskindern äußern:
So lad ich über tausend tausend Jahre
Sie wiederum vor diesen Stuhl. Da wird
Ein weisrer Mann auf diesem Stuhle sitzen
Als ich und sprechen. Geht! – So sagte der
Bescheidne Richter.

SALADIN: Gott! Gott!

NATHAN: Saladin,
Wenn du dich fühlest, dieser weisere
Versprochne Mann zu sein ...

SALADIN (*der auf ihn zustürzt und seine Hand ergreift, die er bis zu Ende
nicht wieder fahren läßt*): Ich Staub? Ich Nichts?
O Gott!

NATHAN: Was ist dir, Sultan?

SALADIN: Nathan, lieber Nathan! –
Die tausend tausend Jahre deines Richters
Sind noch nicht um. – Sein Richterstuhl ist nicht
Der meine. – Geh! – Geh! – Aber sei mein Freund.

                                              (III.5,6,7)

Nathan beschämt seinen Fürsten, indem er ihm nun freiwillig das Geld anbietet, das ihm Saladin hatte ablisten wollen, denn die Suche nach der wahren Religion war nur vorgeschoben. Saladins Schwester Sittah hatte den Anschlag erdacht: Wenn Nathan doch nur der »geizige, besorgliche, furchtsame Jude« sei, so fände er auch keine Antwort auf die in der Tat verfängliche Frage und würde Saladin in jedem Fall einen Vorwand bieten, ihm Geld abzuzwingen; sei er aber tatsächlich »der gute vernünftge Mann«, würde er ihm von sich aus in seiner Finanzmisere helfen, und Saladin hätte obendrein das Vergnügen des geistreichen Gesprächs. Insoweit steht die ganze Passage in der Tradition jener gelehrten Gesprächskultur, die Harsdörffer im 17. Jahrhundert mit seinen ›Frauenzimmer-Gesprechsspielen‹ literarisch begründet hatte. Dennoch bleibt es ungewöhnlich, daß im Zentrum eines Dramas eine Erzählung, also ein episches Element, steht. Die »Ringparabel« – Parabel bedeutet Gleichnis, lehrhaftes Beispiel – hatte Lessing ebenfalls von Boccaccio übernommen; sie stellt die Quintessenz von Lessings Theologie dar: Jenseits aller äußerlichen Unterschiede, aller historischen Bedingtheit besitzt jede Religion die Kraft, »beliebt zu machen, vor Gott und Menschen angenehm«, doch muß dies der Mensch als Pflicht begreifen und die humanisierende Kraft seiner Religion selbst erweisen: »Wohlan! Es eifre jeder seiner unbestochnen, / Von Vorurteilen freien Liebe nach!« Wer untätig sich auf dem Besitz der »seligmachenden Religion« ausruht – wie es die Söhne mit ihren Ringen taten –, bleibt nur sich selbst verhaftet; wer aber vorurteilsfrei, unbestechlich den Mitmenschen begegnet, wer ihre Andersartigkeit toleriert und jenseits aller äußeren Unterschiede das Übereinstimmende sucht, der übt wahrhaft Menschenliebe. Nathan selbst gibt in dem Stück Beispiele dieser versöhnenden Energie: So heilt er Recha von ihrem Wunderglauben, gewinnt sich den mißtrauisch abweisenden Tempelherrn, dann den mächtigen Saladin zu Freunden. Bei aller »herzlichen Verträglichkeit« und »Sanftmut«, die er walten läßt, wird aber auch seine aktive Teilnahme spürbar und die Kraft, die das Gespräch ihn kostet: Gegen die liebgewordenen Phantasien Rechas, gegen des Tempelherrn hochmütig-kalte Distanz, gegen Saladins Jovialität und Hinterlist muß Nathan zum Guten überzeugen; dabei setzt er seine ganze Person ein, riskiert wohl auch etwas.

(Lessing selbst war zu diesem Risiko bereit, das zeigt nicht nur die Auseinandersetzung mit Goeze. Mit gleicher Schärfe wandte er sich z. B. gegen das Inquisitionsgericht in Glarus in der Schweiz, wo ca. 1760 die letzte »Hexe« verbrannt wurde. Seine heftige Polemik trug ihm selbst ein Inquisitionsverfahren in Glarus ein, das allerdings nicht weiter verfolgt wurde, da Lessing für das Gericht nicht erreichbar war.)

Seine Antwort auf die dezidierte Frage nach der wahren Religion kleidete Lessing also in ein Gleichnis, führte auf poetische Weise vor, daß, ein endgültiges, verbindliches Urteil darüber abzugeben, unmöglich sei und auch unnötig. Der vernünftige Gläubige setzt an die Stelle des Dogmas, an die Stelle der Offenbarungsreligion das Gebot der Menschlichkeit: Frömmigkeit ist nicht eine Frage des Buchstaben-Glaubens, sondern des Handelns.

Lessings Theodizee-Begriff (Rechtfertigung Gottes angesichts des Bösen in der Welt) ist in der Figur Nathans verwirklicht. Nathan hatte Recha als Kind von wenigen Wochen anvertraut erhalten von einem Reitknecht, der nun als Laienmönch im Dienst des Patriarchen von Jerusalem steht.

NATHAN: Ihr traft mich mit dem Kinde zu Darun.
   Ihr wißt wohl aber nicht, daß wenig Tage
   Zuvor in Gath die Christen alle Juden
   Mit Weib und Kind ermordet hatten; wißt
   Wohl nicht, daß unter diesen meine Frau
   Mit sieben hoffnungsvollen Söhnen sich
   Befunden, die in meines Bruders Hause,
   Zu dem ich sie geflüchtet, insgesamt verbrennen müssen.
KLOSTERBRUDER: Allgerechter!
NATHAN: Als
   Ihr kamt, hatt ich drei Tag und Nächt in Asch
   Und Staub vor Gott gelegen und geweint. –
   Geweint? Beiher mit Gott auch wohl gerechtet,
   Gezürnt, getobt, mich und die Welt verwünscht;
   Der Christenheit den unversöhnlichsten
   Haß zugeschworen –
KLOSTERBRUDER: Ach! Ich glaubs Euch wohl!
NATHAN: Doch nun kam die Vernunft allmählich wieder.
   Sie sprach mit sanfter Stimm: »Und doch ist Gott!
   Doch war auch Gottes Ratschluß das! Wohlan!
   Komm! übe, was du längst begriffen hast;
   Was sicherlich zu üben schwerer nicht
   Als zu begreifen ist, wenn du nur willst.
   Steh auf!« – Ich stand und rief zu Gott: »Ich will!
   Willst du nur, daß ich will!« – Indem stiegt Ihr
   Vom Pferd und überreichtet mir das Kind,
   In Euern Mantel eingehüllt. – Was Ihr
   Mir damals sagtet, was ich Euch: hab ich
   Vergessen. Soviel weiß ich nur: ich nahm
   Das Kind, trugs auf mein Lager, küßt es, warf
   Mich auf die Knie und schluchzte: »Gott! Auf sieben
   Doch nun schon *eines* wieder!«

KLOSTERBRUDER: Nathan! Nathan!
Ihr seid ein Christ! – Bei Gott, Ihr seid ein Christ!
Ein beßrer Christ war nie!
NATHAN: Wohl uns! Denn was
Mich Euch zum Christen macht, das macht Euch mir
Zum Juden!

(IV.7)

Zu den höchsten Tugenden zählte die deutsche Aufklärung die
Gelassenheit, die im Vertrauen auf den ewigen Ratschluß Gottes
auch die schwersten Schicksalsschläge ertragen läßt; sie ist die Umsetzung der Theodizee in praktische Lebenshaltung. Nathan mei-
sterte seine Racheleidenschaft und wurde so zur Idealfigur, zum
»Weisen«: »Und doch ist Gott.« Es ist der Sieg der Vernunft auch
über die heftigsten Gefühle. Der alte Galotti war noch nicht so
weit; nur mit Mühe zwang er sich zu ruhiger Überlegung, bändig-
te er seinen wütenden Impuls, den Prinzen und Marinelli zu ermorden: »Nichts verächtlicher, als ein brausender Jünglingskopf
mit grauen Haaren.« Tellheim hatte sich mit seinem menschenver-
achtenden Lachen gegen diese höchste Form des Gottvertrauens
vergangen, aus dem andererseits Minna von Barnhelm die Kraft
zog, ihren Tellheim aus seiner Verirrung zurückzuholen.

Im tiefsten Unglück fand Nathan zur edelsten Form menschlicher Weisheit, und ein naiver unverbildeter Laienbruder nennt ihn
darum einen Christen. Orthodoxe christliche Gelehrsamkeit dagegen verstellt Lessings Überzeugung nach nur den Blick auf den
Kern praktischen Christentums. Deshalb zeichnete er, als Revan-
che an dem Hauptpastor Goeze, den christlichen Patriarchen von
Jerusalem als die einzige gänzlich böse Figur des ganzen Dramas.
Er ist ein korrumpierter Christ, der mit scheinlogischen Argumenten alle Tugenden – Dankbarkeit, Ehre, Nächstenliebe – mit Füßen tritt und dabei nur seinen eigenen Machtwillen entlarvt. Den
Tempelherrn will er zum Verrat an Saladin bewegen, und Nathan
soll verbrannt werden, weil er eine getaufte Waise als sein eigen
Kind aufgezogen hat: »Tut nichts! / Der Jude wird verbrannt! –
Denn besser / Es wäre hier im Elend umgekommen, / Als daß zu
seinem ewigen Verderben / Es so gerettet ward.« Radikaler konnte
die Absage an die blinde Intoleranz des christlichen Dogmatismus
nicht ausfallen.

In Boccaccios Novelle, Lessings Vorlage, wagte es der Jude Mel-
chisedech nicht, den echten Ring wiederzuerkennen. Nathan dagegen konnte die Parabel fortsetzen, sie ummünzen in einen ethisch-
religiösen Auftrag; ihm erübrigte sich dadurch die Entscheidung,
welcher Ring der echte sei. »Wenn Gott in seiner Rechten alle
Wahrheit und in seiner Linken den einzigen immer regen Trieb

nach Wahrheit, obschon mit dem Zusatze, mich immer und ewig zu irren, verschlossen hielte und spräche zu mir: Wähle! ich fiele ihm in Demut in seine Linke und sagte: Vater, gib! Die reine Wahrheit ist ja doch nur für Dich allein.« (›Duplik‹, 1778)

Lessing hielt nicht viel von fertigen religiösen Wahrheiten; das Suchen danach sah er als die eigentliche Aufgabe des gläubigen Menschen an. In einem unendlichen Prozeß schreite so die Menschheit fort zu immer höherer Vernunft: das sei der Erziehungsplan der Religion Christi. In seiner fast vermächtnishaften, theologisch-philosophischen Schrift ›Erziehung des Menschengeschlechts‹, auf die oben bereits eingegangen wurde, heißt es: Wenn die »geoffenbarten Wahrheiten« umgebildet seien in »Vernunftwahrheiten«, werde sie »gewiß kommen, die Zeit der Vollendung«, da der Mensch »das Gute tun wird, weil es das Gute ist«. Auf diese Entwicklung mag der Schluß der »Ringparabel« anspielen, wenn der Richter die Söhne auf »über tausend tausend Jahre« wiederum vor seinen Stuhl lädt; den weiseren Richter allerdings bräuchte es in der »Zeit der Vollendung« nicht mehr.

Das Drama selbst wird zum Exempel: Während sich die Religionen in grauer Vorzeit schon voneinander schieden, finden die Personen des Stücks am Ende zueinander. Der Tempelherr und Recha erkennen sich als Geschwister, ihr Vater war Saladins verschwundener Lieblingsbruder; Nathan, der diese Beziehungen aufdeckt, ist ihrer aller geistiger Vater. Die Unsinnigkeit aller rassischen und religiösen Vorurteile ist durch den Verlauf der Handlung zwingend erwiesen. Das Schauspiel endet deshalb auch nicht mit einer Hochzeit zwischen Recha und dem Tempelherrn, wie anfangs zu vermuten, sondern mit einer Verbrüderung.

Das dramatische Gedicht ›Nathan der Weise‹ ist ein »bürgerliches« Schauspiel im Doppelsinn des Wortes: Keinerlei ständische Schranken trennen die Personen voneinander; der Held des Stückes ist nicht einmal ein Bürger, sondern »bloß« Jude – unerhört für das 18. Jahrhundert. Und Saladin und Sittah geben sich durchaus privat-menschlich, d. h. »bürgerlich«. Die Politik wird weitgehend ausgespart; wo sie hereinspielt, erscheint sie als Folge gemeiner Intrigen, wird sie verteufelt in der Gestalt des christlichen Patriarchen.

Die Sprache ist so durchgefeilt, daß sie bei aller Eleganz, aller rhetorischen Perfektion schon wieder natürlich, ja schlicht klingt. Vieles der dialektischen Beweisführung, der analytischen Details erschließt sich erst bei wiederholtem Lesen – und ist doch scheinbar nur so dahingesagt; insofern ist der ›Nathan‹ wirklich ein Lesedrama, ein dramatisches Lehrgedicht, da der Zuschauer während der Aufführung gar nicht aller »Perlen« gewahr werden kann.

Lessing verzichtete auf alles ständische und historisierende Gepränge, er vermied auch den seit Opitz üblichen und von Gottsched erneuerten Dramenvers, den Alexandriner, und wählte statt seiner den Blankvers. Man versteht darunter einen fünfhebigen Jambus des Musters

> x x́/x x́/x x́/ x x́/x x́ x́
> Es eifre jeder seiner unbestochnen
> x x́/x x́/x x́/ x x́/x x́
> Von Vorurteilen freien Liebe nach!

Der Blankvers erlaubt eine sehr viel natürlicher klingende Redeweise als der Alexandriner mit seiner stets künstlich wirkenden Mittelzäsur. Lessing verzichtete auch auf den Endreim und glich die Sprache dadurch noch stärker der Prosa an. Das Enjambement nutzte er virtuos zum fugenlosen Wechsel von Rede und Gegenrede im Dialog. Mit dem ›Nathan‹ wurde der Blankvers zum klassischen deutschen Dramenvers bis zu Schillers ›Don Carlos‹, Goethes ›Iphigenie‹ oder auch Kleists ›Prinz Friedrich von Homburg‹. Der Alexandriner aber verschwand aus der deutschen Dichtung.

IV. Die erzählende Dichtung

4.1 Fabel

In diesem pädagogischen Jahrhundert, das wie kein zweites die Dichtung bewußt zur Erziehung einsetzte, mußte die Fabel einen bevorzugten Rang einnehmen. Die kleine lehrhafte Erzählung, in der Tiere, seltener auch Pflanzen, wie Menschen mit traditionell festgelegten Eigenschaften auftreten und die stets am Ende eine leicht faßliche Moral verkündet, erfüllte in idealer Weise die von Gottsched übernommene Forderung des Horaz: belehren und erfreuen solle die Dichtung.

Die Fabel ist eine der ältesten dichterischen Gattungen und reicht weit in vorschriftliche Zeit zurück. In Europa wird als ihr Stammvater der Grieche Aesop angesehen, der im 6. Jahrhundert v. Chr. als Sklave auf Samos gelebt haben soll. Seine Sammlung von Prosafabeln wurde in der Antike häufig bearbeitet, bald auch in Verse umgegossen. In Rom begründete Phaedrus (um 15 v. Chr. – um 50 n. Chr), ein Freigelassener des Kaisers Augustus, mit seinen Versfabeln, die die aesopischen um viele eigene bereicherten, die lateinische Tradition der Gattung. In einer späteren Prosafassung mit dem Titel ›Romulus‹ wurde sein Werk zu einem beliebten Schulbuch des europäischen Mittelalters.

Die mittelhochdeutsche Spruchdichtung kennt die Fabel als *bîspel* (Beispiel); die *tierbîspeln* des Strickers wurden viel gelesen. Im 16. Jahrhundert förderte vor allem Martin Luther die beliebte Gattung durch eigene Prosaübersetzungen von rund 25 Fabeln des Aesop. Luther empfahl sie als hervorragendes Mittel, Kinder und ungebildete Leute wie Knechte und Mägde zu belehren und zu erziehen. Von ihm übernahm der protestantische Norden Deutschlands die Fabel als klassische Lehrdichtung für Kinder. Nach Martin Opitz ist vor allem »der gemeine Pöfel«, also das ungebildete Volk, die Fabel »zu hören geeignet«, doch da sie gerade deshalb eher einfach und kunstlos abgefaßt sein mußte, wurde die Gattung im höfischen Barock nicht sonderlich gepflegt.

Zum großen Vorbild der europäischen Fabeldichter der Aufklärung wurde der Franzose Jean de La Fontaine (1621–1695), der aus der gesamten damals bekannten Fabelliteratur schöpfte, von Aesop bis zum altindischen ›Pañcatantra‹, das um 1270 bereits auf Latein vorlag. In La Fontaines Fabeln ist die kunstvoll aufgebaute Handlung stets in ein meisterliches, mit Liebe zum Detail ausgemaltes Szenarium eingebettet; nur selten wird am Ende die Moral ausgesprochen. Seine leichtflüssigen Verse, deren Rhythmus sich die Sprache vollkommen anschmiegt, ließen ihn zu einem bis heute vielgelesenen Dichter der Weltliteratur werden.

Der erste bedeutende deutsche Fabulist des 18. Jahrhunderts war der Hamburger Friedrich von Hagedorn. Sein ›Versuch in poetischen Fabeln und Erzehlungen‹, der sich deutlich an La Fontaine orientiert, erschien 1738. Hagedorn erreichte eine bis dahin ungekannte spielerische, natürliche Anmut in seinen Versen; auch beschränkte er sich nicht nur auf die »aesopische«, d. h. die Tierfabel, sondern schrieb auch manche »Erzehlung«, in der nun direkt Menschen auftraten und zum Exempel bestimmter Lebens- und Verhaltensweisen dienten. Weit über 50 solcher Sammlungen erschienen im 18. Jahrhundert, viele wurden mehrfach aufgelegt.

Christian Fürchtegott Gellert

Christian Fürchtegott Gellert (1715–1769) war der populärste deutsche Fabeldichter der Zeit. Ihm brachte sogar ein Bauer aus Dankbarkeit für die Fabeln eine ganze Fuhre Holz, wie er selbst berichtet. Mit seinen leicht verständlichen, der Umgangssprache angenäherten und doch so anmutigen Versfabeln und -erzählungen, die lebensklug und humorvoll zu Tugend und Frömmigkeit erziehen wollten, wurde Gellert einer der großen Lehrer Deutschlands, der von vielen Menschen um Rat gebeten wurde. Ihn nannte man den »deutschen La Fontaine«; sogar Friedrich der Große, der von der deutschen Literatur sonst wenig hielt, schätzte ihn sehr.

Den Sinn der Fabeldichtung verbarg Gellert elegant in der Moral von ›Die Biene und die Henne‹:

> Du fragst, was nützt die Poesie?
> Sie lehrt und unterrichtet nie.
> Allein, wie kannst du doch so fragen?
> Du siehst an dir, wozu sie nützt:
> Dem, der nicht viel Verstand besitzt,
> Die Wahrheit durch ein Bild zu sagen.

Das war hübsch gesagt, und der gebildete Bürger goutierte die Pointe. Der Lehrauftrag der Dichtung war unbestritten; scheinbar nur zum Vergnügen gemacht, hat sie doch eine wichtige Funktion: nämlich dem einfachen Menschen Einsichten in dichterischen Bildern anschaulich zu vermitteln.

Der Fabel eignete immer auch ein sozialkritisches, mitunter sogar politisches Moment; Luthers Formulierung gilt da geradeso für das 18. Jahrhundert: »Nicht allein aber die Kinder / sondern auch die großen Fuersten und Herrn / kan man nicht bas [besser] betriegen / zur Wahrheit / und zu jrem nutz / denn das man jnen lasse die Narren die Wahrheit sagen / dieselbigen koennen sie leiden und hoeren / sonst woellen oder koennen sie / von keinem Weisen die Wahrheit leiden / Ja alle Welt hasset die Wahrheit / wenn sie einen trifft.« Allerdings mußten im Absolutismus diese »Wahrheiten« sehr allgemein gehalten sein und durften keinesfalls umstürzlerisch oder gar majestätsbeleidigend klingen.

Gellerts Fabeln zeichnen sich durch einen versöhnlichen Ton aus, sie wollen zur Zufriedenheit mit dem eigenen Stand, zur Anerkennung der politischen und sozialen Verhältnisse führen, mahnen aber auch deutlich gerade die Hochgestellten zur Achtung der Niederen. Die »älteste Spur des menschlichen Witzes« hat Gellert die Fabel genannt, deren Nutzanwendung ihn vor allem interessierte; auf die genau, daher mitunter breit ausformulierte Lehre legte er besonderen Wert:

Das Kutschpferd

Ein Kutschpferd sah den Gaul den Pflug im Acker ziehn
Und wieherte mit Stolz auf ihn.
»Wann«, sprach es, und fing an, die Schenkel schön zu heben,
»Wann kannst du dir ein solches Ansehn geben?
Und wann bewundert dich die Welt?«
»Schweig«, rief der Gaul, und laß mich ruhig pflügen;
Denn baute nicht mein Fleiß das Feld,
Wo würdest du den Hafer kriegen,
Der deiner Schenkel Stolz erhält?«

Die ihr die Niedern so verachtet,
Vornehme Müßiggänger, wißt,
Daß selbst der Stolz, mit dem ihr sie betrachtet,
Daß euer Vorzug selbst, aus dem ihr sie verachtet,
Auf ihren Fleiß gegründet ist.
Ist der, der sich und euch durch seine Händ' ernährt,
Nichts Bessers als Verachtung wert?
Gesetzt, du hättest bessre Sitten,
So ist der Vorzug doch nicht dein,
Denn stammtest du aus ihren Hütten,
So hättest du auch ihre Sitten,
Und was du bist, und mehr, das würden sie auch sein,
Wenn sie wie du erzogen wären.
Dich kann die Welt sehr leicht, ihn aber nicht entbehren.

Gotthold Ephraim Lessing

Die Fabeltheorie beschäftigte die meisten Dichter dieses Genres, und wie immer im 18. Jahrhundert gab es vielfältigen Streit, der sich meist um stilistische Fragen drehte, denn im Hauptanliegen der Gattung war man sich einig. Die beachtlichste neue Fabeltheorie stammte von Gotthold Ephraim Lessing. Er betonte fast ausschließlich die Nutzanwendung der Fabel: Eleganz, Detailfülle, sogar die Versform lenkten, meinte er, vom Eigentlichen ab, die Erzählung sollte auf den knappsten Raum reduziert, ja nicht einmal zu Ende gebracht werden, wenn die Moral bereits erwiesen sei. Lessing erlaubte, ja forderte die bewußte Neufassung einzelner Motive – die Umgestaltung traditioneller Fabeln also – um neue, überraschende Lehren aus einer Fabel zu ziehen, und versprach sich größeren Nutzen an den Schulen davon.

Der Löwe mit dem Esel

Als des Aesopus Löwe mit dem Esel, der ihm durch seine fürchterliche Stimme die Tiere sollte jagen helfen, nach dem Walde ging, rief ihm eine naseweise Krähe von dem Baume zu: Ein schöner Gesellschafter! Schämst du dich nicht, mit einem Esel zu gehen? – Wen ich brauchen kann, versetzte der Löwe, dem kann ich ja wohl meine Seite gönnen.

So denken die Großen alle, wenn sie einen Niedrigen ihrer Gemeinschaft würdigen.

Der Esel mit dem Löwen

Als der Esel mit dem Löwen des Aesopus, der ihn statt seines Jägerhorns brauchte, nach dem Walde ging, begegnete ihm ein andrer Esel von seiner Bekanntschaft, und rief ihm zu: Guten Tag, mein Bruder! – Unverschämter! war die Antwort. –

Und warum das? fuhr jener Esel fort. Bist du deswegen, weil du mit einem Löwen gehst, besser als ich? mehr als ein Esel?

In der Verdichtung auf die gesellschaftskritische Moral übertrifft Lessing noch das Aesopische Muster, das ebenfalls in recht schmuckloser Prosa gehalten ist; zum Vergleich sei es hier wiedergegeben:

Der Löwenanteil

Der Löwe und der Waldesel gingen auf die Jagd, und der Löwe setzte seine Stärke, der wilde Esel seine Schnelligkeit ein. Als sie einige Tiere erlegt hatten, teilte der Löwe die Beute in drei Haufen. »Den«, sprach er, »werde ich mir nehmen als erstes unter den Tieren, denn ich bin ihr König, den zweiten als gleichberechtigter Jagdkumpan, und was den dritten betrifft, so wird er dir großes Leid bringen, wenn du dich nicht augenblicklich davonmachst.«

Die sozialen Unterschiede und die daraus resultierenden Ungerechtigkeiten waren immer ein Thema der Fabeldichtung: Der Sklave Aesop beklagt sein gänzliches Ausgeliefert-Sein an den Mächtigen, während Lessing aus dem Blickwinkel des selbstbewußten Bürgers den Hochmut der Regierenden, die einen Untertan nur achten, solange sie ihn brauchen, und den Dünkel eines nichtadeligen Fürstendieners aufs Korn nimmt.

In der Prosaform kamen Lessings Fabeln dem Original Aesops nahe, obwohl er sich durch die Änderung der Motive bewußt von dem Griechen absetzte, was ihm Bodmer sofort vorwarf (›Lessings unäsopische Fabeln‹, 1760). Unmittelbare Nachfolger hatte Lessing nicht; seine formale Perfektion war nicht zu überbieten.

Christian August Fischer

Ende des 18. Jahrhunderts wurde die Gattung noch einmal reaktiviert: Mit Fabeln ließ sich vorzüglich argumentieren im Streit für und wider die neuen politischen Ideen. Unverhohlen demokratisch-revolutionäre Gedanken vertrat z. B. Christian August Fischer (1771–1829), Professor der Kultur- und Literaturgeschichte, in seinen 1796 erschienenen ›Politischen Fabeln‹:

Der Bauer und sein Esel

»Geschwind! Zu den Waffen!« rufte ein Bauer seinem Esel zu, als die Feinde im Anrücken waren. »Zu den Waffen?« antwortete dieser. »Ich sehe nicht ein, warum. Mir kann es gleichgültig sein, *wem* ich gehöre. Ich muß einmal Lasten tragen; gleichviel, *wer* sie mir auflegt.«

So sprach er und erwartete die Ankunft der Feinde, ohne sich von der Stelle zu rühren.

Aufruf zur Verteidigung des Vaterlandes! – das heißt: des fürstlichen Interesses!

Gottlieb Konrad Pfeffel

Der wohl radikalste politische Fabeldichter war um die Jahrhundertwende Gottlieb Konrad Pfeffel (1736–1809), von dessen Parabeln Schiller einige in seinen ›Musenalmanach‹ aufnahm:

Der kranke Löwe

Der Tiere Großsultan lag auf dem Krankenbette;
Er war vom Kopf bis auf den Schwanz
So dürr als Bruder Hain im Basler Totentanz,
Da war kein Vieh, das ihm nicht was geraten hätte.
Der Schwindsucht sichre Kur, die ein Franzos erfand,
Die Kur im Ochsenstall, war damals unbekannt.
»Die Gerste«, sprach das Pferd, »ist trefflich für die Lunge,
Sie kühlet das Geblüt und reiniget die Zunge.«
»Nicht doch«, versetzt der Bär, »der wilde Honigseim
Ist Balsam für die Brust und löst den zähen Schleim.«
»Freund«, rief ein weiser Wolf, »ich wette hundert Kronen,
Mein sympathetisches Arkan
Erhält den Preis: Neun frische Ziegenbohnen
Im Vollmond angehängt ziehn alle Seuchen an.«
»Pfui«, sprach der Leopard, »man möchte flugs purgieren,
Der Henker brauche diesen Quark:
Ich lobe mir das Menschenmark,
Um einen Fürsten zu kurieren.
Ein Pfund des Tags in Tränen aufgelöst
Hilft ganz gewiß, probatum est.«
»Dies, Vetter, will ich gleich probieren«,
Versetzt der Patient, »dein Rat ist Goldes wert;
Ich selber habe längst gehört,
Daß viele große Herrn auf Erden
Durch dieses Mittel fett wie junge Dachse werden.«

Konservative und progressive, reaktionäre und revolutionäre Propaganda wurde nach 1789 mit Fabeln gemacht, doch diese neue Blüte war nicht von Dauer. Das 19. Jahrhundert pflegte die Gattung vor allem als Kinderliteratur; erst im 20. gab es mit Kafka und Brecht gewisse Neuansätze, ohne daß es zu einer Renaissance gekommen wäre.

4.2 Idylle

Als Idyllen im engeren Sinn bezeichnet man kleine Stücke Schäferpoesie oder Hirtengedichte bzw. -erzählungen in der Nachfolge der antiken Dichter Theokrit und Vergil, seit dessen ›Bucolica‹ das peloponnesische Arkadien zum idealischen Schauplatz der Hirtendichtung wurde (daher auch: »bukolische« Dichtung). Ewiger Friede, Freundschaft, heitere Liebe kennzeichnen das paradiesische Leben in Arkadien, das gern mit dem Mythos des Goldenen Zeitalters verbunden wurde.

In der Renaissance durch Torquato Tasso und Iacopo Sannazaro wieder entdeckt, wurde die Idyllendichtung eine der beliebtesten Literaturgattungen Europas. Als bewußt inszenierte Mode der Höfe und höfisch orientierter Bürgerkreise lebte die Tradition in Deutschland im barocken Schäferspiel weiter (Opitz, Harsdörffer) und erreichte im 18. Jahrhundert mit dem Werk des Schweizers Salomon Geßner (1730–1788), der den Begriff »Idylle« populär machte, einen Höhepunkt. Im weiteren Sinn wurden nun auch Natur- und Landschaftsgedichte, die eine idyllische Stimmung wiedergaben, die das einfache, unverdorbene ländliche Leben priesen, amoene Landschaften schilderten oder die Schönheit und heilende Kraft der Natur, als Idyllen bezeichnet; die Rokokogedichte der Anakreontiker, die Elemente der galanten französischen Schäferdichtung aufnahmen, gehören ebenfalls in diesen Rahmen.

Die Vorliebe des deutschen Bürgertums im 18. Jahrhundert für die Idylle (von griech. *eidyllion*: kleines Bild) ist als Antwort auf die gesellschaftliche Isolierung im höfisch-feudalen Absolutismus zu verstehen: In die kleine abgegrenzte Welt konnte es seine Sehnsucht nach einem herrschaftsfreien, friedlich geordneten Leben projizieren, das Erfüllung, Daseinsfreude und Geborgenheit verhieß. Solange die Realität das aufklärerische Versprechen einer allgemeinen Zufriedenheit nicht einhielt, war der Rückzug des Bürgers auf die Glücksmöglichkeiten im kleinen privaten Bereich ein reizvoller Ersatz. Nicht nur Resignation, sondern auch Hoffnung für die Zukunft, die bürgerliche Ideale verwirklichen könnte, verquickten sich bei Dichtern und Rezipienten der sorglos-heiteren Schäferszenen; die Natur wurde Kristallisationspunkt dieser Hoffnungen und entlastender Fluchtort zugleich, wurde zum Gegenbild der Gesellschaft.

Salomon Geßner

1756 erschienen Geßners ›Idyllen‹, die ihn von Frankreich bis Rußland berühmt machten (das Buch wurde in 24 Sprachen übersetzt). Sie sind von der frühaufklärerischen Naturwahrnehmung eines Brockes (Geßners Lieblingsdichter) geprägt, der im kleinsten Detail die Schönheit der Natur entdeckt und die Zweckmäßigkeit und Vollkommenheit der göttlichen Ordnung bewundert hatte. Die in Ewald von Kleists ›Frühlingsode‹ vollzogene Opposition gegen die Höfe, die »güldnen Kerker« der Stadt, die Kleist in die idyllische Natur fliehen ließen, gehört bei Geßner schon zum notwendigen Hintergrund seiner arkadischen Szenen.

Geßner hat seine lieblichen Weltausschnitte noch als »Gemählde« der »Einbildungs-Kraft« konzipiert; doch daß er sich bewußt in die Idealität eines Goldenen Zeitalters entfernt hat, um »dadurch einen höheren Grad der Wahrscheinlichkeit« zu erhalten, zeigt den Einbruch bürgerlicher Vernunft auch in dieses rein poetische Genre. Seine Szenen »aus der unverdorbnen Natur«, sagt Geßner weiter in der Vorrede zu seinem ›Idyllen‹-Band, paßten »nicht für unsre Zeiten..., wo der Landmann mit saurer Arbeit unterthänig seinem Fürsten und den Städten den Überfluß liefern muß, und Unterdrückung und Armuth ihn ungesittet und schlau und niederträchtig gemacht haben«. Nicht der ländlichen Realität entnimmt er also seine Figuren, dennoch will er seine »Schäferwelt« nicht »nur zu einer poetischen machen« (Brief an Gleim vom 29. November 1754), sondern mit »feinem Geschmack« und Bedacht »die Denkungsart und die Sitten des Landmanns« nach »sonderbaren Schönheiten auspüren«.

Eine gewisse Nähe zum realen Landleben, dem »sein Rauhes« genommen werden muß, eine gewisse Annäherung an den wirklichen Bauern, den der vorurteilsfreie Bürger doch nicht verachten dürfte, kennzeichnen Geßners ›Idyllen‹. Vor allem aber hat er seine Hirten und Schäfer mit zeitgemäßen bürgerlich-empfindsamen Tugenden ausgestattet und sie zu moralischen Vorbildern einer »edlen Denkart« erklärt: Damit ist die Wende von der fiktionalen geschichtslosen zur bürgerlichen realistischen Idylle eingeleitet, die der Sturm-und-Drang-Dichter Johann Heinrich Voß zur Meisterschaft brachte. Die bürgerliche Idylle, eine spezifisch deutsche Variante zur klassizistischen Tradition, führt von Voß weiter zu Goethes ›Hermann und Dorothea‹ und Eduard Mörikes ›Idylle vom Bodensee‹.

Mit bürgerlichem Ethos und einer sensibilisierten Naturwahrnehmung füllte Geßner die traditionellen arkadischen Glücksentwürfe auf. Sein Paradies der Hirten und Faune wird von »schöndenkenden Seelen«, »Gemütern voll Tugend und Unschuld« bewohnt, die glücklich sind, wenn sie Gutes tun können, und »Thränen des Mitleids und der süßen Freude« vergießen, wenn sie »der Armuth Trost seyn« können. »Sanfte Entzückungen« sind ihre Lust, sanfte Entzückungen auch lösen sie beim verständigen Leser aus; nur der »Weise«, der Gleichgesinnte, konnte sie nachempfinden, dem »tummen Pöbel« mußte diese Welt verschlossen bleiben.

Geßners Prosastückchen handeln von unbedeutenden Kleinigkeiten, Tändeleien, sie führen das stille Glück unschuldiger Scherze, artiger Verliebtheit, auch inniger zärtlicher Liebe und treuer Freundschaft vor; alle leidenschaftlichen Affekte jedoch klammern sie aus. Auch die Natur wird von ihrer sanften Seite gezeigt: *Nach dem schrecklichen Gewitter, wenn das Laute und Furchterregende vorüber ist, beginnen Damon und Daphne ihr Gespräch.*

DAMON: Es ist vorübergegangen, Daphne! das schwarze Gewitter, die schrökende Stimme des Donners schweigt; Zittre nicht, Daphne! die Blize schlängeln sich nicht mehr durchs schwarze Gewölk; laß uns die Höle verlassen; die Schafe, die sich ängstlich unter diesem Laubdach gesammelt, schütteln den Regen von der triefenden Wolle, und zerstreuen sich wieder auf der erfrischeten Weide; Laß uns hervorgehn, und sehn, wie schön die Gegend im Sonnenschein glänzt.

Izt traten sie Hand in Hand aus der schüzenden Grotte hervor; Wie herrlich! rief Daphne, dem Hirt die Hand drükend, wie herrlich glänzt die Gegend! Wie hell schimmert das Blau des Himmels durch das zerrißne Gewölk! Sie fliehen, die Wolken; wie sie ihren Schatten in der Sonne-beglänzten Gegend zerstreun! sieh Damon, dort liegt der Hügel mit seinen Hütten und Herden im Schatten, izt flieht der Schatten und läßt ihn im Sonnen-Glanz; sieh wie er durchs Thal hin über die blumichten Wiesen lauft.

Wie schimmert dort, Daphne! rief Damon, wie schimmert dort der Bogen der Iris von einem glänzenden Hügel zum andern ausgespannt; am Rüken das graue Gewölk verkündigt die freundliche Göttin von ihrem Bogen der Gegend die Ruhe, und lächelt durchs unbeschädigte Thal hin.

Daphne antwortete, mit zartem Arm ihn umschlingend, sieh die Zephir kommen zurük, und spielen froher mit den Blumen, die verjüngt mit den hellblizenden Regen-Tropfen prangen, und die bunten Schmetterlinge und die beflügelten Würmchens fliegen wieder froher im Sonnenschein, und der nahe Teich – – wie die genezten Büsche und die Weiden zitternd um ihn her glänzen! sieh er empfängt wieder ruhig das Bild des hellen Himmels und der Bäume umher.

DAMON: Umarme mich Daphne, umarme mich! O was für Freude durchströmt mich! wie herrlich ist alles um uns her! Welche unerschöpfliche Quelle von Entzüken! Von der belebenden Sonne bis zur kleinesten Pflanze sind alles Wunder! O wie reißt das Entzüken mich hin! wenn ich vom hohen Hügel die weitausgebreitete Gegend übersehe, oder, wenn ich ins Gras hingestrekt, die manigfaltigen Blumen und Kräuter betrachte und ihre kleinen Bewohner; oder wenn ich in nächtlichen Stunden, bey gestirntem Himmel, den Wechsel der Jahrszeiten, oder den Wachsthum der unzählbaren Gewächse – – wenn ich die Wunder betrachte, dann schwellt mir die Brust, Gedanken drengen sich dann auf; ich kan sie nicht entwikeln, dann wein' ich und sinke hin und stammle mein Erstaunen dem der die Erde schuf! O Daphne, nichts gleicht dem Entzüken, es sey denn das Entzüken von dir geliebt zu seyn.

DAPHNE: Ach Damon! auch mich, auch mich entzüken die Wunder! O laß uns in zärtlicher Umarmung den kommenden Morgen, den Glanz des Abendroths und den sanften Schimmer des Mondes, laß uns die Wunder betrachten, und an die bebende Brust uns drüken, und unser Erstaunen stammeln; O welch unaussprechliche Freude! wenn diß Entzüken zu dem Entzüken der zärtlichsten Liebe sich mischt.

Eine beinahe religiöse Erschütterung löst die versöhnte Natur in Damon und Daphne aus, so daß sie ob der Wunder Gewalt nur stammelnd und weinend den Schöpfer preisen können. An Klopstock, den Dichter erhabener Gefühle, erinnert solcher Enthusiasmus. Auch Brockes' ehrfürchtiges Staunen über die »wunder-würdige« Schönheit der Natur, die den Menschen zu Gott lenken soll, ist in dieser Szene zu spüren.

Im Austausch ihrer Empfindungen spiegeln Damon und Daphne die wieder eingetretene Harmonie der Schöpfung. Die nach dem Gewitter frisch belebte Natur galt in der antiken Bukolik als willkommene Ermunterung zu fröhlichen Schäferspielen; doch Geßner läßt sein Liebespaar nur sittsam, fast distanziert von den Entzückungen der Liebe reden, weit entfernt von der scherzenden Galanterie der Anakreontiker. Die empfindsame Moral hat auch Geßners phantasierte Schäferwelt durchdrungen, in der doch – weil in die Antike verlagerte Fiktion – die sinnliche Liebe erlaubt war. Die folgende kurze Szene (aus den ›Neuen Idyllen‹, 1772), in der sich die als Topos sonst erotisierenden Zephyre unterhalten, mag dies verdeutlichen:

ERSTER ZEPHYR: Was flatterst du so müssig hier im Rosenbusch? Komm, fliege mit mir ins schattigte Thal; dort baden Nymphen sich im Teich.

ZWEYTER ZEPHYR: Nein, ich fliege nicht mit dir. Fliege du zum Teich, umflattre deine Nymphen; ein süsseres Geschäft will ich verrichten. Hier kühl' ich meine Flügel im Rosenthau, und sammle liebliche Gerüche.

ERSTER ZEPHYR: Was ist den dein Geschäft, das süsser ist, als in die Spiele badender Nymphen sich zu mischen?

ZWEYTER ZEPHYR: Bald wird ein Mädgen hier den Pfad vorübergehn, schön wie die jüngste der Grazien. Mit einem vollen Korb geht sie bey jedem Morgenroth zu jener Hütte, die dort am Hügel steht: Sieh, die

Morgensonne glänzt an ihr bemoostes Dach; dort reichet sie der Armuth Trost, und jeden Tages Nahrung; dort wohnt ein Weib, fromm, krank und arm; zwey unschuldvolle Kinder würden hungernd an ihrem Bette weinen, wäre Daphne nicht ihr Trost. Bald wird sie wieder kommen, die schönen Wangen glühend, und Thränen im unschuldvollen Auge; Thränen des Mitleids und der süssen Freude, der Armuth Trost zu seyn. Hier wart' ich, hier im Rosenbusch, bis ich sie kommen sehe: Mit dem Geruch der Rosen, und mit kühlen Schwingen flieg' ich ihr dann entgegen; dann kühl' ich ihre Wangen, und küsse Thränen von ihren Augen. Sieh das ist mein Geschäft.

ERSTER ZEPHYR: Du rührest mich: Wie süß ist dein Geschäft! Mit dir will ich meine Flügel kühlen, mit dir Gerüche sammeln, mit dir will ich fliegen wenn sie kömmt. Doch – – sieh, am Weidenbusch herauf kömmt sie daher; schön ist sie wie der Morgen; Unschuld lächelt sanft auf ihren Wangen, voll Anmuth ist jede Gebehrde. Auf, da ist sie, schwinge deine Flügel; so schöne Wangen hab ich noch nie gekühlt!

Der griechische Dichter Theokrit (um 270 v. Chr.) war, neben Vergil, Geßners Vorbild, auf das er sich in der Vorrede seiner ›Idyllen‹ ausdrücklich berief:

Ich habe den Theokrit immer für das beste Muster in dieser Art Gedichte gehalten. Bey ihm findet man die Einfalt der Sitten und der Empfindungen am besten ausgedrükt, und das Ländliche und die schönste Einfalt der Natur; er ist mit dieser bis auf die kleinsten Umstände bekannt gewesen ... Seinen Hirten hat er den höchsten Grad der Naivität gegeben, sie reden Empfindungen, so wie sie ihnen ihr unverdorbenes Herz in den Mund legt, und aller Schmuck der Poesie ist aus ihren Geschäften und aus der ungekünstelten Natur hergenommen. Sie sind weit von dem Epigrammatischen Witz entfernt, und von der schulgerechten Ordnung der Sätze; er hat die schwere Kunst gewußt, die angenehme Nachlässigkeit in ihre Gesänge zu bringen, welche die Poesie in ihrer ersten Kindheit muß gehabt haben ...

Die geistreiche, auch galant-frivole Schäferdichtung der »verzärtelten Franzosen« lehnte Geßner entschieden ab – traf aber offensichtlich genau ihren damaligen Geschmack; von den empfindsamen Ideen Rousseaus, seinem »Zurück zur Natur!« beeinflußt – Rousseau gehörte zu den großen Bewunderern Geßners – begeisterten sie sich an den schlichten, unschuldig-naiven Idyllen des Deutschen. (Geßners ›Idyllen‹ und Goethes ›Werther‹ bestimmten lange Zeit das Deutschlandbild der Franzosen.)

Geßner war davon überzeugt, daß es ein Goldenes Zeitalter wirklich gegeben habe; ebenso wie Rousseau glaubte er an das ursprünglich reine Wesen des Menschen und an die Wiederkehr paradiesischen Glücks, wenn der Mensch sich wieder freizumachen verstünde »von allen den Sclavischen Verhältnissen, und von allen den Bedürfnissen, die nur die unglückliche Entfernung von der Natur nothwendig machen«. Die empfindsamen Tugenden und einfachen Sitten schienen Geßner Garanten auf dem Weg zum Glück natürlicher Unschuld. Nicht Überfluß, nicht Macht noch Ruhm formuliert er in seiner Idylle ›Der Wunsch‹ als höchste Lebenserfüllung, sondern in »einsamer Gegend mein Leben ruhig [zu] wandeln, im kleinen Landhaus, beym ländlichen Garten, unbeneidet und unbemerkt«. (Sein Forsthaus im Sihlwald bezeichneten seine Freunde als »romantische Einsiedley« in einer »wahrhaft arcadischen Wildniß«.)

Deutlich setzt er die Stadt bzw. den Hof als gesellschaftlich-politische und lasterhafte Realität gegen das private Glück ländlichen Lebens ab, in dem es keine Klassenunterschiede, kein »blutbespritztes kühnes« Heldentum gibt, sondern wahre Brüderlichkeit und Menschlichkeit herrschen. Geßners ›Idyllen‹ haben als antihöfisches, antiheroisches Programm durchaus auch politische Aussagekraft. Der politisch entmündigte Bürger mußte Macht und Reichtum und Ehre verächtlich machen und seinen Stolz in »schattichte Hütten« tragen, sein Freiheitsbedürfnis mit den Freunden in der Natur ausleben; der Machtersatz des Bürgers war seine Tugend und sein reich empfindendes Herz.

Trotz der moralischen Ernsthaftigkeit, die Geßner von der reinen Rokoko-Poesie der Anakreontiker unterscheidet, sind seine Idyllen meist zarte anmutige Gebilde geblieben, ganz wie es die Tradition erforderte. Eine beschwingt fließende Prosa gibt den kleinen Szenen ihre Leichtigkeit; die Sprache ahmt jene Natürlichkeit und Naivität nach, die die schäferlichen Figuren und ihre Umgebung ausstrahlen.

4.3 Roman

Zur Entwicklung des Romans bis ca. 1770

Bis in die zweite Hälfte des 18. Jahrhunderts galt der Roman als Lesestoff zur Unterhaltung, dem man als Gattung kaum Anspruch auf literarischen Rang und ästhetischen Kunstwert zubilligte; er wurde deshalb auch aus den Theoriediskussionen der zwanziger und dreißiger Jahre ausgeklammert.

Der *Schelmen-* oder *Pikaroroman* (vgl. Bd. I), »niederes« Gegenstück zum »hohen« höfischen Staatsroman, blieb mit seiner

Fülle von burlesken Abenteuern beliebte Lektüre, erhielt aber in der Frühaufklärung eine lehrhafte Ausrichtung. Mit erhobenem moral-pädagogischen Zeigefinger wurden nun die grobianischen Possen des Pikaro als unvernünftige Narrheiten verurteilt (ohne daß auf die Schilderung derber Abenteuer verzichtet worden wäre), kluges Verhalten dagegen, das vernünftiges, unaffektives Handeln, »Gewitzt-Sein« usw. bedeutete, wurde mit Glück und Reichtum belohnt. Der Erfolg der ›Drey ärgsten Ertz-Narren in der gantzen Welt‹ von Christian Weise – zehn Auflagen zwischen 1672 und 1710! – spiegelt die gewandelten Bedürfnisse des Publikums: Wie in Lyrik und Drama, in der »ernstzunehmenden« Dichtung also, war nun auch im Roman lernbare Tugend gefragt, sollte das Laster als verwerflich und schandbar entlarvt werden, bei dessen Schilderung man sich moralisch überlegen fühlen (und voyeuristisch befriedigen) konnte.

Unter französischem Einfluß wandelte sich zur gleichen Zeit der höfische *Staatsroman*, der, wie Lohensteins ›Arminius‹ zeigte, Herrschertugenden und -taten im Tone der Geschichtsschreibung feierte, zum *galanten Roman*, in dem sich die hohe Liebe des durch Unglück getrennten Paares in immer neuen Abenteuern bewähren muß, bis beide nach erwiesener standhafter Treue glücklich vereint werden. Wie beim Trauerspiel begann die Verbürgerlichung des höfischen Romans damit, daß allgemein menschliche, quasi private Themen die Handlung bestimmten: die Liebesgeschichte hoher Standespersonen, die mit höfischer Eleganz und weltmännischer Klugheit alle Fährnisse umschifften. Der galante Roman war der erfolgreichste Typus der ganzen Gattung zu Beginn des 18. Jahrhunderts, viel gelesen vor allem von der Damenwelt und der Jugend. Mit zunehmendem bürgerlichen Selbstbewußtsein verlor er jedoch an Bedeutung und sank allmählich auf die Ebene der Kitschliteratur herab: In den Romanen einer Eugenie Marlitt (1825–1887) oder Hedwig Courths-Mahler (1867–1950) lebte das Genre fröhlich weiter; eine Endstufe von größtem Interesse bei niedrigstem Niveau scheint heute erreicht, wie die Millionenauflagen der internationalen Regenbogenpresse, die fast nur von den Affären des europäischen Hochadels lebt, beweisen.

Ab 1720 erhielten die galanten Romane wichtige Konkurrenz, als gleichzeitig fünf verschiedene Übersetzungen des ›Robinson Crusoe‹ von Daniel Defoe erschienen, nur ein Jahr nach der Veröffentlichung des englischen Originals. Der schiffbrüchige Robinson erschafft sich im Verlauf seiner jahrelangen Inselgefangenschaft mit Klugheit und Gottvertrauen seine eigene Zivilisation, sein Inselparadies. Im Kampf mit der ungebärdigen Natur obsiegt die

Vernunft; die gleichen geistigen Kräfte, mit denen das Bürgertum im absolutistischen Ständestaat zu Wohlstand und Selbstbewußtsein gelangen sollte, bewähren sich in der anfangs fast ausweglos scheinenden Lage des Schiffbrüchigen.

Robinson hatte, gegen den väterlichen Rat, Heimat und Gesellschaft verlassen, sich dann aber in einer Reihe von Abenteuern bewährt. Darin berührte sich der ›Robinson‹ mit den Pikaroromanen, deren Helden ja ebenfalls von einer Außenseiterposition aus agierten. Eine Fülle von *Robinsonaden* überschwemmte nun den Buchmarkt, sie blieben Mode bis zum Ende des Jahrhunderts. Allerdings folgten nur wenige tatsächlich dem Muster von Defoes Roman; der Name Robinson verkam rasch zu einem erfolgversprechenden Markenzeichen, wurde schließlich gleichbedeutend mit dem Begriff des Abenteurers.

Den wichtigsten deutschen Roman im Gefolge des ›Robinson‹ schrieb Johann Gottfried Schnabel (1692–1752): ›Wunderliche Fata einiger Seefahrer, absonderlich Alberti Julii, eines gebohrenen Sachsens ...‹, besser bekannt als ›Insel Felsenburg‹, wie Ludwig Tieck seine Neubearbeitung (1827) nannte. Schnabel verband den Abenteuerroman mit einer Gesellschaftsutopie: Die dem alten feudalistischen, in Konfessionskriege verwickelten Europa entflohenen Seefahrer verwirklichen auf der Insel Felsenburg eine ständefreie, nach christlich-vernünftigen Prinzipien eingerichtete, überaus moralische Gesellschaft, zu der nach mannigfachen Abenteuern die wechselnden Helden, moralisch geläutert und reich geworden, immer wieder zurückkehren. Als Fortsetzungsroman mit großem Erfolg geschrieben, wuchs das Werk von 1731 bis 1743 zu einem Konvolut von vier Bänden an, einem Kompendium aller gängigen Abenteuermotive.

In Form der *Utopie*, die eine idealische Gegenwelt zu Staat und Gesellschaft entwirft, ließ sich Kritik an der als schlecht empfundenen Wirklichkeit üben, ohne direkt zu werden und damit der Zensur anheimzufallen. Begriff und Genre gehen auf Thomas Morus (1478–1535) zurück, der die Mißstände im englischen Renaissancestaat Heinrichs VIII. anprangern wollte: ›De optimo statu rei publicae deque nova insula Utopia‹ (›Von der besten Staatsform und der neuen Insel Utopia‹) – schon der Titel war kritisches Programm. Das europäische Bürgertum des 18. Jahrhunderts führte einen wesentlichen Teil seines geistigen Kampfes gegen den absolutistischen Staat mit utopischen Romanen. Während der tiefe Pessimismus unserer Zeit offenbar nur noch »Anti-Utopien« zuläßt, Zerrbilder der Gegenwart wie Orwells ›1984‹ oder Huxleys ›Schöne neue Welt‹, entwickelten die Utopien des 18. Jahrhunderts noch Modelle des Glücks gegen die schlechte Wirklichkeit.

Ab der Jahrhundertmitte wurden die *empfindsamen Romane* des Engländers Samuel Richardson (1689–1761) in Deutschland vorbildlich, die, ähnlich dem ebenfalls aus England kommenden bürgerlichen Drama, die Konflikte zwischen höfisch-feudaler und bürgerlicher Gesinnung zum Gegenstand hatten. Gegen höfische Galanterie, eitles Standesbewußtsein, Oberflächlichkeit, moralische Laxheit wurde das bürgerliche Tugendideal des empfindenden Herzens, der Redlichkeit, der toleranten, vorurteilsfreien Menschlichkeit gesetzt. Wahrscheinlich und nachvollziehbar für den bürgerlichen Leser wollten Richardsons Liebes- und Familienromane sein, deren Helden in ihrem seelischen Erleben gezeigt werden und nicht, wie vordem, in phantastischer Abenteuerfolge. In Briefen konnten die subjektiven Empfindungen am unmittelbarsten dargestellt und auch im Leser geweckt werden; die Empfindsamen in der Nachfolge Richardsons übernahmen denn auch mit Vorliebe seine Form des *Briefromans*.

In Deutschland schrieb Christian Fürchtegott Gellert den ersten bürgerlich-empfindsamen Familienroman: ›Das Leben der Schwedischen Gräfin von G.‹. Die Gräfin, ein Muster christlicher Standhaftigkeit und Tugend, heiratet, als ihr Mann totgesagt wird, dessen Freund R., der sie wieder freigibt, als der Graf nach zehnjähriger Gefangenschaft in Sibirien doch heimkehrt. Die wieder vereinten Eheleute und R. als Hausfreund bilden nun eine harmonische Gemeinschaft – was dank der absoluten moralischen Beherrschtheit aller Beteiligten auch gutgeht; in schönem Kontrast dazu steht die hemmungslose Leidenschaftlichkeit der unehelichen (!) Kinder des Grafen, die sich in Inzest und Verbrechen verstricken. So unrealistisch das ganze Moral- und Tugendkonstrukt war, mit der Darstellung psychologischer Fragestellungen ganz aus der Sicht aufgeklärt-bürgerlicher Affektsteuerung bildete die ›Schwedische Gräfin‹ einen wichtigen Neuansatz im Roman.

Sophie von La Roche, Geschichte des Fräuleins von Sternheim

Den ersten empfindsamen Roman gewissermaßen in Reinkultur schrieb Sophie von La Roche (1731–1807) mit ihrer ›Geschichte des Fräuleins von Sternheim‹ (1771), die ihr Vetter Christoph Martin Wieland, damals schon fast ein Dichterpapst, herausgab.

Dieser erste von einer Frau geschriebene deutsche Roman wurde ein großer Erfolg (drei Auflagen schon 1771, Übersetzungen in mehrere Sprachen), weil es der Autorin gelungen war, lebendige Beziehungen zwischen ihren Menschen zu knüpfen und ihnen, bei aller Kontrastmalerei, doch schon differenzierte Charaktere, innere Logik und eine gewisse Natürlichkeit zu verleihen. Besonders ihre Heldin Sophie ist ein beachtlich individuelles Geschöpf, obwohl sie ganz dem Frauenideal der Zeit entsprach: so besitzt sie ein »zärtliches, mitleidvolles, wohltätiges Herz«, »ungeschminkte Aufrichtigkeit, immer gleiche Güte«, Frömmigkeit; überhaupt scheint ihr alle Tugend »angebaut«. Selbstsicher weiß sie sich und ihre tugendhaften Grundsätze in Gesellschaft vorzubringen. Schicksalsschläge, auch schmachvolle Demütigungen nimmt sie schließlich mit Ergebenheit und im Vertrauen auf Gottes Vorsehung hin. Bei alledem ist sie schön, ohne eitel zu sein, kann vortrefflich singen, tanzen, sticken, nähen, liebt Ordnung und ihren Pflichtenkreis im Haushalt. Leidenschaftlich empfindet Sophie nur den Drang, Gutes zu tun; ansonsten ist sie maßvoll und bescheiden in allen Ansprüchen. Auch ihre Beziehung zu Männern ist von Mäßigung und feiner Zurückhaltung geprägt, schon leidenschaftlich-begehrende Blicke machen ihr angst und beleidigen ihre tugendhafte Seele. Gegenseitige Hochachtung, nicht erotische Anziehung, bildet für sie das Fundament der Liebe.

So weit der bürgerliche Tugendkatalog, der, von einem adeligen Fräulein repräsentiert, besonders nachahmenswert wirken mußte. Sophie von Sternheim entstammt dem Landadel, aber sie ist nach eher bürgerlichen Grundsätzen erzogen worden, die ihr die Eltern auf vorbildliche Weise vorlebten; wenn sie Privilegien hatte, dann – um abzugeben, sich anderer, vom Schicksal weniger Begünstigter, mit Rat und Tat anzunehmen. Ihr Vater war selbst erst im Krieg für seine Verdienste geadelt worden, doch ihre hochadelige englische Großmutter hatte den nicht standesgemäßen Schwiegersohn, der sich durch edelste Gesinnung auszeichnete, herzlich aufgenommen. Sophie liebt die englische Mentalität, die den Menschen nach seinen Verdiensten und Tugenden und nicht nach seinem (zufälligen) Geburtsstand beurteilt, während sie das Französische als Inbegriff des Geziert-Künstlichen, der charmanten Oberflächlichkeit, auch als Macht der alten verzopften Ständehierarchie ablehnt.

Das Fräulein von Sternheim, makelloses Muster bürgerlicher Empfindsamkeit, wird nun allerlei Prüfungen ausgesetzt, bis sie am Ende belohnt werden darf. Richardsons Tugendromanen entlieh die anglophile Autorin manche Handlungsmuster, so auch das (allerdings ziemlich gängige) Motiv der verfolgten Unschuld: Erst im Kontrast von niederen (sexuellen) Leidenschaften und hoher Moral (d. h. Sublimierung der Sexualität), die sich gegenüber arglistiger Täuschung oder Verführung bewähren muß, offenbart sich die wahre Tugend. (Mit den Seelenqualen der unschuldig leidenden Helden wollten sich ja die »empfindsamen« Romanleser identifizieren!) Von Richardson übernahm die La Roche außerdem die Form des Briefromans: Briefe geben den inneren Seelenzustand gleichsam authentisch wieder; die wechselnde Perspektive der verschiedenen Briefschreiber, ihre subjektive Darstellung, kann dem Geschehen erheblich mehr Lebensnähe und Empfindungsreichtum verleihen, als es eine objektive Erzählhaltung vermag.

Sophie von La Roches Heldin ist etwa 20 Jahre alt, als sie, nach dem Tod ihrer Eltern, zu gräflichen Verwandten in die Landeshauptstadt D. kommt. Ihrer Seelenfreundin Emilia, die auf dem Lande bleiben durfte, kann sie ihr Herz ausschütten. In einem der vielen Briefe entrüstet sie sich über das unnütze Hofleben (die Seitenzahlen am Ende der Zitate beziehen sich auf die Ausgabe des Reclam-Verlages):

O meine Emilia! wie nötig ist mir eine erquickende Unterhaltung mit einer zärtlichen und tugendhaften Freundin!

Wissen Sie, daß ich den Tag, an dem ich mich zu der Reise nach D. bereden ließ, für einen unglücklichen Tag ansehe. Ich bin ganz aus dem Kreise gezogen worden, den ich mit einer so seligen Ruhe und Zufriedenheit durchging. Ich bin hier niemanden, am wenigsten mir selbst, nütze; das Beste, was ich denke und empfinde, darf ich nicht sagen, weil man mich *lächerlich-ernsthaft* findet; und so viel Mühe ich mir gebe, aus Gefälligkeit gegen die Personen, bei denen ich bin, ihre Sprache zu reden, so ist doch meine Tante selten mit mir zufrieden, und ich, Emilia, noch seltener mit ihr. Ich bin nicht eigensinnig, mein Kind, in Wahrheit ich bin es nicht; ich fordere nicht, daß jemand hier denken solle wie ich; ich sehe zu sehr ein, daß es eine moralische Unmöglichkeit ist. Ich nehme keinem übel, daß der Morgen am Putztische, der Nachmittag in Besuchen, der Abend und die Nacht mit Spielen hingebracht wird. Es ist hier die große Welt, und diese hat die Einrichtung ihres Lebens mit dieser Haupteinteilung angefangen. Ich bin auch sehr von der Verwunderung zurückgekommen, in die ich sonst geriet, wenn ich an Personen, die meine selige Großmama besuchten, einen so großen Mangel an guten Kenntnissen sah, da sie doch von Natur mit vielen Fähigkeiten begabt waren. Es ist nicht möglich, meine Liebe, daß eine junge Person in diesem betäubenden Geräusche von lärmenden Zeitvertreiben einen Augenblick finde, sich zu sammeln. Kurz, alle hier sind an diese Lebensart und an die herrschenden Begriffe von Glück und Vergnügen gewöhnt, und lieben sie ebenso, wie ich die Grundsätze und Begriffe liebe, welche Unterricht und Beispiel in meine Seele gelegt haben. Aber man ist mit meiner Nachsicht, mit meiner Billigkeit nicht zufrieden; ich soll denken und empfinden wie sie, ich soll freudig über meinen wohlgeratnen Putz, glücklich durch den Beifall der andern, und entzückt über den Entwurf eines Soupé, eines Balls werden. Die Opera, weil es die erste war, die ich sah, hätte mich außer mir selbst setzen sollen, und der Himmel weiß, was für elendes Vergnügen ich in dem Lob des Fürsten habe finden sollen ...

(S. 95 f.)

Hinter dieser bürgerlich-aufgeklärten Kritik am Hofleben klingt schon Sophies einzige Untugend an, die sie später auch zu Fall bringen wird: der Stolz ihrer Eigenliebe. Die Selbstgewißheit der Sternheim wird auf die Probe gestellt, nicht so sehr ihre Tugend.

Sophie von La Roche war mit dem Leben der großen Welt bestens vertraut, viele Jahre hatte sie am Hofe des Grafen Stadion, dessen Sekretär und Gesellschafter ihr Mann war, ihre Erfahrungen und Beobachtungen machen können. Dennoch darf der »Realismus« ihrer Beschreibung nicht täuschen, der sich nur auf kleine konkrete Begebenheiten und Details beschränkt; im ganzen entspricht das hier geschilderte Hofleben dem damals gängigen Klischee. Das Besondere an diesem Roman war, daß die Autorin diese Klischees durch den »individuellen Schwung ihrer Einbildungskraft« (Wieland) so natürlich zu verbinden wußte, daß die Illusion von Wirklichkeit entstehen konnte. Die Fiktion der Authentizität betont auch der Untertitel der »Geschichte« der Sternheim: ›Von einer Freundin derselben aus Original-Papieren und andern zuverläßigen Quellen gezogen‹.

Am Hof von D. begegnet Sophie zum erstenmal einem Mann, der Eindruck auf sie macht. Mit ihrem aufkeimenden Gefühl weiß sie allerdings nicht umzugehen, sie hofft, daß Emilias Vater, »unser Papa«, ihre Verwirrung wieder »in Ordnung bringen« werde.

... denken Sie sich eine Person voll Aufmerksamkeit und Empfindung, die schon lange mit einem großen Gemälde von reicher und weitläufiger Komposition bekannt ist! Oft hat sie es betrachtet, und über den Plan, die Verhältnisse der Gegenstände, und die Mischung der Farben nachgedacht, alles ist ihr bekannt; aber auf einmal kommt durch eine fremde Kraft das stillruhende Gemälde mit allem, was es enthält, in Bewegung; natürlicherweise erstaunt diese Person, und ihre Empfindungen werden auf mancherlei Art gerührt. Diese erstaunte Person bin ich; die Gegenstände und Farben machen es nicht; die Bewegung, die fremde Bewegung ist's, die ich sonderbar finde.

(S. 68)

Sehr vorsichtig nähert sich Sophie dem Gegenstand der Verwirrung; erst läßt sie sich ausführlich über die Prinzessin von W. und ihren Umgang aus, dann entschuldigt sie sich:

... Gestern wurde ich im Schreiben unterbrochen, weil Assemblee (wie sie es nennen) bei der Prinzessin angesagt wurde. Da mußte ich die Zeit, welche mein Herz der Freundschaft gewidmet hatte, vor dem Putztisch verschwenden ... Doch diesmal war ich am Ende wohl zufrieden, weil ich würklich artig gekleidet war.

Dies ist eine Freude, die Sie noch nicht an mir kannten; Sie sollen auch die Ursache dazu nicht lange suchen; ich will sie aufrichtig sagen, da sie mir bedeutend scheint. Ich war nur deswegen über meinen wohlgeratnen Putz froh, weil ich von zween Engländern gesehen wurde, deren Beifall ich mir in allem zu erlangen wünschte. Der eine war Mylord G., englischer Gesandter, und der andere Lord Seymour, sein Neffe...

Wenn ich den Auftrag bekäme, den Edelmut und die Menschenliebe, mit einem aufgeklärten Geist vereinigt, in einem Bilde vorzustellen, so nähme ich ganz allein die Person und Züge des Mylord Seymour; und alle, welche nur jemals eine Idee von diesen drei Eigenschaften hätten, würden jede ganz deutlich in seiner Bildung und in seinen Augen gezeichnet sehen. Ich übergehe den sanften männlichen Ton seiner Stimme, die gänzlich für den Ausdruck der Empfindungen seiner edeln Seele gemacht zu sein scheint; das durch etwas Melancholisches gedämpfte Feuer seiner schönen Augen, den unnachahmlich angenehmen und mit Größe vermengten Anstand aller seiner Bewegungen, und, was ihn von allen Männern, deren ich in den wenigen Wochen, die ich hier bin, eine Menge gesehen habe, unterscheidet, ist (wenn ich mich schicklich ausdrücken kann) der tugendliche Blick seiner Augen, welche die einzigen sind, die mich nicht beleidigten, und keine widrige antipathetische Bewegung in meiner Seele verursachten...

(S. 69f.)

Liebenswürdig, aber blaß bleibt der tugendhafte Lord Seymour; Sophies Empfindung ist eher zu spüren, als daß sein Bild im Geiste des Lesers konkrete Züge annehmen könnte. Es falle ihr schwer, wie ein Mann zu denken, schrieb die La Roche an Wieland, besonders die Arbeit an »mon Bößwicht« – an dem Schurken Derby, den die Unschuld vom Lande zur Verführung reizt – habe ihr, da sie eine gute Frau sei, »Folterqualen« bereitet. Dennoch ist ihr gerade Derby besonders gelungen (interessanter, faszinierender scheint das Böse doch allemal). Lord Derby, die Kontrastfigur zu Seymour, handelt verbrecherisch, weil er nur seiner Triebhaftigkeit lebt: Wie in der Frühaufklärung »kriminalisierte« die deutsche Empfindsamkeit noch alle Leidenschaft; daß sie auch als unentrinnbare Naturgewalt, die jäh wie eine Krankheit den Menschen überfällt, verstanden werden kann (wie in Frankreich in Rousseaus ›Nouvelle Héloise‹), dafür hatte Sophie von La Roche, die sich selbst auch nur sanfte Empfindungen erlaubte, keinen Sinn – ebensowenig wie für Goethes ›Leiden des jungen Werther‹, die 1774, also kurz nach der ›Sternheim‹, erschienen.

Lord Seymour und Sophies Vertraute, Fräulein C., sind die einzigen am Hofe, die die empfindsame Nächstenliebe der Sternheim teilen. Der folgende Ausschnitt durchbricht den reinen Briefstil; der direkte Dialog, den Sophie wiedergibt, soll noch lebhaftere Teilnahme im Leser erzeugen.

... »Nein, meine liebe C., ich werde nicht anders denken, sobald ich die Pracht des Festins, des Hofes, das auf den Spieltischen verschleuderte Gold neben einer Menge Elender, welche Hunger und Bedürfnis im abgezehrten Gesichte und in den zerrißnen Kleidern zeigen, sehen werde! Dieser Kontrast wird meine Seele mit Jammer erfüllen; ich werde mein eignes glückliches Aussehen, und das von andern hassen; der Fürst und sein Hof werden mir eine Gesellschaft unmenschlicher Personen scheinen, die ein Vergnügen in dem unermeßlichen Unterschied finden, der zwischen ihnen und denenjenigen ist, die ihrem Übermut zusehen.«

»Liebes, liebes Kind; was für eine eifrige Strafpredigt halten Sie da!« sagte das Fräulein; »reden Sie nicht so stark!« »Liebe C., mein Herz ist aufgewallt. Die Gräfin F. machte gestern so viel Rühmens von der großen Freigebigkeit des Fürsten; und heute sehe ich so viele Unglückliche!«

Das Fräulein hielt meine Hände: »St. st.« Mylord Seymour hatte mich mit ernstem unverwandtem Blick betrachtet, und erhob seine Hand gegen mich: »Edles rechtschaffenes Herz!« sagte er. »Fräulein C., lieben Sie ihre Freundin, sie verdient's! Aber«, setzte er hinzu, »Sie müssen den Fürsten nicht verurteilen; man unterrichtet die großen Herren sehr selten von dem wahren Zustande der Untertanen.«

»Ich will es glauben«, versetzte ich; »aber Mylord, stand nicht das Volk am Ufer, wo die Schiffahrt war? Hat der Fürst nicht Augen, die ihm ohne fremden Unterricht tausend Gegenstände seines Mitleidens zeigen konnten? Warum fühlte er nichts dabei?«

»Teures Fräulein; wie schön ist Ihr Eifer! Zeigen Sie ihn aber nur bei dem Fräulein C.« ...

(S. 78 f.)

Das ist keine prinzipielle Kritik am Ständestaat, sondern soll Sophies Empfindsamkeit demonstrieren, die sich auch für das Gemeinwohl mit ganzer Seele engagiert und sich nicht mit konventionellen Halbheiten zufriedengibt. An der als gottgegeben erachteten Ordnung rüttelt die Autorin nicht: sie predigt Zufriedenheit mit dem eigenen Stand. Wichtig erscheint ihr, daß der Charakter eines Menschen letztlich von seinen äußeren Lebensumständen unabhängig ist:

Unser Herz und Verstand sind dem Schicksal nicht unterworfen. Wir können ohne eine adeliche Geburt *edle Seelen*, und ohne großen Rang einen großen Geist haben; ohne Reichtum glücklich und vergnügt, und ohne kostbaren Putz durch unser Herz, unsern Verstand und unsre persönliche Annehmlichkeiten sehr liebenswürdig sein, und also durch gute Eigenschaften die Hochachtung unsrer Zeitgenossen als die erste und sicherste Stufe zu Ehre und Glück erlangen ...

(S. 164)

schreibt Sophie an die verarmte Frau T., die Lord Derby mit Geld unterstützt hat, um Eindruck auf Sophie zu machen. Damit Frau

T. und ihre Kinder das Geld nicht verschwenden, gibt die Sternheim ihr einen gründlichen Lebenshaltungsplan mit auf den Weg, der sie zu einer bescheidenen, sinnvoll genützten Existenz führen, ihren »Geschmack am Edeln und Einfachen stärken« soll. Den neidenden Vergleich mit Besser-Situierten versucht sie auf vernünftig argumentierende Weise Frau T. auszureden. Sophie in ihrer schönen Mitmenschlichkeit kennt keine Standesgrenzen.

Der gute Lord Seymour und Sophie, die in ihn verliebt ist, dürfen sich noch lange nicht »kriegen«. Seymour wird bedeutet, daß Sophie die Mätresse des Fürsten werden soll (eine schändliche Intrige ihrer Tante, die bald der ganze Hof durchschaut, nur das naive Opfer nicht); er hält sich daraufhin im Hintergrund. Der Lüstling Lord Derby, der um jeden Preis »das Täubchen kirre« machen will, hat nun leichteres Spiel, denn Sophie glaubt natürlich, Seymour habe sein Interesse verloren. Derby zieht alle Register der Verstellung und mimt den tugendhaft-empfindsamen Liebhaber; zu allem Überfluß gibt er sein Falschspiel in Briefen an seinen Freund in Paris auch noch prahlend zum besten. Als der »Bößwicht« Sophie die ihr zugedachte Mätressenrolle enthüllt, und sie, wie berechnet, entgeistert und halbtot vor Beschämung darauf reagiert, kann er sich als Kavalier aufspielen, der ihre Ehre durch Heirat wiederherstellen will. Die im Umgang mit der Niedertracht des Menschen gänzlich Unerfahrene (die deshalb auch so tief stürzt) weiß keinen anderen Ausweg aus ihrer Schande und willigt ein. Die Trauung vollzieht Derbys als Priester verkleideter Sekretär. Endlich im Besitz des so reizvoll-tugendhaften Frauenzimmers, nimmt Derby seine empfindsame Maske ab; seine zurückgehaltenen Begierden prallen aber an der kalten Sprödigkeit Sophies ab, die keine Liebe empfinden kann, und Derby macht sich ernüchtert aus dem Staub.

Schmach und Demütigung verzehren die arme Sophie beinahe vollends, bis der gute Grund ihrer Erziehung schließlich über ihr Selbstmitleid siegt: »Meine Erziehung hat mich gelehrt, daß Tugend und Geschicklichkeiten das einzige wahre Glück, und Gutes tun, die einzige wahre Freude eines edlen Herzens sei.« Daran klammert sie sich jetzt. Unter dem bürgerlichen Namen »Madam Leidens«, in einfachsten Verhältnissen lebend, unterrichtet sie Mädchen in einer Gesindeschule. Von ihrer Gönnerin, Madam Hills, die ihre Herzensbildung und praktische Vernunft bewundert, wird sie an Lady Summers in England vermittelt, wo sie ebenfalls ein »Gesindehaus« für arme Mädchen errichten soll.

In Sophies »Drang, Gutes zu tun«, sich handelnd für den Nächsten einzusetzen, zeigt sich das praktische Herzenschristentum des Pietismus. Das machte die Heldin wahrhaft vorbildlich: Sie ist empfänglich für die Not der anderen, doch bleibt dies keine empfindsame Pose, sondern sie setzt ihre Mitleidsfähigkeit tatkräftig und vernünftig zum Wohle anderer ein. Auch Madam Hills, eine von der Ehe enttäuschte Frau, findet in der Sozialarbeit das Betätigungsfeld, das ihr Unabhängigkeit, Ehre und Befriedigung verschafft. Das waren erstaunliche erste Emanzipationsschritte in einer streng Männer-orientierten Gesellschaft.

In Summerhall gewinnt die liebenswürdige Madam Leidens rasch neue Bewunderer und Verehrer: Lady Summers ist ihr mütterlich zugetan, und der Gutsnachbar, Lord Rich (der Bruder von Lord Seymour, wie sich später herausstellen wird), verliebt sich in das feine, traurig-zurückhaltende Mädchen. Aber der Zufall will es, daß Lady Summers' Nichte ausgerechnet Lord Derby heiratet, der Sophie erkennt und aus Angst vor einem Skandal entführen läßt – in die schottischen Bleigebirge, die rauheste Einöde, die sich denken läßt.

Noch immer kommt, wie man hier sieht, die Romantechnik nicht ganz ohne Zufälle und Sensationen zur Fortführung der Handlung aus. Erst in Goethes ›Werther‹, Höhepunkt und radikale Wende des empfindsamen Romans, entwickelt sich die Handlung ganz aus den Charakteren.

Ins tiefste äußere Elend gestoßen, behauptet sich doch wieder Sophies Lebenswille, und sie kann ihr Schicksal als Prüfung annehmen. Lord Derby läßt die Arme, nachdem sie seine neuerlichen Annäherungsversuche schnöde abgewiesen hat, auch noch einkerkern. Nur durch ein Wunder, und weil Sophie sich auch die Liebe und Hochachtung ihrer einfachen schottischen Wirtsleute verdient hat, wird sie gerettet. Den bösen Derby aber quälen Gewissensbisse: Auf dem Sterbebett entdeckt er voll Reue Rich und Seymour seine Verbrechen an Sophie. Die beiden finden schließlich die Totgeglaubte, Lord Rich verzichtet großmütig, und Sophie wird Seymours Frau.

Sophie schreibt an ihre Emilia:

... o Freundin meines Herzens, du, die du alle seine Bewegungen von Jugend auf kanntest, dir kann ich, dir will ich es nicht verbergen, daß eine innerliche Stimme mich meine Vermählung mit Lord Seymour als ein von dem Schicksal gegebenes Mittel ergreifen heißt, um meiner unsteten Wanderschaft ein Ende zu machen. Und war er nicht der Mann, den mein Herz sich wünschte? Er weiß es, soll ich nun zurücke? Lord Rich, fürchte ich, würde an seinen Platz eintreten wollen. Seymour zeigte mir viele Tage die heftigste zärtlichste Liebe. Lord Rich hatte lange Unterredungen mit ihm, war aber kalt, ruhig, sah oft tiefdenkend lange mich an, und brachte mich dadurch zu dem Entschluß unverheuratet zu bleiben. Aber zwei Tage nach Seymours Briefe brachte er mir mein Tagebuch und die noch dabei gelegenen letzten Briefe von Summerhall in mein Zimmer; mit einer rührenden vielbedeutenden Miene trat er zu mir, küßte die Blätter meines Tagebuchs, drückte sie an seine Brust, und bat mich um Vergebung, eine Abschrift davon genommen zu haben, welche er aber mit der Urschrift in meine Gewalt gebe. »Aber erlauben Sie mir«, fuhr er fort, »Sie um dieses Urbild Ihrer Empfindungen zu bitten; lassen Sie, meine englische Freundin, mich diese Züge Ihrer Seele besitzen, und erhören Sie meinen Bruder Seymour. Das Paquet seiner Briefe wird Ihnen die unerfahrne Redlichkeit seines Herzens bewiesen haben. Sie werden ihn durch Annehmung seiner Hand zu dem glücklichsten und rechtschaffensten Mann machen.« Nach einigem Stillschweigen legte er seine Hand auf die Brust, sah mich zärtlich und ehrerbietig an, und fuhr mit gerührtem Ton fort: »Sie kennen die unbegrenzte Verehrung, die ewig in diesem Herzen für Sie leben wird; Sie kennen die Wünsche die ich machte, die nicht aufgehört haben, aber unterdrückt sind. Ich würde gewiß meine seligsten Tage, dafern es nur Hoffnungstage wären, nicht aufopfern, wenn ich nicht mitten in der Anbetung, unter dem Verlangen meiner Seele, sagen müßte, und sagen könnte: Seymour sei Ihrer würdig, er verdiene Ihre Achtung und Ihr Mitleiden.« Er sah mich hier sehr aufmerksam an, und hielt inne. Mit einem halb erstickten Seufzen sagte ich: »O Lord Rich!« und er fuhr mit einem männlich freundlichen Tone fort: »Sie haben die Gewalt, einen edlen jungen Mann in der Marter einer verworfenen Liebe vergehen zu machen; wenden Sie, beste weibliche Seele, diese Gewalt zu dem Glück einer ganzen Familie an! Sie können meiner Mutter, einer würdigen Frau, den Kummer abnehmen, Ihre Söhne unverheuratet zu sehen. Ihre schwesterliche Liebe wird mich glücklich machen, und Sie werden alle Ihre Tugenden in einem großen wirksamen Kreis gesetzt sehen!« – »Teurer Lord Rich«, antwortete ich gerührt, »wie nahe dringen Sie in mich! Sehen Sie meine Bedenklichkeiten nicht?« Ich verbarg mein Gesicht in meinen Händen; er schloß mich in seine Arme und küßte meine Stirne. »Beste, geliebteste Seele, ja, ich kenne ihre feinen Bedenklichkeiten; Sie verdienen die vermehrte Anbetung meines Bruders; aber Sie sollen den Bau seiner Hoffnung nicht zerstören. Lassen Sie mich, ich bitte Sie, ihm die Erlaubnis bringen zu hoffen.« Mit tränenden Augen sah der würdige Mann mich an; eine Zähre der meinigen fiel ihm auf seine Hand; er betrachtete sie mit inniger Rührung; als aber das anfangende Zittern seiner Hände sie bewegte, so küßte er sie hinweg, und seine Blicke blieben einige Minuten auf die Erde geheftet. Ich nahm das Original meiner Briefe und des Tagebuchs, und reichte es ihm mit der Anrede: »Nehmen Sie dieses, würdigster Mann, was Sie das Urbild meiner Seele nennen zum Unterpfand der zärtlichen und reinen Freundschaft!« – »Meine Schwester«, fiel er mir ins Wort. »Keine List, Lord Rich! Ich will ohne Kunst werden, was Sie so sehnlich wünschen, daß ich sein möge.« Er ließ sich auf ein Knie nieder, segnete mich, küßte meine Hände mit eifriger Zärtlichkeit und eilte weg. »Sagen Sie noch nichts«, rief ich ihm nach, »ich bitte Sie.« Da war ich und weinte, und entschloß mich Lady Seymour zu werden ...

(S. 340ff.)

Wenn das Vernünftige ausgeschaltet ist und nur noch das empfindsame Gefühl spricht, verfällt die La Roche in einen schmachtenden Ton und sinkt auf das Niveau der Trivialliteratur herab. Das Glück, das so viel schwerer darzustellen ist als das Leiden, wird jedoch glücklicherweise nur am Schluß gestreift; ansonsten überwiegt der unpathetisch-realistische Stil, die genaue Beobachtung des von Empfindungen gesteuerten menschlichen Handelns. Vernünftig-didaktische Überlegungen hatten die Autorin auch zum Schreiben des Romans veranlaßt: »Ich wollte nun mal ein papiernes Mädchen erziehen, weil ich meine eignen nicht mehr hatte ...« Und auch der Herausgeber und Freund Wieland hebt den moralpädagogischen Nutzen des schönen Werks hervor, der über gewisse künstlerische Mängel hinwegsehen lasse – »ein Privilegium der Damen, welche keine Schriftstellerinnen von Profession sind«. Von Frauen geschriebene Literatur sei vor allem für Frauen gemacht und brauche nicht den hohen Ansprüchen der eigentlichen (männlichen) Dichtung zu genügen – dieses Vorurteil existierte bis in unsere Zeit. Aber gerade weil die La Roche mehr mit dem Herzen als mit dem Verstand schrieb, weil ihre Heldin ein lebendiges einzigartiges Geschöpf ist und kein Kunstprodukt, wurde der Roman vor allem von den Stürmern und Drängern enthusiastisch aufgenommen, und nur gegen den »Kunstrichter« Wieland, der in zahlreichen »dummen Noten« korrigierend eingriff, kamen Einwände. Herder war ergriffen von der ernsthaften, rührenden Grazie dieser menschlichen Seele, hatte solche »Würde« und »Hoheit lange, lange nicht gefunden«. Der exaltiertere J. M. Reinhold Lenz nannte die La Roche gar »einen Engel des Himmels der auf Rosengewölken herabsank das menschliche Geschlecht verliebt in die Tugend zu machen«.

Sophie von La Roche, die mit der ›Geschichte des Fräuleins von Sternheim‹ berühmt wurde (vielen ist sie heute nur noch als Großmutter von Bettina und Clemens Brentano bekannt), setzte ihren pädagogischen Eifer in kleineren Romanen fort, gründete dann eine (Frauen-)Zeitschrift mit dem Titel ›Pomona‹, die ganz pragmatisch Mädchen auf ihre Aufgabe als Haus- und Ehefrauen vorbereiten wollte. Selbst die Zarin Katharina von Rußland hatte die Zeitschrift abonniert.

Zur Theorie des Romans

Mit Richardsons Romanen (also ab den vierziger Jahren), die die bürgerlichen moralpädagogischen Forderungen der Zeit erfüllten und nicht nur beliebig wuchernden Unterhaltungsstoff boten, begann die Literaturkritik langsam die verachtete Gattung ernstzunehmen. Wahrheit (im Sinne von Nachahmung der Natur) und Vernunft sollten den gehobenen Roman fortan kennzeichnen, durch eine deutliche Morallehre sollte er sich von minderwertigen Produkten abgrenzen lassen. Unter dem Einfluß von Erfahrungspsychologie und »empfindsamen« Tendenzen in der Literatur der Hochaufklärung verlangte die Kritik vom Roman nicht mehr nur Wahrscheinlichkeit, sondern entschiedene Nähe zur Wirklichkeit und, anstelle der moralischen Exempel, die Darstellung natürlicher, aus guten und schlechten Eigenschaften »gemischter Charaktere«, die im Leser echte Empfindungen auslösen sollten.

1774 schließlich erschien mit Friedrich von Blankenburgs ›Versuch über den Roman‹ die erste geschlossene Theorie über Wesen, Form und Bestimmung der Gattung; mit dieser ersten Poetik war sie als Dichtung faktisch anerkannt. (Die Umgangssprache transportiert die Vorurteile bis heute: »Erzähl mir doch keinen Roman.«) Der Roman hat, nach Blankenburg, die »innere Geschichte« des Menschen darzustellen – mit neuen Kunstmitteln, die eine Identifikation ermöglichen und durch die Illusion tatsächlich beobachteter (nicht idealisierter) Wirklichkeit die selbstkritische Auseinandersetzung des Lesers fördern könnten. Den Roman zur Dichtung zu erheben, galt offenbar immer noch als kühn: Blankenburg ließ seine Poetik nur anonym erscheinen und zwar erst, als mit Wielands ›Geschichte des Agathon‹ (1766/67) ein Musterbeispiel von europäischem Rang vorlag.

Christoph Martin Wieland

Christoph Martin Wieland (1733–1813), als Pfarrerssohn in der Nähe des schwäbischen Biberach geboren, erhielt eine fromme, pietistische Erziehung. Zwischen schwärmerischer Andacht und Skepsis schwankend, studierte er erst Philosophie (statt, wie vorgesehen, Theologie), dann Jura, beides jedoch ohne Abschluß. 1750 verlobte er sich mit seiner Cousine Sophie Gutermann, die später den Hofrat von La Roche heiratete. In dieser Jugendliebe fand Wieland zu seiner Bestimmung als Dichter. 1760–69 lernte er als Syndikus von Biberach die große höfische Welt am Schloß des Ministers Graf Stadion kennen, bei dem ihn La Roche einführte. 1769 wurde er Professor der Philosophie in Erfurt; ab 1772 lebte er als Prinzenerzieher am Hof zu Weimar, wo er das geistige Klima des dortigen »Musenhofs« prägte, der – insbesondere nachdem Goethe und Herder dazugekommen waren – zum bedeutendsten literarischen Zirkel des damaligen Deutschland wurde.

Viele seiner Werke ließ Wieland im ›Teutschen Merkur‹ erscheinen, der ersten großen literarischen Zeitschrift in Deutschland, die er von 1773 bis 1789 herausgab (bis 1820 fortgesetzt von Böttiger als ›Neuer Teutscher Merkur‹). Auch die meisten seiner politischen, historisch-philosophischen und ästhetischen Essays sind dort veröffentlicht. Zeitweilig waren Dichter wie Wilhelm Heinse, Goethe und Schiller Mitarbeiter.

Wielands kulturhistorische Leistung bestand, neben seinen eigenen Werken, in der Vermittlung fremdsprachiger Dichtungen. Er übersetzte z. B. lateinische Autoren wie Cicero, Horaz, Lukian usw. und regte damit zum Studium der Alten an. Vor allem aber erfaßte er als erster in Deutschland die Bedeutung Shakespeares: Seine Prosaübersetzung Shakespearescher Dramen (1762–68) löste die heftige Auseinandersetzung mit dem französisierenden Theater aus und wirkte nachhaltig auf die Stürmer und Dränger, die den Engländer als größtes dramatisches Genie der Neuzeit feierten.

Bürgerliche Aufklärung und höfisches Rokoko vereinen sich in Wielands Werk; sein Element war, heitere Lebensfreude zu vermitteln, geistreich, elegant-anmutig zu unterhalten, ohne es dabei an Ernst und Tiefe fehlen zu lassen. Die Torheit der Menschen, seine eigene eingeschlossen, belächelte er, ihre Fehler nahm er hin, legte sie bloß, aber nie böse, sondern nachsichtig. In die wirkliche Welt wollte er seine Leser einüben, in die politisch-gesellschaftliche wie in die geheime innere des Menschen, mitwirken wollte er an der Bildung des Bürgers zur *Kalokagathia*, zur Harmonie des Schönen und Guten: das war sein aufklärerisches Anliegen.

Wieland suchte die Gegensätze der Zeit auszugleichen, zwischen Vernunft und Empfindung, zwischen (höfischer) Sinnlichkeit und (bürgerlicher) Sittlichkeit eine humane Mitte zu finden, wie er sie bei dem englischen Philosophen Shaftesbury kennengelernt hatte. Sein ganzes literarisches Schaffen zeugt von dieser Suche. Streng religiös aufgewachsen, sehnte er sich nach einer »dem Thron der Gottheit näheren Welt«, wie er in einem frühen Brief an Sophie Gutermann schrieb, doch wollte er auch seiner Natur leben, die sinnlich, erotisch reizbar war. Daher wehrte er sich so heftig gegen die Moralprediger und Sittenlehrer seiner Zeit, die in seinen Augen nur papierne, lebensuntüchtige »Mißgestalten, moralische Grotesken« der menschlichen Natur »ausbrüteten«. Dagegen setzte er den wirklich sittlichen Menschen, der sich um »Harmonie zwischen Kopf und Herz« bemüht, der Tugend »aus Geschmack« übt und nicht unter moralischem Druck.

Von tiefer Skepsis also gegen die mechanistische Vernunftmoral der Frühaufklärung ebenso wie gegen un-empfindsame höfische Libertinage erfüllt, forderte er den Menschen zum weisen, nur

durch ästhetisches und eigenes sittliches Empfinden einge-
schränkten Gebrauch seiner sinnlichen Natur auf. Indem er das
Maß und die Kategorie des Ästhetischen mit einbrachte in sein
Lebensideal – die Idee der Versöhnung der Gegensätze im Men-
schen durch das Schöne –, nahm er wesentliche Gedanken der
Klassik vorweg.

Christoph Martin Wieland, Geschichte des Agathon

Als Absage an die empfindsam-idealistischen Tugendromane in
der Nachfolge Richardsons verstanden, schließt Wielands ›Agathon‹ eher an den komisch-realistischen Erzählstil an, für den immer noch der satirische Ritterroman ›Don Quichote‹ von Cervantes Vorbild war. Henry Fielding hatte in England diese Tradition
neu belebt (›Joseph Andrews – Written in Imitation of the Manner
of Cervantes‹), die dem Leser auf humorvoll-gutmütige Weise die
Augen öffnen will über den wahren Lauf der Welt. Bei aller Ana-
logie zu Fielding zeichnet sich Wieland aber durch spezifische
Eigenheiten – insbesondere einen ironisch-amüsierten Skeptizismus – aus, die ihn zu einem ganz eigenständigen, unverwechselbaren Schriftsteller werden ließen.

Mit seiner ›Geschichte des Agathon‹ schuf Wieland endlich –
wie es die Kritik seit den sechziger Jahren forderte, einen deutschen »Originalroman«, der nun nicht mehr irgendein ausländi-
sches Vorbild kopierte. Allerdings verfremdete er seinen Helden,
der ein deutscher »Nationalheld« hätte sein sollen, indem er das
Geschehen ins Griechenland des 4. vorchristlichen Jahrhunderts
verlegte (der aufmerksame Leser erkannte freilich rasch die deutschen Verhältnisse darin wieder). Wielands Roman wurde nicht
ohne Vorbehalte aufgenommen; seine skeptische Grundstruktur,
seine gedanklichen Freiheiten und erotischen Kühnheiten mußten
Anstoß erregen in einer Zeit, die mittels der Vernunft alte Zwänge aufheben wollte und dabei doch wieder neue schuf. Lessing,
der seine ›Emilia Galotti‹ noch dem starren Gesetz der bürgerlichen Tugend opferte, war neben Lichtenberg einer der ersten, der
die Qualitäten des ›Agathon‹ erkannte; für ihn gehörte er »un-
streitig unter die vortrefflichsten unsers Jahrhunderts [...], aber
für das deutsche Publikum noch viel zu früh geschrieben ... Es
ist der erste und einzige Roman für den denkenden Kopf, von
klassischem Geschmacke.« (›Hamburgische Dramaturgie‹, 69.
Stück)

Trotz kritischer Stimmen fand Wieland bald allgemeine Anerkennung als der große deutsche Romancier, der alle Register des

Erzählens spielerisch zu beherrschen schien: den großen Gestus des Höfisch-Heroischen und -Galanten ebenso wie die graziöse Plauderei, die Rhetorik des philosophischen Lehrgesprächs, das weitschweifige Fabulieren wie die kleine satirische Spitze. Er erfüllte endlich die deutsche Provinzialität mit weltmännischem Geist, konziliant, literarisch und historisch gebildet, wie er war; der elf Bücher umfassende ›Agathon‹ ist nebenbei auch ein geistreicher Exkurs in das Weltwissen seiner Zeit, den der Durchschnittsgebildete heute ohne ausführlichen Kommentar kaum mehr verstehen, geschweige denn goutieren kann.

Mit seinem ›Agathon‹ schrieb Wieland den ersten deutschen Entwicklungs- und Bildungsroman, d. h., er führte die allmähliche Eingliederung eines jungen Menschen in die Gesellschaft, die geistige und moralische Entwicklung des Helden vor. Dabei ist Agathon anfangs ein lebensfremder Schwärmer, und erst durch die verschiedenen Erfahrungen gewinnt er einen differenzierten, reifen Charakter, erst mit wachsender Desillusionierung erwirbt er eine lebensnähere, praktische Vernunft.

Seine eigene Biographie hat Wieland im ›Agathon‹ nachgezeichnet. Der idealistische Phantast, der noch als Dreiundzwanzigjähriger seine Weltkenntnisse hauptsächlich aus philosophischen Büchern gezogen hatte, lernte erst spät und allmählich das Leben von seiner sinnlichen, wirklichen Seite kennen und die Abgründe zwischen seinen bisweilen fanatisch verfochtenen Idealen und der Realität zu überbrücken.

Aus den oben beschriebenen Rechtfertigungsproblemen des Romans heraus erklärt sich das eifrige Interesse, mit dem Wieland immer wieder auf die Glaubwürdigkeit und Echtheit des Erzählten hinweist. Im »Vorbericht« teilt er dem Leser mit, er habe das Manuskript eines griechischen Autors als Quelle benutzt, nimmt jedoch im gleichen Atemzug diese Behauptung ein wenig zurück: »Der Herausgeber der gegenwärtigen Geschichte siehet so wenig Wahrscheinlichkeit vor sich, das Publicum überreden zu können, daß sie in der Tat aus einem alten griechischen Manuscript gezogen sei; daß er am besten zu tun glaubt, über diesen Punct gar nichts zu sagen, und dem Leser zu überlassen, davon zu denken, was er will.« Anschließend relativiert er die Bedeutung einer in Archiven bewahrten, selbst »gerichtlich erwiesenen« historischen Faktizität, die über Daten hinaus ja nichts Wichtiges, Bewegendes über die Menschen aussage, um dann auf die entscheidende Frage nach der Wahrheit zu kommen, dieser von allen Poetiken und Theorien seiner Zeit geforderten Qualität, die auch Wieland für sich in Anspruch nimmt:

Die Wahrheit, welche von einem Werke, wie dasjenige, so wir den Liebhabern hiemit vorlegen, gefodert werden kann und soll, bestehet darin,
daß alles mit dem Lauf der Welt übereinstimme, daß die Character nicht
willkürlich, und bloß nach der Phantasie, oder den Absichten des Verfas-
sers gebildet, sondern aus dem unerschöpflichen Vorrat der Natur selbst
hergenommen; in der Entwicklung derselben so wohl die innere als die
relative Möglichkeit, die Beschaffenheit des menschlichen Herzens, die
Natur einer jeden Leidenschaft, mit allen den besondern Farben und
Schattierungen, welche sie durch den Individual-Character und die Umstände einer jeden Person bekommen, aufs genaueste beibehalten; daneben auch der eigene Character des Landes, des Orts, der Zeit, in welche
die Geschichte gesetzt wird, niemal aus den Augen gesetzt; und also alles
so gedichtet sei, daß kein hinlänglicher Grund angegeben werden könne,
warum es nicht eben so wie es erzählt wird, hätte geschehen können, oder
noch einmal wirklich geschehen werde. Diese Wahrheit allein kann Werke
von dieser Art nützlich machen, und diese Wahrheit getrauet sich der
Herausgeber den Lesern der Geschichte des Agathons zu versprechen.

(Vorbericht)

Über die Wahrheit als Nachahmung von Natur gab es, wie in den
Theoriediskussionen nachzulesen, die unterschiedlichsten Auffas-
sungen. Wieland als Vertreter der Hochaufklärung sieht Natur
nicht mehr als die ideale Wunschnatur der Frühaufklärung, sondern als die tatsächliche fehlerhafte, widersprüchliche, von vielen
Faktoren abhängige, verborgene, die er im Laufe seines Romans
freizulegen sich bemüht. Er will der Welt »keine Hirngespenster
für Wahrheit verkaufen«, daher hat er einen Charakter für seinen
Helden gewählt, »den er am genauesten zu kennen Gelegenheit
gehabt hat« – das heißt wohl: seinen eigenen –, erläutert Wieland
und versichert nochmals, »daß Agathon und die meisten übrigen
Personen, welche in seine Geschichte eingeflochten sind, wirkliche
Personen sind, dergleichen es von je her viele gegeben hat, und in
dieser Stunde noch gibt, und daß... alles, was das Wesentliche
dieser Geschichte ausmacht, eben so historisch, und vielleicht
noch um manchen Grad gewisser sei, als irgend ein Stück der
glaubwürdigsten politischen Geschichtschreiber, welche wir auf-
zuweisen haben«.

Heute mögen uns solche absichernden Vorbemerkungen, auch
das Hin und Her zwischen quasi objektiver Distanz eines Herausgebers und dem Bekenntnis zu subjektiver Dichtung, ebenso die
Festlegung des Helden als eines exemplarischen Charakters und
zugleich als eines ganz eigenen, von spezifischen Umständen ab-
hängenden »Individual-Characters« abwegig erscheinen. Dabei
verdeutlichen solche Manöver die schwierige Position eines
Schriftstellers im 18. Jahrhundert, der gerade dabei ist, seinen ori-

ginalen Stil zu finden und diesen gegen die Macht von Tradition und Konvention zu verteidigen sucht; die Gefahr, der Zensur anheimzufallen, stand, ganz pragmatisch gesprochen, immer auch dahinter (in Wien und Zürich war der ›Agathon‹ zunächst verboten). Daß selbst die Forderungen nach natürlichen, individuellen Charakteren und nach wirklichkeitsgetreuem Erzählen an enge Grenzen und Möglichkeiten gebunden waren, darf nicht übersehen werden. Erst mit den Stürmern und Drängern wurden diese Grenzen erweitert; von unserem heutigen »nackten« Realismus, der schonungslosen Offenlegung intimster Gefühle, waren sie immer noch weit entfernt.

Die Fiktion des Geschichtsschreibers hält Wieland ironisch aufrecht; indem er mit dem vorhersehbaren Einwand, seine Geschichte sei lügenhafte Erfindung, spielt, entkräftet er ihn schon, diskutiert nebenbei die Frage, ob denn die historische Wirklichkeit tatsächlich näher an der Wahrheit sei als die Dichtung, und schiebt zugleich alle Verantwortung für den etwa Anstoß erregenden Gang der Geschichte von sich. (Das Verfahren ist typisch für den »Mann des Ausgleichs«: erst »ungewöhnlich offenherzig« an den Fundamenten der bürgerlichen Moral zu rütteln und sich dann doch vor den Folgen schützen zu wollen. Diese »Diplomatie« wurde Wieland von manchem Zeitgenossen übel angekreidet.) Selbst die Fehler und Fehltritte seines Helden nimmt der Autor später (im V. Buch, 8. Kap.) als Beweise für sein wirklichkeitsgetreues Erzählen, motiviert sie didaktisch und setzt sie gegen die erlogenen Idealfiguren in »Romanen« ab: Solche »Menschen ohne Leidenschaften, ohne Schwachheit, ohne allen Mangel und Gebrechen« schüfen der Welt keinen Nutzen, weil sie nur zu einer »unfruchtbaren Bewunderung einer schimären Vollkommenheit« und damit zur Trägheit führten. Sein Agathon dagegen sollte »durch die Veränderungen und Schwachheiten, denen wir ihn unterworfen sehen, zwar allerdings, wir gestehen es, weniger ein Held, aber destomehr ein Mensch, und also geschickter [sein], uns durch seine Erfahrungen, und selbst durch seine Fehler zu belehren«.

Konsequent nimmt Wieland solche didaktisch-vernünftige Position aber nicht ein, vielmehr spielt er mit den Möglichkeiten als Erzähler, bezieht auch den Leser, scheinbar, mit ein in den Prozeß und die Probleme des Schreibens. Sowenig Wieland für empfindsames Schmachten in Tugend und Tränen übrig hatte, so sehr kam ihm die ironisch-realistische Erzählhaltung von Henry Fieldings ›Tom Jones‹ entgegen, auf den er auch mehrmals ausdrücklich hinweist. Aus der Pose des allwissenden Erzählers, der alle Fäden in der Hand hält, kommentiert er Streben und Handeln seines Helden, erklärt, bittet um Nachsicht, hält plötzlich inne und beginnt ein Gespräch mit dem Leser. So entsteht ein Gefühl der Vertrautheit zwischen Autor und Publikum.

Aber nicht nur des dialogischen Spiels mit dem Leser wegen, auch in seinen »mäandrischen Abschweifungen« erinnert der ›Agathon‹ an Fieldings Romane. Sich streng an einen roten Faden zu halten, ohne nach rechts und links zu schauen, entsprach nicht Wielands Charakter und dichterischem Selbstverständnis: er nahm das Vergnügen des Lesers mindestens ebenso ernst wie die nützliche Belehrung. Abstrakte Erörterungen, wußte er, lösten keine angenehmen Empfindungen aus, so bietet Wieland immer wieder sinnlich nachvollziehbaren Stoff. Oder er unterbricht unvermutet eine längere intellektuelle Abhandlung, in der er noch wie ein Barockdichter mit seiner Bildung und seinem dialektischen Verstand brilliert, und entledigt die Aussage durch eine ganz unernste Wendung ihres Gewichts. »Der arme Geschichtsschreiber« sagt er etwa oder »der Himmel verhüte, daß unsre Absicht jemals sei ...« oder auch nur »zum Unglück für unsern Freund Agathon ...« u.ä. Solche Formulierungen schaffen erst die ironische Distanz, die Wieland zu seinem Helden, zum Leser und zu sich selbst hält. Das Leichte, Spielerische, auch Unverbindliche des Rokoko zeigt sich in diesen zierlichen Schnörkeln – wenn man es einmal so plastisch ausdrücken will. An anderer Stelle reflektiert Wieland kritisch Agathons Verhalten und nimmt die Gelegenheit wahr, ganz direkt und aufklärerisch seinen »jungen Freunden« Ratschläge zu erteilen oder das schöne Geschlecht zu tadeln. Seine gesellschaftskritischen Seitenhiebe, meist ironisch verbrämt, sollten dem Leser den Blick schärfen für die Realität des öffentlichen Lebens, Illusionen und Vorurteile abbauen.

Die ›Geschichte des Agathon‹, die, wie gesagt, stark autobiographische Züge hat, entwickelt den Konflikt, der Wieland zeit seines Lebens beschäftigte: Wie kann der idealistische Schwärmer mit seinen hochgespannten Vorstellungen vom Guten, Wahren und Schönen den Zusammenstoß mit der Realität aushalten, die doch alles andere als ideal ist?

Agathon, zu deutsch: der »Gute«, tritt zunächst als hitziger Schwärmer auf. In den Tempeln von Delphi zu einem ätherischen Schöngeist erzogen, die göttliche Vollkommenheit suchend, muß er als heranwachsender Jüngling vor den dreisten Nachstellungen der reifen Priesterin Pythia fliehen. Die heilige Gottesdienerin läßt sich von ihren Trieben hinreißen: Das ist der erste Schritt zur Desillusionierung des Helden. Seine schwesterhaft geliebte Freundin Psyche ist von der eifersüchtigen Priesterin aus Delphi vertrieben worden. Auf der Suche nach seiner Seelenfreundin, die für Agathon das Ideal der reinen platonischen Liebe verkörpert, trifft er bei Athen seinen Vater Stratonicus, wird dessen reicher, angesehener Erbe und beginnt eine steile politische Karriere. Von den enthusiastischen Athenern wegen seiner Rednergabe, seiner geistigen und körperlichen Anziehungskraft geliebt und vergöttert, wird er rasch mit den höchsten Ämtern betraut. Agathon setzt seine Kräfte bedingungslos zum Wohle des Volkes ein, kehrt als Heerführer siegreich heim – und muß erleben, daß seine Neider inzwischen ein Komplott gegen ihn angezettelt haben. So begeistert, wie sie ihn emporgehoben hatten, so unbarmherzig drücken die Athener ihn nun in den Staub. Der zweite Schritt der Desillusionierung hinterläßt tiefere Wunden als die Verführungsversuche der Pythia im Tempel. Agathon muß sein Menschenbild gründlich revidieren. »Ich wußte noch nicht, daß Tugend, Verdienst und Wohltaten gerade dasjenige sind, wodurch man gewisse Leute zu dem tödlichsten Haß erbittern kann.«

Der dritte Schauplatz der Geschichte wird Smyrna. Agathons Wanderschaft, die Veränderung der Schauplätze, gibt dem Dichter die Möglichkeit, die verschiedenen Seiten des Helden und seine innere Entwicklung vorzuführen. Jede neue Lebenssituation verändert um »eine Nüance« Agathons Charakter, der aber doch nie so wesentlich anders wird, wie es die einzelnen Stationen glauben machen, erläutert Wieland später. Sein Agathon mag zwar nach und nach »ein andächtiger Schwärmer, ein Platonist, ein Republicaner, ein Held, ein Stoiker, ein Wollüstling« scheinen – und ist doch keines von allem. Von »seinem Character, von dem was er würklich war, worin er sich unter allen diesen Gestalten gleich blieb, und was zuletzt, nachdem alles Fremde und Heterogene durch die ganze Folge seiner Umstände davon abgeschieden sein wird, übrig bleiben mag – – könne man sich erst am Schluß, wenn man sein moralisches Wesen als Ganzes kennen gelernt habe, ein Urteil bilden«. Zum Kennenlernen eines Menschen müsse man die »wahren Triebräder seiner Handlungen ... so genau als möglich ... ausspähen« und sich »keine geheime Bewegungen seines Herzens ... entwischen lassen«. In der differenzierten und nuancierten Beobachtung aller Empfindungen seines Helden wurde der ›Agathon‹ zum ersten großen psychologischen Roman der deutschen Literatur; Entwicklungsromane wie Goethes ›Wilhelm Meister‹ wären ohne Wielands Vorbild nicht denkbar.

Der aus Athen vertriebene Agathon ist auf der Suche nach einem »Ort, wo die Tugend, von auswärtigen Beleidigungen sicher, ihrer eigentümlichen Glückseligkeit genießen könnte, ohne sich aus der Gesellschaft der Menschen zu verbannen«. Diesen Ort meint er in Asien zu finden, wo er »die Quellen, aus denen die Geheimnisse des Orphischen Gottesdienstes zu uns geflossen sind«, besuchen will. (Hier setzt Wieland mit seiner Erzählung ein; die Vorgeschichte schiebt er etappenweise nach.)

Nach kurzer glücklicher Wiederbegegnung mit seiner Psyche, die ebenfalls geflohen war, werden die beiden erneut getrennt, als Seeräuber das Schiff überfallen. Agathon wird in Smyrna an den reichen Sophisten Hippias verkauft, der ihn aber nicht als Sklaven, sondern zur ästhetischen und geistigen Bereicherung seines Hauses halten und ihn zu seinem Erben machen will. Allerdings stehen Callias' (der »Schöne«, wie Agathon jetzt heißt) Weltansichten den Wünschen des ganz auf heitere Geselligkeit und Lebensgenuß eingestellten Hippias diametral entgegen.

Die Sophisten waren eine Gruppe von Philosophen (des 5. und 4. Jahrhunderts v. Chr.), die in der praktischen Politik verwertbare Kenntnisse vermitteln wollten, insbesondere die in den griechischen Stadtstaaten so wichtige Rhetorik. Ihre Pragmatik, ihre keine absolute Wahrheit zulassende Erkenntnistheorie, ihr Skeptizismus brachten sie in scharfen Gegensatz zu Sokrates und Platon, dessen unversöhnliche Kritik das Bild der Sophisten einseitig geprägt hat; so hat das Wort »sophistisch« noch in unserer Zeit einen negativen Beigeschmack.

Im II. Buch, 6. Kapitel, läßt Wieland die konträren Philosophien von Hippias und Callias aufeinanderprallen; in Form der gelehrten Disputation, in deutlich abgesetzter Rede und Gegenrede, wie es sie nur an dieser Stelle des Romans gibt, handelt Wieland sein zentrales Thema ab: die Auseinandersetzung zwischen bürgerlich-tugendhaftem Idealismus und höfisch-galantem Hedonismus, in den Streit zwischen sokratischer und sophistischer Ethik gekleidet. (Zitat nach der 1. Fassung von 1776/77)

Agathon:

Und worauf gründest du deine Tugend? Womit nährest und belebest du sie? Womit überwindest du die Hindernisse, die sie aufhalten; die Versuchungen, die von ihr ablocken, das ansteckende der Beispiele, die Unordnung der Begierden, und die Trägheit, welche die Seele so oft erfährt, wenn sie sich erheben will?

Hippias:

O Jüngling, lange genug hab ich deinen Ausschweifungen zugehört. In was für ein Gewebe von Hirngespinsten hat dich die Lebhaftigkeit deiner Einbildungskraft verwickelt? Deine Seele schwebt in einer beständigen Bezauberung, in einer Abwechselung von quälenden und entzückenden Träumen, und die wahre Beschaffenheit der Dinge bleibt dir so verborgen, als die sichtbare Gestalt der Welt einem Blindgebornen. Ich bedaure dich, Callias. Deine Gestalt, deine Gaben berechtigen dich nach allem zu trachten, was das menschliche Leben glückliches hat; deine Denkungsart allein wird dich unglücklich machen. Angewöhnt lauter idealische Wesen um dich her zu sehen, wirst du die Kunst niemals lernen, von den Menschen Vorteil zu ziehen. Du wirst in einer Welt, die dich so wenig kennen wird als du sie, wie ein Einwohner des Monds herum irren, und nirgends am rechten Platze sein, als in einer Einöde oder im Fasse des Diogenes. Was soll man mit einem Menschen anfangen, der Geister sieht? Der von der Tugend fodert, daß sie mit aller Welt und mit sich selbst in beständigem Kriege leben soll? Mit einem Menschen, der sich in den Mondschein hinsetzt, und Betrachtungen über das Glück der entkörperten Geister anstellt? Glaube mir, Callias, (ich kenne die Welt und sehe keine Geister) deine Philosophie mag vielleicht gut genug sein eine Gesellschaft müßiger Köpfe statt eines andern Spiels zu belustigen; aber es ist eine Torheit sie auszuüben zu wollen. Doch du bist jung; die Einsamkeit deiner ersten Jugend und die morgenländischen Schwärmereien, die etliche griechische Müßiggänger von den Egyptern und Chaldäern nach Hause gebracht, haben deiner Phantasie einen romanhaften Schwung gegeben; die übermäßige Empfindlichkeit deiner Organisation hat den angenehmen Betrug befödert; Leuten von dieser Art ist nichts schön genug, was sie sehen, nichts angenehm genug, was sie fühlen; die Phantasie muß ihnen andre Welten erschaffen, die Unersättlichkeit ihres Herzens zu befriedigen. Allein diesem Übel kann noch geholfen werden. Selbst in den Ausschweifungen deiner Einbildungskraft entdeckt sich eine natürliche Richtigkeit des Verstandes, der nichts fehlt als auf andre Gegenstände angewendet zu werden. Ein wenig Gelehrigkeit und eine unparteiische Überlegung dessen, was ich dir sagen werde, ist alles was du nötig hast, um von dieser seltsamen Art von Wahnwitz geheilt zu werden, die du für Weisheit hältst. Überlaß es mir, dich aus den unsichtbaren Welten in die wirkliche herabzuführen; sie wird dich anfangs befremden, aber nur weil sie dir neu ist, und wenn du sie einmal gewohnt bist, wirst du die ätherischen so wenig vermissen als ein Erwachsner die Spiele seiner Kindheit. Diese Schwärmereien sind Kinder der Einsamkeit und der Muße; ein Mensch der nach angenehmen Empfindungen dürstet, und der Mittel beraubt ist, sich würkliche zu verschaffen, ist genötiget sich mit Einbildungen zu speisen, und aus Mangel einer bessern Gesellschaft mit den Sylphen umzugehen. Die Erfahrung wird dich hievon am besten überzeugen können. Ich will dir die Geheimnisse einer Weisheit entdecken, die zum Genuß alles dessen führt, was die Natur, die Kunst, die Gesellschaft, und selbst die Einbildung (denn der Mensch ist doch nicht gemacht immer weise zu sein) Gutes und Angenehmes zu geben haben; und ich müßte mich ganz in dir betrügen, wenn die Stimme der Vernunft, die du noch niemals gehört zu haben scheinst, dich nicht von einem Irrwege zurückrufen könnte, wo du am Ende deiner Reise in das Land der Hoffnungen dich um nichts reicher befinden würdest, als um die Erfahrung dich betrogen zu haben ...

(II. Buch, 6. Kap.)

Agathon, der platonische Idealist, der eine überirdische Vollkommenheit in der Welt sucht, und Hippias, der sich mit der Unvollkommenheit der Welt aufs Angenehmste eingerichtet hat, vertreten die extremen Positionen, zwischen denen auch Wieland selbst eine Mitte finden mußte: Sein pietistischer Glaube und seine philosophische Strenge hatten ihn, den ernsten, sensiblen Jüngling, zeitweilig zu herber Weltkritik, Askese und Menschenverachtung geführt, bis er die lebenszugewandte, heiter-gesellige Atmosphäre am Hof des Grafen Stadion in Warthausen (bei Biberach) kennenlernte und feststellen mußte, daß sich »feiner Geschmack in dem Schönen und Angenehmen« und Sinnenfreude sehr wohl mit religiösen und moralischen Grundsätzen vereinen ließen.

In die hohe Kunst, glücklich zu leben, will Hippias den tugendtreuen Agathon einführen, seine ganze verführerische Beredsamkeit setzt er daran. Übung erfordere diese Kunst, sagt Hippias, eine »gewisse Zärtlichkeit der Empfindung« und Seelenstärke setze sie voraus. Sich seiner von der Natur gewährten Gaben zu bedienen, diese zu kultivieren, um zu immer feinerer Lebensart und höherer Genußfähigkeit zu gelangen, alles Übermaß zu meiden (um die Sinne nicht abzustumpfen), sich auf das Jetzt und Hier zu beschränken – das sind für Hippias die Voraussetzungen, »zu demjenigen ruhigen Stande von Genuß und Zufriedenheit zu kommen, der die Glückseligkeit ausmacht«. Leute wie Hippias, versichert Wieland, machten hauptsächlich die große Welt aus. Sophistische Weisheit wäre »beliebt bei Hofe, beliebt an der Toilette, beliebt beim Spiel-Tisch, beliebt beim Adel, beliebt bei den Finanz-Pachtern, beliebt bei den Theater-Göttinnen, beliebt sogar bei der Priesterschaft«, sagt er an anderer Stelle; Reichtum, Macht, Erfolg verspreche diese lebenspraktische Philosophie. Agathon lehnt solche materiellen Güter ab; zur reinen Geistigkeit will er gelangen, den »groben tierischen Leib« ablegen, um das Ewige, Göttliche schauen zu können. Im Kontrast zur opportunistischen Lebensphilosophie des Hippias wird das Gute, aber auch das »Übertriebene«, »Unechte« in Agathons Charakter ans Licht gebracht.

Obwohl Hippias und Callias (Agathon) ein Streitgespräch führen, bleibt die Rede ruhig, vom Verstand gesteuert; selbst im schärfsten Gegensatz ereifern sich die Kontrahenten kaum. Wieland war ein Meister des geistreich-geselligen Gesprächs, das in gedämpftem, leidenschaftslosem Ton Grundfragen der Philosophie diskutierte und damit popularisierte. Er pflegte diese Form unterhaltender Belehrung, die bürgerlich-ernste Aufklärung mit höfisch-heiterem Rokoko verband, und blieb ihr auch treu, als um ihn herum die jungen Stürmer und Dränger vehement zu neuen Ufern aufbrachen und ihn als »guten Alten« verspotteten, gar als Hauptvertreter verzopfter Gelehrtendichtung scharf kritisierten.

Dabei täuscht die gefällige Fassade, denn Wieland verstand es großartig, doppeldeutig zu reden. Er distanziert sich etwa im Vorwort ausdrücklich von Hippias und seinem »System (in so fern es den echten Grundsätzen der Religion und der Rechtschaffenheit widerspricht)«, nennt ihn einen »schlimmen und gefährlichen Mann« und empört sich über dessen Materialismus – gibt ihm aber dann die besseren Argumente an die Hand, unvergleichlich breiteren Rederaum als Agathon und scheint sich insgeheim auch noch zu freuen, als Agathon am Ende des Romans Hippias fast recht geben muß und nahe daran ist, wie dieser zu werden. Mit diesem Verfahren bringt Wieland Zweifel und Kritik an, ohne sich bekennen zu müssen; den Verlegern und Zensoren war er indes immer noch zu kritisch.

Der »Discurs« über den Sinn des Lebens zwischen den »feindlichen Geistern« Hippias und Agathon war dem Autor offenbar so wichtig, daß er ihn wenig später fortsetzt. Ausführlich analysiert Hippias die Begriffe des Schönen und Guten, die Agathon so idealistisch verteidigt. »Der Anti-Platonismus in Nuce« hat Wieland das 5. Kapitel des III. Buchs überschrieben:

Was ist das Schöne? Was ist das Gute? Eh wir diese Fragen beantworten können, müssen wir, deucht mich, vorher fragen: Was ist das, was die Menschen schön und gut nennen? Wir wollen vom Schönen den Anfang machen. Was für eine unendliche Verschiedenheit in den Begriffen, die man sich bei den verschiedenen Völkern des Erdbodens von der Schönheit macht! Alle Welt kommt darin überein, daß ein schönes Weib das schönste unter allen Werken der Natur sei. Allein wie muß sie sein, um für eine vollkommene Schönheit in ihrer Art gehalten zu werden? Hier fängt der Widerspruch an. Stelle dir eine Versammlung von so vielen Liebhabern vor, als es verschiedne Nationen unter verschiednen Himmelsstrichen gibt; was ist gewisser, als daß ein jeder den Vorzug seiner Geliebten vor den übrigen behaupten wird? Der Europäer wird die blendende Weiße, der Mohr die rabengleiche Schwärze der seinigen vorziehen; der Grieche wird einen kleinen Mund, eine Brust, die mit der hohlen Hand bedeckt werden kann, und das angenehme Ebenmaß einer feinen Gestalt; der Africaner wird die eingedrückte Nase, und die aufgeschwollnen dickroten Lippen; der Persianer die großen Augen und den schlanken Wuchs, der Serer die kleinen Augen, die Kegelrunde Dicke und winzigen Füße an der seinigen bezaubernd finden ...

(III. Buch, 5. Kap.)

Der Pragmatiker Hippias zeigt am Beispiel der sehr unterschiedlichen Frauenideale die Relativität des »Schönen«. Die alte, in der

Frühaufklärung noch gültige Vorstellung eines allen Menschen eingeborenen, absoluten Begriffs des Schönen wird hier ad absurdum geführt; erst der englische Sensualismus hatte diesen Gedanken überwunden. Der Franzose Montesquieu hatte in seinem Werk ›Vom Geist der Gesetze‹ (›De l'esprit des lois‹, 1748) die Erkenntnisse des Sensualismus auf das Staatsrecht und die Verfassungen übertragen, deren Verschiedenheit er auf geographische, klimatische und historische Bedingungen zurückführte. Wieland nimmt Montesquieusches Gedankengut auf, als er Hippias für die Relativität auch von Tugend und Laster, Recht und Unrecht argumentieren läßt:

... Diese Verschiedenheit der Begriffe vom sittlichen Schönen zeigt sich nicht nur in besondern Gebräuchen und Gewohnheiten verschiedner Völker, wovon sich die Beispiele ins Unendliche häufen ließen; sondern selbst in dem Begriff, den sie sich überhaupt von der Tugend machen ... *[Nach einer Fülle von Beispielen fährt Hippias fort:]* ... Das Muster der aufgeklärtesten und geselligsten Nation scheint also die wahre Regul des sittlichen Schönen, oder des Anständigen zu sein, und Athen und Smyrna sind die Schulen, worin man seinen Geschmack und seine Sitten bilden muß. Allein nachdem wir eine Regul für das Schöne gefunden haben, was für eine werden wir für das, was Recht ist finden? wovon so verschiedene und widersprechende Begriffe unter den Menschen herrschen, daß eben dieselbe Handlung, die bei dem einen Volke mit Lorbeerkränzen und Statuen belohnt wird, bei dem andern eine schmähliche Todesstrafe verdient; und daß kaum ein Laster ist, welches nicht irgendwo seinen Altar und seinen Priester habe. Es ist wahr, die Gesetze sind bei dem Volke, welchem sie gegeben sind, die Richtschnur des Rechts und Unrechts; allein was bei diesem Volk durch das Gesetz befohlen wird, wird bei einem andern durch das Gesetz verboten. Die Frage ist also: Gibt es nicht ein allgemeines Gesetz, welches bestimmt, was an sich selbst Recht ist? Ich antworte ja, und dieses allgemeine Gesetz kann kein andres sein, als die Stimme der Natur, die zu einem jeden spricht: Suche dein Bestes; oder mit andern Worten: Befriedige deine natürliche Begierden, und genieße so viel Vergnügen als du kannst. Dieses ist das einzige Gesetz, das die Natur dem Menschen gegeben hat; und so lang er sich im Stande der Natur befindet, ist das Recht, das er an alles hat, was seine Begierden verlangen, oder was ihm gut ist, durch nichts anders als das Maß seiner Stärke eingeschränkt; er darf alles, was er kann, und ist keinem andern nichts schuldig. Allein der Stand der Gesellschaft, welcher eine Anzahl von Menschen zu ihrem gemeinschaftlichen Besten vereiniget, setzt zu jenem einzigen Gesetz der Natur, suche dein eignes Bestes, die Einschränkung, ohne einem andern zu schaden. Wie also im Stande der Natur einem jeden Menschen alles recht ist, was ihm nützlich ist; so erklärt im Stande der Gesellschaft das Gesetz alles für unrecht und strafwürdig, was der Gesellschaft schädlich ist, und verbindet hingegen die Vorstellung eines Vorzugs und belohnungswürdigen Verdienstes mit allen Handlungen, wodurch der Nutzen oder das Vergnügen der Gesellschaft befördert wird. Die Begriffe von

Tugend und Laster gründen sich also eines Teils auf den Vertrag, den eine gewisse Gesellschaft unter sich gemacht hat, und in so ferne sind sie willkürlich; andern Teils auf dasjenige, was einem jeden Volke nützlich oder schädlich ist; und daher kommt es, daß ein so großer Widerspruch unter den Gesetzen verschiedner Nationen herrschet. Das Clima, die Lage, die Regierungsform, die Religion, das eigne Temperament und der National-Character eines jeden Volks, seine Lebensart, seine Stärke oder Schwäche, seine Armut oder sein Reichtum, bestimmen seine Begriffe von dem, was ihm gut oder schädlich ist; daher diese unendliche Verschiedenheit des Rechts oder Unrechts unter den policiertesten [kultiviertesten] Nationen; daher der Contrast der Moral der glühenden Zonen mit der Moral der kalten Länder, der Moral der freien Staaten mit der Moral der despotischen Reiche; der Moral einer armen Republik, welche nur durch den kriegerischen Geist gewinnen kann, mit der Moral einer reichen, die ihren Wohlstand dem Geist der Handelschaft und dem Frieden zu danken hat; daher endlich die Albernheit der Moralisten, welche sich den Kopf zerbrechen, um zu bestimmen, was für alle Nationen recht sei, ehe sie die Auflösung der Aufgabe gefunden haben, wie man machen könne, daß eben dasselbe für alle Nationen gleich nützlich sei ...

(III. Buch, 5. Kap.)

Es erfordert schon Stehvermögen, diese langen philosophischen Argumentationen mitanzuhören, von denen hier nur kleine Ausschnitte zitiert werden. Bis in seinen Schreibstil trägt Wieland die Widersprüche seiner Zeit hinein: in langen Satzperioden, »hoher«, höfisch-gelehrter Sprache also, setzt er sich mit bürgerlichen Themen, mit ihren geistigen und sittlichen Anliegen auseinander. Der philosophisch-gesellige Diskurs, das »Sokratische Gespräch«, galt von Gottsched bis Moses Mendelssohn als die höchste Kunst des prosaischen Schriftstellers, da sie die Vernunft auf höchster Stufe demonstrierte und bereicherte. Ein Autor, der seine Qualität als Romandichter beweisen wollte, mußte diese einzige als Kunst anerkannte Form der Prosa besonders pflegen. Nirgends wird die Wissenschaftlichkeit der Dichtung, ihre Verwandtschaft zur Philosophie, von der ja die Aufklärung ausging, so deutlich wie im argumentierenden Dialog.

In einer Kette von Lehrgesprächen wird Agathon (und der Leser) mit verschiedenen Weltanschauungen konfrontiert. Im Gegensatz zu Rousseau (den er in drei gezielten Abhandlungen 1770 zu widerlegen suchte) plädierte Wieland für die uneingeschränkte Ausbildung des Menschen, glaubte er an den Fortschritt durch die Vernunft – nicht die enge zweckgerichtete der Frühaufklärung, sondern eine »gesunde«, weise Vernunft, die aus umfassender Welt- und Menschenkenntnis heraus die unmittelbaren Sinneserfahrungen klären und korrigieren kann. Erfahrung und Nachdenken hätten ihn von Vorurteilen freigemacht, läßt Wieland Hippias sagen. Das Gespräch sollte zum vernünftigen Begreifen des menschlichen Lebens und Zusammenlebens verhelfen, das Reflektieren des eigenen moralischen Standpunkts fördern, letztendlich zu weltoffener Gesinnung und humanerem Verhalten erziehen; im Kern treffen sich hier Wielands und Lessings Ansichten.

Wieland läßt seinen Hippias gefährliche Gedanken aussprechen, Falsches und Richtiges geschickt vermischen, um dem Gegenüber die Argumente zu nehmen. Daß die rein pragmatische Logik der Sophisten alle Werte relativiere, ja vernichte, hatte ihnen schon Sokrates vorgeworfen; insofern blieb Wieland historisch korrekt. Seine Genialität lag in der Wahl der hellenistischen Kulisse für seinen »Originalroman«, denn sie bot ihm die Möglichkeit, hinter einer quasi konfliktfreien historischen Folie Problem und Krise der deutschen Spätaufklärung argumentativ zu entwickeln. Wenn die befreite Vernunft alles kritisch hinterfragen kann und darf, bleibt nichts mehr übrig als Skepsis und Materialismus. Alles, was nicht exakt zu beweisen ist, d. h. Ideen, Ideale, auch das Transzendente, läßt solche Welthaltung nicht gelten.

Gegen die sophistische Beweisführung des Hippias kann Agathon am Ende nur noch sein ganzes jugendliches Feuer, sein überzeugtes Gefühl setzen:

Siehest du nicht, daß deine Grundsätze, die du so unverschämt Weisheit nennest, und durch eine künstliche Vermischung des Wahren mit dem Falschen scheinbar zu machen suchst, wenn sie allgemein würden, die Menschen in weit ärgere Ungeheuer, als Hyänen, Tiger und Crocodile sind, verwandeln würden? Du spottest der Tugend und Religion? Wisse, nur den unauslöschlichen Zügen, womit ihr Bild in unsre Seelen eingegraben ist, nur dem geheimen und wunderbaren Reiz, der uns zu Wahrheit, Ordnung und Güte zieht, und den Gesetzen besser zu statten kommt, als alle Belohnungen und Strafen, ist es zuzuschreiben, daß es noch Menschen auf dem Erdboden gibt, und daß unter diesen Menschen noch ein Schatten von Sittlichkeit und Güte zu finden ist. Du erklärst die Ideen von Tugend und sittlicher Vollkommenheit für Phantasien. Sieh mich hier, Hippias, so wie ich hier bin, biete ich den Verführungen aller deiner Cyanen, den scheinbarsten Überredungen deiner Weisheit, und allen Vorteilen, die mir deine Grundsätze und dein Beispiel versprechen, trotz ... Laß die Tugend immer eine Schwärmerei sein, diese Schwärmerei macht mich glücklich, und würde alle Menschen glücklich, und den ganzen Erdboden zu einem Himmel machen, wenn deine Grundsätze, und diejenige, welche sie ausüben, nicht, so weit ihr ansteckendes Gift dringt, Elend und Verderbnis ausbreiteten ...

(III. Buch, 6. Kap.)

Ganz seiner ironischen Erzählhaltung entsprechend, läßt Wieland Agathon kurz nach diesen glühend vorgebrachten Grundsatzerklärungen den Verführungen der schönsten Hetäre erliegen, die allerdings zunächst Agathons Seele bezaubert. Hippias, der alles gerissen eingefädelt hat, trägt daher nur den halben Sieg davon: Als sinnlich-begehrender Liebhaber, der nimmt, was ihm gefällt, erweist sich Agathon nicht. Wie Wieland die erste Liebesbegegnung zwischen Agathon und Danae ausschmückt, zeigt deutlich, daß es dem Rokoko nicht primär auf den Stoff, sondern auf die Darstellung, auf die elegante Verhüllung ankam; da konnte sich der Meister der graziösen Verzierungen, des ernsthaft-unernsten Geplauders beweisen:

Die Tugend (pflegt man dem Horaz nachzusagen) ist die Mittelstraße zwischen zween Abwegen, welche beide gleich sorgfältig zu vermeiden sind. Es ist ohne Zweifel wohl getan, wenn ein Schriftsteller, der sich einen wichtigern Zweck als die bloße Ergötzung seiner Leser vorgesetzt hat, bei gewissen Anlässen, anstatt des zaumlosen Mutwillens vieler von den neuern Franzosen, lieber die bescheidne Zurückhaltung des jungfräulichen Virgils nachahmet, welcher bei einer Gelegenheit, wo die Angola's und Versorand's alle ihre Malerkunst verschwendet, und sonst nichts besorget hätten, als daß sie nicht lebhaft und deutlich genug sein möchten, sich begnügt uns zu sagen:
»Daß Dido und der Held in Eine Höhle kamen.«
Allein wenn diese Zurückhaltung so weit ginge, daß die Dunkelheit, welche man über einen schlüpfrigen Gegenstand ausbreitete, zu Mißverstand und Irrtum Anlaß geben könnte: So würde sie, deucht uns, in eine falsche Scham ausarten; und in solchen Fällen scheint uns ratsamer zu sein, den Vorhang ein wenig wegzuziehen, als aus übertriebener Bedenklichkeit Gefahr zu laufen, vielleicht die Unschuld selbst ungegründeten Vermutungen auszusetzen. So ärgerlich also gewissen Leserinnen, deren strenge Tugend bei dem bloßen Namen der Liebe Dampf und Flammen speit, der Anblick eines schönen Jünglings zu den Füßen einer selbst im Schlummer lauter Liebe und Wollust atmenden Danae billig sein mag; so können wir doch nicht vorbeigehen, uns noch etliche Augenblicke bei diesem anstößigen Gegenstande aufzuhalten. Man ist so geneigt, in solchen Fällen der Einbildungskraft den Zügel schießen zu lassen, daß wir uns lächerlich machen würden, wenn wir behaupten wollten, daß unser Held die ganze Zeit, die er ... in dem Pavillion zugebracht haben soll, sich immer in der ehrfurchtsvollen Stellung gehalten habe, worin man ihn zu Ende des vorigen Capitels gesehen hat. Wir müssen vielmehr besorgen, daß Leute, welche nichts dafür können, daß sie keine Agathons sind, vielleicht so weit gehen möchten, ihn im Verdacht zu haben, daß er sich den tiefen Schlaf, worin Danae zu liegen schien, auf eine Art zu Nutze gemacht haben könnte, welche sich ordentlicher Weise nur für einen Faunen schickt, und welche unser Freund Johann Jacob Rousseau selbst nicht schlechterdings gebilliget hätte, so scharfsinnig er auch (in einer Stelle

seines Schreibens an Herrn Dalembert) dasjenige zu rechtfertigen weißt, was er »eine stillschweigende Einwilligung abnötigen« nennet. Um nun unsern Agathon gegen alle solche unverschuldete Mutmaßungen sicher zu stellen, müssen wir zur Steuer der Wahrheit melden, daß selbst die reizende Lage der schönen Schläferin, und die günstige Leichtigkeit ihres Anzugs, welche ihn einzuladen schien, seinen Augen alles zu erlauben, seine Bescheidenheit schwerlich überrascht haben würden, wenn es ihm möglich gewesen wäre, der zauberischen Gewalt der Empfindung, in welche alle Kräfte seines Wesens zerflossen schienen, Widerstand zu tun. Wir wagen nicht zuviel, wenn wir einen solchen Widerstand in seinen Umständen für unmöglich erklären, nachdem er einem Agathon unmöglich gewesen ist. Er überließ also endlich seine Seele der vollkommensten Wonne ihres edelsten Sinnes, dem Anschauen einer Schönheit, welche selbst seine idealische Einbildungskraft weit hinter sich zurücke ließ; und (was nur diejenigen begreifen werden, welche die wahre Liebe kennen,) dieses Anschauen erfüllte sein Herz mit einer so reinen, vollkommenen, unbeschreiblichen Befriedigung, daß er alle Wünsche, alle Ahnungen einer noch größern Glückseligkeit darüber vergessen zu haben schien. Vermutlich (denn gewiß können wir hierüber nichts entscheiden) würde die Schönheit des Gegenstandes allein, so außerordentlich sie war, diese sonderbare Würkung nicht getan haben; allein dieser Gegenstand war seine Geliebte, und dieser Umstand verstärkte die Bewundrung, womit auch die Kaltsinnigsten die Schönheit ansehen müssen, mit einer Empfindung, welche noch kein Dichter zu beschreiben fähig gewesen ist, so sehr sich auch vermuten läßt, daß sie den mehresten aus Erfahrung bekannt gewesen sein könne. Diese namenlose Empfindung ist es allein, was den wahren Liebhaber von einem Satyren unterscheidet, und was eine Art von sittlichen Grazien sogar über dasjenige ausbreitet, was bei diesem nur das Werk des Instinkts, oder eines animalischen Hungers ist. Welcher Satyr würde in solchen Augenblicken fähig gewesen sein, wie Agathon zu handeln? — — Behutsam und mit der leichten Hand eines Sylphen zog er das seidene Gewand, welches Amor verräterisch aufgedeckt hatte, wieder über die schöne Schlafende her, warf sich wieder zu den Füßen ihres Ruhebettes, und begnügte sich, ihre nachlässig ausgestreckte Hand, aber mit einer Zärtlichkeit, mit einer Entzückung und Sehnsucht an seinen Mund zu drücken, daß eine Bildsäule davon hätte erweckt werden mögen. Sie mußte also endlich erwachen. Und wie hätte sie auch sich dessen länger erwehren können, da ihr bisheriger Schlummer würklich nur erdichtet gewesen war? Sie hatte aus einer Neugierigkeit, die in ihrer Verfassung natürlich scheinen kann, sehen wollen, wie ein Agathon bei einer so schlüpfrigen Gelegenheit sich betragen würde; und dieser letzte Beweis einer vollkommenen Liebe, welche, ungeachtet ihrer Erfahrenheit, alle Annehmlichkeiten der Neuheit für sie hatte, rührte sie so sehr, daß sie, von einer ungewohnten und unwiderstehlichen Empfindung überwunden, in einem Augenblick, wo sie zum erstenmal zu lieben und geliebt zu werden glaubte, nicht mehr Meisterin von ihren Bewegungen war. Sie schlug ihre schönen Augen auf, Augen die in den wollüstigen Tränen der Liebe schwammen, und dem entzückten Agathon sein ganzes Glück auf eine unendlich vollkommenere Art entdeckten, als es das beredteste Liebesgeständnis hätte tun können. O Callias! (rief sie endlich mit einem Ton in der Stimme, der alle Saiten seines Herzens widerhallen machte, indem sie, ihre schönen Arme um ihn windend, den Glückseligsten aller Liebhaber an ihren Busen drückte,) – – was für ein neues Wesen gibst du mir? Genieße, o! genieße, du Liebenswürdigster unter den Sterblichen, der ganzen unbegrenzten Zärtlichkeit, die du mir einflößest. Und hier, ohne den Leser unnötiger Weise damit aufzuhalten, was sie ferner sagte, und was er antwortete, überlassen wir den Pinsel einem Corregio, und schleichen uns davon.

(V. Buch, 9. Kap.)

Das ist schönstes Rokoko: Heiter, zart, verspielt malt Wieland die Schlafzimmerszene aus. Ihr besonderer Reiz liegt in der Ironie, mit der hier die empörte Tugend mancher Damen (ob sie wirklich so prüde waren?) ausgespielt wird. Seine Lust, schlüpfrige Situationen auszumalen, versteckt der Autor hinter rationalen Argumenten (es könne ein falscher Verdacht auf Agathon fallen) – mit dem Ergebnis, daß die Begebenheit in Danaes Schlafgemach erst recht pikant wird. Das war seine Form der Kritik an der moralischen Unglaubwürdigkeit seines Jahrhunderts.

Die bürgerlich-empfindsamen Tugendapostel aber mußten die Danae-Geschichte für den Gipfel der Frivolität halten, denn sie verstieß gegen das eherne Tabu, mit dem die freie Liebe belegt war. Hätte Wieland die deutlich-andeutende Szene, die ganz dem höfischen Geschmack der Galanterie entsprach, anschließend als Laster abgestraft, hätte er viel drastischer schildern dürfen.

Danae wird der eigentliche Prüfstein für Agathon in Smyrna. Auch hier stoßen zunächst Gegensätze aufeinander; aber Danae, die vielgerühmte Hetäre, und Agathon, der Verfechter der reinen platonischen Liebe, können sich erlösen. Die Umstände, die beide jeweils so werden ließen, wie sie sind, haben sich nun verändert, neue Saiten ihres »gemischten Charakters« werden angerührt. Danae besaß schon immer die Anlage zur tiefsten, reinsten Empfindung, die Agathon nur zu wecken brauchte (er gab ihr »ein neues Wesen«), und durch Danae, die alle seelische und sinnliche Vollkommenheit in sich zu vereinen scheint, kann der idealistische Schwärmer auch die irdischen Wonnen der Liebe genießen lernen.

Die Figur der Hetäre, das Klischee ihrer Unmoral, reizte Wieland besonders, die Tugendvorstellungen seiner Zeit zu hinterfragen. Für ihn war Tugend mehr als die bloße Verweigerung der Sinnlichkeit; deshalb konnte Danae erst höfisch-galante Verworfenheit repräsentieren, dann aber in der Liebe zu Agathon höchste Moralität. Solches Verwischen eindeutiger Konturen der Tugend- und Lasterhaftigkeit war neu – und unerhört.

Wenn Agathon nach Wochen himmlischen Glücks, in denen alle Konflikte zwischen Empfindsamkeit und Leidenschaft aufgehoben schienen, Danae verläßt, weil er ihren früheren Lebenswandel erfährt, handelt er zwar nach dem öffentlichen Moralbewußtsein des 18. Jahrhunderts richtig, aber im Wielandschen Sinne der Weiterentwicklung falsch: Absolute Tugend gibt es nicht auf der Welt, die Suche danach muß zu einer Irrfahrt werden. Der in seine Reinheitsidee Vernarrte tut Danae unrecht. Sie bleibt die »schöne Seele«, die sie ihm war, auch nach der heimlichen Flucht ihres Liebhabers, zieht sich aus der Gesellschaft zurück (und liebt ihren Agathon trotz der tödlichen Kränkung weiterhin, wie sich am Ende des Buches herausstellt).

Der vierte Kristallisationspunkt in Agathons Geschichte, die Wieland »als die Geschichte aller Menschen« verstanden wissen will, wird der Hof von Syrakus. Noch einmal engagiert sich der idealistische Schwärmer, wenn auch gewitzt, d. h. vernünftiger geworden durch seine Athener Erfahrungen, in der Politik. Er wird Günstling des jüngeren Dionysius, eines absolutistischen Monarchen, der sich aber unter dem Einfluß des berühmten Platon zu einem weisen und gerechten Herrscher zu entwickeln scheint. Auch Agathon kann positiv auf Dionysius einwirken und Veränderungen in Richtung demokratischer Freiheiten durchsetzen. Aber nach zwei Jahren führt auch hier das Intrigenspiel der Höflinge (und einer verschmähten Frau) zu Agathons Sturz.

Die »Haupt- und Staatsactionen« am Hofe des Königs Dionys hat Wieland mit kritischer Ironie beschrieben. Mit den »Tragi-Comödien« Shakespeares vergleicht er »die großen Aufzüge auf dem Schauplatz der Welt« und spottet der Acteure:

Wie oft haben die größesten Männer, dazu geboren, die schützenden Genii eines Throns, die Wohltäter ganzer Völker und Zeitalter zu sein, alle ihre Weisheit und Tapferkeit durch einen kleinen schnakischen Streich von Hans Wurst, oder solchen Leuten vereitelt sehen müssen, welche ohne eben sein Wams und seine gelben Hosen zu tragen, doch gewiß seinen ganzen Character an sich trugen? Wie oft entsteht in beiden Arten der Tragi-Comödien die Verwicklung selbst lediglich daher, daß Hans Wurst durch irgend ein dummes oder schelmisches Stückchen von seiner Arbeit den gescheiten Leuten, eh sie sich's versehen können, im Spiel verderbt? ... Aber wenn diese Vergleichung, wie wir besorgen, ihren Grund hat; so mögen wir wohl den Weisen und Rechtschaffenen Mann bedauern, den sein Schicksal dazu verurteilt hat, unter einem schlimmen, oder − − welches ist ärger? − − unter einem schwachen Fürsten, in die Verwaltung der öffentlichen Angelegenheiten verwickelt zu sein? Was wird es ihm helfen, Einsichten und Mut zu haben, nach den besten

Grundsätzen und nach dem richtigsten Plan zu handeln; wenn das verächtlichste Ungeziefer, wenn ein Sclave, ein Kuppler, eine Bacchidion, oder etwas noch schlimmers, irgend ein Parasite, dessen ganzes Verdienst in Geschmeidigkeit, Verstellung und Schalkheit besteht, es in ihrer Gewalt haben, seine Maßregeln zu verrücken, aufzuhalten, oder gar zu hintertreiben?

(X. Buch, 1. Kap.)

Seinem eigenen Verdruß in der öffentlichen Verwaltung (als Syndikus in Biberach) hat Wieland hier Luft gemacht; immerhin konnte der Dichter der ihn belastenden Welt der Politik wenigstens zeitweilig mit seiner poetischen Muse entfliehen.

Agathons »moralischer Zustand« erreicht in Syrakus seinen Tiefpunkt. Selbst die schlechte Meinung vom Menschen, die er dort zur Grundlage seines Wirkens gemacht hatte, war noch unrealistisch genug. Nahe daran, Hippias recht zu geben und in Menschenverachtung zu verfallen, setzen sich Reste seiner ehemaligen idealistischen Gesinnung durch.

In seinen selbstanalytischen Betrachtungen, wie es zu dem erneuten politischen Fall kommen konnte, ist sich der Held klar darüber, daß ihn im Grunde seine ehrgeizigen Illusionen und seine Eigenliebe verführt und blind gemacht haben. Wieland greift hier Gedanken des französischen Moralisten La Rochefoucauld (1613–1680) auf, der in aphoristischer Pointierung die Eigenliebe als Triebfeder allen menschlichen Handelns dargestellt und selbst die Tugend als teils bewußte, teils unbewußte Maskierung des Egoismus entlarvt hatte.

Mit knapper Not dem Tod entgangen, findet Agathon bei dem weisen Archytas in Tarent Ruhe, dessen glücklich veranlagtes Temperament ihn zu einem vollkommenen Ideal bürgerlicher Tugend gemacht hat: Er besitzt »weder eine glühende Einbildungs-Kraft«, noch kennt er »heftige Leidenschaften«, so »daß er wenig Mühe [hat], Ruhe und Ordnung in seiner innerlichen Verfassung zu erhalten... Die unbewölkte Heiterkeit seiner Seele, die Ruhe seines Herzens, die allgemeine Güte wovon es beseelt ist, das stille Bewußtsein eines unschuldigen und mit guten Taten erfüllten Lebens« malt »sich in seinen Augen und in seiner Gesichtsbildung mit einer Wahrheit, mit einem Ausdruck von stiller Größe und Würdigkeit« ab.

In Tarent findet Agathon eine bürgerliche Idealrepublik vor, hier »konnte jeder leben, wie er wollte«, solange er den anderen nicht zu nahe kam. Die Tarentiner, beherrscht von »Fabricanten und Handelsleuten«, also dem Großbürgertum, ordnen sich freiwillig dem Weisesten, Besten aus ihrer Mitte unter, der nur zu ihrem Wohle und in ihrem Sinne handelt. Auch Agathon überläßt sich gern der Führung des liebenswerten Archytas, der »Majestät und Anmut« in seiner Person vereint – mithin ein wahrer »Vater des Vaterlands« ist. In dem freien, glücklichen Tarent kann sich Agathon schließlich als nützliches Mitglied der Gemeinschaft einbürgern; dort findet er auch Psyche wieder, die sich als seine Schwester herausstellt; zu guter Letzt trifft er dort auch seine Danae, die aber, geläutert, nur eine schöne Seelen-Freundschaft mit ihm leben will.

Daß ›Agathon‹ in der utopischen Idylle dieses Tarent endet, ist keine Lösung, kein überzeugender Schluß, wofür sich Wieland denn auch entschuldigt. Aber ein so gut veranlagter Mensch wie Agathon, sagt er, müsse notfalls durch Wunder zu »Leuten kommen, die ihn mit der Menschheit wieder versöhnen«. Auch habe der »gutherzige« Leser das Recht auf ein *happy end* nach »einer hinlänglichen Anzahl guter und schlimmer Abenteuer«. Da hält Wieland nun nicht mehr die Fiktion aufrecht, seine Geschichte sei wahr und könne sich so oder ähnlich jederzeit wiederholen. Der Bruch mit der vorhergehenden Erzählhaltung setzt bewußt und ironisch den weltfremden, märchenhaften Schluß von der wahren inneren Geschichte des Agathon ab. Die Kernaussage, die der Skeptiker Wieland seinem Roman unterlegt hat, lautet also: Es gibt keine *realistische* Hoffnung, daß die Menschheit zu Freiheit und Glück fortschreite, nur eine *utopische*. Die Fragwürdigkeit aller schönen Ideale hatte Wieland ja vorgeführt: Weder konnte die Versöhnung von Sinnlichkeit und Sittlichkeit auf Dauer glücken, die Agathon eine Zeitlang mit Danae erfahren hatte; noch gab es im öffentlichen Leben eine Harmonie von Macht und Tugend: Die Unvernunft und wankelmütige Eifersucht der Athener Bürger hatte die Demokratie ruiniert; der Absolutismus, den Agathon in Syrakus zu einer idealen Staatsform entwickeln wollte, war an der grundsätzlichen Unmöglichkeit gescheitert, »einen lasterhaften Prinzen tugendhaft zu machen«. Damit bestätigte Wieland die bürgerliche Kritik am Absolutismus, erteilte aber dem Wunsch seiner Zeit nach Demokratie ebenso eine Absage.

Mehr als 20 Jahre hat Wieland an dem Roman gearbeitet und nach dem richtigen Abschluß gesucht: Im Grunde gab es keine angemessenere Lösung als die Tarentiner Utopie, in die er alle seine Zweifel, aber auch seine Hoffnungen für die Zukunft verpacken konnte.

Christoph Martin Wieland, Musarion
oder Die Philosophie der Grazien

Neben seinen zahlreichen Prosaromanen, die immer wieder, in skeptisch-ironischem Ton, um den Widerspruch von idealistischem Schwärmen und realem Leben kreisen und aller starren Dogmatik, allem Übertriebenen im Denken und Handeln der Menschen eine vernünftige Mitte entgegensetzen, schrieb Wieland eine ganze Reihe von Verserzählungen, die das Rokoko so liebte.

Das kleine Versepos ›Musarion‹, das er etwa gleichzeitig mit dem ›Agathon‹ schrieb, gehört zu seinen vollkommensten Schöpfungen, ja der gesamten deutschen Rokokodichtung. Gerade in seinem Idyllen-Charakter, weil es auf die allgemeine Weltdeutung verzichtet und das Modell eines harmonischen Lebens nur als Ausschnitt konzipiert ist, konnte es seine Grazie und Leichtigkeit bewahren. Doch ist ›Musarion‹ nicht nur unverbindliche Tändelei: das kleine Werk enthält immerhin den Kern Wielandscher Lebensphilosophie. Das Glück, das Musarion und Phanias am Schluß leben dürfen, ist ihnen nicht allein als Geschenk der Götter oder der Natur in den Schoß gefallen, sondern mußte von beiden verdient werden. Erst nach »überstandner Noth«, nach Irrtum, verletztem Stolz, Eifersucht und Groll erkennen die Liebenden ihr aufrichtiges Gefühl füreinander, sind sie bereit, sich zu ändern und Ernst und Scherzen in ihrer Liebe zu verbinden.

Wieland hat seine Romane und Verserzählungen mit Vorliebe in die hellenistische Antike verlegt, weil er hier die Harmonie von Sinnlichkeit und Geist in idealer Weise vorgelebt glaubte. Wenn Winckelmann als Kunsthistoriker die klassizistische Antike wiederentdeckt und damit die deutsche Klassik vorbereitet hatte, so machte Wieland als Erzähler das Publikum mit dem antikischen Geist vertraut. Goethe hat sich in ›Dichtung und Wahrheit‹ (VII. Buch) an das Leseerlebnis der ›Musarion‹ erinnert: »Hier war es, wo ich das Antike lebendig und neu wieder zu sehen glaubte. Alles, was in Wielands Genie plastisch ist, zeigte sich hier aufs vollkommenste.« Das Büchlein fand allgemein so viel Zustimmung, daß bereits nach einem Jahr eine zweite Auflage notwendig war.

In einem Brief an Geßner schrieb Wieland am 29. August 1766, daß er mit ›Musarion‹ eine »neue Art von Gedichten« darstelle, die »zwischen dem Lehrgedichte, der Komödie und der Erzählung das Mittel hält oder von allen dreyen etwas hat«. Wieland reizte das Spiel mit vorgegebenen traditionellen Formen; so schuf er sich, um seine verschiedenen schriftstellerischen Neigungen in Einklang zu bringen, einen eigenen poetischen Rahmen: Seine Fabulierfreude,

seine Lust am Entlarven menschlicher Narrheit und seine aufkläre-
risch-erzieherischen Intentionen verbindet er in ›Musarion‹. Daß
er »das Mittel« zwischen allen Gattungen zu halten verstand und
keine Konstruktion daraus wurde, sondern ein Kunstwerk von
natürlicher Grazie, zeichnet Wieland als souveränen Formkünstler
aus.

Zunächst beginnt Wieland als Erzähler. Mit wenigen präzisen
Strichen ist die Figur des Helden Phanias und seine Lebenssituation entworfen: Phanias hat sich in die Einsiedelei seines Landhau-
ses bei Athen zurückgezogen und will seinem bisherigen üppigen
Lebenswandel entsagen; der eigentliche Grund dafür liegt in der
schönen Musarion, die zwei Jahre lang mit ihm freundschaftlich
verbunden war, den plötzlich in einen glühenden Liebhaber Ver-
wandelten aber nicht erhören wollte und sich statt dessen mit
einem jungen Gecken einließ.

> In einem Hain, der einer Wildniß glich
> Und nah' am Meer ein kleines Gut begränzte,
> Ging Phanias mit seinem Gram und sich
> Allein umher; der Abendwind durchstrich
> Sein fliegend Haar, das keine Ros' umkränzte;
> Verdrossenheit und Trübsinn malte sich
> In Blick und Gang und Stellung sichtbarlich,
> Und, was ihm noch zum Timon fehlt', ergänzte
> Ein Mantel, so entfasert, abgefärbt
> Und ausgenützt, daß es Verdacht erweckte,
> Er hätte den, der einst den Krates deckte,
> Vom Aldermann der Cyniker geerbt.

> Gedankenvoll, mit halb geschloss'nen Blicken,
> Den Kopf gesenkt, die Hände auf dem Rücken,
> Ging er daher. Verwandelt wie er war,
> Mit langem Bart' und ungeschmücktem Haar,
> Mit finstrer Stirn, in cynischem Gewand,
> Wer hätt' in ihm den Phanias erkannt,
> Der kürzlich noch von Grazien und Scherzen
> Umflattert war, den Sieger aller Herzen,
> Der an Geschmack und Aufwand Keinem wich
> Und zu Athen, wo auch Sokraten zechten,
> Beim muntern Fest', in durchgescherzten Nächten,
> Dem Komus bald und bald dem Amor glich?

> Ermüdet wirft er sich auf einen Rasen nieder,
> Sieht ungerührt die reizende Natur,
> So schön in ihrer Einfalt, hört die Lieder
> Der Nachtigall, doch mit den Ohren nur.
> Ihr zärtlicher Gesang sagt seinem Herzen nichts:
> Denn ihn beraubt des Grams umschattendes Gefieder

Des innern Ohrs, des geistigen Gesichts.
Empfindungslos, wie Einer, der Medusen
Erblickt und starrt, erwägt er zweifelsvoll
Nicht, wie vordem, wofür er seufzen soll,
Für welchen Mund, für welchen schönen Busen?
Nein, Phanias spricht jetzt der Thorheit Hohn
Und ruft, seitdem aus einem hohlen Beutel
Die letzte Drachme flog, wie König Salomon:
Was unterm Monde liegt, ist eitel!

Ja wohl, vergänglich ist und flüchtiger als Wind
Der Schönen Gunst, die Brudertreu der Zecher;
Sobald nicht mehr der goldne Regen rinnt,
Ist keine Danae, sobald im trocknen Becher
Der Wein versiegt, ist kein Patroklus mehr.
Was Fliegen lockt, das lockt auch Freunde her;
Gold zieht magnetischer, als Schönheit, Witz und Jugend:
Ist eure Hand, ist eure Tafel leer,
So flieht der Näscher Schwarm, und Lais spricht von Tugend.

Der großen Wahrheit voll, das Alles eitel sey,
Womit der Mensch in seinen Frühlingsjahren,
Berauscht von süßer Raserei,
Leichtsinnig, lüstern, rasch und unerfahren,
In seinem Paradies von Rosen und Jasmin
Ein kleiner Gott sich dünkt, setzt Phanias, der Weise,
Wie Hercules, sich auf den Scheidweg hin
(Nur schon zu spät) und sinnt der schweren Reise
Des Lebens nach. Was soll, was kann er thun?
Es ist so süß auf Flaum und Rosenblättern
Im Arm der Wollust sich vergöttern
Und nur vom Uebermaß der Freuden auszuruhn!
Es ist so unbequem, den Dornenpfad zu klettern!
Was thätet ihr? – Hier ist, wie Vielen däucht,
Das Wählen schwer; dem Phanias war's leicht.
Er sieht die schöne Ungetreue,
Die Wollust – schön, er fühlt's! doch nicht mehr schön für ihn –
Zu jüngern Günstlingen aus seinen Armen fliehn;
Die Scherze mit den Amorinen fliehn
Der Göttin nach, verlassen lachend ihn
Und schicken ihn zum Zeitvertreib die Reue;
Hingegen winken ihm aus ihrem Heiligthum
Die Tugend und ihr Sohn, der Ruhm,
Und zeigen ihm den edeln Weg der Ehren.
Der neue Hercules schickt seufzend einen Blick
Den schon Entflohnen nach, ob sie nicht wiederkehren.
Sie kehren, leider! nicht zurück,
Und nun entschließt er sich, der Helden Zahl zu mehren!

(I. 1–76)

Wieland erzählt in humoristisch-reflektierender Weise, die an Laurence Sterne erinnert. Die direkten Anreden des Lesers wie der leichte ironische Ton gehören zu der überlegenen Erzählhaltung des Autors, der sein Wissen über den Ausgang der Geschichte in kleinen Nebenbemerkungen verrät. Damit sollte eher das Gefühl einer Unterhaltung entstehen als die Illusion unmittelbaren Geschehens.

Die ›Philosophie der Grazien‹ heißt die Versidylle im Untertitel: Anmutig, mühelos, wie die Grazien selbst das Leben darstellen, führt der Dichter ihre Lehre vor. Daß es sich im weitesten Sinn um Lehrdichtung handelt, vergißt man ganz. Melodiös und leicht sind die Verse, die »Kunst« ist ihnen nicht anzumerken. Der Wechsel von Paar-, Kreuz-, Drei- und Vierreimen mit ein- und zweisilbigen Kadenzen, der freie jambische Vers mit seinen vier bis sieben Hebungen, der durchaus an den Alexandriner erinnert – die ganze Fülle metrisch-rhythmisch-klanglicher Mittel unterstützt, souverän gehandhabt, den spielerischen Fluß der Erzählung, deren Sprache stets vom Vers nur gehalten und nie von ihm dominiert wird.

Schon in den ersten Absätzen zeigt sich die Grundhaltung des Erzählers: belustigt, in einem »schalkhaft-sanften Ton der Ironie« stellt er die Übertreibungen in Phanias' Charakter bloß. Der Leser soll gleich wissen, daß einer so raschen Lebensumkehr nicht zu trauen ist – auch, daß der Erzähler sie gar nicht für erstrebenswert hält. Die scherzenden Amorinen, so weiß es der Lebenskünstler Wieland, sind auf dem Weg zum Glück wichtiger als Tugend und Ehre. Noch darf sich Phanias eine Zeitlang in Träume versteigen, in seiner Phantasie den Triumph eines göttergleichen Helden vorkosten oder auch den Ruhm des größten Philosophen, doch läßt Wieland ihn nur zum Olymp hinaufstürmen, um ihn um so effektvoller von Musarion auf die Erde herunterholen zu lassen. Mit einem Blick – aber was für einem! – »schießet« sie »den stolzen Gast des Äthers [...] herab«. Plötzlich steht sie vor ihm, die Personifikation vollkommener Schönheit und liebenswürdigster Vernunft, verwirrt den phantastischen Schwärmer; freimütig bekennt sie ihren Fehler, ihre Liebe. Nachdem sie sich ihres Gefühls für Phanias sicher war, hinderte sie keine Konvention, dem Geliebten nachzureisen; selbst seinem Spott, seinem abweisenden Starrsinn hält sie souverän lächelnd stand. Sie nimmt das Heft in die Hand, setzt Klugheit und ihre weiblichen Reize ein, um eine Versöhnung herbeizuführen. In ganz ähnlicher Weise hat in Lessings Komödie ›Minna von Barnhelm‹ ihren Tellheim von seinem Starrsinn geheilt und entschlossen zur Ehe verführt.

Viel zu rasch erliegt Phanias der schönen Versucherin, im Grunde muß er sich zum Widerstand zwingen. Musarion durchschaut ihren Freund sofort, aber sie spielt mit; schuldbewußt übernimmt sie ihre Rolle, den tief Gekränkten zurückzuerobern. Der erste Akt des Lustspiels endet damit, daß Musarion Phanias in sein Landhaus begleitet. Nach Athen zurück kann sie zu so später Stunde nicht. Die erschrockenen Einwände des Freundes, daß er schon zwei Gäste einquartiert und keinen weiteren Schlafplatz habe, weiß Musarion mit entwaffnendem Charme zu entkräften.

Der zweite »Akt«, in Phanias' Landhaus, enthält die meisten komödienhaften Elemente. Bis zu derben Späßen steigert Wieland hier die humoristische Laune; lachend sollte der Widerspruch zwischen dem »hohen Schwung« des Ideals und der menschlichen Schwachheit vorgeführt werden. Als das junge Paar im Haus ankommt, befinden sich die Gäste, zwei ehrwürdige Philosophen, in einem verbissenen Ringkampf. Theophron, ein »Jünger des Pythagoras«, und der Stoiker Kleanth waren sich in ihrem »akademischen Gefecht« um Wahrheit, als kein Argument mehr überzeugte, in die Haare geraten. Die Schöne bringt die Streiter zur Räson, löst die Peinlichkeit der Situation mit einem Lächeln:

Mit einem Blick voll junger Amoretten
Und Grazien, der stracks an unsichtbare Ketten
Kleanthens Tollheit legt, Theophrons Rippen heilt,
Spricht sie: Wenn's euch beliebt, so machen wir die Fragen,
Wovon die Rede war, zu unserm Tischconfect'...

Den ernsten philosophischen Diskurs, der im ›Agathon‹-Roman viele Seiten füllt und hohe Anforderungen an die Leser stellt, spielt Wieland hier zu »Tischconfect« herunter, aber in beiden Fällen ist es die schöne Frau, welche, mit der Magie der Erotik, Wärme und Anmut begabt, zwischen weltverachtender philosophischer Idee und Lebensgenuß eine Mitte lehrt. Etwas frivoler als Danae im ›Agathon‹ darf Musarion ihr Philosophenpaar zu Fall bringen. Ein versehentlich verrutschter Busenausschnitt bringt Theophron mitten in seinem göttlichen Flug in übersinnliche Sphären ins Stocken, und den tugendreichen Kleanth, eben noch mit seiner Enthaltsamkeit prahlend und in trotzige »Wuth für sein System« sich so weit steigernd, daß er selbst Venus' schöner Brust standhalten würde, straft der Eintritt von Musarions leichtgeschürzter Sklavin Lügen. Die beiden Frauen fachen das Feuer der zwei alten Philosophen mit listigem Vergnügen an, bis das Mahl sich in ein »kleines Bacchanal« verwandelt: Kleanth spricht dem reichlich nachgeschenkten Wein zu und wird schließlich besoffen in den anliegenden Stall geschleppt, indes sich Theophron mit der reizvollen Zofe Chloe zurückzieht. Musarion stellt das »weise Paar mit seinem Flitterkrame / Von falschen Tugenden und großen Wörtern« bloß und bekehrt ihren Phanias dadurch, heilt ihn von seiner Schwärmerei.

Im dritten und letzten Buch stellt Musarion Phanias, bis es zur
endgültigen Versöhnung kommt, noch einmal auf die Probe – eine
Art retardierendes Moment, wie es sich für ein regelrechtes Lustspiel geziemt. Phanias hat sich reuig und hoffend in Musarions
Schlafzimmer geschlichen, doch »eh sie sich verschenkt«, muß er
den Ernst seiner Gefühle beweisen, eine ausgeglichene Mitte finden zwischen Enthusiasmus und Verachtung. Wie er vordem seine
Freundin »mit Abscheu von sich warf«, weil sie ihn nicht erhört
und mit einem Jüngeren getändelt hatte, und wie er jetzt die Philosophen verachtet, weil sie ihren eigenen Lehren nicht standhielten,
kann ihm Musarion nicht vertrauen. Am Ende des Lehrgesprächs
hat Phanias gelernt, die menschliche Schwachheit zu tolerieren,
und eingesehen, daß die großen Ideen, das Streben nach dem Göttlichen notwendig sind, um die »Tugend zu nähren« und »des Herzens Triebe zu erweitern und zu verfeinern«. Phanias' spontane
Leidenschaft hat sich zur Liebe geläutert.

Der Schauplatzwechsel, die Dialogform, die Auftritte der einzelnen Personen lassen die drei Bücher der ›Musarion‹ wie Akte eines
Lustspiels mit einzelnen Szenen erscheinen. Nach dem langen Gespräch in Musarions Schlafgemach läßt Wieland die Versöhnten
allein, führt sein »Gedicht« als Erzählung zu Ende: mit dem Ausblick auf die Idylle eines ruhigen heiteren Lebens, das dem glücklichen Paar beschieden ist. Am Schluß formuliert Wieland, wie es in
einem Lehrgedicht verlangt ist, die Moral:

> Auch lernt' er [Phanias] gern und schnell und sonder Müh
> Die reizende Philosophie,
> Die, was Natur und Schicksal uns gewährt,
> Vergnügt genießt und gern den Rest entbehrt;
> Die Dinge dieser Welt gern von der schönen Seite
> Betrachtet, dem Geschick sich unterwürfig macht,
> Nicht wissen will, was alles das bedeute,
> Was Zeus aus Huld in räthselhafte Nacht
> Vor uns verbarg, und auf die guten Leute
> Der Unterwelt [Erde], so sehr sie Thoren sind,
> Nie böse wird, nur lächerlich sie find't
> Und sich dazu, sie drum nicht minder liebet,
> Den Irrenden bedauert und nur den Gleißner flieht;
> Nicht stets von Tugend spricht, noch, von ihr sprechend, glüht,
> Doch, ohne Sold und aus Geschmack, sie übet;
> Und, glücklich oder nicht, die Welt
> Für kein Elysium, für keine Hölle hält,
> Nie so verderbt, als sie der Sittenrichter

Von seinem Thron' – im sechsten Stockwerk sieht,
So lustig nie, als jugendliche Dichter
Sie malen, wenn ihr Hirn von Wein und Phyllis glüht ...

(III. Buch, 335–355)

Seine eigene Lebensphilosophie hat Wieland den Grazien zugeschrieben. Maß, Gleichgewicht, Lächeln lehrten seine »geliebten Göttinnen«. Das Geheimnis des Glücks lag, wenn man ihnen glauben will, in der Kunst, sich zu bescheiden und den Augenblick zu genießen, sein Schicksal und die Undurchsichtigkeit der Welt hinzunehmen, den Menschen in seiner Schwachheit zu dulden und zu lieben – dies waren für Wieland die Voraussetzungen, um zu jener humanen Mitte des Schönen und Guten zu finden, die die irdische Glückseligkeit aller Menschen verspricht. Mit dieser Lebenseinstellung opponierte er gegen die idealistischen Glücksentwürfe seiner Zeit, die alles für lernbar und machbar hielten, und nach denen eine auf moralische Vollkommenheit abzielende Vernunft zur allgemeinen Zufriedenheit der Menschen führen müßte. Solche Spekulationen waren ihm suspekt, da sie an der Natur des Menschen vorbeigingen. Die Wahrheit lag für ihn im Relativen des Lebendigen, nie im Absoluten einer Idee.

Der nur vernünftigen Existenz der Aufklärung setzte der Dichter des Rokoko die Anmut als Verbindung von empfindsamer Tugend und Sinnenfreude entgegen. Wie wichtig ihm diese ästhetische Existenz war, bekannte er in einem Brief an den Freund Friedrich Justus Riedel in Erfurt (2. Juni 1768):

Hier haben Sie also meine Musarion – ein kleines Gedicht, welches Ihnen die tournure [Windungen] meines Kopfs und Herzens, meinen Geschmack und meine Philosophie besser schildern kann, als irgendein anderes meiner Werke. Ich gestehe Ihnen – aber nur Ihnen! –, daß ich dieses kleine Poem mit einer Art von Prädilektion [Vorliebe] ansehe und – soll ich es heraus sagen? – daß ich es meinen Zeitgenossen nicht völlig gönne. Die Deutschen scheinen noch nicht zu fühlen, was attisches Salz, sokratische Ironie und echte Grazie ist ...

Wieland, der als bewunderter und von der jüngeren Generation auch belächelter bzw. befehdeter Literaturpapst in Weimar lebte, war der letzte große Vertreter einer im besten Sinne aufklärerischen Dichtung. Madame de Staël, deren Buch über Deutschland und die deutsche Dichtung (›De l'Allemagne‹, 1810) in Frankreich berühmt war, und Napoleon ehrten ihn, den Wahrer des französischen Geschmacks, der sich im Alter als Repräsentant einer vergangenen Zeit fühlte, denn mit Kants neuen philosophischen Ideen und Schillers bzw. Schlegels Ästhetik mochte er sich nicht mehr identifizieren.

Mit der Befreiung des Individuums von den Fesseln kunstrichterlicher Poetikregeln, also mit dem Subjektivismus der Hochaufklärung, tauchen in der deutschen Literatur immer wieder große Einzelpersönlichkeiten auf, deren Werk schwer einer der literarischen Epochen einzugliedern ist, wenn sie auch sehr wohl den geistigen Strömungen ihrer Zeit zugeordnet werden können.

Von 1769 an lehrte in Göttingen der Professor Georg Christoph Lichtenberg (1742–1799), anfangs Mathematik und Astronomie, später Physik. Den Zeitgenossen galt er als der bedeutendste Experimentalphysiker Deutschlands; in England, der Heimat Newtons, schätzte man ihn hoch: 1788 wurde er zum königlich-großbritannischen Hofrat ernannt. Jene büscheligen Strukturen, die bei der Entladung zwischen einer spitzen und einer plattenförmigen Elektrode entstehen (die Grundlage der modernen Kopiersysteme), heißen noch heute »Lichtenbergsche Figuren«. Seine Vorlesungen waren berühmt und ungewöhnlich gut besucht, denn sie bestanden aus einer Fülle von Experimenten und nicht, wie sonst üblich, aus trockenem Bücherwissen.

Größere Dichtungen hat Lichtenberg nicht hinterlassen, auch kein umfassendes naturwissenschaftliches Werk. Eine Reihe von Aufsätzen erschien im ›Göttinger Taschen Calender‹ des Verlegers Dieterich, bei dem er wohnte und dem er damit die Miete bezahlte. Sein Metier war die Prosasatire, in der Nachfolge Christian Ludwig Liscows (1701–1760), dessen rationalistische Technik des ironischen Lobs er, intellektuell pointierend, noch übersteigerte. Bekannt wurde das ›Fragment von Schwänzen‹, mit dem er Johann Caspar Lavaters (1741–1801) Physiognomik, jene damals viel diskutierte Theorie, nach der von äußeren Gesichtsmerkmalen auf den Charakter zu schließen sei, am Beispiel abgebildeter Schweine- und Hundeschwänze ad absurdum führte. Der kleine, spindelbeinige, bucklige Mann mit dem eingezogenen Kopf, dem übergroßen Kinn und den dicken Lippen konnte unmöglich dieser Spekulation huldigen, die sich als Wissenschaft ausgab. Doch mehr noch als dieses persönliche Moment reizte ihn, den exakten Wissenschaftler, der Aberwitz, den er in Lavaters Theorie erkannte: »Die Hand [d. h. der Stil], die einer schreibt, aus der Form seiner physischen Hand beurteilen zu wollen, ist Physiognomik«, notierte er in sein Tagebuch und »Eine beißende Antwort, wenn Lavaters Freunde mir vorwerfen sollten, ich wäre ehemals für Physiognomik gewesen, wäre die, daß ich es nicht mehr wäre, seitdem ich Lavaters Buch gelesen.«

Gedankensplitter, kurze Pointen, aber auch Notizen zu literarischen Projekten (die er dann nie ausführte), Essays en miniature, Selbstbeobachtungen und vor allem Fragen und skeptische Zweifel notierte Lichtenberg in seine ›Sudelbücher‹, wie er die Merkhefte nannte, die er seit 1765 führte. Zur Veröffentlichung hatte er sie nicht bestimmt. Erst nach seinem Tode erschien eine erste Auswahl, herausgegeben von seinen Söhnen. Zu Beginn unseres Jahrhunderts, nachdem ein großer Teil der verschollenen Originalmanuskripte wiederentdeckt war, kam eine umfangreichere Ausgabe heraus, die allerdings weitgehend auf die naturwissenschaftlichen Äußerungen verzichtete; erst in jüngster Zeit ist eine Gesamtausgabe der ›Sudelbücher‹, Lichtenbergs eigentlichem Hauptwerk, erstellt worden.

Mit Lichtenberg beginnt die Kunst des Aphorismus in der deutschen Literatur, jener prägnanten, oft zur Pointe zugespitzten Formulierung einer individuellen Erkenntnis oder Meinung. Etwas unscharf bezeichnet man heute alle seine Eintragungen in den ›Sudelbüchern‹ als Aphorismen. Seit ihrem Erscheinen wurden sie bewundert, Jean Paul, Friedrich Hebbel, Schopenhauer, Karl Kraus und viele andere haben sich an ihnen geschult. Der Dichter Elias Canetti hält sie für das »reichste Buch der Weltliteratur«.

Wenn man Aufklärung als die Befreiung des kritischen Verstandes von allen Autoritäten – seien es Dogmen oder Moden – versteht, so war Lichtenberg in seiner Wahrheitssuche ein Erzaufklärer, dessen abgrundtiefe Skepsis vor nichts haltmachte:

Zweifle an allem wenigstens einmal, und wäre es auch der Satz: zweimal 2 ist 4.

Und er notierte:

Ja Wort zu halten und bei allem zu fragen: wie könnte dieses besser eingerichtet werden?

Als experimenteller Naturwissenschaftler fragte er ständig nach dem Sinn, der Wahrheit hinter den Phänomenen, das unterscheidet ihn von seinen bei allem Rationalismus auch zur Schwärmerei fähigen Zeitgenossen; Pfarrerssohn wie so viele von ihnen, hatte er eben nicht Theologie studiert, sondern Mathematik. Sein intellektueller Witz, seine ungewöhnliche Begabung zur satirischen Pointe entzündete sich an allem, was er sah, hörte, dachte und las. So wurde er zu einem der größten kritischen Kommentatoren seiner Zeit.

Mit der christlichen Religion läßt sich Staat machen, aber mit den Christen sehr wenig.

(Das Spiel mit den doppelten Bedeutungen beherrschte er perfekt.)

Wir fressen einander nicht, wir schlachten uns bloß.

Mit der Empfindsamkeit hatte dieser Mathematiker naturgemäß wenig im Sinn:

Unsere empfindsamen Enthusiasten, die jeden der sie auslacht für einen leichtsinnigen Spötter segnen, und nicht bedenken, daß man stark empfinden könne ohne davon zu schwatzen. Empfindet euch bis in den dritten Himmel hinauf, laßt Eure Empfindungen Kraft zu guten oder zu großen Taten *[geben]*, nicht das Sprechen aus Empfindung ist, worüber ich lache, der Allmächtige bewahre mich für mich vor so etwas, sondern das Schwätzen von Empfindung. Glaubt Ihr etwa, Ihr fühltet allein, was Ihr allein Torheit gnug besitzt malen zu wollen? Gesetzt es gelänge euch, sprecht Lavatersche oder Engelraffaelische Prose. Wißt ihr eure ganze Belohnung? Die Primaner von der Weichsel bis an Rhein werden euch mit wonnetrunknem Auge anschmachten, und der weise Mann, der Weltkenner was wird der tun? Er wird, endlich müde immer eine Windblase von einem Ausdruck statt einer Sache zu finden, euer Buch wegwerfen ohne vielleicht etwas anderes zu sagen als: *du armer Tropf*.

Kein Wunder, daß sich Lichtenbergs Spott an dem Wortgeklingel, das es im empfindsamen Schrifttum auch gab, entzündete; ebensowenig konnte der skeptische Rationalist aber mit dem großen dichterisch gestalteten Gefühl, etwa der Leidenschaft eines ›Werther‹, anfangen:

Wer seine Talente nicht zur Belehrung und Besserung anderer anwendet, ist entweder ein schlechter Mann oder ein äußerst eingeschränkter Kopf. Eines von beiden muß der Verfasser des leidenden Werthers sein.

Auch zu Klopstock, dessen ›Messias‹ er für »zu seicht« hielt, hatte Lichtenberg keinen Zugang, und am Geniekult des Sturm und Drang biß sich sein grimmiges Mißtrauen fest:

Die Leute können nicht begreifen, wie es Menschen geben könne, die das sogenannte Weben des Genies in den Wolken, wo ein glühender Kopf halbgare Ideen auswirft, für Possen halten können, ja wie man so grausam sein könne und ganze Kapitel voll schöner Ausdrücke nicht so hoch achtet als ein Senfkorn von *Sache*.

Und ferner:

Es gibt heutzutage so viele Genies, daß man recht froh sein soll, wenn einem der Himmel ein Kind beschert, das keines ist.

Lichtenberg war zeit seines Lebens kränklich und neigte zu Depressionen.

Meine Hypochondrie ist eigentlich eine Fertigkeit, aus jedem Vorfalle des Lebens, er mag Namen haben wie er will, die größtmögliche Quantität Gift zu eigenem Gebrauch auszusaugen.

Der Gedanke an den Selbstmord faszinierte ihn immer wieder; Resignation spricht aus vielen seiner Eintragungen:

Man spricht viel von Aufklärung und wünscht mehr Licht. Mein Gott, was hilft aber alles Licht, wenn die Leute entweder keine Augen haben oder die, die sie haben, vorsätzlich verschließen?

STURM UND DRANG
(1770–1785)

I. Einführung in die Epoche

1.1 Die literarische Revolution

In der zweiten Hälfte des 18. Jahrhunderts drängten die antagonistischen Kräfte in Staat und Gesellschaft eigentlich einer Katastrophe zu: Die bürgerlichen Entwürfe des Rationalismus und der Empfindsamkeit – von der Erziehbarkeit des Menschen durch vernünftige Einsicht und der Humanisierung der Gesellschaft, auch der Fürsten – hatten sich als Utopie erwiesen. Das Bürgertum, das den Staat wirtschaftlich und kulturell trug, blieb gesellschaftlich unbeachtet und politisch entmündigt. Es hatte die großen Ideen von Freiheit, Gleichheit und Menschenwürde entwickelt und sah sich in Wirklichkeit dem ständig wachsenden Druck des fürstlichen Staatsapparats ausgesetzt. (Wenn der Monarch selbst dem Staat dient wie im aufgeklärten Absolutismus, der Staat also zum höchsten Wert wird, kann es keine Freiheit geben; gegen das Wohl des Ganzen darf sich niemand stellen, die Staatsräson verlangt nach Unterwerfung; jeder Widerspruch bedeutet Ungehorsam, gilt als Schaden für die Allgemeinheit.)

Reformen setzen die Einsicht in die Ursachen von Konflikten voraus, und Revolutionen bedürfen des Drucks der Straße, der Gewalt der Massen. Die territoriale Zersplitterung Deutschlands mit seinen so unterschiedlich regierten Einzelstaaten ließ zu keinem Zeitpunkt eine echte revolutionäre Situation entstehen. Jene Solidarität der Unterdrückten, wie sie im zentralistisch regierten Frankreich rasch mit den Pariser Aufständischen entstand, konnte es in diesem Sammelsurium politischer Realitäten, die von relativer Liberalität bis zu schlimmem Despotismus reichten, nicht geben. So bildete sich in den siebziger Jahren eine im Protest geeinte kleine Gruppe Intellektueller, die sich als »Stürmer und Dränger« wider die politische, moralische und poetische Determiniertheit fühlten, dann aber, unfähig zu politischer Handlung, ihre revolutionäre Kraft fast ausschließlich literarisch ausagierten. (Ursprünglich Titel eines 1776 von Friedrich Maximilian Klinger verfaßten Dramas, übernahmen die jungen Dichter selbst die Bezeichnung »Sturm und Drang« für ihre Bewegung.) Auch ließ ihre verstreute geistige Anhängerschaft keine politische Front entstehen. Goethe schrieb später in ›Dichtung und Wahrheit‹ über diese fatale Lage, in der Gesinnungsfreunde immerhin noch von allgemeiner »Gärung« und einer »nahen Revolution« sprachen: »Töricht! da kein

Publikum eine exekutive Gewalt hat, und in dem zerstückten Deutschland die öffentliche Meinung niemandem nutzte oder schadete.«

Ihre angestauten Energien setzten die jungen Rebellierenden im Kampf um privat-ideelle Freiheiten ein. Radikal lehnten sie (immer noch utopisch genug) alle Fremdbestimmung durch Moral, Konvention, elterliche Willkür oder gesellschaftliche Hierarchie ab und forderten die absolut freie Entfaltung all ihrer seelischen und körperlichen Kräfte.

Nicht Gegenbewegung zu Aufklärung und Empfindsamkeit ist der Sturm und Drang, sondern die radikale Konsequenz der Erkenntnisse und Erfahrungen jener Strömungen. Das unvergleichliche Individuum, durch kritischen Verstand und durch empfindsame Gefühlsfähigkeit ausgezeichnet, forderte nun in einem letzten Schritt Befreiung von jeglicher Fessel; Tugend und vernünftige Anpassung, Ruhe und Zufriedenheit empfanden die Stürmer und Dränger eher als Hindernis denn als Weg zur Glückseligkeit; ihr ganzes Ich, nur sich selbst gehorchend, wollten sie leben. Friedrich Heinrich Jacobi, an sich eher am Rande der Szene, beschreibt in einem Brief vom November 1774 dieses Freiheitsgefühl: »Für alles in der Welt, liebster Wieland, wollte ich das innige Gefühl, von eigener Kraft zu leben, zu dauern, zu wirken, das ich in mir habe, nicht missen; es lehrt mich glauben und trauen meinem eigenen Herzen, macht mich frei, und wieviel köstlicher als die Behaglichkeiten geliehener Ruhe, Sicherheit und Heiligkeit ist nicht die Wonne dieser Freiheit.«

Besonders intensiv glaubten sich die Stürmer und Dränger in ihren Leidenschaften zu erfahren, die Rousseau als Natur verkündet hatte; die bis zum Rausch gesteigerte Gefühlsintensität – mochte sie auch zerstörerisch wirken – erhoben sie zur Kraft und Waffe gegen die Macht reglementierender Traditionen. Ihr normsprengendes Lebensgefühl äußerten sie in ihrer Dichtung; vor allem in Lyrik und Drama konnte es sich beweisen, indem es Form, Sprache und Thematik revolutionierte. Im realen Leben änderte sich nicht viel: ein rauher Umgangston, ein wenig Nacktbaden, offenes Haar statt Perücke, offener Schiller-Kragen statt Krawatte, mehr konnte man nicht wagen. Bis literarisch propagierte Freiheiten allgemeine Norm werden konnten, bedurfte es noch stürmischerer und längerer Prozesse.

Johann Gottfried Herder

Johann Gottfried Herder (1744–1803) war einer der bedeutendsten Kulturphilosophen und -kritiker seiner Zeit, ja der deutschen Literaturgeschichte überhaupt. Seine Begabung war nicht das eigene schöpferische Wirken, sondern lag in der Fähigkeit, Geschriebenes und Gedachtes neu zu durchdenken, nachzufühlen – und es dann als schöpferischen Impuls weiterzugeben.

Herder setzte sich unter anderem mit Winckelmann und Lessing auseinander, bezog in ihrer Laokoon-Diskussion eine eigene Position. Im ersten Teil seiner literarästhetischen Schrift ›Kritische Wälder, oder: Betrachtungen, die Wissenschaft und Kunst des Schönen betreffend, nach Maßgabe neuerer Schriften‹ (1769) distanzierte er sich ausdrücklich von jeder Polemik. Er ließ beide Autoren als »Originale« mit unterschiedlichen Fähigkeiten gelten: Winckelmann als begeisterten Lehrer der bildenden Kunst und Künstler, Lessing als »Kunstkritiker der Poesie« und Dichter. In der gefühlsmäßigen Betrachtungsweise Winckelmann eher verwandt als dem streng rationalistischen Lessing, setzte Herder dessen Gattungsprinzipien die übergeordnete »Kraft«, mit der das Kunstwerk auf die Seele wirke, entgegen; dieses emotionale Erleben hinge viel mehr von der individuellen schöpferischen »Energie« des Künstlers ab als etwa von der Einhaltung spezifischer Gattungsgesetze. Damit rückte Herder den Schöpfungsvorgang in den Mittelpunkt des Interesses, Zweck und Wirkung der Kunst wurden zweitrangige Kriterien. Die mit Klopstock bereits einsetzende Erhöhung des Dichters zum Genie, zum heiligen Dichterpriester, lief mit solcher Entwicklung in der Kunsttheorie parallel.

Aus Herders umfangreichem Gesamtwerk lassen sich die wichtigsten Ideen, die die deutsche Kulturlandschaft im letzten Drittel des 18. Jahrhunderts so wesentlich prägten, zusammenfassen: Ausgehend von der Erkenntnis, daß der Mensch mehr sinnliches als rationales Wesen sei, sollte Dichtung wieder sinnlich individueller Empfindungsausdruck werden wie in ihren frühen Anfängen zu Beginn der Menschheitsgeschichte. Die normierenden Poetiken hätten Dichtung unter dem Eindruck »sylbenzählender Kunstrichter« zu kalter glatter »Letternpoesie« erstarren lassen. »Herz! Wärme! Blut! Menschheit! Leben!«, ihre ehemaligen Qualitäten, seien durch übertriebene einseitige Verstandesausbildung und asketische Moral, die jede Leidenschaft verbot, aus der zeitgenössischen Poesie verdrängt worden. Die Rückbesinnung auf die Ursprünge der Dichtung und ihre nationalen Eigenheiten könne die alten Kräfte wieder fruchtbar werden lassen, so daß das Nachahmen fremder Kulturen (seien es nun die »Alten« oder der französische Klassizismus) überflüssig würde. Sprache, Mythos und Poesie eines Volkes bildeten ein einheitliches organisches Ganzes, das sich nicht übertragen lasse auf andere Kulturen; jede Epoche sei wiederum ein geschlossenes Ganzes, das aber in einem lebendigen Entwicklungszusammenhang der Menschheitsgeschichte zu sehen sei. »Das menschliche Geschlecht hat in allen seinen Zeitaltern, nur in jedem auf andere Art, Glückseligkeit zur Summe; wir in dem unsrigen schweifen aus, wenn wir wie Rousseau Zeiten preisen, die nicht mehr sind und nicht gewesen sind, wenn wir aus diesem zu unserm Mißvergnügen Romanbilder schaffen und uns wegwerfen, um uns nicht selbst zu genießen ... Welch ein großes Thema, zu zeigen, daß man, um zu sein, was man sein soll, weder Jude noch Araber, noch Grieche, noch Wilder, noch Märtrer, noch Wallfahrter sein müsse; sondern eben der aufgeklärte, unterrichtete, feine, vernünftige, gebildete, tugendhafte, genießende Mensch, den Gott auf der Stufe unsrer Kultur fodert.« (Auf Herders geschichtsphilosophischen Ansatz, der in diesen poetologischen Gedanken auch steckt, wird im Zusammenhang mit dem Geschichtsdrama des Sturm und Drang noch einzugehen sein.)

Von Rousseaus Natur-Menschenbild ebenso beeinflußt wie von den Engländern Addison, Young und Shaftesbury, die das Original-Schöpferische im Dichter, vor allem am Beispiel Homers und Shakespeares, hervorhoben, entwarf Herder das Ideal einer naturhaft-dynamischen Dichtkunst, die unmittelbarer lebendiger Ausdruck des schöpferischen Individuums sei, und in der das Charakteristische, und sei es auch fehlerhaft, über das Ästhetisch-Schöne und Moralische dominiere. Diese Gedanken Herders nahmen die jungen Stürmer und Dränger begierig auf.

Den wichtigsten Impuls für die deutsche Dichtung seiner Zeit gab Herder, indem er zur Rückbesinnung auf die natürliche deutsche Muttersprache aufforderte. »Je entschiedener unsere Werke deutsch und modern sind, um so verwandter werden sie den Griechen sein. Was uns ihnen gleich machen kann, ist allein die gleiche, unbefangene, geniale Schöpferkraft.« (»Deutsch« verstand Herder im ursprünglichen Sinne von althochdeutsch *thiutisk* »volksmäßig«, dann aber auch im Sinne von »germanisch« als Gegensatz zum Romanischen.) Nicht sklavische Nachahmung der Griechen konnte also die Aufgabe des modernen deutschen Dichters sein, denn die Bedingungen – Volk, Regierung, Religion, Klima usw. – einer Dichtung sind nicht übertragbar; vielmehr sollte aus dem Verstehen der Schönheit und Besonderheit etwa der griechischen

Kunst der Anstoß kommen, diesem Vorbild in der eigenen Mutterpoesie nachzueifern.

Warum es keine allgemeinen Regeln für das Schöne geben könne, begründete Herder damit, daß jedes Kunstwerk nach seinen besonderen Voraussetzungen beurteilt werden müsse (›Von der Urpoesie der Völker‹, 1770). Damit überwand er endgültig die klassizistische Ästhetik, nach der das Schöne überzeitlichen Gesetzen folge – jene Ästhetik, die Gottsched den Deutschen so hartnäckig und erfolgreich eingetrichtert hatte. So war die Autonomie der Kunst begründet, die nur noch ihren individuellen inneren Regeln folgen, eine geistig-sinnliche Ganzheit ausstrahlen müsse.

Die Volkspoesie – der ›Ossian‹

In den unverbildeten einfachen Menschen glaubte Herder die ursprüngliche Kraft der Poesie, diese Ganzheit des Denkens, Fühlens und Sprechens, noch am ehesten erhalten. Deshalb forderte er seine Freunde auf, »Volkslieder, Provinziallieder, Bauerlieder« zu sammeln – und mochten sie auch noch so »schlecht gereimt« und »zersungen« sein. England war auch hierin wieder Vorbild: 1765 hatte Thomas Percy seine Sammlung englischer Volksballaden, -lieder und -gedichte herausgebracht (›Reliques of Ancient English Poetry‹), deren Rezension den Deutschen schon im selben Jahr zugänglich war. Kurz zuvor waren Macphersons ›Fragments of Ancient Poetry‹ erschienen, angeblich Gedichte des sagenhaften Barden Ossian aus der gälischen Heldendichtung, für deren wilden Rhythmus und aufwühlende Emotionalität sich die Stürmer und Dränger begeisterten.

In seinem fingierten ›Briefwechsel über Ossian und die Lieder alter Völker‹ (in: ›Von deutscher Art und Kunst‹, 1773) schrieb Herder:

. . . je wilder, d. i. je lebendiger, je freiwürkender ein Volk ist, (denn mehr heißt dies Wort doch nicht!), desto wilder, d. i. desto lebendiger, freier, sinnlicher, lyrisch handelnder müssen auch, wenn es Lieder hat, seine Lieder sein! Je entfernter von künstlicher, wissenschaftlicher Denkart, Sprache und Letternart das Volk ist: desto weniger müssen auch seine Lieder fürs Papier gemacht und tote Letternverse sein: vom Lyrischen, vom Lebendigen und gleichsam Tanzmäßigen des Gesanges, von lebendiger Gegenwart der Bilder, vom Zusammenhange und gleichsam Notdrange des Inhalts, der Empfindungen, von Symmetrie der Worte, der Silben, bei manchen sogar der Buchstaben, vom Gange der Melodie und von hundert andern Sachen, die zur lebendigen Welt, zum Spruch- und Nationalliede gehören und mit diesem verschwinden – davon, und davon allein hängt das Wesen, der Zweck, die ganze wundertätige Kraft ab, die diese Lieder haben, die Entzückung, die Triebfeder, der ewige Erb- und Lustgesang des Volks zu sein! Das sind die Pfeile dieses wilden Apollo, womit er Herzen durchbohrt, und woran er Seelen und Gedächtnisse heftet! Je länger ein Lied dauern soll, desto stärker, desto sinnlicher müssen diese Seelenerwecker sein, daß sie der Macht der Zeit und den Veränderungen der Jahrhunderte trotzen ...

Herders Stil selbst ist, wie dieser Absatz zeigt, gefühlsbetont und lebendig, nicht von objektiv-rationaler »Letternart«. Seinen Enthusiasmus teilte er rhapsodenartig, in immer neuen Anläufen mit – um mit solchem Ansturm schließlich überzeugen zu können. »Sprünge, Würfe, Inversionen«, von denen die naturhafte Poesie voll sei, waren für ihn Kennzeichen einer lebhaften, ungekünstelten schöpferischen Empfindung. Zentrale Bedeutung maß er Melodie und Rhythmus in der Poesie zu, da Sprache zu allererst vom Klangsinn, nämlich vom Ohr aufgenommen werde. Im Vorwort seiner 1779 veröffentlichten Volksliedsammlung (auf ihn geht der Begriff »Volkslied« zurück) hob Herder auf den musikalischen Charakter der ursprünglichen Poesie ab, die er gleichsetzt mit dem Lied: »Das Wesen des Liedes ist Gesang, nicht Gemälde; seine Vollkommenheit liegt im melodischen Gange der Leidenschaft oder Empfindung, den man mit dem alten treffenden Ausdruck ›Weise‹ nennen könnte. Fehlt diese einem Liede, hat es keinen Ton, keine poetische Modulation, keinen gehaltenen Gang und Fortgang derselben – habe es Bild und Bilder und Zusammensetzung und Niedlichkeit der Farben, so viel es wolle: es ist kein Lied mehr.«

Als Musterbeispiel lebendig gebliebener Lieder aus dem Volke begriff Herder die 1760–63 erschienenen ›Ossian‹-Gesänge um den Helden Fingal und seinen Sohn Ossian. Die ›Fragments of Ancient Poetry, collected in the Highlands‹ waren indes eine geniale Neuschöpfung Macphersons. Herder, der stolz darauf war, Dichtung intuitiv und nicht rational-methodisch zu erfassen, wies die Behauptung einer Fälschung schroff zurück, denn »inneres Zeugnis« könne nicht trügen. Als nordische Tradition, in die er die »deutsche« einbezog, setzte er die Ossian-Dichtung (wie auch Shakespeares Dramen) der griechischen Überlieferung entgegen. Die dunkle, tief emotionale rhythmische Prosa, die thematisch ganz seinen Vorstellungen entsprach – Sterbe- und Kriegsgesänge, Liebesklagen, düstere Naturbeschreibungen –, unterschied sich in der Tat radikal von dem klaren regelmäßigen Antiken-Ideal. Für Sturm und Drang und Romantik wurde der ›Ossian‹ zum Idealtypus der Volksdichtung.

Die Shakespeare-Rezeption

Der triumphierende Genius nordischer Dichtung war jedoch Shakespeare. Nicht in der Entdeckung Shakespeares als wahres »Originalgenie« der neueren Zeit lag Herders Verdienst, sondern darin, daß er, der damals schon einen bedeutenden Ruf besaß, dem Verständnis für die Shakespearesche Kunst zum Durchbruch verhalf. Herders stichhaltige geschichtsphilosophische Begründung, warum das nordische Drama und die bisher für verbindlich gehaltene griechische Tragödie so verschiedenartig sein müßten, stellte die bisher eher gefühlsmäßige Bewunderung für den großen Briten auf festen Boden.

Hatte Lessing, der von der Wirkung her argumentierte, Shakespeare schon bei allen »sonderbaren, eigenen Wegen« mehr Sinn für Tragik bescheinigt als etwa Corneille, so wurde er nun für Herder und die »Genies« des Sturm und Drang geradezu zur Kultfigur. In seinem Shakespeare-Aufsatz schrieb Herder:

Mir ist, wenn ich ihn lese, Theater, Akteur, Kulisse verschwunden! Lauter einzelne im Sturm der Zeiten wehende Blätter aus dem Buch der Begebenheiten, der Vorsehung, der Welt! – einzelne Gepräge der Völker, Stände, Seelen! die alle die verschiedenartigsten und abgetrenntest handelnden Maschinen, alle – was wir in der Hand des Weltschöpfers sind – unwissende blinde Werkzeuge zum Ganzen Eines theatralischen Bildes, Einer Größe habenden Begebenheit, die nur der Dichter überschauet! Wer kann sich einen größern Dichter der Nordischen Menschheit und in dem Zeitalter! denken!

Herder verteidigte Shakespeares regelloses Theater, das lebendige Natur schaffe und, ohne sich dabei um die Einheit von Ort, Zeit und Handlung zu bekümmern, doch ein geschlossenes Ganzes bilde.

... Da ist nun Shakespeare der größte Meister, eben weil er nur und immer Diener der Natur ist. Wenn er die Begebenheiten seines Dramas dachte, im Kopf wälzte, wie wälzen sich jedesmal Örter und Zeiten so mit umher! Aus Scenen und Zeitläuften aller Welt findet sich, wie durch ein Gesetz der Fatalität, eben die hieher, die dem Gefühl der Handlung, die kräftigste, die idealste ist; wo die sonderbarsten, kühnsten Umstände am meisten den Trug der Wahrheit unterstützen, wo Zeit- und Ortwechsel, über die der Dichter schaltet, am lautesten rufen: »Hier ist kein Dichter! ist Schöpfer! ist Geschichte der Welt!«

Einen »Sterblichen mit Götterkraft begabt« nennt Herder Shakespeare an anderer Stelle, der das Neue, das »Erste«, das ganz Verschiedene der nordischen Natur intuitiv erfaßt habe. Dagegen setzt er die französischen Dramatiker, die geschickt die Griechen nachgeahmt und ihren wahren Zweck dabei verfehlt hätten. »Alles, was Puppe des griechischen Theaters ist, kann ohne Zweifel kaum vollkommener gedacht und gemacht werden, als es in Frankreich geworden ...; der Puppe aber fehlt Geist, Leben, Natur, Wahrheit – mithin alle Elemente der Rührung.«

Gleichzeitig warnte Herder davor, nun wiederum Shakespeare zu reproduzieren, denn auch er werde im Ablauf der Zeiten wieder veralten – nur anregen könne er, den »Keim« zu eigener schöpferischer Natur legen.

Bei aller Verschiedenheit sah Herder das Gemeinsame an Shakespeare, dem ›Ossian‹, den »Skaldischen und Lapp- und Schottlandischen Liedern« usw. in ihrer Ursprünglichkeit, ihrer Eigenart, die keine Regeln beachtete, weil sie, gewachsen aus der Seele ihres Volks, keine kannte.

Johann Wolfgang von Goethe, Zum Shakespeares-Tag

Das unmittelbare Wirken seiner Ideen konnte Herder bei dem jungen Goethe erleben, den er 1770 in Straßburg traf und dem er aus einem unruhigen Gärungsprozeß heraus zu entschiedener Orientierung verhalf. In Goethes kurz darauf verfaßter Rede ›Zum Shakespeares-Tag‹, die zu Ehren des Briten in der Deutschen Gesellschaft zu Straßburg 1771 verlesen werden sollte, hatten sich Herders Anregungen bereits deutlich niedergeschlagen:

Es schien mir die Einheit des Orts so kerkermäßig ängstlich, die Einheiten der Handlung und der Zeit lästige Fesseln unsrer Einbildungskraft. Ich sprang in die freie Luft und fühlte erst, daß ich Hände und Füße hatte.

Mit jugendlichem Feuer bringt Goethe sein Unbehagen (und das seiner Generation) an den lähmenden Zwängen von Kunst- und Gesellschaftsordnung vor, wertet er die Kunstpoesie der »Französchen« als Produkt dieser alten Traditionen emphatisch ab gegen die Wucht und Lebendigkeit Shakespearescher Natur:

Die meisten von diesen Herren stoßen auch besonders an seinen Charakteren an.
Und ich rufe: Natur! Natur! nichts so Natur als Shakespeares Menschen. Da hab' ich sie alle überm Hals.
Laßt mir Luft, daß ich reden kann!
Er wetteiferte mit dem Prometheus, bildete ihm Zug vor Zug seine Menschen nach, nur in *kolossalischer Größe*; darin liegt's, daß wir unsre Brüder

verkennen; und dann belebte er sie alle mit dem Hauch *seines* Geistes, *er* redet aus allen, und man erkennt ihre Verwandtschaft.

Und was will sich unser Jahrhundert unterstehen, von Natur zu urteilen? Wo sollten wir sie her kennen, die wir von Jugend auf alles geschnürt und geziert an uns fühlen und an andern sehen. Ich schäme mich oft vor Shakespearen, denn es kommt manchmal vor, daß ich beim ersten Blick denke, das hätt' ich anders gemacht! Hintendrein erkenn' ich, daß ich ein armer Sünder bin, daß aus Shakespearen die Natur weissagt, und daß meine Menschen Seifenblasen sind, von Romangrillen aufgetrieben.

Und nun zum Schluß, ob ich gleich noch nicht angefangen habe.

Das, was edle Philosophen von der Welt gesagt haben, gilt auch von Shakespearen, das, was wir bös nennen, ist nur die andre Seite vom Guten, die so notwendig zu seiner Existenz und in das Ganze gehört, als Zona torrida brennen und Lappland einfrieren muß, daß es einen gemäßigten Himmelsstrich gebe. *Er* führt uns durch die ganze Welt, aber wir verzärtelte, unerfahrne Menschen schreien bei jeder fremden Heuschrecke, die uns begegnet: »Herr, er will uns fressen.«

Auf, meine Herren! trompeten Sie mir alle edle Seelen aus dem Elysium des sogenannten guten Geschmacks, wo sie schlaftrunken in langweiliger Dämmerung halb sind, halb nicht sind, Leidenschaften im Herzen und kein Mark in den Knochen haben und, weil sie nicht müde genug zu ruhen und doch zu faul sind, um tätig zu sein, ihr Schattenleben zwischen Myrten und Lorbeergebüschen verschlendern und vergähnen.

Das ist bereits die Sprache der Kraftgenies, der Stürmer und Dränger, die sich stark genug fühlten, eine literarische Revolution zu wagen, zumindest eine radikale Befreiung von ihren verzopften dichterischen Vorfahren.

1.3 Zur Entwicklung des Genie-Begriffs

Bis der Begriff »Genie« zum großen Stichwort der Stürmer und Dränger wurde, hat er recht verschiedene Deutungen erfahren. Die »Nachahmungs«-Poetiken der französisch orientierten Aufklärer nahmen ihn als eine Summe von Fähigkeiten wie »Witz«, Scharfsinn, Einbildungs- und Urteilskraft, Geschmack usw., die notwendig schienen, es den »Alten« bei der Nachahmung der Natur gleichzutun, während die mehr nach England tendierenden Theorien frühzeitig das Genie mit der Idee des Schöpferischen verbanden. (Auch in der Auslegung des Geniebegriffs spiegelt sich der große Literaturstreit des 18. Jahrhunderts.)

Anthony Shaftesbury, Edward Young

Der Engländer Anthony Shaftesbury (1671–1713) unterschied den nur nachahmenden vom »Dichter im eigentlichen Sinn«, der selbst Welten erschaffe: »Denn ein solcher Dichter ist in der Tat ein zweiter *Schöpfer*, ein *wahrer Prometheus* unter *Juppiter*«. Diese göttliche Schöpferkraft bedeute Unabhängigkeit von den Vorbildern, aber keine Regellosigkeit, denn der Dichter schaffe, »dem obersten Künstler« gleich, ein harmonisches Ganzes. (Der Sturm und Drang erhob Prometheus zur Symbolfigur, verband aber, wie später noch deutlich wird, weit radikalere Vorstellungen damit.) Zusammen mit Edward Young, der den Begriff des Original-Genies prägte, das alles der Natur und nichts den Regeln verdanke, (»es wächset selbst, es wird nicht durch Kunst getrieben«), bestimmte Shaftesbury die Genie-Ästhetik des Sturm und Drang in Deutschland, die zugleich die Neubewertung Shakespeares bedeutete – bis hin zu seiner Heiligung als Natur-Genie schlechthin.

Gotthold Ephraim Lessing

1760, im selben Jahr wie die deutsche Übersetzung von Youngs ›Gedanken über die Originalwerke‹, erschien Lessings berühmter ›17. Literaturbrief‹ mit einer ähnlichen Position. Noch stärker der Aufklärungs-Vernunft verhaftet, suchte Lessing eine mittlere Stellung in der Genie-Diskussion einzunehmen, wie er sie auch in den von lebendiger Erfahrung bestimmten »mittleren« Charakteren seiner Dramen verwirklichte. Dem Genie schrieb er nicht »geistreichen« (französischen) Witz, sondern eine einfache Vernünftigkeit zu, die um ihre eigene Ordnung weiß. Der etwas provokant zugespitzten Formulierung Youngs, daß »Regeln wie Krükken« seien, und seiner Ansicht, daß gerade der Mangel an Gelehrsamkeit das schöpferische Genie auszeichne, konnte Lessing allerdings nicht zustimmen. »Wer nichts hat, der kann nichts geben. Ein junger Mensch, der erst selbst in die Welt tritt, kann unmöglich die Welt kennen und sie schildern«, argumentiert er im 96. Stück seiner ›Hamburgischen Dramaturgie‹. Lessing lehnte zwar auch den pedantisch reglementierenden französischen Klassizismus ab, doch warnte er davor, mit einer Regel gleich alle über Bord zu werfen und die gesammelte Erfahrung, die in den Werken großer Dichter liege, zu mißachten. »Dem Genie ist vergönnt, tausend Dinge nicht zu wissen, die jeder Schulknabe weiß« – dieser Satz aus dem 34. Stück drückt sehr schön Lessings spöttische Distanz zu solcher ganz naturhaft-naiven Dichter-Vorstellung aus. Vor allem wehrte sich der Literaturkritiker Lessing, daß im Gefolge dieser irrationalen Genie-Auffassungen auch vom »Kunstrichter« gefordert wurde, sich den Genieprodukten nachempfindend zu nähern, anstatt sie analysierend zu beurteilen. Denn das hätte bedeutet, daß es keine vernünftigen Kriterien mehr zur Beurteilung der Kunst und zur Erziehung des Künstlers gäbe.

Johann Georg Hamann

Die Idee vom Genie als unbewußter, dunkel-intuitiver Kraft fand einen Fürsprecher in dem Ostpreußen Johann Georg Hamann (1730–1788), dem Freund und Lehrer Herders: »Die Natur würkt durch Sinne und Leidenschaften. Wer ihre Werkzeuge verstümmelt, wie mag der empfinden? [...] Eure mordlügnerische Philosophie hat die Natur aus dem Wege geräumt, und warum fordert ihr, daß wir selbige nachahmen sollen?« Hamann, geprägt von einem pietistischen Bekehrungserlebnis während einer Englandreise, wandte sich vehement gegen die einseitige Rationalität und den Stoizismus der Aufklärung, setzte die »Torheit und Tollheit« des Genies gegen den »platten« Menschenverstand, den bis zum Wahnsinn gehenden Enthusiasmus gegen die kalte Ruhe des Aufklärers. Für den Pietisten Hamann sprach Gott selbst aus dem Genie, das deshalb nicht frei, sondern christlich-religiös gebunden war.

Johann Gottfried Herder

Die alte Vorstellung des göttlichen Daimonion, das aus dem Dichter schaffe (die noch Hamanns Genie-Auffassung mitbestimmt hatte), überwand sein Schüler Herder und setzte an die Stelle der göttlichen Inspiration die aus dem Dunkeln des Unbewußten wirkende naturhafte Schöpferkraft. Genie ist bei Herder Teil des schöpferischen Alls, allumfassende Natur, die selbst ein Ganzes schafft. In seinem Shakespeare-Aufsatz sagt er: »... so sieht mann, die *ganze* Welt ist zu diesem großen Geiste allein Körper: *alle* Auftritte der Natur an diesem Körper Glieder, wie alle Charaktere und Denkarten zu diesem Geiste Züge – und das *Ganze* mag jener Riesengott des Spinoza ›*Pan! Universum!*‹ heißen.«
Der Philosoph Baruch Spinoza (1632–1677) hatte Gott und Natur gleichgesetzt *(deus sive natura)*. Mit der Anlehnung an Spinoza bezog Herder das Genie als Teil der Natur in die göttliche Ganzheitsidee ein, er sprach ihm schöpferische Dynamik zu und die

Fähigkeit, auch im einzelnen »Weltall« zu schaffen. Die Gesetze des organisch-natürlichen Lebens übertrug Herder auf die Kunst, die harmonische Ausgewogenheit und Ordnung besitze; Willkür und Manieriertheit der Stürmer und Dränger als Ausdruck ihres titanischen Selbstgefühls und Ausnahmebewußtseins lehnte er deshalb energisch ab.

Mit zunehmendem Alter neigte Herder immer mehr dazu, vom Genie Mäßigung und Verantwortungsbewußtsein zu fordern, es den klassischen Humanitätsgedanken anzupassen. Genie sollte im »Dienst der Menschheit« wirken und seine Zeit nicht nur an »müßige Kunstprodukte verschwenden«: »Überhaupt ists Knabengeschrei, was von dem angebohrnen Enthusiasmus, der heitern, immer strömenden und sich selbst belohnenden Quelle des Genies da her theoretisiert wird. Der wahre Mensch Gottes fühlt mehr seine Schwächen und Grenzen, als daß er sich im Abgrund seiner ›positiven Kraft‹ mit Mond und Sonne bade.« (›Vom Erkennen und Empfinden der menschlichen Seele‹, 1778)

Johann Wolfgang von Goethe

Der junge Goethe übernahm von Herder das pantheistische Gottesbild, den Gedanken der im Genie wirkenden schöpferischen Natur. In seinem berühmten Traktat ›Von deutscher Baukunst‹ über den Erbauer des Straßburger Münsters, Erwin von Steinbach, das zusammen mit Herders Shakespeare-Aufsatz u. a. in dem Sammelband ›Von deutscher Art und Kunst‹ (1773) erschien und zum Manifest der Stürmer und Dränger wurde, heißt es: »Wenigen ward es gegeben, einen Babelgedanken in der Seele zu zeugen, ganz, groß, und bis in den kleinsten Teil notwendig schön, wie Bäume Gottes...« Dem »Genius« seien »Prinzipien... schädlicher als Beispiele«, denn »er ist der erste, aus dessen Seele die Teile, in ein ewiges Ganze zusammengewachsen, hervortreten«. Mit traditionellem Kunstgelehrten-Verstand lasse sich der »heiligen« Kunst nicht mehr gerecht werden, sie verlange einen kongenialen Kunstverständigen, der sich einfühlen könne in die Intentionen des Künstlers. Den dazu fähigen »Jüngling« spricht Goethe wie einen Auserwählten an:

...laß die weiche Lehre neuerer Schönheitelei, dich für das bedeutende Rauhe nicht verzärteln, daß nicht zuletzt deine kränkelnde Empfindung nur eine unbedeutende Glätte ertragen könne. [Es sei nicht wahr, daß die schönen Künste nur verschönern sollten, wahre Kunst, und mag sie] aus den willkürlichsten Formen bestehn, sie wird ohne Gestaltsverhältnis zusammenstimmen; denn *eine* Empfindung schuf sie zum charakteristischen Ganzen.

Diese charakteristische Kunst ist nun die einzige wahre. Wenn sie aus inniger, einiger, eigner, selbständiger Empfindung um sich wirkt, unbekümmert, ja unwissend alles Fremden, da mag sie aus rauher Wildheit, oder aus gebildeter Empfindsamkeit geboren werden, sie ist ganz und lebendig ... Je mehr sich die Seele erhebt zu dem Gefühl der Verhältnisse, die allein schön und von Ewigkeit sind, deren Hauptakkorde man beweisen, deren Geheimnisse man nur fühlen kann, in denen sich allein das Leben des gottgleichen Genius in seligen Melodien herumwälzt; je mehr diese Schönheit in das Wesen eines Geistes eindringt, daß sie mit ihm entstanden zu sein scheint, daß ihm nichts genugtut als sie, daß er nichts aus sich wirkt als sie, desto glücklicher ist der Künstler, desto herrlicher ist er, desto tiefgebeugter stehen wir da und beten an den Gesalbten Gottes.

In diesem wenige Seiten umfassenden Aufsatz von Goethe, der bereits 1772 als anonyme Flugschrift erschienen war, ist die Akzentverschiebung, die den Übergang von der empfindsamen Hochaufklärung zum Sturm und Drang kennzeichnet, deutlich sichtbar:

Über das geglättete Schöne, die »Schönheitelei«, setzt Goethe das Charakteristische, Lebendige, das Wahre der »bildenden Natur im Menschen«. Das »Rauhe« wird bedeutend, das »Glatte« unbedeutend, da es durch ein System von Regeln und Ordnungen schwach und leblos geworden ist. Die *ganze* Natur will gelebt sein – das Straßburger Münster ist Goethe Beispiel für solche Ganzheit, da es gleichzeitig Eleganz *und* Wucht, Kolossalität *und* luftige Leichtigkeit, »verworrne Willkürlichkeit der Verzierungen« *und* »ein ewiges Ganzes« vorstellt. Nur wenn sich der Mensch mit allen seinen widerstreitenden Eigenschaften als Einheit von Geist, Seele und Leib bejaht, kann er sich lebendig und stark fühlen. Sinne und Leidenschaften dürfen nicht dem Verstand untergeordnet oder gar unterdrückt werden, sondern sind die eigentlich produktiven Kräfte des Genies.

Den »Gesalbten Gottes« nannte Goethe das Künstler-Genie, »heiliger Erwin« redet er den Baumeister des Straßburger Münsters an, welches »der Gegend verkündet die Herrlichkeit des Herrn, seines Meisters«. Bis hin zu wörtlichen Übernahmen aus der Bibel geht Goethes Heiligung des Kunstschöpfers.

Johann Caspar Lavater

Der bereits im Zusammenhang mit Lichtenberg erwähnte Theologe Johann Caspar Lavater, damals ein enger Freund Goethes, hatte mit Hamann die Erweiterung des Genie-Begriffs um die religiöse Dimension vorbereitet, indem er Christus als Verheißung für menschliche Größe und Schöpferkraft darstellte. In geradezu hymnischem Ton spricht er in seinen ›Physiognomischen Fragmenten‹ (1775–78) vom Genie (das er z.B. aus Goethes Gesichtszügen anhand eindeutiger Merkmale herauszulesen glaubte):

... Jeder Gegenstand der sichtbaren und unsichtbaren Welt ist ein Element, worin ein Genie als in seiner Welt, seinem Reiche, weben und schweben, walten und herrschen kann, eine Welt voll Erscheinungen für das Genie, dem die äußern und innern Sinne zu seiner unmittelbaren Erkennung und Berührung geöffnet sind. Von was Art aber immer ein Genie sein möge, aller Genien Wesen und Natur ist – Übernatur, Überkunst, Übergelehrsamkeit, Übertalent, Selbstleben! Sein Weg ist immer Weg des Blitzes oder des Sturmwinds oder des Adlers. Man staunt seinem wehenden Schweben nach, hört sein Brausen, sieht seine Herrlichkeit, aber wohin und woher, weiß man nicht, und seine Fußstapfen findet man nicht.

Genie! Tausendmal, und wann mehr als in unserer Aftergeniezeit weggeworfenes Wort, aber der Name bleibt nicht, jeder Hauch des Windes weht ihn weg, jedes kleine Talentmännchen nennt ein noch kleineres Genie, damit dasselbe hinwiederum zu kleinern herabrufe: Seht an die Höhe hinan!

> Der Cherub eilt mit vollen Flügeln
> und überfliegt dich, Libanon!

Aber Flieger, Rufer und Stauner, die sich einander wechselweise hinauf- und herabräucherten, und – ver-genierten: die Sonne geht auf, und, wenn sie untergegangen ist, wo seid ihr? Genien, Lichter der Welt! Salz der Erde! Substantive in der Grammatik der Menschheit! Ebenbilder der Gottheit an Ordnung, Schönheit und unsichtbaren Schöpferskräften! Schätze eures Zeitalters! Sterne im Dunkeln, die durch ihr Wesen erleuchten und scheinen, soviel es die Finsternis aufnimmt! Menschengötter! Schöpfer! Zerstörer! Offenbarer der Geheimnisse Gottes und der Menschen! Dolmetscher der Natur! Aussprecher unaussprechlicher Dinge! Propheten! Priester! Könige der Welt, die die Gottheit organisiert und gebildet hat, zu offenbaren durch sie sich selbst und ihre Schöpfungskraft und Weisheit und Huld, Offenbarer der Majestät aller Dinge und ihres Verhältnisses zum ewigen Quell und Ziel aller Dinge: Genien, von euch reden wir, euch fragen wir: hat euch die Gottheit bezeichnet, – und wie? – wie hat sie euch bezeichnet? eure Gestalt, eure Züge, eure Miene, Gebärde? ...

Jakob Michael Reinhold Lenz

Jakob Michael Reinhold Lenz (1751–1792), einer der talentiertesten Dramatiker der Epoche und verzweifelter Bewunderer Goethes, entfernte sich noch radikaler als sein großes Vorbild vom Ideal des ästhetisch Schönen. Desillusioniert und nüchtern – gar gegen Lavaters Emphase – sah er die Aufgaben der Kunst: »...nach meiner Empfindung schätz ich den charakteristischen, selbst den Karikaturmaler zehnmal höher als den idealischen, hyperbolisch gesprochen, denn es gehört zehnmal mehr dazu, eine Figur mit eben der Genauigkeit und Wahrheit darzustellen, mit der das Genie sie erkennt, als zehn Jahre an einem Ideal der Schönheit zu zirkeln, das endlich doch nur in dem Hirn des Künstlers, der es hervorgebracht, ein solches ist.« (›Anmerkungen übers Theater‹) Auf Lenzens Forderung nach realistischer Abbildung der Wahrheit wird im Abschnitt über das Drama einzugehen sein; hier noch ein letztes Wort von ihm zur Kraftprotzerei des Sturm und Drang, die sich ihm in der Entfernung des Alltags als unerträglicher Widerspruch erwies:

Lebt wohl große Männer, Genies, Ideale, euren hohen Flug mach ich nicht mehr mit, man versengt sich Schwingen und Einbildungskraft, glaubt sich einen Gott und ist ein Tor.

(Die Kleinen, 1775/76)

2.1 Der Göttinger »Hain«

In den vierziger Jahren hatten sich die ›Bremer Beiträge‹ mit der Herausgabe der ersten Gesänge von Klopstocks ›Messias‹ bewußt von dem verkrusteten Reglement der Gottschedischen Poetik abgesetzt. Dreißig Jahre später, im Jahre 1772, schloß sich eine Gruppe avantgardistisch dichtender Studenten in Verehrung des »göttlichen« Klopstock zusammen, der für sie das Ideal des freischöpferischen Schriftstellers verkörperte, und dessen moralischpatriotisches Sendungsbewußtsein sie übernahmen. Der »Hain« nannte sich dieser Göttinger Freundschaftsbund in Anlehnung an die Ode ›Der Hügel und der Hain‹ (1767), in der Klopstock den nordischen Dichter dem klassizistischen Poeten vorzog, »Teutoniens Hain« dem antiken Dichterhügel des Parnass. Aus den Göttinger »Hain«-Bündlern und einem zweiten Dichterkreis um Herder und Goethe in Straßburg, später Frankfurt a. M., setzte sich im wesentlichen die Sturm-und-Drang-Generation zusammen.

Kopf der Göttinger Gruppe war Christian Heinrich Boie (1744–1806), als Dichter weniger bedeutend denn als Anreger und Vermittler. Zum »Hain« gehörten ferner Johann Heinrich Voß, dessen Homer-Übersetzung bis heute maßgeblich ist, Ludwig Christoph Heinrich Hölty, Johann Martin Miller, später die Grafen Christian und Friedrich Leopold Stolberg. In bardisch-patriotischer Begeisterung gaben sich die Mitglieder nordische Namen wie Haining (Hölty), Minnehold (Miller), Werdomar (Boie) usw. Leidenschaftlich, ja militant setzten sie sich für »deutsche Tugend« und »Unschuld«, »wahre Empfindung« und »Freiheit« ein; sie erhitzten ihre Liebe zu Vaterland und deutscher Sittenreinheit vor allem an Frankreich, das vom Vorbild zum Feindbild wurde (vgl. die Gedichte von Miller ›Sittenverderb‹ und ›Deutsches Trinklied‹ oder Voß' ›An die Herren Franzosen‹), und an dem »Erz-Verderber« Wieland, dem Repräsentanten welscher Wollust, dessen Versdichtung ›Idris‹ sie rituell verbrannten. Es war die erste öffentliche Bücherverbrennung der neueren Zeit. (Lichtenberg kommentierte dazu bissig: »Nichts ist lustiger, als wenn sich die Nonsenssänger über die Wollustsänger hermachen, die Gimpel über die Nachtigallen. Sie werfen Wielanden vor, daß er die junge Unschuld am Altar der Wollust schlachtet, bloß weil der Mann unter so vielen verdienstlichen Werken, die die junge Unschuld nicht einmal versteht, auch ein paar allzu freie Gedichte gemacht hat, die noch überdas mehr wahres Dichtergenie verraten als alle die Oden von falschem Patriotismus für ein Vaterland, dessen bester Teil alles das Zeug zum Henker wünscht.« Brief 1775)

Der 1770 von Boie mitbegründete ›Göttinger Musenalmanach‹ wurde – nach anakreontischen Anfängen – zum Bundesorgan der Haindichter, das die neuen Tendenzen in der Literaturentwicklung begeistert aufgriff: Herders Sprach- und Geschichtstheorie sowie die englische Volkspoesie. Boie hatte die Göttinger mit Herders Anliegen vertraut gemacht und sie zu volkstümlicher Dichtungsweise ermuntert. Während Klopstock also mit seiner auf Erhöhung der Empfindungen abzielenden, schwärmerischen Dichtungssprache auf den Bund wirkte, vermittelte Herder das Interesse an der einfacheren, natürlichen Volkssprache, weckte den Sinn für die Realität des Alltags, der nun auch sozialkritisch gesehen wurde (etwa in Voß' »Anti-Idylle«: ›Die Leibeigenschaft‹; vgl. das Kapitel über die Idyllendichtung).

Ludwig Christoph Heinrich Hölty

Berühmt wurde der von Boie herausgegebene Jahrgang 74 des Almanachs, der neben Arbeiten der Hainbündler auch Dichtungen von Goethe und Herder sowie Gottfried August Bürgers Ballade ›Lenore‹ enthielt. Der jung verstorbene Christoph Hölty (1748–1776), das herausragende lyrische Talent des Bundes, hatte fast gleichzeitig mit Bürger das Genre der Volksballade neu belebt, doch blieben seine Schauer-Stücke ›Die Nonne‹ und ›Adelstan und Röschen‹ deutlich hinter Bürgers Meisterschaft zurück. Auch die von Gleim wiederentdeckte und fälschlich für volkstümlich gehaltene Minnelyrik, in der er sich versuchte, war nicht Höltys eigentliche Kunst; seine Ausdrucksform wurde die elegische Ode, das von allem Klopstockschen Pathos befreite, schwermütige Klagelied, in dem er die eigene Glücklosigkeit, die Ahnung seines frühen Todes anklingen ließ. (Hölty starb mit 28 Jahren an Tuberkulose.) Die unerfüllte Sehnsucht nach der Geliebten ist eines der wichtigsten Themen seiner Lyrik:

Die Geliebte

Würde mein heißer Seelenwunsch Erfüllung,
Brächt' ein gütig Geschick mich ihr entgegen,
Eine flügelschnelle Minut' in ihrem
      Himmel zu atmen;

Seliger wär' ich dann als Staubbewohner,
O dann würd' ich den Frühling besser fühlen,
Besser meinen Schöpfer in jeder Blume
　　　Schauen und lieben!

An Petrarca erinnert Höltys Liebeslyrik: Fast immer ist die Geliebte unerreichbar fern, sie ist das Ziel seiner Sehnsucht, seiner Traumgesichte, sie führt ihn auf den Pfad der Tugend: »Besser [würd' ich] meinen Schöpfer in jeder Blume / Schauen und lieben!« Eine platonische Geliebte besingt der Dichter, »ein Bild aus Morgenlicht, / Ihr Kleid aus Ätherbläue«, wie es in einem anderen Gedicht heißt. Tugend und Unschuld repräsentierte Höltys Lyrik im Göttinger Kreis, seine Liebesauffassung war unsinnlich, zärtlich-verklärend.

Zum ästhetisch-erlesenen Bild stilisierte Hölty auch die Natur; sie wird nicht mehr betrachtet, sondern gibt, selbst beseelt, die Schwingungen seiner Seele zurück, wird zum Träger seiner Empfindungen: Der Mond ist der liebe Freund, der gleich dem Verlaßnen »durch den Wolkenflor« herniederweint; das Lispeln der Bäume, das »Wehen des Uferschilfs« ist dem Dichter »Zauber der Sphären und Geflüster der Seraphim«. Nur »lindes Erleben« löst die Natur in ihm aus, keinen Aufruhr der Sinne.

Wenn Hölty sein zärtlich empfindendes Ich mit der Außenwelt verschmilzt, geht er deutlich weiter als etwa noch Ewald von Kleist in seiner ›Frühlings-Ode‹ (siehe oben). In der Wahrnehmung des Kleinen, in seiner Zartheit und Stille schuf er ein Gegengewicht zum pathetischen Odenton Klopstocks, von dessen neu geschöpfter Gefühlssprache doch alle Haindichter (überhaupt alle nachfolgenden Lyriker) gelernt hatten. Wendungen wie »wachgeschimmert vom Mai«, »Komm, mein Leben zu heitern« oder »o, flügelt sie, ihr Winde, an diese Laub' heran« verraten den großen Lehrmeister.

Seine Sanftmut und Sehnsucht nach Ruhe (der »Tochter Edens«) steigert Hölty in dem vielzitierten Gedicht ›Auftrag‹ zur Vorwegnahme des Todes:

Ihr Freunde, hänget, wann ich gestorben bin,
Die kleine Harfe hinter dem Altar auf,
Wo an der Wand die Totenkränze
Manches verstorbenen Mädchens schimmern.

Der Küster zeigt dann freundlich dem Reisenden
Die kleine Harfe, rauscht mit dem roten Band,
Das, an der Harfe festgeschlungen,
Unter den goldenen Saiten flattert.

(Die letzte Strophe hat Johann Heinrich Voß, der Höltys Gedichte
nach dessen Tod herausgab, kongenial hinzugedichtet.)

> Oft, sagt er staunend, tönen im Abendrot
> Von selbst die Saiten, leise wie Bienenton;
> Die Kinder, auf dem Kirchhof spielend,
> Hörten's, und sahn, wie die Kränze bebten.

Die Haindichter besprachen und bearbeiteten gemeinsam bei ihren
Sitzungen die lyrischen Versuche jedes einzelnen, und erst wenn
Form, Inhalt und Vortrag einstimmig gutgeheißen wurden, durfte
ein Gedicht im Bundesbuch eingetragen werden. So hatte denn
auch Johann Heinrich Voß keine Bedenken, dem Fragment Höltys
Titel und letzte Strophe anzufügen.

Höltys Charakteristika des Leisen, Freundlichen, Ländlich-
Idyllischen sind bei aller Verwandtschaft nicht zu verwechseln mit
dem Formelspiel der Anakreontik; sie sind Ausdruck seiner persönlichen, bescheiden-resignativen Lebenshaltung.

Neben seinen melancholischen Gedichten, für die leitmotivisch
die Nachtigall mit ihrem sehnsüchtig klagenden Liebeslied steht,
schrieb Hölty eine Reihe volkstümlich-heiterer Gedichte, Mai-
und Erntelieder etwa, wie sie Herder sich wünschte:

> Die Luft ist blau, das Tal ist grün,
> Die kleinen Maienglocken blühn
> Und Schlüsselblumen drunter;
> Der Wiesengrund
> Ist schon so bunt
> Und malt sich täglich bunter.

> Drum komme, wem der Mai gefällt,
> Und freue sich der schönen Welt
> Und Gottes Vatergüte,
> Die diese Pracht
> Hervorgebracht,
> Den Baum und seine Blüte.

Bis weit ins 19. Jahrhundert blieb Hölty populär; berühmt wurde
seine ›Mainacht‹ in der Vertonung von Johannes Brahms: »Wenn
der silberne Mond durch die Gesträuche blickt ...«. In andern
volkstümlichen Liedern wie ›Rosen auf den Weg gestreut, / Und
des Harms vergessen‹ oder ›Üb' immer Treu und Redlichkeit‹
nahm er die volkserzieherischen Töne der Aufklärung auf.

Friedrich Leopold Graf zu Stolberg

Die Brüder Stolberg, von deren Beitritt sich Klopstock auch politische Wirkung erhoffte, vertraten dagegen das dynamische Element des Göttinger »Hains«; sie brachten die »göttliche« Begeisterung ihres Freundes und Inspirators für Vaterland und Freiheit in pathetischem Ton vor:

> Nur Freiheitsschwert ist Schwert für das Vaterland!
> Wer Freiheitsschwert hebt, flammt durch das Schlachtgewühl,
>   Wie Blitz des Nachtsturms! Stürzt, Paläste!
>   Stürze, Tyrann, dem Verderber Gottes!...

Aber auch Friedrich Leopold Graf zu Stolbergs (1750–1819) kämpferische Emphase (wir sprechen im folgenden immer von ihm als dem produktiveren der beiden Brüder) verpuffte in »Flammenworten«, blieb leidenschaftliches Gefühl, Taumel des Stark-Empfindenden, und führte nicht zu politischem Handeln. Immerhin – für einen Augenblick glaubten die Haindichter an die Revolution, fühlten sie sich als Keimzelle eines neuen Deutschlands. Aber niemals hätte die eine große Tat, wie sie Stolbergs heldenhafte Vorbilder Brutus, Hermann, Tell usw. vollbracht hatten, die politischen und gesellschaftlichen Verhältnisse im damaligen Deutschland ändern können.

Zum Wirken der großen Ideen in der Geschichte gehören die Phantasien jugendlicher Hitzköpfe ebenso wie kritische Utopien oder weiterführende Philosophien. Nur ist der Weg, bis eine Idee stark genug ist, sich zu verwirklichen, im allgemeinen sehr lang. Erst das Grundgesetz der Bundesrepublik Deutschland von 1949 realisierte tatsächlich den demokratischen Verfassungsstaat mit seiner Garantie der Menschenrechte, dessen geistige Wurzeln bei Grotius, Thomasius und Wolff in der Frühaufklärung zu suchen sind. Der Sturm und Drang formulierte die Gesellschaftskritik radikaler, verstieg sich schließlich zu einem abstrakt-nebulösen Freiheitsbegriff und verstärkte doch dabei die verändernden Kräfte. Für die siebziger Jahre des 18. Jahrhunderts bedeutete es schon einen nicht zu unterschätzenden Fortschritt hin zu einer standesversöhnten Gesellschaft, wenn Adelige sich mit dem bürgerlichen Freiheitsstreben solidarisierten, wie es die Stolbergs durch ihren Beitritt zum Hainbund taten.

In der Diskussion um wahre und falsche Empfindsamkeit, um die Gegensätze von Rationalismus und dunklem Irrationalismus vertrat Stolberg das ganzheitliche Ideal des empfindsamen Kraftmenschen, der den Wert der Vernunft nicht verkennt: Das Zarte *und* das Kühn-Verwegene, die Tränen *und* die »glühende Stirn«

machten erst zusammen den edlen Menschen aus, legte er in seinem wichtigen Aufsatz ›Über die Fülle des Herzens‹ 1777 dar. Der wahre Weise trenne nicht die »göttlichen Gaben«, sondern erkenne ihre Harmonie; den kalten »Vernünftler« erinnert Stolberg an die Kraft der Gefühle: »Ohne den warmen Anteil des Herzens sind die Wissenschaften fast nichts.« Stille, Einsamkeit, Wehmut (eines Hölty) sind ihm ebenso angemessene Lebenshaltungen wie die Seligkeit des Wonnetrunkenen. Wer in sich alle edlen Regungen vereine, besitze die göttlichste aller Gaben: die »Fülle des Herzens«. Die Seichtigkeit des »seidenen Männchens«, einer bloß genießenden oder »leidenden Reizbarkeit«, solche »Schneckenexistenz« setzt er gegen das Leben des »Feuervollen, Starkempfindenden«, dessen »Mutter« und »Braut« die Natur ist, dessen Geist sich im Aufgehen in der Natur »auf Adlersflügeln« erhebt und »wie Prometheus seine Fackel an himmlischem Feuer an[zündet]«. Nicht wissenschaftlich-systematisch bringt Stolberg seine »Anthropologie« vor, ihm geht es um den adäquaten Ausdruck seiner Empfindungen, entsprechend der Kunstauffassung des Sturm und Drang.

Natur, Vaterland, die Religion und der dichterische Genius, den er als schöpferisches Prinzip der Natur gleichsetzte, waren die Gegenstände seiner Oden und Hymnen. Das Freiheitspathos, das auch er nicht politisch konkretisieren konnte – Freiheit blieb »hoher seelenverklärender Gedanke« –, suchte er auf die Natur zu übertragen. Das Meer vor allem in seiner ozeanischen Weite und titanenhaften Kraft, geheimnisvoll, sanft umfangend und donnernde Herausforderung zugleich, feierte er als Ort der Freiheit:

Die Meere

Du schmeichelst meinem Ohr,
Ich kenne dein Rauschen,
Deiner Wogen Sirenengesang!
Ostsee, du nahmst mich
Oft mit schmeichelnden Armen
In den kühlenden Schoß!

Du bist schön,
Nymphe, schön!
Aber die Göttin
Schöner als du!
Lauter als du
Donnert die Nordsee,
Steigend erhebt sich und weiß und gestadeerschütternd ihr Fuß!

Stärker und freier als du
Tanzet sie eignen Tanz,
Lauschet nicht dienstbar der Stimme
Herrschender Winde;
Steiget und sinkt.
Wann, mit Wolken umschleiert,
In geheimer Halle schlummert des Sturmes Haupt! ...

In freien Rhythmen ergießen sich, dem Gegenstand angepaßt, die Verse, übernehmen den Wellengang des Meeres, die Erregung des Singenden, der sich im Augenblick der Darstellung aus den himmlischen Sphären wie im Adlerflug hinuntersenkt zur Erde, »um andere Menschen zu heben«. (Stolberg war der erste, der die See als Landschaft für die Lyrik entdeckte.)

In seiner den Grafen Stolberg gewidmeten Ode ›Weissagung‹ (1774) verhieß Klopstock dem deutschen Vaterland Freiheit von Willkür und Gewalt:

Ob's auf immer laste? Dein Joch, o Deutschland,
Sinket dereinst! Ein Jahrhundert nur noch;
So ist es geschehen, so herrscht
Der Vernunft Recht vor dem Schwertrecht!

Seine 1774 veröffentlichte ›Gelehrtenrepublik‹ sollte der um »Göthe«, Gerstenberg und einige andere freie Geister erweiterte Göttinger »Hain« verwirklichen. So unrealistisch hoch schätzte Klopstock die Wirkkraft der Gelehrten und Dichter ein, daß er glaubte, sie könnten eines Tages das zersplitterte Vaterland einigen und Friede und Freiheit verbreiten. Aber solche Spekulation war müßig: Der Bund löste sich schon 1775 auf, als die Göttinger Studenten sich nach Abschluß ihrer Studien anderweitig orientierten. Das hochgespielte vaterländische Sendungs- und Kraftbewußtsein hatte sich gegen den Widerspruch der Realität nicht lange halten können.

An der Entwicklung, die die Brüder Stolberg nahmen, zeigt sich, wie sehr der Sturm und Drang und damit auch der Göttinger »Hain« nur ein Durchgangsstadium waren: 1776 bereits veröffentlichen sie ihre Gedichte im ›Teutschen Merkur‹ des vordem so verhaßten Wieland.

Herders Ruf, die eigene Volkspoesie wieder zu entdecken, die soviel kraftvoller und sinnlich schöner sei als die Gelehrtendichtung, blieb nicht unbeantwortet. Gleim hatte schon 1758 in seinen ›Preußischen Kriegsliedern in den Feldzügen 1756 und 1757 von einem Grenadier‹ (s. S. 75 f.) die einfache Strophenform und Sprache des Volkslieds verwendet, hatte, wenn auch zu propagandistischen Zwecken, unmittelbare Volkstümlichkeit vorgetäuscht, indem er einen Soldaten sprechen ließ. Mit der gleichzeitig erschienenen Romanze ›Marianne‹ belebte Gleim die Gattung der Ballade neu, die eine der wesentlichen lyrischen Ausdrucksformen des Sturm und Drang werden sollte. (Die Begriffe Romanze und Ballade wurden seinerzeit noch synonym gebraucht; erst August Wilhelm Schlegel prägte die inhaltliche Unterscheidung zwischen der südlich hellen Romanze und der nordisch düsteren Ballade.)

»Ballade« bedeutete ursprünglich Tanzlied (von spätlat. »ballare« tanzen), das heißt: das mitzuteilende Geschehen wurde getanzt, wie es im Norden Europas noch lange Tradition blieb. In der zweiten Hälfte des 18. Jahrhunderts veränderte sich die Bedeutung des Begriffs, der nun allgemein im Sinne des englischen »ballad« verstanden wurde: volkstümliche Erzählung in Liedform. Auch hier also fand die Ablösung vom romanischen Einfluß statt: Gleim hatte sich noch eng an François Villon, den französischen Meister der Gattung des 15. Jahrhunderts, gehalten, während die Stürmer und Dränger sich an Macphersons dunkler Bardendichtung ›Ossian‹ und Thomas Percys Sammlung alter englischer Volksdichtung (›Reliques of Ancient English Poetry‹) berauschten, die Herders Ideal einer naturhaften volkstümlichen Poesie entscheidend mitgeprägt hatten.

Im Gegensatz zur komischen Romanze Gleims, der noch ganz aufklärerisch und in Bänkelsängermanier seine ›Marianne‹ als »heilsamen Unterricht« verstanden wissen wollte und sich artig bemühte, »die rechte Sprache dieser Dichtkunst« zu treffen, will die »Kunstballade« der Stürmer und Dränger deren Ideale zum Ausdruck bringen, Volkstümlichkeit nicht nachahmen, sondern in Inhalt und Ton das Volk wirklich ansprechen. Dennoch ist auch ihr einfacherer Ton »gemacht«, erarbeitet – und nicht spontan aus dem Herzen geflossen, oder wie immer man sich das Wirken »des dichtenden Volksgeists« (Herder) vorstellen mochte. Im Band »Romantik« werden wir auf die Problematik des Begriffs Volkstümlichkeit zurückkommen.

1774 setzte Gottfried August Bürger (1747–1794), der bedeutendste Balladendichter der Epoche, mit seiner ›Lenore‹ neue Maßstäbe für diese Gattung. Im Gegensatz zu Gleim, der sich an das gebildete Bürgertum gewandt hatte, wollte Bürger auch für die »Republik der Ungelehrten« dichten; er hoffte, »daß sein Gesang den verfeinerten Weisen ebensosehr als den rohen Bewohnern des Waldes, die Dame am Putztisch wie die Tochter der Natur hinter dem Spinnrocken und auf der Bleiche entzücken« könnte. Diese schöne Vorstellung entsprang der neu erwachten Sensibilität für die soziale Wirklichkeit: Immerhin bestand die deutsche Bevölkerung damals zu 80 Prozent aus Bauern, von denen sich das gebildete Bürgertum bei allem Lobpreis des Landlebens ebenso distanzierte, wie es sich dem Adel durch geistige Leistung annähern, ja überlegen machen wollte. Rousseaus Idee vom unschuldigen Naturzustand, da alle Menschen Gleichheit und Freiheit genossen, war der Nährboden der neuen Gesellschaftskritik, die sich als Hinwendung zum sozial Unterprivilegierten wie als Zorn gegen die Willkür der Herrschenden artikulierte. Doch gerade wegen seines Konzepts einer populären Poesie, die das ganze Volk anspräche, wurde Bürger von Friedrich Schiller vernichtend kritisiert, der damals, 1791, Dichtung schon nach den Maßstäben klassischer Idealität beurteilte. Schiller warf Bürger vor, dem Geschmack der breiten Masse die »höhere Schönheit« der Kunst aufgeopfert zu haben, sich mit dem Volk »vermischt« zu haben, anstatt es »zu sich hinaufzuziehen«. Bürger selbst hatte schon bald seinen allgemeinen Volksbegriff einschränkender formuliert und das »gebildete Volk« vom »Pöbel« unterschieden, der für Poesie nicht zu interessieren sei.

Unmittelbarkeit, Naivität im Sinne von Natürlichkeit, Einfalt der Empfindung und ihres Ausdrucks kennzeichnete die wahre Volkspoesie im Herderschen Sinne: So konnte sie im Gegensatz zur rationalen Gelehrtendichtung von allen mit dem Herzen verstanden werden. Die ›Lenore‹, Bürgers nie mehr erreichtes Meisterstück einer volkstümlichen Ballade, erfüllte diese Kriterien in besonderer Weise.

Lenore

Lenore fuhr ums Morgenrot
Empor aus schweren Träumen;
»Bist untreu, Wilhelm, oder tot?
Wie lange willst du säumen?« –
Er war mit König Friedrichs Macht
Gezogen in die Prager Schlacht
Und hatte nicht geschrieben,
Ob er gesund geblieben.

Der König und die Kaiserin,
Des langen Haders müde,
Erweichten ihren harten Sinn
Und machten endlich Friede;
Und jedes Heer, mit Sing und Sang,
Mit Paukenschlag und Kling und Klang,
Geschmückt mit grünen Reisern,
Zog heim zu seinen Häusern.

Und überall, allüberall
Auf Wegen und auf Stegen,
Zog alt und jung dem Jubelschall
Der Kommenden entgegen.
Gottlob! rief Kind und Gattin laut
Willkommen! manche frohe Braut.
Ach! aber für Lenoren
War Gruß und Kuß verloren.

Sie frug den Zug wohl auf und ab
Und frug nach allen Namen;
Doch keiner war, der Kundschaft gab,
Von allen, so da kamen.
Als nun das Heer vorüber war,
Zerraufte sie ihr Rabenhaar
Und warf sich hin zur Erde
Mit wütiger Gebärde.

Die Mutter lief wohl hin zu ihr:
»Ach, daß sich Gott erbarme!
Du trautes Kind, was ist mit dir?« –
Und schloß sie in die Arme. –
»O Mutter, Mutter! hin ist hin!
Nun fahre Welt und alles hin!
Bei Gott ist kein Erbarmen.
O weh, o weh mir Armen!« –

»Hilf Gott, hilf! Sieh uns gnädig an!
Kind, bet ein Vaterunser!
Was Gott tut, das ist wohlgetan.
Gott, Gott erbarmt sich unser!« –
»O Mutter, Mutter! Eitler Wahn!
Gott hat an mir nicht wohlgetan!
Was half, was half mein Beten?
Nun ist's nicht mehr vonnöten.« –

»Hilf Gott, hilf! Wer den Vater kennt,
Der weiß, er hilft den Kindern.
Das hochgelobte Sakrament
Wird deinen Jammer lindern.« –

»O Mutter, Mutter! was mich brennt,
Das lindert mir kein Sakrament!
Kein Sakrament mag Leben
Den Toten wiedergeben.« –

»Hör, Kind! wie, wenn der falsche Mann
Im fernen Ungerlande
Sich seines Glaubens abgetan
Zum neuen Ehebande?
Laß fahren, Kind, sein Herz dahin!
Er hat es nimmermehr Gewinn!
Wann Seel' und Leib sich trennen,
Wird ihn sein Meineid brennen.« –

»O Mutter, Mutter! Hin ist hin!
Verloren ist verloren!
Der Tod, der Tod ist mein Gewinn!
O wär' ich nie geboren!
Lisch aus, mein Licht, auf ewig aus!
Stirb hin, stirb hin in Nacht und Graus!
Bei Gott ist kein Erbarmen.
O weh, o weh mir Armen!« –

»Hilf Gott, hilf! Geh nicht ins Gericht
Mit deinem armen Kinde!
Sie weiß nicht, was die Zunge spricht.
Behalt ihr nicht die Sünde!
Ach, Kind, vergiß dein irdisch Leid
Und denk an Gott und Seligkeit!
So wird doch deiner Seelen
Der Bräutigam nicht fehlen.« –

»O Mutter! Was ist Seligkeit?
O Mutter! Was ist Hölle?
Bei ihm, bei ihm ist Seligkeit,
Und ohne Wilhelm Hölle! –
Lisch aus, mein Licht, auf ewig aus!
Stirb hin, stirb hin in Nacht und Graus!
Ohn' ihn mag ich auf Erden,
Mag dort nicht selig werden.« –

So wütete Verzweifelung
Ihr in Gehirn und Adern,
Sie fuhr mit Gottes Vorsehung
Vermessen fort zu hadern;
Zerschlug den Busen und zerrang
Die Hand bis Sonnenuntergang,
Bis auf am Himmelsbogen
Die goldnen Sterne zogen.

Und außen, horch! ging's trapp trapp trapp,
Als wie von Rosseshufen;
Und klirrend stieg ein Reiter ab
An des Geländers Stufen;
Und horch! und horch! den Pfortenring
Ganz lose, leise, klinglingling!
Dann kamen durch die Pforte
Vernehmlich diese Worte:

»Holla, Holla! Tu auf, mein Kind!
Schläfst, Liebchen, oder wachst du?
Wie bist noch gegen mich gesinnt?
Und weinest oder lachst du?« –
»Ach, Wilhelm, du? – So spät bei Nacht? –
Geweinet hab ich und gewacht;
Ach, großes Leid erlitten!
Wo kommst du hergeritten?« –

»Wir satteln nur um Mitternacht.
Weit ritt ich her von Böhmen.
Ich habe spät mich aufgemacht
Und will dich mit mir nehmen.« –
»Ach, Wilhelm, erst herein geschwind!
Den Hagedorn durchsaust der Wind,
Herein, in meinen Armen,
Herzliebster, zu erwarmen!« –

»Laß sausen durch den Hagedorn,
Laß sausen, Kind, laß sausen!
Der Rappe scharrt; es klirrt der Sporn,
Ich darf allhier nicht hausen.
Komm, schürze, spring und schwinge dich
Auf meinen Rappen hinter mich!
Muß heut noch hundert Meilen
Mit dir ins Brautbett eilen.«

»Ach, wolltest hundert Meilen noch
Mich heut ins Brautbett tragen?
Und horch! es brummt die Glocke noch,
Die elf schon angeschlagen.« –
»Sieh hin, sieh her! der Mond scheint hell.
Wir und die Toten reiten schnell.
Ich bringe dich, zur Wette,
Noch heut ins Hochzeitsbette.« –

»Sag an, wo ist dein Kämmerlein?
Wo? Wie dein Hochzeitsbettchen?« –
»Weit, weit von hier! – Still, kühl und klein! –
Sechs Bretter und zwei Brettchen!« –
»Hat's Raum für mich?« – »Für dich und mich!

Komm, schürze, spring und schwinge dich!
Die Hochzeitsgäste hoffen;
Die Kammer steht uns offen.« –

Schön Liebchen schürzte, sprang und schwang
Sich auf das Roß behende;
Wohl um den trauten Reiter schlang
Sie ihre Lilienhände;
Und hurre hurr, hop hop hop!
Ging's fort in sausendem Galopp,
Daß Roß und Reiter schnoben
Und Kies und Funken stoben.

Zur rechten und zur linken Hand,
Vorbei vor ihren Blicken,
Wie flogen Anger, Heid' und Land!
Wie donnerten die Brücken! –
»Graut Liebchen auch? – Der Mond scheint hell!
Hurra! die Toten reiten schnell!
Graut Liebchen auch vor Toten?« –
»Ach nein! – Doch laß die Toten!« –

Was klang dort für Gesang und Klang?
Was flatterten die Raben? –
Horch Glockenklang! horch Totensang:
»Laßt uns den Leib begraben!«
Und näher zog ein Leichenzug,
Der Sarg und Totenbahre trug.
Das Lied war zu vergleichen
Dem Unkenruf in Teichen.

»Nach Mitternacht begrabt den Leib
Mit Klang und Sang und Klage!
Jetzt führ ich heim mein junges Weib.
Mit, mit zum Brautgelage!
Komm, Küster, hier! Komm mit dem Chor,
Und gurgle mir das Brautlied vor!
Komm, Pfaff', und sprich den Segen,
Eh' wir zu Bett uns legen!« –

Still Klang und Sang. – Die Bahre schwand. –
Gehorsam seinem Rufen
Kam's, hurre hurre! nach gerannt,
Hart hinter's Rappen Hufen.
Und immer weiter, hop hop hop!
Ging's fort in sausendem Galopp,
Daß Roß und Reiter schnoben,
Und Kies und Funken stoben.

Wie flogen rechts, wie flogen links
Gebirge, Bäum und Hecken!
Wie flogen links und rechts und links

Die Dörfer, Städt' und Flecken! –
»Graut Liebchen auch? – Der Mond scheint hell!
Hurra, die Toten reiten schnell!
Graut Liebchen auch vor Toten?« –
»Ach! Laß sie ruhn, die Toten!« –

Sieh da, sieh da! am Hochgericht
Tanzt um des Rades Spindel,
Halb sichtbarlich bei Mondenlicht,
Ein luftiges Gesindel. –
»Sasa! Gesindel, hier! Komm hier!
Gesindel, komm und folge mir!
Tanz uns den Hochzeitsreigen,
Wann wir zu Bette steigen!« –

Und das Gesindel, husch husch husch!
Kam hinten nachgeprasselt,
Wie Wirbelwind am Haselbusch
Durch dürre Blätter rasselt.
Und weiter, weiter, hop hop hop!
Ging's fort in sausendem Galopp,
Daß Roß und Reiter schnoben,
Und Kies und Funken stoben.

Wie flog, was rund der Mond beschien,
Wie flog es in die Ferne!
Wie flogen oben überhin
Der Himmel und die Sterne! –
»Graut Liebchen auch? – Der Mond scheint hell!
Hurra! die Toten reiten schnell!
Graut Liebchen auch vor Toten?« –
»O weh! Laß ruhn die Toten!« – – –

»Rapp'! Rapp'! Mich dünkt, der Hahn schon ruft. –
Bald wird der Sand verrinnen. –
Rapp'! Rapp'! Ich wittre Morgenluft –
Rapp'! Tummle dich von hinnen! –
Vollbracht, vollbracht ist unser Lauf!
Das Hochzeitsbette tut sich auf!
Die Toten reiten schnelle!
Wir sind, wir sind zur Stelle.« –

Rasch auf ein eisern Gittertor
Ging's mit verhängtem Zügel.
Mit schwanker Gert' ein Schlag davor
Zersprengte Schloß und Riegel.
Die Flügel flogen klirrend auf,
Und über Gräber ging der Lauf.
Es blinkten Leichensteine
Rundum im Mondenscheine.

Ha sieh! Ha sieh! im Augenblick,
Huhu! ein gräßlich Wunder!
Des Reiters Koller, Stück für Stück,
Fiel ab wie mürber Zunder,
Zum Schädel, ohne Zopf und Schopf,
Zum nackten Schädel ward sein Kopf;
Sein Körper zum Gerippe,
Mit Stundenglas und Hippe.

Hoch bäumte sich, wild schnob der Rapp',
Und sprühte Feuerfunken;
Und hui! war's unter ihr hinab
Verschwunden und versunken.
Geheul! Geheul aus hoher Luft,
Gewinsel kam aus tiefer Gruft.
Lenorens Herz, mit Beben,
Rang zwischen Tod und Leben.

Nun tanzten wohl bei Mondenglanz,
Rundum herum im Kreise,
Die Geister einen Kettentanz
Und heulten diese Weise:
»Geduld! Geduld! Wenn's Herz auch bricht!
Mit Gott im Himmel hadre nicht!
Des Leibes bist du ledig;
Gott sei der Seele gnädig!«

Bürger war selbst überzeugt von der Mustergültigkeit der ›Lenore‹: ». . . alle, die nach mir Balladen machen, werden meine ungezweifelten Vasallen sein und ihren Ton von mir zu Lehen tragen.« Tatsächlich war sie beinahe über Nacht in ganz Europa, von England bis Rußland, von Schweden bis Italien, bekannt und geschätzt. Solche Popularität galt Bürger als das »Siegel der Vollkommenheit« aller Poesie – und war der Beweis, daß die angestrebte Volkstümlichkeit erreicht war.

Der Stoff ist uraltem europäischen Volksgut entnommen: Ein Mädchen trauert um den Geliebten und hadert mit Gott. Ihr übergroßer Schmerz weckt den Toten, der die Alleingelassene zu sich ins Grab holt. Das noch im Heidentum wurzelnde Wiedergängermotiv erhält ganz aktuellen Bezug, da Bürger die Geschichte in den ersten Strophen mit dem Siebenjährigen Krieg verbindet.

Direkt, ohne Einleitung, beginnt Bürger, wirft den Leser gleichsam ins Geschehen, dessen Dramatik er meisterhaft steigert, in nahezu greifbar anschauliche, emotionskräftige Bilder umsetzt, so daß die intensive Anteilnahme keinen Augenblick nachlassen kann. Mit wenigen Strichen malt er das glückliche Bild des einkehrenden Friedens (wie alle es kennen), zeigt, in scharfem Kontrast dazu, Lenore in ihrem Schmerz und ihrer Trauer. Die sich bis zur wahnsinnigen Verzweiflung steigernden Gefühle Lenores gehen unmittelbar aus dem Gespräch mit der Mutter hervor, wirken so viel stärker, als wenn Bürger sie beschrieben hätte. Am Ende dieses hoch affektiven Dialogs mit knapper Rede und Gegenrede schiebt Bürger eine eher episch vertiefende Strophe ein, die ruhig, fast idyllisch schließt (»Bis auf am Himmelsbogen / Die goldnen Sterne zogen«), um den Hörer vorzuspannen auf das Erscheinen des geisterhaften Reiters.

Wie geflüstert muß man sich das folgende »Und außen, horch!...« denken – den Effekt kennen wir, wenn wir Kindern Märchen erzählen. Die Ballade war darauf angelegt, rezitiert oder gesungen zu werden, also die Phantasie und nicht den Intellekt anzusprechen. Kurze Sätze, eine einfache, eingängige Sprache, die für Auge und Ohr das Geschehen versinnlicht, dazu eine dramatisch aufgebaute Handlung: damit konnte der Balladendichter einen fast kinomäßigen Effekt erzielen.

Nach dem retardierenden Moment der zwölften Strophe erfolgt der Einbruch des Geisterhaft-Dämonischen: Der anfangs noch ganz reale Reiter mit klirrenden Sporen meldet sich mit losem, leisem Klingeln des Pfortenrings (der doch zum festen Anschlagen bestimmt ist); ebenso »entmaterialisiert« dringt seine Stimme durch die Tür. Das Außerordentliche, Unheimliche geben die wie gestammelten Satzfragmente, die eindringlichen Wiederholungen wieder: »Und horch! und horch! den Pfortenring / Ganz lose, leise, klinglingling.«

»Lebendige Mundsprache« fand Bürger in der Volkspoesie und forderte sie auch für die volkstümliche Dichtung. »Klinglingling, hop hop, husch husch, huhu« usw. – das sind Lautmalereien, wie sie Kinder zur Unterstreichung ihrer Erzählung benutzen. Die allen seit Luther vertraute Kirchenliedstrophe, Formeln der Volkssprache (gleich zu Beginn »Auf Wegen und auf Stegen«, »mit Sing und Sang«) nimmt Bürger auf, um tief Unbewußt-Vertrautes anzurühren und damit die Intensität der Gefühle zu steigern. Dieser Irrationalismus, der in der Volksballade gewissermaßen natürlich gewachsen ist, wird in der Kunstballade des Sturm und Drang bewußt eingesetzt, um dieselbe sinnliche Wirkung zu erreichen. Auch wenn Bürger den Refrain verwendet, nutzt er eine herkömmliche, vertraute Volksliedtechnik; er wandelt aber diese wiederkehrenden Verse, die der tote Reiter zu Lenore spricht, jedesmal ab und verengt sie auf die nahende Katastrophe (»Graut Liebchen auch?...«)

Die Atemlosigkeit der wilden Jagd verstärken noch die Parallelismen im Satzbau und die formelhaften Wiederholungen (»Wie flogen rechts, wie flogen links ...«) – ebenfalls bekannte Versatzstücke aus Volksballade und Bänkellied; kraftvoll-dynamische Verben (donnern, zersprengen, bäumen, gurgeln usw.) entsprechen der Wildheit und Aufgeregtheit der Handlung. Bis zum Schluß bleibt die Spannung zwischen der Jagd mit dem Tod und der sexuellen Verheißung des Hochzeitsbettes erhalten, gräßlich gesteigert, indem die (ja eigentlich glücklichen) Hochzeitsbilder in ihr schauerliches Gegenteil verkehrt werden. Einer Lösung, wie sie die Sagen und Märchen kennen, nämlich der glücklichen Vereinigung der Liebenden im Grab, folgt Bürger nicht. Auch eine handfeste brauchbare Moral bietet er im Grunde nicht, sondern überläßt Lenore dem merkwürdig vagen Urteil der Geister (das immerhin die Gnade eines barmherzigen Gottes offen läßt).

Im Gegensatz zur Volksballade übte die neue Kunstballade der Stürmer und Dränger Gesellschaftskritik. Hier hat der Gegenwartsbezug der ›Lenore‹ seine Begründung. Wenn Lenore den Geliebten mit dem Erlöser gleichsetzt und die religiösen Tröstungen der Mutter in den Wind schlägt, bedeutet dies eine Absage an die Autorität der Kirche und ihre Ergebenheitsforderungen, sowie an den christlichen Stoizismus der Aufklärung. Es war eine Ungeheuerlichkeit, daß im pietistischen Preußen ein Pfarrerssohn wie Bürger die Kraft des Sakraments leugnete; der Wiener Hof verbot auch prompt wegen dieser Lästerung den ›Musenalmanach für 1774‹.

Lenores hemmungslose Leidenschaft ist zugleich ein Affront gegen das bürgerliche Tugendideal der Gelassenheit, das vernünftige Affektsteuerung verlangte und die Triebe zu unterdrücken suchte. Die Kraft der alten Autoritäten (Kirche, Familie) vermag nichts mehr gegen die unbedingte Kraft des Gefühls auszurichten. Aber Bürger problematisiert auch diese schrankenlose Individualität: Die Heldin versündigt sich damit gegen Gott, zerreißt die Bande zur Mutter und wird, da sie der Vernunft ganz abgeschworen hat, ein Opfer der verderbenbringenden Geister.

Nie wieder ist Bürger ein Werk gleicher dichterischer Kraft gelungen. Das Urteil Schillers mag zu seinem Vergessen beigetragen haben; populär ist heute nur noch seine Fassung der Lügengeschichten des Barons von Münchhausen.

In der Ballade fanden – neben dem volksliedhaften Gedicht, wie es Claudius, Hölty oder etwa Goethe mit seinem ›Heideröslein‹ schrieben – die Ideale der Volks- und Naturnähe der Stürmer und Dränger ihren Ausdruck. In der Aufwertung des ungebildeten Volks lag durchaus ein gesellschaftskritischer Aspekt, der sich gegen das gelehrte Bürgertum richtete. Die Hauptstoßrichtung der sozialpolitischen Kritik ging aber gegen die Herrschenden: In Tyrannenhaß-Gedichten wurden absolutistische Willkür, Unterdrückung, Unmoral angeprangert.

Christian Friedrich Daniel Schubart (1739–1791), ebenso wie Bürger dem Göttinger »Hain« eng verbunden, hatte am eigenen Leib die Tyrannei des württembergischen Herzogs Karl Eugen erfahren, der den Dichter, Musiker und Journalisten zehn Jahre auf der Feste Hohenasperg in strenger Haft gefangen hielt, ohne ordentliches Verhör oder Gerichtsverfahren. Aus dieser Zeit stammt sein berühmtes Gedicht ›Die Fürstengruft‹. Schubarts Sohn Ludwig schrieb dazu: »Die Fürstengruft trug er seit seinem Aufenthalte zu München stets in der Seele, wo ein Requiem in der Gruft die erste Idee in ihm entzündet hatte; wollte sie mehrmalen zu Ulm schon ausführen, zürnte sie aber erst im dritten Jahr seiner Gefangenschaft nieder, als ihm Herzog Karl auf einen gewissen Termin hin ausdrücklich seine Freiheit versprochen hatte, und dieser Termin ohne Erfüllung vorübergegangen war ... Es machte gleich nach seinem Erscheinen so viel Aufsehn, daß dem Herzog etwas davon zu Ohren kam und Seine Durchlaucht einen ihrer Günstlinge in den unangenehmen Fall setzten, Ihnen das Gedicht laut vorlesen zu müssen. Dieser Umstand hat, wie ich gewiß weiß, vieles zur Verlängerung seines Arrests beigetragen.«

Die Fürstengruft

Da liegen sie, die stolzen Fürstentrümmer,
    Ehmals die Götzen ihrer Welt!
Da liegen sie, vom fürchterlichen Schimmer
    Des blassen Tags erhellt!

Die alten Särge leuchten in der dunklen
    Verwesungsgruft, wie faules Holz,
Wie matt die großen Silberschilde funkeln!
    Der Fürsten letzter Stolz.

Entsetzen packt den Wandrer hier am Haare,
    Geußt Schauer über seine Haut,
Wo Eitelkeit, gelehnt an eine Bahre,
    Aus hohlen Augen schaut.

Wie fürchterlich ist hier des Nachhalls Stimme!
　　Ein Zehentritt stört seine Ruh.
Kein Wetter Gottes spricht mit lautrem Grimme:
　　»O Mensch, wie klein bist du!«

Denn ach! hier liegt der edle Fürst! der Gute!
　　Zum Völkersegen einst gesandt,
Wie der, den Gott zur Nationenrute
　　Im Zorn zusammenband.

An ihren Urnen weinen Marmorgeister;
　　Doch kalte Tränen nur von Stein,
Und lachend grub – vielleicht ein welscher Meister,
　　Sie einst dem Marmor ein.

Da liegen Schädel mit verloschnen Blicken,
　　Die ehmals hoch herabgedroht,
Der Menscheit Schrecken! – Denn an ihrem Nicken
　　Hing Leben oder Tod –

Nun ist die Hand herabgefault zum Knochen,
　　Die oft mit kaltem Federzug
Den Weisen, der am Thron zu laut gesprochen,
　　In harte Fesseln schlug.

Zum Totenbein ist nun die Brust geworden,
　　Einst eingehüllt in Goldgewand,
Daran ein Stern und ein entweihter Orden,
　　Wie zween Kometen stand.

Vertrocknet und verschrumpft sind die Kanäle,
　　Drin geiles Blut, wie Feuer floß,
Das schäumend Gift der Unschuld in die Seele,
　　Wie in den Körper goß.

Sprecht Höflinge, mit Ehrfurcht auf der Lippe,
　　Nun Schmeichelein ins taube Ohr! –
Beräuchert das durchlauchtige Gerippe
　　Mit Weihrauch, wie zuvor!

Es steht nicht auf, euch Beifall zuzulächeln,
　　Und wiehert keine Zoten mehr,
Damit geschminkte Zofen ihn befächeln,
　　Schamlos und geil, wie er.

Sie liegen nun, den eisern Schlaf zu schlafen,
　　Die Menschengeißeln, unbetraurt!
Im Felsengrab, verächtlicher als Sklaven,
　　In Kerker eingemaurt.

Sie, die im ehrnen Busen niemals fühlten
　　Die Schrecken der Religion,
Und gottgeschaffne, beßre Menschen hielten
　　Für Vieh, bestimmt zur Fron;

Die das Gewissen, jenen mächt'gen Kläger,
    Der alle Schulden niederschreibt,
Durch Trommelschlag, durch welsche Trillerschläger
    Und Jagdlärm übertäubt;

Die Hunde nur und Pferd' und fremde Dirnen
    Mit Gnade lohnten, und Genie
Und Weisheit darben ließen; denn das Zürnen
    Der Geister schreckte sie.

Die liegen nun in dieser Schauergrotte
    Mit Staub und Würmern zugedeckt,
So stumm! so ruhmlos! – Noch von keinem Gotte
    Ins Leben aufgeweckt.

Weckt sie nur nicht mit eurem bangen Ächzen,
    Ihr Scharen, die sie arm gemacht,
Verscheucht die Raben, daß von ihrem Krächzen
    Kein Wütrich hier erwacht!

Hier klatsche nicht des armen Landmanns Peitsche,
    Die nachts das Wild vom Acker scheucht!
An diesem Gitter weile nicht der Deutsche,
    Der siech vorüberkeucht!

Hier heule nicht der bleiche Waisenknabe,
    Dem ein Tyrann den Vater nahm;
Nie fluche hier der Krippel an dem Stabe,
    Von fremdem Solde lahm.

Damit die Quäler nicht zu früh erwachen;
    Seid menschlicher, erweckt sie nicht.
Ha! früh genug wird über ihnen krachen
    Der Donner am Gericht.

Wo Todesengel nach Tyrannen greifen,
    Wenn sie im Grimm der Richter weckt,
Und ihre Greul zu einem Berge häufen,
    Der flammend sie bedeckt.

Ihr aber, beßre Fürsten, schlummert süße
    Im Nachtgewölbe dieser Gruft!
Schon wandelt euer Geist im Paradiese,
    Gehüllt in Blütenduft.

Jauchzt nur entgegen jenem großen Tage,
    Der aller Fürsten Taten wiegt,
Wie Sternenklang tönt euch des Richters Waage,
    Drauf eure Tugend liegt.

Ach, unterm Lispel eurer frohen Brüder –
    Ihr habt sie satt und froh gemacht,
Wird eure volle Schale sinken nieder,
    Wenn ihr zum Lohn erwacht.

Wie wird's euch sein, wenn ihr vom Sonnenthrone
　　Des Richters Stimme wandeln hört:
»Ihr Brüder, nehmt auf ewig hin die Krone,
　　Ihr seid zu herrschen wert.«

Auch wenn Schubart in den letzten Strophen mit der Utopie des
guten Fürsten (an die er wohl glaubte) seiner Aggression die Spitze
nahm, ist doch die Empörung, die sich hier Luft macht, deutlich.
Daraus spricht eigenes bitteres Erleben, bloße Nachahmung von
Gefühlen ist das nicht. Die Gruft, die Schubart in München als Ort
stolzer weihevoller Repräsentation erlebt hatte, verkehrt der Dichter zur »Schauergrotte«, in der nur die gemeine Vergänglichkeit
ihren Tribut fordert, die funkelnden Requisiten irdischer Macht
und Größe nur fürchterlich die Ruhe der Stätte stören. Die Abrechnung des Bürgers Schubart ist voller Sarkasmus, wenn er die
banale Realität der Marmorstatuen, die die Trauer über den Tod
des Regenten zum Ausdruck bringen sollen, entlarvt: »An ihren
Urnen weinen Marmorgeister; / Doch kalte Tränen nur von Stein,
/ Und lachend grub – vielleicht ein welscher [!] Meister, / Sie einst
dem Marmor ein.«
　　Schubarts Fürstenkritik ist so allgemein gehalten, daß sie für
jeden und keinen gilt; insofern unterscheidet sie sich nicht so sehr
von der Dichtung der Aufklärung und Empfindsamkeit, die Bür-
gerstolz und Bürgertugend der Lasterhaftigkeit des Adels gegen-
überstellte. Nur ist diese Kritik jetzt nicht mehr vernünftig abwä-
gend vorgebracht, sondern ungestüm und scharf »niedergezürnt«.
So verächtlich und abschätzig wurden die noch hundert Jahre zuvor gefeierten Herrschertugenden und -taten bisher nicht behandelt. Gegen die irdischen Machtauftritte, die von Eitelkeit, Angst
vor kritischer Genialität und von »welscher Sittenlosigkeit« ge-
kennzeichnet sind, setzt er bildkräftig die Nichtswürdigkeit der
verschrumpften, herabgefaulten Toten und enthüllt den falschen
Nimbus, der mit den Potentaten getrieben wird: In Wahrheit sind
sie ärmere Sklaven als die ärmsten geschundensten Untertanen, die
immerhin von ihren Angehörigen betrauert werden und im Tod
Erlösung finden.
　　Höhepunkt der Anklage gegen die »Menschengeißeln« wird die
apokalyptische Versammlung der Gequälten – des Bauern, der
verbotenerweise das Wild verscheucht hat, um seine Ernte zu retten; des verzweifelten Patrioten; des Jungen, dessen Vater hingerichtet wurde; des Soldaten, den der Landesherr wie Ware verkauft hatte. Menschlicher als diese schonen die Gequälten ihre
»Quäler«, lassen ab von ihrer Rache, die Gott allein zusteht.
　　Mit den folgenden Strophen, die die Vision des guten Landesva-

ters heraufbeschwören, der die Menschen als Brüder (und nicht als Vieh) behandelt, sie »satt und froh« zu machen trachtet, ändert Schubart die Sprache: Die Aggressivität solch düsterer Worte wie »vorüberkeuchen«, »heulen«, »fluchen«, »krachen«, sich steigernd in dem Doppelkonsonanten »gr« (»Gericht, greifen, Grimm, Greuel«), macht einer empfindsam-lyrischen Stillage Platz, die der Wohlgefälligkeit der utopischen Vision entspricht.

Schubart äußerte seine freiheitliche Gesinnung nicht nur in seinen politischen Gedichten, unter denen das ›Freiheitslied eines Kolonisten‹, das sich für den amerikanischen Unabhängigkeitskrieg engagiert, und das ›Kaplied‹ herausragen, in dem sich Schubart mitfühlend auf die Seite der für den Krieg in Afrika verkauften schwäbischen Soldaten schlug. Seine Haupttätigkeit lag in der Herausgabe der zweimal wöchentlich erscheinenden ›Deutschen Chronik‹ (1774–1777), einem süddeutschen Pendant zu Claudius' ›Wandsbecker Boten‹ (nach der Haft 1787–1791 als ›Vaterlandschronik‹ fortgeführt), die, notgedrungen verklausuliert, auch zu politischen und volkswirtschaftlichen Tagesthemen Stellung bezog.

Berühmt ist bis heute Schubarts Lied von der ›Forelle‹, das wir heute so naiv romantisch konsumieren und kaum mehr in seiner politischen Chiffrierung verstehen, die die tückischen Täuschungsmanöver des Jägers darstellen. Dazu muß man Schubarts Biographie kennen und, angesichts der allmächtigen Zensur jener Zeit, hinter jeder dichterischen Äußerung auch eine politische Aussage vermuten.

Nie konnte es Schubart wagen, offen seinem Zorn Luft zu machen, gar gegen die Mächtigen zu agitieren; ganz »klopstockianisch« sah er den Zweck der Dichtkunst in »ihrer himmlischen Kraft zum besten der Menschheit«. Der vorzüglichste Interpret von Klopstocks ›Messias‹, den er wie ein Sänger dem süddeutschen Publikum verkündete, versuchte Schubart, pietistisch-empfindsames Gedankengut und die Leidenschaft des Freiheitskämpfers (die unter Verschluß gehalten werden mußte) zu vereinen, versuchte er, seine vitale musikalische und schriftstellerische Genialität den Zwängen der Zensur anzupassen. (Bürger nannte Schubart »einen wahren poetischen Vesuv ohnegleichen«.) 1787 rehabilitierte Herzog Karl Eugen den gebrochenen Mann und ernannte ihn zum Theater- und Musikdirektor in Stuttgart, wo er vier Jahre später starb.

Der zweite bedeutendere Kreis von Dichtern des Sturm und Drang gruppierte sich um Johann Wolfgang von Goethe (1749–1832). Ausgehend von dessen Freundschaft mit Herder, zählten zu ihm in Straßburg bereits Heinrich Jung-Stilling und Jakob Michael Reinhold Lenz; in Goethes Heimatstadt Frankfurt a. M. gesellten sich fast alle wichtigen Dramatiker der Epoche hinzu: Heinrich Leopold Wagner, Friedrich Maximilian Klinger und Friedrich Müller, genannt Maler Müller. Im Unterschied zum Göttinger »Hain«, zu dem faktisch alle Verbindungen pflegten, nahm dieser Freundschaftskreis keinen institutionellen Charakter an. – In dem empfindsamen Darmstädter Dichterkreis der Landgräfin Henriette Christiane Caroline, in dem Herder seine spätere Frau Caroline Flachsland traf, lernte Goethe den Literaturkritiker Johann Heinrich Merck kennen, Mitarbeiter des ›Frankfurter Gelehrten Anzeigers‹ (zeitweilig das wichtigste Sprachrohr der Stürmer und Dränger), der ein bedeutender Freund und Förderer wurde.

In allen drei Dichtungsgattungen setzte der gerade zwanzigjährige Goethe spektakuläre Neuanfänge und Höhepunkte zugleich: im Drama mit ›Götz von Berlichingen‹, im Roman mit dem ›Werther‹ und in der Lyrik mit den ›Sesenheimer Liedern‹. Das 1770 entstandene Gedicht ›Willkommen und Abschied‹, in dem Goethe seine Liebesbegegnung mit der Sesenheimer Pfarrerstochter Friederike Brion lyrisch umsetzte, folgt keinem vorgegebenen Muster mehr, ist auch keine Nachahmung oder Beschreibung von Gefühlen; das eigene Erleben wird maß-geblich, bestimmt allein die Form des Gedichts. Das Gedicht legitimiert sich also nur noch durch seinen künstlerisch-ästhetischen Rang, der in der vollkommenen Übereinstimmung von Gehalt und Gestalt liegt. Diese individualistische Kunstauffassung, die die endgültige Absage an die Regelpoetik darstellt, gilt letztlich bis heute.

Willkommen und Abschied

Es schlug mein Herz, geschwind zu Pferde!
Es war getan fast eh gedacht;
Der Abend wiegte schon die Erde,
Und an den Bergen hing die Nacht;
Schon stand im Nebelkleid die Eiche,
Ein aufgetürmter Riese, da,
Wo Finsternis aus dem Gesträuche
Mit hundert schwarzen Augen sah.

Der Mond von einem Wolkenhügel
Sah kläglich aus dem Duft hervor,
Die Winde schwangen leise Flügel,
Umsausten schauerlich mein Ohr;
Die Nacht schuf tausend Ungeheuer,
Doch frisch und fröhlich war mein Mut:
In meinen Adern welches Feuer!
In meinem Herzen welche Glut!

Dich sah ich, und die milde Freude
Floß von dem süßen Blick auf mich;
Ganz war mein Herz an deiner Seite
Und jeder Atemzug für dich.
Ein rosenfarbnes Frühlingswetter
Umgab das liebliche Gesicht,
Und Zärtlichkeit für mich – ihr Götter!
Ich hofft' es, ich verdient' es nicht!

Doch ach, schon mit der Morgensonne
Verengt der Abschied mir das Herz:
In deinen Küssen welche Wonne!
In deinem Auge welcher Schmerz!
Ich ging, du standst und sahst zur Erden
Und sahst mir nach mit nassem Blick:
Und doch, welch Glück, geliebt zu werden!
Und lieben, Götter, welch ein Glück!

Bis ins Versmaß stimmen Fühlen und Sprechen überein: Der Herzschlag des Liebenden, der Hufschlag seines galoppierenden Pferdes diktieren den Rhythmus der ersten Zeilen. Das unbedingte, spontane Gefühl überspringt das Denken; die erste Fassung (wir geben die spätere von 1789 wieder) formulierte noch leidenschaftlicher:

Es schlug mein Herz. Geschwind zu Pferde!
Und fort, wild wie ein Held zur Schlacht.

Die Natur ist ein lebendiges Wesen wie der Mensch, sie wirkt aus eigener Kraft – vom sanften Wiegen des Abends bis zur schauerlichen Bedrohung der finstern Nacht. Mensch und Natur bilden eine Einheit; die wild belebte Landschaft versinnlicht die Leidenschaft des Reiters, steigert sie noch zum Glücksgefühl des kraftvoll Überlegenen. (Die Vorstellung von der »beseelten« Natur übernahm die Romantik vom Sturm und Drang.)

Mit der Liebesbegegnung der dritten Strophe wechselt das Metrum; ein weicherer, fließender Rhythmus löst den harten Wechsel von Hebung und Senkung der ersten Strophen ab. Durch den auftaktlosen, die Erstsilbe betonenden Vers rückt die Geliebte in den Mittelpunkt: »Dich sah ich ...« Die glückhafte Vereinigung mit der Geliebten, das Göttergeschenk ihrer Zärtlichkeit, hebt das Enjambement dieser ersten Verse hervor: »Dich sah ich, und die milde Freude / Floß aus dem süßen Blick auf mich.«

Erlebnislyrik, wie man diese vom subjektiven Gefühl bestimmte Dichtung nennt, ist nicht spontane Umsetzung des unmittelbar Erlebten, sondern natürlich auch bewußt gestaltet, erarbeitet. Je vollkommener ein Kunstwerk, desto weniger sieht man ihm seinen Fertigungsprozeß an. Wenn mehrere Fassungen vorliegen, läßt sich der Weg der künstlerischen Vervollkommnung gut verfolgen.

Im emphatischen Schluß, der einen merkwürdigen Kontrast zu dem Schmerz des Verlassen-Müssens und Verlassen-Seins bildet, wird die Distanz zu dem Erlebten deutlich: Die Intimität dieses einen Erlebnisses geht durch ihn verloren, die effektvolle Pointe hebt das Gedicht ins Allgemeine. Daß Friederike Brion nicht genannt wird, verstärkt den Eindruck des absoluten, unwiederbringlichen Gefühls, das aber gerade dadurch für den Leser nachvollziehbar wird. Authentizität kennzeichnet die neue Lyrik: Ein persönliches Gefühl wird so wahrhaftig ausgedrückt, daß es auch für andere Gültigkeit hat. Die von Goethe erlebte Ambivalenz von Nähe und Trennung, Wonne und Schmerz, gilt für jede Liebesbeziehung.

Das Gedicht hat Liedcharakter; es geht aber in seiner kunstvollen Verstechnik und Bildsprache weit über ein sangbares Volkslied hinaus. Eine ähnliche Entwicklung wie von der Volksballade zur Kunstballade vollzog sich im lyrischen Gedicht: das »Kunstlied« entstand, das Elemente des Volkslieds aufnahm, dessen natürliche Ausstrahlung es auf kunstvolle Weise herzustellen suchte.

Im Überschwang des Sesenheimer Liebeserlebnisses schrieb Goethe auch sein berühmtes ›Mailied‹, das sich weit stärker am einfachen, naiven Volkston orientiert:

> Wie herrlich leuchtet
> Mir die Natur!
> Wie glänzt die Sonne!
> Wie lacht die Flur!...

Zum echten Volkslied wurde Goethes balladenartiges ›Heideröslein‹, das wir noch heute singen.

Lied und Ode waren um die Jahrhundertmitte noch synonym gebrauchte Begriffe. Dennoch unterschieden sich Klopstocks »hohe« Oden, die in hymnischer Begeisterung, mit »Machtwörtern« beladen, in freien Versen erhabene Gefühle zum Ausdruck brachten, deutlich vom sangbaren Lied, das als einfaches Volkslied (seit Herder) eigenen Wert und eigene Bestimmung erhalten hatte. Beide, sowohl die emphatische Ode wie das schlichte Lied, galten dem Sturm und Drang als ursprüngliche natürliche Formen der Dichtkunst und waren in ihrer Musikalität besonders geeignet, Affekte auszudrücken – und auszulösen. Schon Klopstock hatte sich auf den großen griechischen Lyriker Pindar (522–446 v. Chr.) berufen, dessen Schöpferkraft gern mit der Gewalt eines Stroms oder dem Flug des Adlers verglichen wurde. Pindar in seiner scheinbaren Spontaneität und Regellosigkeit – in Wahrheit kunstvoll durchgeplante Methode – avancierte im Sturm und Drang zum Musterbeispiel des lyrischen Originalgenies (wie Shakespeare für das Drama), und die Pindarische Ode, von Herder als »erstgeborenes Kind der Empfindung« gefeiert, galt als höchste und reinste Form genialischen Dichtens. (Der griechische Dichter hatte für sich den Adel des von Natur aus weisen Genies im Gegensatz zu dem ewig unvollkommenen Gelehrten beansprucht.)

Goethes Sturm-und-Drang-Hymnen, die er selbst auch als Oden bezeichnet hat, sind ganz aus dem Pindar-Enthusiasmus seiner Zeit entstanden; vor allem in ›Wandrers Sturmlied‹ zeigt sich im mythologischen Beziehungsreichtum, im ungestümen Syntax-Wechsel und machtvollen Wortschatz, wie sie für den stilisierenden Pindar typisch sind, die bewußte Anlehnung an das große Vorbild. Die Paradoxie der Pindar-Nachahmung liegt darin, daß ein originales Genie ja eigentlich überhaupt kein Vorbild braucht; wenn die Stürmer und Dränger sich dennoch auf Pindar beriefen, zeugt das nur von dem tiefen Legitimationsbedürfnis, das auch noch die sich so stark gebärdenden Avantgardisten mit der angefeindeten Gelehrtendichtung teilten.

Der stolzeste Ausdruck selbstherrlicher Individualität der Stürmer und Dränger, ihres titanenhaften Machtgefühls, ist Goethes 1774 entstandener Hymnus ›Prometheus‹. Reimlos, in freien Rhythmen geschrieben, überträgt er die Ungebundenheit, die Unabhängigkeit der Mythenfigur programmatisch auf die neue Rolle des Dichters.

Prometheus

Bedecke deinen Himmel, Zeus,
Mit Wolkendunst!
Und übe, Knaben gleich,
Der Disteln köpft,
An Eichen dich und Bergeshöhn!
Mußt mir meine Erde
Doch lassen stehn,
Und meine Hütte,
Die du nicht gebaut,

Und meinen Herd,
Um dessen Glut
Du mich beneidest.

Ich kenne nichts Ärmer's
Unter der Sonn' als euch Götter.
Ihr nähret kümmerlich
Von Opfersteuern
Und Gebetshauch
Eure Majestät
Und darbtet, wären
Nicht Kinder und Bettler
Hoffnungsvolle Toren.

Da ich ein Kind war,
Nicht wußt', wo aus, wo ein,
Kehrte mein verirrtes Aug'
Zur Sonne, als wenn drüber wär'
Ein Ohr, zu hören meine Klage,
Ein Herz wie meins,
Sich des Bedrängten zu erbarmen.

Wer half mir wider
Der Titanen Übermut?
Wer rettete vom Tode mich,
Von Sklaverei?
Hast du's nicht alles selbst vollendet,
Heilig glühend Herz?
Und glühtest, jung und gut,
Betrogen, Rettungsdank
Dem Schlafenden dadroben?

Ich dich ehren? Wofür?
Hast du die Schmerzen gelindert
Je des Beladenen?
Hast du die Tränen gestillet
Je des Geängsteten?
Hat nicht mich zum Manne geschmiedet
Die allmächtige Zeit
Und das ewige Schicksal,
Meine Herrn und deine?

Wähntest du etwa,
Ich sollte das Leben hassen,
In Wüsten fliehn,
Weil nicht alle Knabenmorgen –
Blütenträume reiften?

Hier sitz' ich, forme Menschen
Nach meinem Bilde,
Ein Geschlecht, das mir gleich sei,

Zu leiden, weinen,
Genießen und zu freuen sich,
Und dein nicht zu achten,
Wie ich.

Das hymnische Gedicht gibt in komprimierter Form den Stoff des 1773 entstandenen, Fragment gebliebenen Dramas über den selbstbewußten Rebellen Prometheus wieder, der, unsterblicher Abkömmling des von Zeus entthronten Titanengeschlechts, sich von den Olympiern lossagte, um nur sich selbst zu leben. Nach dem alten Mythos erschafft sich Prometheus Figuren aus Lehm, seine Kinder, die er liebt und anleitet, denen nur das Feuer des himmlischen Geistes zum Leben fehlt. (»O, könnt ich euch das fühlen geben, / Was ihr seid!«, heißt es in dem begonnenen Drama.) Zeus verspricht es Prometheus, wenn er ihn dafür künftig als Mächtigeren anerkenne, aber der stolze Prometheus verweigert die Huldigung und schlägt das Angebot des Donnerers aus. Das Schicksal und die Zeit allein, denen nach der griechischen Mythologie auch die Götter des Olymp unterworfen sind, erkennt er als seine Herren an. Zeus' Tochter Athene aber bewundert Prometheus' Geschöpfe, sie führt den Titanensohn heimlich zum Quell des Lebens. Als Zeus von dem Verrat erfährt, läßt er Prometheus an den Kaukasus schmieden, wo ihm ein Adler täglich die Leber aus dem Leib pickt, die bis zum nächsten Morgen nachgewachsen ist ...

»Ich bin kein Gott, / Und bilde mir so viel ein als einer«, heißt es in dem Fragment, aus dem Goethe ganze Zeilen in seinen Hymnus übernahm. Das Stichwort »Prometheus« hatte als erster Shaftesbury gebraucht, als er vom Dichter als dem »obersten Künstler« und »Schöpfer« sprach, der »ein wahrer Prometheus unter Juppiter« sei. Der Name Prometheus steht hier für das Genie, den aus eigener Kraft schöpferischen Menschen, ebenso wie für den Rebellen, der sich empört über das eigensüchtige und machtherrliche Handeln der Herrschenden – im Himmel wie in der Welt.

Nirgends fand die Idee vom Göttlichen im Genie während des Sturm und Drang so klare und so provokante Formulierung. Alles, was Gott in der herkömmlichen Vorstellung der Menschen ausmacht, insbesondere der christliche Gedanke des erbarmenden, liebenden Gottes, wird als Kinderphantasie abgetan. Mit dem trotzigen Verscheuchen Gottes ins Jenseits, hinter den »Wolkendunst«, proklamiert sich Prometheus als nur aus sich selbst heraus schaffender Künstler, nur im Irdischen verhaftet, »zum Manne geschmiedet«, als kraftvoller Gottmensch.

Außer dieser (im traditionellen Sinn) antireligiös begründeten Idee vom göttlichen Genie enthält das Gedicht auch eine starke politische Komponente: Zeus bzw. der Herrscher mag ruhig mit seiner zerstörerischen Macht prahlen, das Wesentliche, Menschliche gehört ihm nicht und kann er nicht angreifen: weder die Geborgenheit der Hütte noch das wärmende Herdfeuer, um das die Mächtigen ihre Untertanen beneiden und die sie deshalb unterdrücken (müssen). Was ist das aber für eine armselige Majestät, die abhängig ist vom Tribut, den ihr die Beherrschten zollen? An das Wunder von Güte und trostspendender Menschlichkeit, an die Utopie vom humanisierten Herrscher also, die längst in ihrer Fragwürdigkeit durchschaut ist, glauben nur mehr törichte Kinder und Bettler. Hilfe bringt nur das eigene Handeln – das hat Prometheus (das Genie) erfahren: »Hast du's nicht alles selbst vollendet, / Heilig glühend Herz?« Das Herz als Sitz der Gefühle ist heilig, so hatte die »Empfindsamkeit« schon gesagt; das junge glühende Herz ist betrogen worden, daher sagt es sich jetzt trotzig los.

Neu dabei ist nicht der Zweifel am absolutistischen System, sondern die Konsequenz: Während die Vätergeneration in die Lebensfeindlichkeit eines christlichen Stoizismus, in Melancholie und Utopien auswich, wollen die Genies des Sturm und Drang nicht »das Leben hassen« und »in Wüsten fliehn«, sondern erklären sich den Mächtigen ebenbürtig und von ihnen unabhängig. Das machte die Genies zu Rebellen. In ihrer schöpferischen Kraft (»Hier sitz ich, forme Menschen...«) begründen sie ein neues Geschlecht, das nur mehr seinem Wesensgesetz gehorcht – »zu leiden, weinen, genießen und [sich] zu freuen« –, das die ganze »Fülle des Herzens« als Macht und Genügen begreift und daher Autoritäten verachtet. Doch blieb, wie in der Einleitung zum Sturm und Drang schon erwähnt, der revolutionäre Impetus reine Idee, Gefühl von Freiheit und führte nie zu politischer Aktion.

Goethe war kein Atheist: Der ›Prometheus‹ ist lediglich Absage an einen kleinlichen, institutionalisierten Kirchengott, der »Opfersteuern und Gebetshauchs« bedarf. In Goethes Vorstellung verschmolzen Schöpferkraft, Liebe und Natur zum Göttlichen, an dem das Dichtergenie Anteil hatte. Sein Pantheismus, die Idee eines in allen Erscheinungen der Natur gegenwärtigen Göttlichen, prägte auch seinen zur gleichen Zeit entstandenen ›Werther‹.

Der folgende Hymnus ›Ganymed‹, ebenfalls 1774 geschrieben, feiert die Kraft des Genies als Hingabe, als Aufgehen in der vergöttlichten Natur. Nur seiner eigenen Kraft zu leben und sich selbstbewußt auf seine Individualität zurückzuziehen wie Prometheus, dann aber wieder sich zu entgrenzen, im All der Schöpfung aufzulösen: das waren die zwei Seiten des Goetheschen Genies, aus deren fruchtbarer Spannung er bis an sein Lebensende schöpfte.

Ganymed

Wie im Morgenrot
Du rings mich anglühst,
Frühling, Geliebter!
Mit tausendfacher Liebeswonne
Sich an mein Herz drängt
Deiner ewigen Wärme
Heilig Gefühl,
Unendliche Schöne!

Daß ich dich fassen möcht'
In diesen Arm!

Ach, an deinem Busen
Lieg' ich, schmachte,
Und deine Blumen, dein Gras
Drängen sich an mein Herz.
Du kühlst den brennenden
Durst meines Busens,
Lieblicher Morgenwind,
Ruft drein die Nachtigall
Liebend nach mir aus dem Nebeltal.

Ich komm! Ich komme!
Wohin? Ach, wohin?

Hinauf, hinauf strebt's,
Es schweben die Wolken
Abwärts, die Wolken
Neigen sich der sehnenden Liebe,
Mir, mir!
In eurem Schoße
Aufwärts,
Umfangend umfangen!
Aufwärts
An deinem Busen,
Allliebender Vater!

Dem Vokabular nach ist ›Ganymed‹ ein Liebesgedicht: »Geliebter, Liebeswonne, Busen, schmachten, ruft die Nachtigall liebend, sehnende Liebe, Schoß, allliebender Vater...« Der Dichter sehnt sich danach, mit der ewig schöpferischen Kraft, die sich in der Schönheit, im Feuer des jungen Frühlings offenbart, eins zu werden. Aus einem seligen erfüllten Augenblick heraus erwächst der Wunsch, aus der Körperlichkeit und Einsamkeit ins All zu entschweben und als Teil des Kosmos dem ewigen Gesetz der Liebe anzugehören. Dieser Sehnsucht nach schwebender Schwerelosigkeit entsprechen Satzbau und Bewegung des Gedichts.

Der fließende Rhythmus des ersten Gedichtteils wird sanft angehalten in der dritten und achten Zeile, um den Frühling als Geliebten und die »unendliche Schöne« des Kosmos feierlich zu betonen. Wortschöpfungen wie »anglühen« oder »unendliche Schöne« für die Schönheit des Unendlichen zeigen Klopstocks Einfluß. Der ausgefallene Satzbau entspricht dem besonderen Erregungszustand des Sprechenden, der zunächst passiv sich »anglühen« und »bedrängen« läßt. Die folgenden Zweizeiler stehen in jähem Gegensatz zur vorausgegangenen Sequenz, wie aus einem gestauten Herzen scheinen sie sich zu entladen: »Daß ich dich fassen möcht' / In diesen Arm!« Im Absinken der Bewegung wird die Vergeblichkeit solchen Ansinnens rhythmisch umgesetzt: Die kosmische Unendlichkeit läßt sich nicht fassen.

Nähe findet der nach Entgrenzung Schmachtende im Gras, in den Blumen, die noch sinnlich erfahrbare Teile des Schöpfungsalls sind. Sie können die brennende Sehnsucht des Liebenden nicht stillen, auch der Morgenwind nicht, aber sie können als Zeichen der Liebe des unendlichen Gottes doch den »brennenden Durst« kühlen.

Erstaunen machen und das Gemüt des Lesers erregen sollte schon nach Bodmer und Breitinger eine ungewöhnliche, »dunkle« Sprache. Am Ende des ersten Gedichtteils verwunderte die »unendliche Schöne«, nachdem der Frühling zuvor als männlicher Geliebter apostrophiert wurde; am Ende dieses zweiten Teils bekommt der Leser wieder eine ins Undeutliche, Ungewisse auslaufende Satzsequenz angeboten: »Ruft drein die Nachtigall / Liebend nach mir aus dem Nebeltal.« Die Nachtigall ist Bote aus den Nebeln der unfaßbaren, geheimnisvollen Nacht, verbindet also zwischen Nacht und Tag. Sie vergewissert, indem sie »liebend« ruft, die zur Vereinigung mit Gott drängende Menschenseele des liebend wartenden Vaters.

Endlich, im dritten Anlauf, gelingt die Lösung von der Erdenschwere: Die Kraft der sehnenden Liebe ist nun so mächtig, daß sie die Wolken – Bild für Gottes Schoß – herunterneigt; im »Hinab« (Gottes) und »Aufwärts« (des Menschen) treffen sich Schöpfer und Geschöpf, »umfangend umfangen«, im Geben und Nehmen der Liebe. Die Entrückung im Augenblick der *unio mystica* kann nur mehr in stammelnden Ausrufen adäquat wiedergegeben werden.

Ganymed ist ebenfalls eine Mythenfigur: Der überaus schöne Jüngling wurde von Zeus geraubt, um als himmlischer Mundschenk die Olympier zu erfreuen. Nur assoziativ will der Name in diesem Hymnus für Schönheit und Jugend des Frühlings und die Aufnahme in den göttlichen Himmel stehen.

3.1 Zur Geschichtsauffassung des Sturm und Drang

Hinter dem Interesse der Stürmer und Dränger an der älteren deutschen Geschichte stand vor allem die Suche nach Zeiten und Zuständen, in denen der einzelne noch nicht dem bevormundenden Zugriff einer allmächtigen Obrigkeit ausgesetzt war. Geschichtsbetrachtung diente dem Entdecken früherer, für besser gehaltener Verhältnisse, war Kritik an der Gegenwart des aufgeklärten Absolutismus. Die Stürmer und Dränger rückten also deutlich von dem optimistischen Geschichtsbild der Aufklärung ab, nach dem sich die Menschheit auf immer vernünftigere und moralischere, kurz: bessere Zustände hin entwickle.

Den entscheidenden Impuls zu einer neuen Geschichtsauffassung hatte Herder gegeben: Sein Aufsatz ›Auch eine Philosophie der Geschichte zur Bildung der Menschheit‹ (1774) wurde geradezu eine der Programmschriften der Stürmer und Dränger. Im Gegensatz zur linearen Betrachtungsweise der Aufklärer, die frühere Epochen abwerteten, sah Herder die Menschheitsgeschichte als einen organischen Prozeß an. Wie der Mensch, der Träger der Geschichte, Jugend, Mannesalter und Greisentum durchlebe, so erführen auch die Völker und Kulturen Phasen des Wachsens, Blühens und Welkens. Menschheits- oder Universalgeschichte sei Entwicklung, der »Geist der Veränderung« sei »der Kern der Geschichte«. Wenn Geschichte also nicht Stufenleiter zu irgendeinem Gipfel, sondern vielfach verästelte Entwicklung sei, so besitze jede Epoche ihren unabhängigen Eigenwert, ihren unverwechselbaren Charakter. Ohne Herders Gedanken, die er in den ›Ideen zur Philosophie der Geschichte der Menschheit‹ (1784–1791) erweiterte, ist auch die moderne Geschichtswissenschaft undenkbar.

Gleichzeitig war für Herder Geschichtsbetrachtung eine Art übergeordnete Wissenschaft, der andere Disziplinen wie die Völker- und Länderkunde, die Religionswissenschaft oder die Psychologie zuarbeiteten. Er nahm Gedanken der Sensualisten und Montesquieus auf, um die individuelle Entwicklung des Menschen und die der verschiedenen Völker, ihres jeweiligen Volkscharakters, begreifen und erklären zu können. Für ihn und, von ihm vermittelt, für Goethe und die Stürmer und Dränger war Geschichte mehr das Wirken von Individuen als die dürre Abfolge von Schlachten, Krönungsdaten oder fürstlicher Todesfälle. Zwar dauerte es noch rund 200 Jahre, bis ernsthaft Geschichtsschreibung »von unten«, also aus der Sicht des Mannes auf der Straße, versucht wurde, doch war es Herder, der als erster die Blicke der Historiker auf das Wirken »lebendiger Menschenkräfte« gerichtet hatte.

Allerdings war Herders Art der Geschichtsbetrachtung alles andere als wissenschaftlich im modernen Sinne: »Gehe in das Zeitalter, in die Himmelsgegend, die ganze Geschichte, fühle dich in alles hinein« (›Auch eine Philosophie der Geschichte zur Bildung der Menschheit‹). Wohl war Herders Ansatz der Universalgeschichte enzyklopädisch, seine Methode der historischen Erkenntnis aber war auf rein subjektives Empfinden gebaut. Das spontane, unreflektierte Horchen auf die Schwingungen des eigenen Gefühls, die bei der Beschäftigung mit geschichtlichen Epochen oder Persönlichkeiten ausgelöst wurden, galt ihm als Weg zu »objektiver« geschichtlicher Wahrheit.

Für Herder war Menschheitsgeschichte eine höhere Form von Naturgeschichte, denn sie schien ihm in ihrer organischen Entwicklung den Zyklen und Abläufen in der Natur zu entsprechen. Dieser Ansatz konnte bei rein politischem Geschehen nicht stehenbleiben, sondern bezog sich auch auf das künstlerische Wollen jeder Epoche, dem Herder jeweils eigenen, unverwechselbaren und unabhängigen Wert zumaß. Für eine absolute Poetik war in Herders kulturhistorischem Denken kein Platz. Für ihn erwächst große Dichtung aus ihrem historischen und nationalen Umfeld, deshalb sind »Sophokles Drama und Shakespeares Drama ... zwei Dinge, die in gewissem Betracht kaum den Namen gemein haben«, dennoch sind Sophokles und Shakespeare »Brüder«, vereint in der schöpferischen Ursprünglichkeit ihrer Werke, deren Form gerade deshalb notwendig so verschieden ist. In Shakespeare fand Herder den »dramatischen Gott« der Geschichte verkörpert, der mit der Kraft des Originalgenies »Weltbegebenheit und Menschenschicksal« gestaltet: »Hier ist kein Dichter! ist Schöpfer! ist Geschichte der Welt!«

3.2 Johann Wolfgang von Goethe, Götz von Berlichingen mit der eisernen Hand. Ein Schauspiel

Goethe übernahm von Herder das Geschichtsbild und die Bewunderung für Shakespeare. Was ihn an der Geschichte anrührte, glaubte er bei dem Briten verwirklicht: »Shakespeares Theater ist ein schöner Raritätenkasten, in dem die Geschichte der Welt vor unsern Augen an dem unsichtbaren Faden der Zeit vorbeiwallt. Seine Plane sind, nach dem gemeinen Stil zu reden, keine Plane, aber seine Stücke drehen sich alle um den geheimen Punkt (den noch kein Philosoph gesehen und bestimmt hat), in dem das Eigentümliche unsres Ichs, die prätendierte Freiheit unsres Wollens, mit dem notwendigen Gang des Ganzen zusammenstößt« (›Zum Shakespeares-Tag‹). Der »gemeine Stil« meint den allgemein üblichen, französisierenden Geschmack, der an der poetischen Regelrechtigkeit maß; Geschichte aber ist Verlauf und kann nicht in das Korsett der drei Aristotelischen Einheiten gepreßt werden. Der Bruch mit dem Regeldrama war für Goethe nicht blinder Protest, sondern vor allem in der Absicht begründet, Geschichte erlebbar zu machen.

Inwieweit Goethe mit seiner Interpretation Shakespeare gerecht wurde, ist unwichtig; in der Begegnung mit ihm entzündete sich seine Idee von geschichtlicher Tragik: Das Individuum, der große Einzelne, stemmt sich vergebens gegen den Strom der Geschichte, mag auch im Augenblick das Recht auf seiner Seite stehen.

In dem Reichsritter Götz von Berlichingen (1480–1562), dessen Autobiographie er schon in Straßburg las, fand Goethe das Ideal des »Selbsthelfers« verkörpert, der kraftvoll und selbstbewußt sein Recht verteidigt, das ihm von Gesellschaft, Staat oder einfach von Mächtigeren verweigert wird. Die Stärke, aus der er ohne Zögern handelt, ist Natur und kann bis zur Rebellion gehen; der geschichtlich wirkende Selbsthelfer ist also eine Spielart des Genies, dessen Kraft gesellschaftliche und politische Zwänge sprengt.

In freier Bearbeitung der 1731 gedruckten ›Lebensbeschreibung Herrn Goezens von Berlichingen. Zugenannt mit der eisernen Hand. Eines zu Zeiten Kaysers Maximiliani I. und Caroli V., Kühnen und Tapferenen Reichs-Cavaliers‹, schrieb Goethe 1771 in wenigen Wochen den ersten Entwurf seines »Shakespearschen« Dramas nieder. Dabei stilisierte er Götz von Berlichingen – der, historisch gesehen, ein ganz unidealisches wildbewegtes Raubritterleben geführt hatte – zur Verkörperung des freien Reichsritters, der »nur Gott und dem Kaiser untertan«, also weitgehend unabhängig ist und diese Freiheit selbstverständlich mit seinen Untergebenen teilt; da die religiöse Bindung und die Treue zu der vom Kaiser repräsentierten Ordnung ganz mit seinen Lebensidealen übereinstimmt, empfindet (Goethes) Götz auch keinerlei Einschränkung. Seine Persönlichkeit, die »prätendierte [d. h. beanspruchte] Freiheit seines Willens«, gerät mit dem »notwendigen Gang des Ganzen«, dem unaufhaltsamen Aufstieg des absolutistischen Fürstenstaates, in tragischen Konflikt.

Goethe hat für sein Drama eine Zeit des Umbruchs, drängender politischer und wirtschaftlicher Entwicklungen gewählt: Anfang des 16. Jahrhunderts, im Übergang vom Mittelalter zur Neuzeit, konnte sich Kaiser Maximilian I. als Ordnungsgewalt kaum mehr gegen die machtvollen Reichsfürsten behaupten, die ihre Gebiete zu zentral verwalteten, absolutistischen Staaten ausbauten. Gleichzeitig waren die Reichsstädte auf ihre politische und wirtschaftliche Unabhängigkeit bedacht; sie mußten sich gegen die fürstlichen Übergriffe und die Raubüberfälle der verarmten, weil von der Geldwirtschaft weitgehend ausgeschlossenen Reichsritter wehren, deren kleine Herrschaftsgebiete wiederum den an der Entwicklung und Arrondierung ihrer Territorien interessierten Reichsfürsten im Wege waren. Im Interesse ihres Machtausbaus lag die Forderung der Fürsten nach einem allgemeinen Landfrieden im Reich, der die privaten Fehden verbot und alle Streitfälle an das 1495 neu gegründete Reichskammergericht verwies; die Erzwingung des Landfriedens stärkte die fürstliche Ordnungsmacht, mußte den kaiserlichen Einfluß dagegen schwächen. Zu der äußeren Bedrohung des Reichs durch die Türken kamen also die inneren Spannungen: die vielfältigen militanten Interessengegensätze. Die Auflösung der gewachsenen, lehensrechtlich begründeten Sozialstrukturen zugunsten eines Untertanenprinzips führte in den Territorien zu den unerhört blutigen Bauernkriegen (1524/25); die politisch, aber auch wirtschaftlich immer bedrängtere Situation der Reichsritter entlud sich in ihrem großen Aufstand (1517–1523), bei dem – anders als in Goethes Drama – ihr Anführer Franz von Sickingen 1523 fiel.

Den Stürmer und Dränger Goethe interessierte vor allem der nur lehensrechtlich dem Kaiser zur Treue verpflichtete Reichsritter, in dem er das freie, starke Individuum sah, im Kampf mit der Übermacht der bereits absolutistisch denkenden und handelnden Fürsten. Ihrem politischen Taktieren, ihrem »staatsklugen«, rein auf den eigenen Vorteil bedachten Verhalten stellt er die freie redliche Gesinnung des »großen Mannes« Götz entgegen, der seiner Tapferkeit, Treue und unbedingten Rechtschaffenheit wegen weit und breit im Lande größten Respekt genießt. Goethe hat diese widerstreitenden Kräfte in lebendige Charaktere umgesetzt, die den Vorstellungen des Sturm und Drang von individueller »Eigentümlichkeit« entsprachen. Alle Stände – den Kaiser ebenso wie Hofleute, Bischöfe, Ratsherren, Richter, Kaufleute, Offiziere und Bauern, Zigeuner – hat er miteinbezogen in die Auseinandersetzung und so die Fülle der Welt, gewissermaßen gelebte Zeit auf die Bühne gebracht.

Am Hof des Bischofs von Bamberg, der die neuen territorial-absolutistischen Kräfte vertritt, verkehren der dümmliche, trinkfreudige Abt von Fulda, der scharfzüngige höfische Gesellschafter des Bischofs, Liebetraut, die schöne Intrigantin Adelheid von Walldorf und des Bischofs rechte Hand, Adelbert von Weislingen, die alle farbige Facetten der höfisch-politischen Welt abgeben und zu Götzens einfacher natürlicher Lebensart kontrastieren. Eine Art Bindeglied zwischen beiden Welten stellt Weislingen dar, der, selbst Reichsritter von Geburt, sich in den Dienst des Bischofs begeben hat.

Obwohl die private Fehde zwischen Götz und dem Bischof von Bamberg beigelegt war, haben »die Bambergischen« einen Reiter von Götz gefangengenommen; im Gegenzug setzt Götz den einflußreichen Adelbert von Weislingen fest. Die beiden waren einst Jugendfreunde gewesen, doch dann war Weislingen den Verführungen des Hofs erlegen.

GÖTZ: Wenn du mir damals gefolgt hättest, da ich dir anlag, mit nach Brabant zu ziehen, es wäre alles gut geblieben. Da hielt dich das unglückliche Hofleben, und das Schlenzen und Scherwenzen mit den Weibern. Ich sagt es dir immer, wenn du dich mit den eiteln garstigen Vetteln abgabst, und ihnen erzähltest von mißvergnügten Ehen, verführten Mädchen, der rauhen Haut einer Dritten, oder was sie sonst gerne hören, du wirst ein Spitzbub, sagt ich, Adelbert.

WEISLINGEN: Wozu soll das alles?

GÖTZ: Wollte Gott, ich könnt's vergessen, oder es wär anders! Bist du nicht ebenso frei, so edel geboren als einer in Deutschland, unabhängig, nur dem Kaiser untertan, und du schmiegst dich unter Vasallen? Was hast du von dem Bischof? Weil er dein Nachbar ist? dich necken könnte? Hast du nicht Arme und Freunde, ihn wieder zu necken? Verkennst den Wert eines freien Rittersmanns, der nur abhängt von Gott, seinem Kaiser und sich selbst! Verkriechst dich zum ersten Hofschranzen eines eigensinnigen neidischen Pfaffen.

WEISLINGEN: Laßt mich reden.

GÖTZ: Was hast du zu sagen?

WEISLINGEN: Du siehst die Fürsten an, wie der Wolf den Hirten. Und doch, darfst du sie schelten, daß sie ihrer Leut und Länder Bestes wahren? Sind sie denn einen Augenblick vor den ungerechten Rittern sicher, die ihre Untertanen auf allen Straßen anfallen, ihre Dörfer und Schlösser verheeren? Wenn nun auf der andern Seite unsers teuren Kaisers Länder der Gewalt des Erbfeindes ausgesetzt sind, er von den Ständen Hülfe begehrt, und sich kaum ihres Lebens erwehren: ist's nicht ein guter Geist, der ihnen einrät, auf Mittel zu denken, Deutschland zu beruhigen, Recht und Gerechtigkeit zu handhaben, um jeden, Großen und Kleinen, die Vorteile des Friedens genießen zu machen? Und uns verdenkst du's, Berlichingen, daß wir uns in ihren Schutz begeben, deren Hülfe uns nah ist, statt daß die entfernte Majestät sich selbst nicht beschützen kann.

GÖTZ: Ja! Ja! Ich versteh! Weislingen, wären die Fürsten, wie Ihr sie schildert, wir hätten alles, was wir begehren. Ruh und Frieden! Ich glaub's wohl! Den wünscht jeder Raubvogel, die Beute nach Bequemlichkeit zu verzehren. Wohlsein eines jeden! Daß sie sich nur darum graue Haare wachsen ließen! Und mit unserm Kaiser spielen sie auf eine unanständige Art. Er meint's gut und möcht gern bessern. Da kommt denn alle Tage ein neuer Pfannenflicker und meint so und so. Und weil der Herr geschwind etwas begreift, und nur reden darf, um tausend Hände in Bewegung zu setzen, so denkt er, es wär auch alles so geschwind und leicht ausgeführt. Nun ergehn Verordnungen über Verordnungen, und wird eine über die andere vergessen; und was den Fürsten in ihren Kram dient, da sind sie hinterher und gloriieren von Ruh und Sicherheit des Reichs, bis sie die Kleinen unterm Fuß haben. Ich will darauf schwören, es dankt mancher in seinem Herzen Gott, daß der Türk dem Kaiser die Waage hält.

WEISLINGEN: Ihr seht's von Eurer Seite.

GÖTZ: Das tut jeder. Es ist die Frage, auf welcher Licht und Recht ist, und Eure Gänge scheuen wenigstens den Tag.

WEISLINGEN: Ihr dürft reden, ich bin der Gefangne.

GÖTZ: Wenn Euer Gewissen rein ist, so seid Ihr frei. Aber wie war's mit dem Landfrieden? Ich weiß noch, als ein Bub von sechzehn Jahren war ich mit dem Markgrafen auf dem Reichstag. Was die Fürsten da für weite Mäuler machten, und die Geistlichen am ärgsten. Euer Bischof lärmte dem Kaiser die Ohren voll, als wenn ihm wunder wie! die Gerechtigkeit ans Herz gewachsen wäre; und jetzt wirft er mir selbst einen Buben nieder, zur Zeit, da unsere Händel vertragen sind, ich an nichts Böses denke. Ist nicht alles zwischen uns geschlichtet? Was hat er mit dem Buben?

WEISLINGEN: Es geschah ohne sein Wissen.

GÖTZ: Warum gibt er ihn nicht wieder los?

WEISLINGEN: Er hat sich nicht aufgeführt wie er sollte.

GÖTZ: Nicht wie er sollte? Bei meinem Eid, er hat getan wie er sollte, so gewiß er mit Eurer und des Bischofs Kundschaft gefangen ist. Meint Ihr, ich komm erst heut auf die Welt, daß ich nicht sehen soll, wo alles hinaus will?

WEISLINGEN: Ihr seid argwöhnisch und tut uns unrecht.

GÖTZ: Weislingen, soll ich von der Leber weg reden? Ich bin euch ein Dorn in den Augen, so klein ich bin, und der Sickingen und Selbitz nicht weniger, weil wir fest entschlossen sind, zu sterben eh, als jemanden die Luft zu verdanken, außer Gott, und unsere Treu und Dienst zu leisten, als dem Kaiser. Da ziehen sie nun um mich herum, verschwärzen mich bei Ihro Majestät und ihren Freunden und meinen Nachbarn, und spionieren nach Vorteil über mich. Aus dem Weg wollen sie mich haben, wie's wäre. Darum nahmt ihr meinen Buben gefangen, weil ihr wußtet, ich hatt ihn auf Kundschaft ausgeschickt; und darum tat er nicht was er sollte, weil er mich nicht an euch verriet. Und du, Weislingen, bist ihr Werkzeug!

WEISLINGEN: Berlichingen!

GÖTZ: Kein Wort mehr davon! Ich bin ein Feind von Explikationen; man betrügt sich oder den andern, und meist beide.

(I.3)

Götz prangert die Verlogenheit der fürstlichen Politik an, die sich hinter schönen Worten von Ruhe und Sicherheit und Allgemeinwohl verbirgt, in Wahrheit aber nur auf Unterdrückung abzielt. Die Verlagerung der bürgerlichen Absolutismuskritik ins 16. Jahrhundert bewahrte den Autor vor der Zensur, machte zugleich deutlich, daß bereits am Beginn des neuen Fürstenstaats, der sich auf die Schwäche der kaiserlichen Zentralmacht gründete, seine moralischen Erzübel standen: Machtgier, Intrige und Sittenverderbnis. Und wer sich in den Bannkreis der Höfe begab, wurde zum »Spitzbuben«. Götz, der die (verlorengegangenen) Ideale fürsorglich-patriarchalischer Verantwortung und Rechtschaffenheit vertritt, redet frei »von der Leber weg« und verabscheut künstliche »Explikationen«, die doch nur auf Betrug hinauslaufen.

Als Götz auf Adelberts Versuch einer Ehrenrettung der Fürsten geantwortet hat, verstummt Weislingen mehr und mehr, bis er am Ende der Szene sich nur noch mit dem Ausruf »Berlichingen!« Luft machen kann. Indem Weislingen die Argumente ausgehen, er nicht mehr diplomatisch, das heißt: höfisch-unaufrichtig lavieren kann, wird die Wahrheit der Götzschen Vorwürfe dramaturgisch bewiesen.

Im ›Götz‹ wechseln schon im I. Akt die Schauplätze über Hunderte von Kilometern, zwischen Jaxthausen und Bamberg. Über fünfzig Szenen und Szenchen enthält das Drama, in diesem mannigfachen Wechsel übertrifft es bei weitem das Shakespearesche Vorbild. Das junge Publikum war begeistert von der bunten lebendigen Vielfalt und Turbulenz des Stücks, die konservative Kritik (bis hin zu Friedrich dem Großen) griff diese Formlosigkeit heftig an.

In starkem Kontrast zur familiären Herzlichkeit und Schlichtheit an Götzens Burg steht der bischöfliche Palast zu Bamberg, die prunkvolle Tafel, an der höfische Konversation getrieben wird. Der Streit zwischen dem bürgerlichen Rechtsgelehrten Olearius, der sich beim Bischof einschmeichelt, und Liebetraut, der (wie Shakespeares Narren) frech Wahrheiten sagt, wäre an Götzens Burg undenkbar. Wo höfisch verdeckte Spitzen in offene Auseinandersetzung auszuarten drohen, unterbricht der Bischof die beiden – auch dies ein Hieb auf die Unaufrichtigkeit der Höfe.

IM BISCHÖFLICHEN PALASTE ZU BAMBERG. DER SPEISESAAL. *Bischof von Bamberg. Abt von Fulda. Olearius. Liebetraut. Hofleute. An Tafel. Der Nachtisch und die großen Pokale werden aufgetragen.*

BISCHOF: Studieren jetzt viele Deutsche von Adel zu Bologna?
OLEARIUS: Vom Adel- und Bürgerstande. Und ohne Ruhm zu melden, tragen sie das größte Lob davon. Man pflegt im Sprichwort auf der Akademie zu sagen: So fleißig wie ein Deutscher von Adel. Denn indem

die Bürgerlichen einen rühmlichen Fleiß anwenden, durch Talente den Mangel an Geburt zu ersetzen, so bestreben sich jene, mit rühmlicher Wetteiferung, ihre angeborne Würde durch die glänzendsten Verdienste zu erhöhen.

ABT: Ei!

LIEBETRAUT: Sag einer, was man nicht erlebet! So fleißig wie ein Deutscher von Adel! Das hab ich mein Tage nicht gehört.

OLEARIUS: Ja, sie sind die Bewunderung der ganzen Akademie. Es werden ehestens einige von den ältesten und geschicktesten als Doctores zurückkommen. Der Kaiser wird glücklich sein, die ersten Stellen damit besetzen zu können.

BISCHOF: Das kann nicht fehlen.

ABT: Kennen Sie nicht zum Exempel einen Junker? – er ist aus Hessen –

OLEARIUS: Es sind viele Hessen da.

ABT: Er heißt – er ist – Weiß es keiner von euch? – Seine Mutter war eine von – Oh! Sein Vater hatte nur ein Aug – und war Marschall.

LIEBETRAUT: Von Wildenholz?

ABT: Recht – von Wildenholz.

OLEARIUS: Den kenn ich wohl, ein junger Herr von vielen Fähigkeiten. Besonders rühmt man ihn wegen seiner Stärke im Disputieren.

ABT: Das hat er von seiner Mutter.

LIEBETRAUT: Nur wollte sie ihr Mann niemals drum rühmen.

BISCHOF: Wie sagtet Ihr, daß der Kaiser hieß, der Euer Corpus Juris geschrieben hat?

OLEARIUS: Justinianus.

BISCHOF: Ein trefflicher Herr! er soll leben!

OLEARIUS: Sein Andenken! *(Sie trinken.)*

ABT: Es mag ein schön Buch sein.

OLEARIUS: Man möcht's wohl ein Buch aller Bücher nennen; eine Sammlung aller Gesetze; bei jedem Fall der Urteilsspruch bereit; und was ja noch abgängig oder dunkel wäre, ersetzen die Glossen, womit die gelehrtesten Männer das vortrefflichste Werk geschmückt haben.

ABT: Eine Sammlung aller Gesetze! Potz! Da müssen auch wohl die zehn Gebote drin sein.

OLEARIUS: Implicite wohl, nicht explicite.

ABT: Das mein ich auch, an und vor sich, ohne weitere Explikation.

BISCHOF: Und was das Schönste ist, so könnte, wie Ihr sagt, ein Reich in sicherster Ruhe und Frieden leben, wo es völlig eingeführt und recht gehandhabt würde.

OLEARIUS: Ohne Frage.

BISCHOF: Alle Doctores Juris!

OLEARIUS: Ich werd's zu rühmen wissen. *(Sie trinken.)* Wollte Gott, man spräche so in meinem Vaterlande!

ABT: Wo seid Ihr her, hochgelahrter Herr?

OLEARIUS: Von Frankfurt am Main, Ihro Eminenz zu dienen.

BISCHOF: Steht ihr Herrn da nicht wohl angeschrieben? Wie kommt das?

OLEARIUS: Sonderbar genug. Ich war da, meines Vaters Erbschaft abzuholen; der Pöbel hätte mich fast gesteinigt, wie er hörte, ich sei ein Jurist.

ABT: Behüte Gott!

OLEARIUS: Aber das kommt daher: der Schöppenstuhl, der in großem Ansehen weit umher steht, ist mit lauter Leuten besetzt, die der Römischen Rechte unkundig sind. Man glaubt, es sei genug, durch Alter und Erfahrung sich eine genaue Kenntnis des innern und äußern Zustandes der Stadt zu erwerben. So werden, nach altem Herkommen und wenig Statuten, die Bürger und die Nachbarschaft gerichtet.

ABT: Das ist wohl gut.

OLEARIUS: Aber lange nicht genug. Der Menschen Leben ist kurz, und in *einer* Generation kommen nicht alle Casus vor. Eine Sammlung solcher Fälle von vielen Jahrhunderten ist unser Gesetzbuch. Und dann ist der Wille und die Meinung der Menschen schwankend; dem deucht heute das recht, was der andere morgen mißbilliget; und so ist Verwirrung und Ungerechtigkeit unvermeidlich. Das alles bestimmen die Gesetze; und die Gesetze sind unveränderlich.

ABT: Das ist freilich besser.

OLEARIUS: Das erkennt der Pöbel nicht, der, so gierig er auf Neuigkeiten ist, das Neue höchst verabscheuet, das ihn aus seinem Gleise leiten will, und wenn er sich noch so sehr dadurch verbessert. Sie halten den Juristen so arg, als einen Verwirrer des Staats, einen Beutelschneider, und sind wie rasend, wenn einer dort sich niederzulassen gedenkt.

LIEBETRAUT: Ihr seid von Frankfurt! Ich bin wohl da bekannt. Bei Kaiser Maximilians Krönung haben wir euren Bräutigams was vorgeschmaust. Euer Name ist Olearius? Ich kenne so niemanden.

OLEARIUS: Mein Vater hieß Öhlmann. Nur, den Mißstand auf dem Titel meiner lateinischen Schriften zu vermeiden, nenn ich mich, nach dem Beispiel und auf Anraten würdiger Rechtslehrer, Olearius.

LIEBETRAUT: Ihr tatet wohl, daß Ihr Euch übersetztet. Ein Prophet gilt nichts in seinem Vaterlande, es hätt Euch in Eurer Muttersprache auch so gehen können.

OLEARIUS: Es war nicht darum.

LIEBETRAUT: Alle Dinge haben ein paar Ursachen.

ABT: Ein Prophet gilt nichts in seinem Vaterlande!

LIEBETRAUT: Wißt Ihr auch warum, hochwürdiger Herr?

ABT: Weil er da geboren und erzogen ist.

LIEBETRAUT: Wohl! Das mag die *eine* Ursache sein. Die andere ist: weil, bei einer näheren Bekanntschaft mit den Herrn, der Nimbus von Ehrwürdigkeit und Heiligkeit wegschwindet, den uns eine neblichte Ferne um sie herumlügt; und dann sind sie ganz kleine Stümpfchen Unschlitt.

OLEARIUS: Es scheint, Ihr seid dazu bestellt, Wahrheiten zu sagen.

LIEBETRAUT: Weil ich's Herz dazu hab, so fehlt mir's nicht am Maul.

OLEARIUS: Aber doch an Geschicklichkeit, sie wohl anzubringen.

LIEBETRAUT: Schröpfköpfe sind wohl angebracht, wo sie ziehen.

OLEARIUS: Bader erkennt man an der Schürze und nimmt in ihrem Amt ihnen nichts übel. Zur Vorsorge tätet Ihr wohl, wenn Ihr eine Schellenkappe trügt.

LIEBETRAUT: Wo habt Ihr promoviert? Es ist nur zur Nachfrage, wenn mir einmal der Einfall käme, daß ich gleich vor die rechte Schmiede ginge.

OLEARIUS: Ihr seid verwegen.
LIEBETRAUT: Und Ihr sehr breit.
(Bischof und Abt lachen.)
BISCHOF: Von was anders! – Nicht so hitzig, ihr Herrn! Bei Tisch geht alles drein. – Einen andern Diskurs, Liebetraut!

(I.4)

Goethe wußte als Jurist genau um die wichtige Rolle, die die Einführung des römischen Rechts beim fürstlichen Machtausbau zu Beginn des Absolutismus spielte. Das *Corpus Juris Justiniani*, die Gesetzessammlung des Kaisers Justinian (527–565), enthielt reines Untertanenrecht, das auf Befehl und Gehorsam aufgebaut war und nicht auf wechselseitige Treueverpflichtung wie das Lehensrecht; es eignete sich daher vorzüglich als politisches Instrument zur Sicherung der fürstlichen Macht in den Territorien. Das neue Recht stieß vielerorts auf erbitterten Widerstand, da es für die meisten Menschen unverständlich war und ihrem gewachsenen Rechtsempfinden zuwiderlief. Mit der Abschaffung der »Schöppenstühle«, auf denen Laien urteilten, ging ein wichtiges Stück bürgerlicher Selbstbestimmung verloren; mit dem Verbot des Faustrechts, nach dem der Ritter seine privaten Fehden sozusagen auf eigene Faust durchkämpfen konnte, ging der ganze Stand eines wesentlichen Teils persönlicher Freiheit verlustig.

Das Mißtrauen des einfachen Volks gegen die von oben eingesetzten Juristen, das Olearius in Frankfurt erlebt hatte, war nicht unbegründet. Goethe läßt in einer der vielen kleinen Nebenszenen, einer Bauernhochzeit, von den üblen und teuren Praktiken dieser Juristen ein Lied singen. Die Kontrahenten, die an die acht Jahre auf einen Rechtsentscheid vertröstet und beide von demselben Anwalt ausgenommen wurden, beendigten ihren Streit auf die natürlichste Weise, indem sie ihre Kinder vermählten ...

Götz von Berlichingen und seine Getreuen reden in einer bis zur Derbheit volkstümlichen, dem 16. Jahrhundert nachempfundenen Sprache; an Luthers Bibelübersetzung und Hans Sachs' Dichtungen hatte Goethe sein Ohr für solchen Ton geschult. Gegen diese kräftig-sinnliche Volkssprache steht das Hochdeutsch des Bamberger Hofs, das – vor allem im umständlichen Kanzleistil Olearius' – humanistische Bildung und Gewandtheit verrät, aber auch gekünstelt wirkt. Die Sicherheit, mit der Goethe Dialoge zu schreiben, die Sprache dem jeweiligen Milieu anzupassen verstand, verleiht jeder Szene, ob beim Kaiser auf dem Reichstag oder bei den Zigeunern im Waldlager, höchste Authentizität und eigene Atmosphäre. (So vermittelt z. B. die archaisch-restringierte Sprechweise der Zigeuner eine wilde Urwüchsigkeit und Fremdartigkeit; die aus der Gesellschaft ausgestoßenen, von der Zivilisation nicht deformierten Menschen faszinierten die Stürmer und Dränger besonders, sahen sie in ihnen doch ein Stück Rousseauscher ursprünglicher Natur verkörpert.) Goethe gab jeder einzelnen Person, jeder einzelnen Szene so viel Farbigkeit, Individualität und Leben, daß das Schau-Spiel immer wieder die Handlung überwiegt: Noch ganz unter dem Eindruck der Straßburger Zeit mit Herder, war es ihm wichtiger, Geschichte in Leben zu verwandeln, als strenge Dramaturgie zu treiben.

Allein auf Treu und Glauben gründet sich bei Götz das Verhältnis zu seinen Mitmenschen; Denken, Fühlen und Handeln stimmen bei ihm überein. Darin sah schon Herder die ursprüngliche Kraft des Menschen, bevor er durch die vernunft- und zweckgerichtete Zivilisation geschwächt wurde, seine Ganzheit verlor. Götz ist die ungebrochene Kraftnatur, die lieber zugrunde geht, als daß sie ihre Freiheit aufgibt.

In Götz' Gegenwart fühlt sich der gefangene Weislingen bald wieder in seinen guten Empfindungen bestärkt; er versöhnt sich mit seinem einstigen Freund, schwört ihm seine Treue, will dem Hof entsagen.

WEISLINGEN: ... Ich fühle mich so frei wie in heiterer Luft. Bamberg will ich nicht mehr sehen, will alle die schändlichen Verbindungen durchschneiden, die mich unter mir selbst hielten. Mein Herz erweitert sich, hier ist kein beschwerliches Streben nach versagter Größe. So gewiß ist der allein glücklich und groß, der weder zu herrschen noch zu gehorchen braucht, um etwas zu sein!

(I.5)

Weislingen spricht hier ehrlich und offen, in der »heiteren Luft« um Götz wird auch er frei, erweitert sich sein Ich, das unter dem Druck des höfischen Lebens, im ehrgeizigen Ringen um Macht und Fürstengunst, eng und menschenunwürdig (». . . die mich unter mir selbst hielten«) geworden war. Die Größe, die Weislingen an Götz bewundert, beruht auf innerer Freiheit, auf einer Harmonie mit sich selbst und seiner Umgebung. Während sich etwa Schillers ›Räuber‹ ihre Freiheit nehmen gegen Gesetz und Menschlichkeit, hat Goethe in der Figur des Götz einen positiven Freiheitshelden entworfen, der den Mitmenschen nicht unterdrückt, noch sklavisch sich verleugnet, sondern nur ganz er selbst sein muß, um glücklich zu sein und anderen Raum zu geben, sich zu entfalten.

Weislingens Liebe und Bewunderung für Götz sind im Augenblick aufrichtig; er glaubt sich dem Himmel nahe, als er sich mit dessen Schwester Maria verlobt hat. Nur um seine Güter in Stand zu setzen, wird die Hochzeit noch aufgeschoben, verläßt er noch einmal die Freunde. In Bamberg aber hat Liebetraut inzwischen Ränke geschmiedet, Weislingen zurückzugewinnen. Mit einem Seil »aus drei mächtigen Stricken, Weiber-, Fürstengunst und Schmeichelei, gedreht«, zieht er ihn an den Hof zurück in die Netze der lasziv-raffinierten Adelheid, die den Mann um jeden Preis besitzen will. Es gelingt ihr schließlich auch, Weislingen, der nicht eigentlich schlecht oder charakterlos, aber eitel und daher verführbar ist, zum Treubruch an Götz und Maria zu verleiten.

ADELHEID: Ihr kommt, um Abschied zu nehmen.

WEISLINGEN: Erlaubt mir, Eure Hand zu küssen, und ich will sagen: Lebt wohl. Ihr erinnert mich! Ich bedachte nicht – Ich bin beschwerlich, gnädige Frau.

ADELHEID: Ihr legt's falsch aus: ich wollte Euch forthelfen; denn Ihr wollt fort.

WEISLINGEN: O sagt: Ich muß. Zöge mich nicht die Ritterpflicht, der heilige Handschlag –

ADELHEID: Geht! Geht! Erzählt das Mädchen, die den Theuerdank lesen, und sich so einen Mann wünschen. Ritterpflicht! Kinderspiel!

WEISLINGEN: Ihr denkt nicht so.

ADELHEID: Bei meinem Eid, Ihr verstellt Euch! Was habt Ihr versprochen? Und wem? Einem Mann, der seine Pflicht gegen den Kaiser und das Reich verkennt, in eben dem Augenblick Pflicht zu leisten, da er durch Eure Gefangennehmung in die Strafe der Acht verfällt. Pflicht zu leisten! die nicht gültiger sein kann als ein ungerechter, gezwungener Eid. Entbinden nicht unsere Gesetze von solchen Schwüren? Macht das Kindern weis, die den Rübezahl glauben. Es stecken andere Sachen dahinter. Ein Feind des Reichs zu werden, ein Feind der bürgerlichen Ruh und Glückseligkeit! Ein Feind des Kaisers! Geselle eines Räubers! du, Weislingen, mit deiner sanften Seele!

WEISLINGEN: Wenn Ihr ihn kenntet –

ADELHEID: Ich wollt ihm Gerechtigkeit widerfahren lassen. Er hat eine hohe, unbändige Seele. Eben darum wehe dir, Weislingen! Geh und bilde dir ein, Geselle von ihm zu sein. Geh! und laß dich beherrschen! Du bist freundlich, gefällig –

WEISLINGEN: Er ist's auch.

ADELHEID: Aber du bist nachgebend und er nicht! Unversehens wird er dich wegreißen, du wirst ein Sklave eines Edelmannes werden, da du Herr von Fürsten sein könntest. – Doch es ist Unbarmherzigkeit, dir deinen zukünftigen Stand zu verleiden.

WEISLINGEN: Hättest du gefühlt, wie liebreich er mir begegnete.

ADELHEID: Liebreich! Das rechnest du ihm an? Es war seine Schuldigkeit; und was hättest du verloren, wenn er widerwärtig gewesen wäre? Mir hätte das willkommner sein sollen. Ein übermütiger Mensch wie der –

WEISLINGEN: Ihr redet von Eurem Feind.

ADELHEID: Ich redete für Eure Freiheit – Und weiß überhaupt nicht, was ich für einen Anteil dran nehme. Lebt wohl!

WEISLINGEN: Erlaubt noch einen Augenblick. (*Er nimmt ihre Hand und schweigt.*)

(II.6)

Adelheid von Walldorf ist die große Gegenfigur zu Götz, auch sie zieht, allerdings mit dämonischer Ausstrahlung, die Menschen in ihren Bann. Noch bevor sie auf der Bühne erscheint, nimmt ihre Schönheit gefangen: Weislingens Diener Franz schildert sie, trunken von der ersten Begegnung, in geradezu dichterischen Tönen. Auch sie erhebt die Menschen, macht sie aber zu Opfern oder Werkzeugen: »Alle Sinne stärker, höher, vollkommener, und doch den Gebrauch von keinem« – so beschreibt Franz ihre Wirkung auf ihn. Zu aller kalten Berechnung, aller skrupellosen Infamie besitzt Adelheid ein warmes temperamentvolles Herz, sprüht so viel Feuer, Geist und Erotik, daß sich selbst Goethe anfangs in sein Geschöpf verliebte, wie er in ›Dichtung und Wahrheit‹ berichtet.

Weislingen ist Adelheid ebensowenig wie Götz gewachsen. Weich, entflammbar, wie er ist, merkt er nicht, daß sie nur mit ihm spielt. Er ist »beschwerlich«; die gestammelten Sätze geben seine Gefühlsverwirrung wieder. (Das »beschwerliche Streben nach versagter Größe«, das er in Götz' Umgebung ablegen konnte, hat ihn wieder eingeholt.) Da beginnt Adelheid zu argumentieren, die Gesetze auszulegen, seinen politischen Verstand anzusprechen. Weislingen hat die Fronten schon gewechselt, noch bevor er es ahnt.

Aus dem Gegensatz von Freiheit und Abhängigkeit, von Recht und Gesetzlichkeit gewinnt die Szene ihre Spannung. Das alte gewachsene Recht war unverfälschbar (die Frankfurter »Schöppen« auf ihrem Stuhl sprachen aus der Sicherheit ihres natürlichen Gefühls), die römischen Gesetze dagegen waren dehnbar. Auf sie beruft sich Adelheid, als sie Weislingens Gewissen zerredet, doch zum Treubruch ist er erst bereit, als sie seine Rivalität, seinen Neid auf Götz' »hohe unbändige Seele« anspricht. Seine Schwachheit bringt ihn immer wieder in Gefahr, entweder zu herrschen oder »Sklave« zu sein. Trotz aller Bewunderung und Liebe zu Götz war Weislingen von Anfang an eifersüchtig und sich der eigenen Schwäche bewußt: Weislingen ist der gebrochene moderne Mensch, der von Tugend und Ehre noch weiß, aber nicht mehr die Kraft hat, danach zu leben. Darum muß er sein Ideal, Götz, hassen und vernichten: »und du kannst freier atmen, törichtes Herz«. Beim Kaiser erwirkt er Acht und Reichsexekution (Straffeldzug) gegen Götz wegen Bruchs des Landfriedens und läßt seine Burg Jaxthausen belagern.

SAAL
Götz, Elisabeth, Georg, Knechte bei Tische

GÖTZ: So bringt uns die Gefahr zusammen. Laßt's euch schmecken, meine Freunde! Vergeßt das Trinken nicht! Die Flasche ist leer. Noch eine, liebe Frau. *(Elisabeth zuckt die Achsel.)* Ist keine mehr da?

ELISABETH: *(leise):* Noch *eine!* ich hab sie für dich beiseitegesetzt.

GÖTZ: Nicht doch, Liebe! Gib sie heraus! Sie brauchen Stärkung, nicht ich; es ist ja meine Sache.

ELISABETH: Holt sie draußen im Schrank!

GÖTZ: Es ist die letzte. Und mir ist's, als ob wir nicht zu sparen Ursach hätten. Ich bin lange nicht so vergnügt gewesen. *(Er schenkt ein.)* Es lebe der Kaiser!

ALLE: Er lebe!

GÖTZ: Das soll unser vorletztes Wort sein, wenn wir sterben! Ich lieb ihn, denn wir haben einerlei Schicksal. Und ich bin noch glücklicher als er. Er muß den Reichsständen die Mäuse fangen, inzwischen die Ratten seine Besitztümer annagen. Ich weiß, er wünscht sich manchmal lieber tot, als länger die Seele eines so krüpplichen Körpers zu sein. *(Er schenkt ein.)* Es geht just noch einmal herum. Und wenn unser Blut anfängt auf die Neige zu gehen, wie der Wein in dieser Flasche erst schwach, dann tropfenweise rinnt *(er tröpfelt das Letzte in sein Glas),* was soll unser letztes Wort sein?

GEORG: Es lebe die Freiheit!

GÖTZ: Es lebe die Freiheit!

ALLE: Es lebe die Freiheit!

GÖTZ: Und wenn die uns überlebt, können wir ruhig sterben. Denn wir sehen im Geist unsere Enkel glücklich und die Kaiser unsrer Enkel glücklich. Wenn die Diener der Fürsten so edel und frei dienen wie ihr mir, wenn die Fürsten dem Kaiser dienen, wie ich ihm dienen möchte –

GEORG: Da müßt's viel anders werden.

GÖTZ: So viel nicht, als es scheinen möchte. Hab ich nicht unter den Fürsten treffliche Menschen gekannt, und sollte das Geschlecht ausgestorben sein? Gute Menschen, die in sich und ihren Untertanen glücklich waren; die einen edeln freien Nachbar neben sich leiden konnten, und ihn weder fürchteten noch beneideten; denen das Herz aufging, wenn sie viel ihresgleichen bei sich zu Tische sahen, und nicht erst die Ritter zu Hofschranzen umzuschaffen brauchen, um mit ihnen zu leben.

GEORG: Habt Ihr solche Herrn gekannt?

GÖTZ: Wohl. Ich erinnere mich zeitlebens, wie der Landgraf von Hanau eine Jagd gab, und die Fürsten und Herrn, die zugegen waren, unter freiem Himmel speisten und das Landvolk all herbeilief, sie zu sehen. Das war keine Maskerade, die er sich selbst zu Ehren angestellt hatte. Aber die vollen runden Köpfe der Bursche und Mädel, die roten Backen alle, und die wohlhäbigen Männer und stattlichen Greise, und alles fröhliche Gesichter, und wie sie teilnahmen an der Herrlichkeit ihres Herrn, der auf Gottes Boden unter ihnen sich ergetzte!

GEORG: Das war ein Herr, vollkommen wie Ihr.

GÖTZ: Sollten wir nicht hoffen, daß mehr solcher Fürsten auf einmal herrschen können? daß Verehrung des Kaisers, Fried und Freundschaft der Nachbarn und Lieb der Untertanen der kostbarste Familienschatz sein wird, der auf Enkel und Urenkel erbt? Jeder würde das Seinige erhalten und in sich selbst vermehren, statt daß sie jetzo nicht zuzunehmen glauben, wenn sie nicht andere verderben.

GEORG: Würden wir hernach auch reiten?

GÖTZ: Wollte Gott, es gäbe keine unruhige Köpfe in ganz Deutschland! wir würden noch immer zu tun genug finden. Wir wollten die Gebirge von Wölfen säubern, wollten unserm ruhig ackernden Nachbar einen Braten aus dem Wald holen, und dafür die Suppe mit ihm essen. Wär uns das nicht genug, wir wollten uns mit unsern Brüdern, wie Cherubim mit flammenden Schwertern, vor die Grenzen des Reichs gegen die Wölfe, die Türken, gegen die Füchse, die Franzosen, lagern und zugleich unsers teuern Kaisers sehr ausgesetzte Länder und die Ruhe des Reichs beschützen. Das wäre ein Leben! Georg! wenn man seine Haut für die allgemeine Glückseligkeit dransetzte. *(Georg springt auf.)* Wo willst du hin?

GEORG: Ach, ich vergaß, daß wir eingesperrt sind – und der Kaiser hat uns eingesperrt – und unsere Haut davonzubringen, setzen wir unsere Haut dran?

GÖTZ: Sei guten Muts!

(Lerse kommt.)

LERSE: Freiheit! Freiheit! Das sind schlechte Menschen, unschlüssige, bedächtige Esel. Ihr sollt abziehen, mit Gewehr, Pferden und Rüstung. Proviant sollt Ihr dahinten lassen.

GÖTZ: Sie werden sich kein Zahnweh dran kauen.

LERSE *(heimlich):* Habt Ihr das Silber versteckt?

GÖTZ: Nein! Frau, geh mit Franzen, er hat dir was zu sagen.

(Alle ab)

(III.20)

Götz weiß, daß seine ritterliche Freiheit zu Ende geht, sein Schicksal gleicht dem des Kaisers, der Seele des Reichs, dieses »so krüppligen Körpers«. Noch einmal wird die hoffnungsvolle Vision des Goldenen Zeitalters heraufbeschworen, da die Menschen einträchtig miteinander lebten. Götz praktiziert selbst die Tugenden dieser patriarchalischen Zeit, in der Diener und Herren sich frei und familiär begegnen, wenn er mit seinen Knechten gemeinsam die letzte Flasche Wein trinkt, mit ihnen wie mit seinesgleichen umgeht. Der Traum von Menschenversöhnung und »allgemeiner Glückseligkeit« wird jäh zerstört: Obwohl man Götz freies Geleit zugesichert hat, wird er gefangengenommen.

Immer wieder spielt im ›Götz‹ der Wortbruch eine entscheidende, die Handlung vorantreibende und illustrierende Rolle: Erst verrät Weislingen Götz und Maria um »Weiber- und Fürstengunst«; er versteckt sich hinter der Gesetzlichkeit, um Götz in

Acht und Bann zu bringen und zu vernichten. Daß er dafür selbst gestraft wird, ist nur konsequent: Adelheid, der Tugenden wie Ehrlichkeit und Treue »Kinderspiel« sind, läßt Weislingen kalt vergiften, als sie ein Auge auf den kaiserlichen Thronfolger Karl geworfen hat und ihr der Mann lästig wird. (Aber auch Adelheid wird für ihre mörderische Tat gerichtet: durch die Feme, das »heimliche Gericht«. Die rückwärts gewandte Utopie des Dramas, die das Gute nur in der Vergangenheit und vom fürstlichen Absolutismus verdrängt sieht, bedarf der alten geheimnisumwobenen Institution der Femegerichte, deren Wirken einen Rest von Recht noch garantiert.) Auch Götz bricht sein Wort, den Eid, Frieden zu halten: Als die aufständischen Bauern ihn um Hilfe angehen, sagt er ohne große Bedenken zu; auch wenn er sich nach außen schuldig macht, muß er die gerechte Sache der Bauern unterstützen. Sein Herz hat entschieden: »Warum seid ihr ausgezogen? Eure Rechte und Freiheiten wiederzuerlangen? Was wütet ihr und verderbt das Land! Wollt ihr abstehen von allen Übeltaten, und handeln als wackere Leute, die wissen, was sie wollen, so will ich euch behülflich sein zu euren Forderungen, und auf acht Tag euer Hauptmann sein.« Aber auch die Bauern halten ihre Abmachungen nicht ein, die Chaoten unter ihnen morden und brennen weiter. Weislingen als kaiserlicher Kommissar hält ein fürchterliches Gericht.

Götz handelte nach seiner Moral und im Sinne einer höheren Gerechtigkeit richtig, nämlich um Recht wiederherzustellen und weiteres Unrecht zu verhindern; Weislingen aber läßt ihn wie einen Verbrecher einsperren. Auf Unmenschlichkeit ist die neue Moral gegründet. Daß Götz, wenn er seinem natürlichen Rechtsbewußtsein folgt, notwendig schuldig wird, kennzeichnet die neue Zeit als komplex, uneindeutig und feind aller Geradheit und Natürlichkeit. Auch wenn ihr Werkzeug, Weislingen, in seiner Todesstunde die eigene Schuld erkennt und auf Marias Flehen Götz begnadigt, ist der notwendige Gang der Geschichte nicht mehr aufzuhalten.

Aus dem Kerker läßt der Wächter den verwundeten, todesmatten Götz noch einmal in sein »Gärtchen am Turn«; klein ist der Raum geworden, da Götz noch Luft und Licht, die Symbole der Freiheit, genießen kann.

GÖTZ: Allmächtiger Gott! Wie wohl ist's einem unter deinem Himmel! Wie frei! – Die Bäume treiben Knospen, und alle Welt hofft. Lebt wohl, meine Lieben; meine Wurzeln sind abgehauen, meine Kraft sinkt nach dem Grabe.
ELISABETH: Darf ich Lersen nach deinem Sohn ins Kloster schicken, daß du ihn noch einmal siehst und segnest?

GÖTZ: Laß ihn, er ist heiliger als ich, er braucht meinen Segen nicht. – An unserm Hochzeittag, Elisabeth, ahndete mir's nicht, daß ich so sterben würde. – Mein alter Vater segnete uns, und eine Nachkommenschaft von edeln tapfern Söhnen quoll aus seinem Gebet. – Du hast ihn nicht erhört, und ich bin der Letzte. – Lerse, dein Angesicht freut mich in der Stunde des Todes mehr als im mutigsten Gefecht. Damals führte mein Geist den eurigen, jetzt hältst du mich aufrecht. Ach daß ich Georgen noch einmal sähe, mich an seinem Blick wärmte! – Ihr seht zur Erden und weint – Er ist tot – Georg ist tot – Stirb, Götz – Du hast dich selbst überlebt, die Edeln überlebt. – Wie starb er? – Ach, fingen sie ihn unter den Mordbrennern, und er ist hingerichtet?

ELISABETH: Nein, er wurde bei Miltenberg erstochen. Er wehrte sich wie ein Löw um seine Freiheit.

GÖTZ: Gott sei Dank! Er war der beste Junge unter der Sonne und tapfer. – Löse meine Seele nun. – Arme Frau. Ich lasse dich in einer verderbten Welt. Lerse, verlaß sie nicht. – Schließt eure Herzen sorgfältiger als eure Tore. Es kommen die Zeiten des Betrugs, es ist ihm Freiheit gegeben. Die Nichtswürdigen werden regieren mit List, und der Edle wird in ihre Netze fallen. Marie, gebe dir Gott deinen Mann wieder! Möge er nicht so tief fallen, als er hoch gestiegen ist! Selbitz starb, und der gute Kaiser, und mein Georg. – Gebt mir einen Trunk Wasser! – Himmlische Luft – Freiheit! Freiheit! *(Er stirbt.)*

ELISABETH: Nur droben, droben bei dir. Die Welt ist ein Gefängnis.

MARIA: Edler Mann! Edler Mann! Wehe dem Jahrhundert, das dich von sich stieß!

LERSE: Wehe der Nachkommenschaft, die dich verkennt!

(V. 14)

Es war die »prätendierte Freiheit« von Götz' Wollen, die »mit dem notwendigen Gang des Ganzen« zusammenstieß. Mit Götz stirbt symbolisch ein ganzes Zeitalter, denn der fürstliche Absolutismus, die neue Zeit, war nicht aufzuhalten. In der Überreglementierung des aufgeklärten Absolutismus, der die Welt zum »Gefängnis« werden ließ, war erst recht kein Platz mehr für den großen Einzelnen.

Götz stirbt, weil das Zeitalter der freien Ritter, der »Edlen«, die noch sich selbst leben konnten, untergegangen ist. Nicht Schuld, Verwundung oder Urteil töten ihn, er hat »sich selbst überlebt«. Die Menschheitsgeschichte entsprach nach Herder den organischen Abläufen der Natur; die Lebensalter jeder Epoche sind vergängliche Natur, die jetzt den gealterten Götz sterben läßt, während die Knospen der Bäume auf das Neue hoffen lassen.

Noch bis in unser Jahrhundert hat man Goethe angekreidet, daß sein Geschichtsbild im ›Götz‹ grob verfälscht sei, da z. B. der Aufstieg der Städte, der Humanismus, die Reformation und andere progressive Kräfte des 16. Jahrhunderts ausgeklammert seien. Doch es kam Goethe auf den Kern der Problematik an, die in der

Wende vom Spätmittelalter zur »Moderne« lag, deren Progressivität sich aus der Sicht des 18. Jahrhunderts als trügerisch erwiesen hatte. Die »Weltepoche«, die er im ›Götz‹ auf seine Weise abspiegelte, mußte dem naturgemäßen Ablauf der Geschichte folgend untergehen, konnte sich nicht wiederholen.

Goethes ›Götz von Berlichingen‹ löste eine Flut von Ritterdramen aus. Klinger, Kotzebue, Tieck, Heinrich von Kleist, Maler Müller und viele heute Vergessene versuchten sich in dem neuen Genre: Zwischen 1775 und 1811 zählt man mehr als 35 solcher Stücke. Auch Schillers ›Wilhelm Tell‹ spielt ganz offensichtlich auf ›Götz‹ an. Noch Gerhart Hauptmann griff für ›Florian Geyer‹, der zur gleichen Zeit spielt, auf die Autobiographie des Götz zurück und schrieb sich eine Fülle von Wörtern und Formulierungen heraus. Mit Goethes ›Götz von Berlichingen‹ war die deutsche Geschichte, insbesondere das »finstere« Mittelalter, mit einem Schlage literaturfähig geworden.

Die Beachtung im Ausland war anfangs eher gering. Erst Mme. de Staëls ausführliche Würdigung in ihrem berühmten Buch ›De l'Allemagne‹ (1813) vermittelte das Werk den französischen Romantikern, denen es zum Vorbild für die Erneuerung des eigenen historischen Dramas wurde. Den Engländer Sir Walter Scott aber regte der ›Götz‹ zu eigenen Versuchen lebendiger Geschichtsdarstellung an, und manche Motive (wie z. B. das Femegericht) übernahm er direkt von Goethe.

3.3 Jakob Michael Reinhold Lenz, Der Hofmeister oder die Vorteile der Privaterziehung. Eine Komödie

Im Schatten des so berühmt gewordenen Goethe stand der fast gleichaltrige Jakob Reinhold Michael Lenz (1751–1792). Seine bedeutendsten Dramen, ›Der Hofmeister‹ und ›Die Soldaten‹, zeichnen sich durch eine bis dahin ungekannte realistische und differenzierte Darstellung ihres sozialen Hintergrunds aus. Als Hofmeister der kurländischen Herren von Kleist war Lenz 1771 nach Straßburg gekommen, hatte dort durch seine Brotgeber Einblick in das Offiziersleben gewonnen und sich dann, als der ältere der Brüder ihm wegen einer Liebesaffäre mit seiner Verlobten die Stellung aufkündigte, mit Privatunterricht durchschlagen müssen. Ohne Vermögen, ohne familiären Rückhalt und an seinen »Umständen« leidend, mußten ihm die großen Worte von Freiheit und Selbstbestimmung und die Utopien einer ständeversöhnenden Menschenliebe zur Farce werden. Indem er die Ideale der Geniebewegung und der bürgerlichen Empfindsamkeit gegen die Alltagswirklichkeit setzte und satirisch den Widerspruch beleuchtete, wollte er nur um so eindrücklicher auf die »Bestimmung« des Menschen zu Freiheit und Tugend verweisen.

Trotz seines sozialkritischen, nüchtern-realistischen Standpunkts hat Lenz den Glauben an das Gute im Menschen nicht aufgegeben. Den Appell, sich abzufinden mit den (noch) unabänderlichen Verhältnissen, die doch auch ein achtbares, tätig erfülltes Leben zuließen, versuchte er mit einer vernünftig-praktischen Anleitung zur Veränderung der sozialen Mißstände zu verbinden; dies war sein Weg, mit den Widersprüchen der Zeit umzugehen.

Schon mit dem Untertitel seines 1774 anonym veröffentlichten Dramas ›Der Hofmeister oder die Vorteile der Privaterziehung‹ deutet Lenz die ironische Komponente seines Stücks an, denn aus der Sicht des Hofmeisters, eines Domestiken, war die Privaterziehung damals kaum positiv zu beurteilen. Dabei gab es im ausgehenden 18. und weit ins 19. Jahrhundert hinein für die mittellosen bürgerlichen Intellektuellen nur diese Form von Broterwerb, die, mit Demütigungen und spärlichster Entlohnung verbunden, immer wieder zu erheblichen gesellschaftlichen Spannungen führte, da hier tagtäglich aufs neue die Gegensätze zwischen den Ständen aufeinanderprallten.

Gleich der erste Auftritt des Dramas reißt diese Problematik an. Läuffer, der angehende Hofmeister im Hause des Majors von Berg, spricht zu sich selbst:

LÄUFFER: Mein Vater sagt: ich sei nicht tauglich zum Adjunkt. Ich glaube, der Fehler liegt in seinem Beutel; er will keinen bezahlen. Zum Pfaffen bin ich auch zu jung, zu gut gewachsen, habe zu viel Welt gesehn und bei der Stadtschule hat mich der Geheime Rat nicht annehmen wollen. Mag's! er ist ein Pedant und dem ist freilich der Teufel selber nicht gelehrt genug. Im halben Jahr hätt ich doch wieder eingeholt, was ich von der Schule mitgebracht, und dann wär ich für einen Klassenpräzeptor noch immer viel zu gelehrt gewesen, aber der Herr Geheime Rat muß das Ding besser verstehen. Er nennt mich immer nur Monsieur Läuffer, und wenn wir von Leipzig sprechen, fragt er nach Händels Kuchengarten und Richters Kaffeehaus, ich weiß nicht: soll das Satire sein, oder – Ich hab ihn doch mit unserm Konrektor bisweilen tiefsinnig genug diskurieren hören; er sieht mich vermutlich nicht für voll an. – Da kommt er eben mit dem Major; ich weiß nicht, ich scheu ihn ärger als den Teufel. Der Kerl hat etwas in seinem Gesicht, das mir unerträglich ist. (Geht an dem Geheimen Rat und dem Major mit viel freundlichen Scharrfüßen vorbei)

(I.1)

Lenz hatte schon in seinen theoretischen Ausführungen über das Theater die »so erschröckliche jämmerlich-berühmte Bulle von den drei Einheiten« des Aristoteles angegriffen; die ganze Welt soll dem Genie überlassen sein, fordert der Stürmer und Dränger Lenz, denn »die Mannigfaltigkeit der Charaktere und Psychologien ist die Fundgrube der Natur, hier allein schlägt die Wünschelrute des Genies an. Und sie allein bestimmt die unendliche Mannigfaltigkeit der Handlungen und Begebenheiten in der Welt« (›Anmerkungen übers Theater‹). In seinem ›Hofmeister‹ bot Lenz mit turbulentem Orts- und Handlungswechsel bewußt Shakespearesche Lebendigkeit und Fülle. Zwischen Insterburg und Königsberg, Halle und Leipzig, dem Schloß des Majors und der Schule des Dorfs, einer Bettlerhütte im Wald usw. springt die Geschichte hin und her, zeigt hofmeisterliche Servilität, adeligen Hochmut und Geiz, kraftmeierisches Studentenleben, empfindsame Liebe und Bosheit aus mangelnder Liebe, Tugend und Gotteslästerung – kurz: ein buntes »Gemälde der menschlichen Gesellschaft«, wie Lenz seine Komödien selbst nannte.

Ausschnitthaft führen die Szenen die verschiedenen Gesellschaftsschichten vor, charakterisieren sie in höchst individuellen Figuren. Die soziale Herkunft kennzeichnet seine Personen, unterscheidet sie etwa in ihrem Sprechstil, legt sie aber nicht zwingend fest. So stellt Lenz im Geheimen Rat einen bürgerlich gesinnten, sozialreformerischen Adligen dar, der auch autoritäre Züge besitzt und den Hochmut seines Standes (wie ihn Lenz sah). In dem Dorfschulmeister Wenzeslaus zeichnet er einen Kleinbürger, der ein bescheidenes, aber unabhängiges und zufriedenes Leben führt, der mit Idealismus und Eifer seine pädagogische Aufgabe versieht und ein gutes Gewissen höher schätzt als weltlichen Lohn. Insgesamt gibt er einen einprägsamen, eigenwilligen Charakter ab, dieser Wenzeslaus mit seinen schrulligen Gewohnheiten, der sich später in fürsorglicher Nächstenliebe des flüchtigen Hofmeisters annehmen und mit Stolz und Bestimmtheit einen unhöflich-zudringlichen Grafen aus dem Haus weisen wird.

Menschen, nicht »geschminkte Larven« oder abgezirkelte ästhetische Ideale wollte Lenz auf die Bühne stellen, von »Sachen wie sie da sind« sollten seine Dramen handeln. Sein Realismus ließ ihn zum Vorläufer Georg Büchners werden, der dem unglücklichen Dichter eine Novelle widmete (›Lenz‹). Daß Lenz offen Sozialkritik übte, ohne jedes Taktieren mit der Zensur Mißstände der Zeit aufgriff, erklärt seine Anziehungskraft auf Dramatiker des 20. Jahrhunderts mit ähnlichen Intentionen: Bertolt Brecht hat den ›Hofmeister‹, Heinar Kipphardt die ›Soldaten‹ bearbeitet.

Ausgerechnet von einem Adeligen läßt Lenz seine Vorstellungen von bürgerlicher Emanzipation vorbringen; der Geheime Rat, der ja selbst Läuffers Werdegang bestimmt hat, da er ihn an der Stadtschule nicht beschäftigen wollte, malt kurz darauf dem Vater, Pastor Läuffer, die schönsten Sozialutopien aus. Während Lenz seine Sozialkritik im allgemeinen durch das Verhalten der Personen ausdrückt, gibt er zu Beginn der 1. Szene des II. Akts sein innerstes Anliegen in einem ausführlichen direkten Gespräch wieder. Wie auch in den ›Soldaten‹ zum Beispiel verbindet er mit seiner Gesellschaftskritik einen praktischen Vorschlag zur Veränderung der Situation: hier plädiert er für die Förderung der öffentlichen Schule, in welcher Leistung, nicht Herkunft Privilegien schafft. Der Geheime Rat engagiert sich leidenschaftlich für die Freiheit des Menschen, die ein Gelehrter, »der den Adel seiner Seele spürt«, niemals aufgeben dürfte.

GEHEIMER RAT: Laßt den Burschen was lernen, daß er dem Staat nützen kann. Potz hundert, Herr Pastor, Sie haben ihn doch nicht zum Bedienten aufgezogen, und was ist er anders als Bedienter, wenn er seine Freiheit einer Privatperson für einige Handvoll Dukaten verkauft? Sklav ist er, über den die Herrschaft unumschränkte Gewalt hat, nur daß er so viel auf der Akademie gelernt haben muß, ihren unbesonnenen Anmutungen von weitem zuvorzukommen und so einen Firnis über seine Dienstbarkeit zu streichen: das heißt denn ein feiner artiger Mensch, ein unvergleichlicher Mensch; ein unvergleichlicher Schurke, der, statt seine Kräfte und seinen Verstand dem allgemeinen Besten aufzuopfern, damit die Rasereien einer dampfigten Dame und eines abgedämpften Offiziers unterstützt, die denn täglich weiter um sich fressen wie ein Krebsschaden und zuletzt unheilbar werden. Und was ist der ganze Gewinst am Ende? Alle Mittag Braten und alle Abend Punsch, und eine große Portion Galle, die ihm tagsüber ins Maul gestiegen, abends, wenn er zu Bett liegt, hinabgeschluckt, wie Pillen; das macht gesundes Blut, auf meine Ehr! und muß auch ein vortreffliches Herz auf die Länge geben. Ihr beklagt euch so viel übern Adel und über seinen Stolz, die Leute sähn Hofmeister wie Domestiken an, Narren! was sind sie denn anders? Stehn sie nicht in Lohn und Brot bei ihnen wie jene? Aber wer heißt euch ihren Stolz nähren? Wer heißt euch Domestiken werden, wenn ihr was gelernt habt, und einem starrköpfischen Edelmann zinsbar werden, der sein Tage von seinem Hausgenossen nichts anders gewohnt war als sklavische Unterwürfigkeit?
PASTOR: Aber Herr Geheimer Rat – Gütiger Gott! es ist in der Welt nicht anders: man muß eine Warte haben, von der man sich nach einem öffentlichen Amt umsehen kann, wenn man von Universitäten kommt; wir müssen den göttlichen Ruf erst abwarten und ein Patron ist sehr oft das Mittel zu unserer Beförderung: wenigstens ist es mir so gegangen.
GEHEIMER RAT: Schweigen Sie, Herr Pastor, ich bitt Sie, schweigen Sie. Das gereicht Ihnen nicht zur Ehr. Man weiß ja doch, daß Ihre selige Frau Ihr göttlicher Ruf war, sonst säßen Sie noch itzt beim Herrn von Tiesen und düngten ihm seinen Acker. Jemine! daß ihr Herrn uns doch immer einen so ehrwürdigen schwarzen Dunst vor Augen machen wollt. Noch nie hat ein Edelmann einen Hofmeister angenommen, wo

er ihm nicht hinter eine Allee von acht neun Sklavenjahren ein schön Gemälde von Beförderung gestellt hat und wenn ihr acht Jahr gegangen waret, so macht' er's wie Laban und rückte das Bild um noch einmal so weit vorwärts. Possen! lernt etwas und seid brave Leut. Der Staat wird euch nicht lang am Markt stehen lassen. Brave Leut sind allenthalben zu brauchen, aber Schurken, die den Namen vom Gelehrten nur auf dem Zettel tragen und im Kopf ist leer Papier...

PASTOR: Das ist sehr allgemein gesprochen, Herr Rat! – Es müssen doch, bei Gott! auch Hauslehrer in der Welt sein; nicht jedermann kann gleich Geheimer Rat werden und wenn er gleich ein Hugo Grotius wär. Es gehören heutiges Tags andere Sachen dazu als Gelehrsamkeit. –

GEHEIMER RAT: Sie werden warm, Herr Pastor! – Lieber, werter Herr Pastor, lassen Sie uns den Faden unsers Streits nicht verlieren. Ich behaupt: es müssen keine Hauslehrer in der Welt sein! das Geschmeiß taugt den Teufel zu nichts.

PASTOR: Ich bin nicht hergekommen mir Grobheiten sagen zu lassen: ich bin auch Hauslehrer gewesen. Ich habe die Ehre – –

GEHEIMER RAT: Warten Sie; bleiben Sie, lieber Herr Pastor! Behüte mich der Himmel! Ich habe Sie nicht beleidigen wollen und wenn's wider meinen Willen geschehen ist, so bitt ich Sie tausendmal um Verzeihung. Es ist einmal meine üble Gewohnheit, daß ich gleich in Feuer gerate, wenn mir im Gespräch interessant wird: alles übrige verschwindt mir denn aus dem Gesicht und ich sehe nur den Gegenstand, von dem ich spreche.

PASTOR: Sie schütten – verzeihen Sie mir, ich bin auch ein Cholerikus, und rede gern von der Lunge ab – Sie schütten das Kind mit dem Bade aus. Hauslehrer taugen zu nichts. – Wie können Sie mir das beweisen? Wer soll euch jungen Herrn denn Verstand und gute Sitten beibringen! Was wär aus Ihnen geworden, mein werter Herr Geheimer Rat, wenn Sie keinen Hauslehrer gehabt hätten?

GEHEIMER RAT: Ich bin von meinem Vater zur öffentlichen Schul gehalten worden, und segne seine Asche dafür, und so hoff ich, wird mein Sohn Fritz auch dereinst tun.

PASTOR: Ja – da ist aber noch viel drüber zu sagen, Herr! Ich meinerseits bin Ihrer Meinung nicht; ja wenn die öffentlichen Schulen das wären, was sie sein sollten. – Aber die nüchternen Subjecta, so oft den Klassen vorstehen; die pedantischen Methoden, die sie brauchen, die unter der Jugend eingerissenen verderbten Sitten –

GEHEIMER RAT: Wes ist das Schuld? Wer ist schuld dran, als ihr Schurken von Hauslehrern? Würde der Edelmann nicht von euch in der Grille gestärkt, einen kleinen Hof anzulegen, wo er als Monarch oben auf dem Thron sitzt, und ihm Hofmeister und Mamsell und ein ganzer Wisch von Tagdieben huldigen, so würd er seine Jungen in die öffentliche Schule tun müssen; er würde das Geld, von dem er jetzt seinen Sohn zum hochadligen Dummkopf aufzieht, zum Fonds der Schule schlagen: davon könnten denn gescheite Leute salariert werden und alles würde seinen guten Gang gehn; das Studentchen müßte was lernen, um bei einer solchen Anstalt brauchbar zu werden, und das junge Herrchen, anstatt seine Faulenzerei vor den Augen des Papas und der Tanten, die alle keine Argusse sind, künstlich und manierlich zu verstecken, würde seinen Kopf anstrengen müssen, um es den bürgerlichen Jungen zuvorzutun, wenn es sich doch von ihnen unterscheiden will. ...

PASTOR: Ich habe nicht Zeit *(Zieht die Uhr heraus)*, mich in den Disput weiter mit Ihnen einzulassen, gnädiger Herr; aber soviel weiß ich, daß der Adel überall nicht Ihrer Meinung sein wird.

GEHEIMER RAT: So sollten die Bürger meiner Meinung sein – ...

(II.1)

Etwas komisch wirkt das agitatorische Feuer schon bei einem, der bequem und sicher auf seiner adeligen Position sitzt, während das stoisch-resignierte Verhalten des bürgerlichen Pastors durchaus die Antwort der Erfahrung ist. Wollte Lenz damit das Utopische solcher Solidarität unterstreichen, da ja der Geheime Rat in der Praxis gegenteilig vorgeht? Oder hieß das, ein von Geburt her Gesicherter könne sich in die Existenzängste eines Unbegüterten überhaupt nicht hineinversetzen? In jedem Fall hat Lenz, indem er den Adel selbst Kritik an seinem Stand üben ließ, sehr viel schärfer polemisieren können und dadurch in gewisser Weise doch die Annäherung der Stände ein Stück vorangetrieben.

Bei der Schelte adeliger Großtuerei zielt der Geheime Rat insbesondere auf die Familie seines Bruders ab, die wahrhaftig keinen Grund hat, sich besser zu dünken als normale Sterbliche, im Gegenteil: Die Familie ist zur offenen Kampfstatt geworden, in der die Liebe weitgehend ausgespielt hat. Der Major verachtet seinen Sohn, liebt seine wohlgeratene Tochter, mit der er die ehrgeizigsten Pläne hat; die Mutter unterdrückt neidisch die schöne Tochter, verachtet ihren Mann und hätschelt ihren Sohn. Dazwischen muß der arme Hofmeister lavieren. Der mißtrauische Major hält plötzliche Überfälle für angebracht, die Läuffers Arbeit mit seinem Sprößling kontrollieren sollen.

MAJOR: So recht; so lieb ich's; hübsch fleißig – und wenn die Kanaille nicht behalten will, Herr Läuffer, so schlagen Sie ihm das Buch an den Kopf, daß er's Aufstehen vergißt, oder wollt ich sagen, so dürfen Sie mir's nur klagen. Ich will dir den Kopf zurecht setzen, Heiduck du! Seht da zieht er das Maul schon wieder. Bist empfindlich, wenn dir dein Vater was sagt? Wer soll dir's denn sagen? Du sollst mir anders werden, oder ich will dich peitschen, daß dir die Eingeweide krachen sollen, Tuckmäuser! Und Sie, Herr, sei'n Sie fleißig mit ihm, das bitt ich mir aus, und kein Feriieren und Pausieren und Rekreiieren, das leid ich nicht. Zum Plunder, von Arbeiten wird kein Mensch das Malum hydropisiacum kriegen. Das sind nur Ausreden von euch Herren Gelehrten. – Wie steht's, kann er seinen Cornelio? Lippel! ich bitt dich um tausend Gottes willen, den Kopf grad. Den Kopf in die Höhe, Junge! *(Richtet ihn)* Tausendsackerment, den Kopf aus den Schultern! oder ich zerbrech' dir dein Rückenbein in tausendmillionen Stücken.

(I.4)

Diese brutale Erziehungspraktik illustriert die gestörte Beziehung zwischen Vater und Sohn, die weit über den üblichen Generationenkonflikt hinausgeht, der ja ein Hauptthema der Stürmer und Dränger war. Vermutlich hat Lenz auch die schlimmen Erfahrungen mit seinem eigenen despotischen Vater in diese Szene eingebracht, für den er nicht nur ein verlorener, sondern ein verkommener Sohn war, dessen man sich schämen mußte. Warum der Major seinen weichen verwöhnten Sohn, den er ebenfalls zum Soldaten machen will, so traktiert, wird verständlich, wenn man in die von Haß und Eifersucht geprägten Familienbeziehungen Einblick genommen hat; dazu kommt das cholerische Temperament des Majors.

So hart sich der Major gegen den Sohn gebärdet, so sanft geht er mit seinem »Gustchen« um; der weiche empfindsame Kern unter der rauhen Schale kommt mit dem eskalierenden Unglück seiner Tochter zum Vorschein. (Auguste, die sich mehr aus Verdruß als aus Liebe mit dem Hofmeister eingelassen hat, bekommt ein Kind; da ihr Vater einer Heirat nicht zustimmt, läuft sie verzweifelt aus dem Haus.) Als er nach Monaten selbstquälerischen Suchens Gustchen (zufällig!) findet und vor dem Ertrinken rettet, drückt er sie unter Verwünschungen und seliger Erleichterung an sein Herz.

MAJOR: ... Verfluchtes Kind! habe ich das an dir erziehen müssen! *(Kniet nieder bei ihr)* Gustel! was fehlt dir? Hast Wasser eingeschluckt? Bist noch mein Gustel? – Gottlose Kanaille! Hättst du mir nur ein Wort vorher davon gesagt; ich hätte dem Lausejungen einen Adelbrief gekauft, da hättet ihr können zusammen kriechen. – Gott behüt! so helft ihr doch; sie ist ja ohnmächtig ...

(IV.5)

Die »Vorteile der Privaterziehung« bestehen also darin, daß das adelige Fräulein verführt wird von ihrem Hofmeister, gar ins Wasser gehen zu müssen glaubt, und der sklavisch gehaltene Hofmeister sich aus Schuldgefühl und Reue schließlich selbst kastriert (um die Unglück stiftenden Triebe ein für allemal los zu sein); damit wird die innere Problematik grotesk veräußerlicht, eine sarkastische, eindeutige Antwort gegeben. Ob elterliche Willkür oder Festhalten an der alten Standesordnung: im Grunde bewirkt das Prinzip der Unfreiheit und der Ungleichheit der Menschen stets Tragik.

Merkwürdig genug, nannte Lenz das Stück eine Komödie; um das Drama in diesem Sinn zu beenden, dürfen Major und Tochter sich wiederfinden und vergeben, darf Gustchen trotz unehelichen Kinds die Frau ihres schwärmerisch geliebten »Romeo« (Cousin Fritz) werden und der entmannte Läuffer, weiter getrieben von der

Liebe, eine einfältige Dorfschöne heiraten, die über Läuffers »reine« Liebe glücklich ist. Später hat Lenz seinen Komödienbegriff erläutert:

Ich nenne durchaus Komödie nicht eine Vorstellung, die bloß Lachen erregt, sondern eine Vorstellung die für jedermann ist. Tragödie ist nur für den ernsthafteren Teil des Publikums, der Helden der Vorzeit in ihrem Licht anzusehen und ihren Wert auszumessen imstande ist... Komödie ist Gemälde der menschlichen Gesellschaft, und wenn die ernsthaft wird, kann das Gemälde nicht lachend werden... Daher müssen unsere deutschen Komödienschreiber komisch und tragisch zugleich schreiben, weil das Volk, für das sie schreiben oder doch wenigstens schreiben sollten, ein solcher Mischmasch von Kultur und Rohigkeit, Sittigkeit und Wildheit ist. So schafft der komische Dichter dem tragischen sein Publikum.

(Selbstrezension des Neuen Menoza, 1775)

Mit dieser Definition rückte Lenz von der aufklärerischen Typenkomödie französisierenden Geschmacks ab, in der nicht Menschen, sondern festgelegte Figuren nach bestimmten Regeln Torheiten begehen, die dann als Laster verlacht werden. Seine Tragikomödien stellen eine weitaus radikalere Absage an die traditionelle Poetik dar als etwa das rührende Lustspiel, das durch Tränen der Rührung moralisch bessern wollte. Lenz forderte vom modernen Dramatiker, die reale Welt mit ihren Widersprüchen und Gegensätzen abzubilden, das hieß, die Probleme des Volks aufzugreifen, für das er schreiben sollte. Im Gegensatz zur Tragödie, in der große Charaktere aufträten, die »Schöpfer ihrer Begebenheiten« seien, führt er in den ›Anmerkungen übers Theater‹ aus, dominierten in der Komödie die Handlungen, konzentriert um eine »Hauptidee«; der Komödiendichter »lasse Personen teil dran nehmen, welche [er] will«; das heißt: der Autor hat nach Lenz absolute Freiheit über seine Figuren, er kann willkürlich wie ein Schöpfergott ihre Umstände lenken. Von diesem Gesichtspunkt aus läßt sich der fast gewaltsame optimistische Schluß des ›Hofmeisters‹ rechtfertigen, der alle Mißlichkeiten in eitel Glück und Harmonie auflöst und in seiner künstlichen Beliebigkeit doch auch die Resignation an der Wirklichkeit erkennen läßt.

Bertolt Brecht hat in seiner 1950 für das »Berliner Ensemble« umgearbeiteten Fassung des ›Hofmeisters‹ das Stück auf den Klassengegensatz hin verschärft und dabei weitgehend auf die charakterlichen Nuancierungen, die Lenz' Theater soviel Lebendigkeit verleihen, zugunsten einer eindeutigen Kritik am Untertanengeist verzichtet, den er in der Anpassung (des Erziehers Läuffer) an die gesellschaftliche Situation gegeben fand (wobei er die Selbstkastration als Gleichnis für die geistige Entmannung, das gebrochene Rückgrat des Untertanen-Menschen auffaßte).

Goethe, der Lenz' Begabung durchaus anerkannte und förderte, sorgte für die Drucklegung des ›Hofmeisters‹ und einiger bemerkenswerter Nachdichtungen von Komödien des römischen Dichters Plautus. Die Straßburger Zeit war Lenz' eigentlich produktive Phase, als er im Kreis der Stürmer und Dränger Aufnahme fand und mit Goethe verkehrte, der sein bewundertes Vorbild und Verhängnis wurde (da er ganz real seine Nachfolge antreten wollte und sich z. B. Friederike Brion als Geliebte einbildete). Aber um sich als Schriftsteller zu etablieren oder ein bürgerliches Leben zu führen, fehlte es dem überempfindlichen Talent an Kraft und Stetigkeit. Er blieb unglücklich: Einer sich verschlimmernden Psychose ausgeliefert, irrte er durch Europa, nachdem er sich in Weimar unmöglich gemacht hatte. Am 7. Juni 1792 fand man ihn tot auf einer Straße in Moskau.

3.4 Friedrich Maximilian Klinger, Sturm und Drang
Ein Schauspiel

Wie Lenz gehörte auch Friedrich Maximilian Klinger (1752–1831) zum Freundeskreis um Goethe, der den begabten, aber mittellosen Frankfurter Konstablersohn unterstützte und förderte, soweit es ging; eine Anstellung in Weimar konnte er dem jungen Juraabsolventen jedoch nicht beschaffen – ebensowenig wie Lenz, der darauf gehofft hatte. Der Glaube an seinen guten Stern verließ Klinger nicht: »Ich lass' das all werden vom wilden Ungefähr und baue in mir fort und reiß' hinauf der Sonne an, Sturz oder Gipfel ...« Tatendurstig, aufrecht, zupackend, nahm Klinger nach fehlgeschlagenen Versuchen, in preußischen oder englischen Diensten gegen Amerika zu kämpfen, schließlich eine glänzende Laufbahn in der russischen Armee, wo er es bis zum Generallieutenant und zu einem Adelsprädikat brachte.

Von seinen zahlreichen Trauerspielen in Shakespearescher Manier, die er zwischen 1774 und 1776 in rascher Folge schrieb, sind die ›Zwillinge‹ und ›Das leidende Weib‹ noch die ausgewogensten Arbeiten. (Karl Philipp Moritz beschreibt in seinem Roman ›Anton Reiser‹ die überwältigende Wirkung der ›Zwillinge‹ auf die jungen Gemüter.) Das vitale Ausleben der Gefühle wird Klingers Figuren oft zum Selbstzweck, die Handlung überzeugt nicht, erschüttert nicht, sondern bildet meist nur ein schwaches Gerüst. Wo Lenz empfindsam, differenziert und natürlich dramatisierte, schuf Klinger kühne Stimmungsbilder, die den explosiven Drang der Gefühle, diese Kraftgebärden der jungen Generation in den siebziger Jahren überzeugend zum Ausdruck bringen.

Während der Arbeit an seinem Drama ›Wirrwarr‹, das C. Kaufmann später in ›Sturm und Drang‹ umbenannte, schrieb Klinger einem Freund: »Ich hab' die tollsten Originalen zusammengetrieben und das tiefste tragische Gefühl wechselt immer mit Lachen und Wiehern.« Das ganze possenhafte Welttheater wie Shakespeare wollte Klinger auf die Bühne bringen; aber dazu fehlte es ihm an Talent.

Nicht nur, weil dieses Drama der Epoche den Namen gab, sei im folgenden ein Ausschnitt aus dem ›Sturm und Drang‹ zitiert; die Passage demonstriert anschaulich die Lust am Kraftgenialischen, am Derben und Dunklen, provokativ gegen empfindsam-ästhetische Normen eingesetzt. Obwohl das Stück vor dem Hintergrund des amerikanischen Unabhängigkeitskrieges spielt, geht Klinger mit keinem politischen Satz auf den Freiheitskampf ein; sein Radikalismus erschöpft sich in wilder feuriger Sprache, im Aufruhr der Gemüter. Shakespeares ›Romeo und Julia‹-Thematik abwandelnd, läßt Klinger zwei auf den Tod verfeindete englische Familien durch die überzeugende Liebe ihrer Kinder und die Aufklärung eines Mißverständnisses zur Versöhnung finden. Allerdings bleibt der Vorwurf der Handlung im ersten Auftritt noch ganz verborgen.

Zimmer im Gasthofe. WILD, LA FEU, BLASIUS. *Treten auf in Reisekleidern.*

WILD: Heida! nun einmal in Tumult und Lärmen, daß die Sinnen herumfahren wie Dachfahnen beim Sturm. Das wilde Geräusch hat mir schon viel Wohlsein entgegengebrüllt, daß mir's würklich ein wenig anfängt besser zu werden. So viel Hundert Meilen gereiset um dich in vergessenden Lärmen zu bringen – Tolles Herz! du sollst mir's danken! Ha! tobe und spanne dich dann aus, labe dich im Wirrwarr! – Wie ist's euch?

BLASIUS: Geh zum Teufel! Kommt meine Donna nach?

LA FEU: Mach dir Illusion Narr! sollt mir nicht fehlen, sie von meinem Nagel in mich zu schlürfen, wie einen Tropfen Wasser. Es lebe die Illusion! – Ei! ei, Zauber meiner Phantasie, wandle in den Rosengärten von Phyllis' Hand geführt –

WILD: Stärk dich Apoll närrischer Junge!

LA FEU: Es soll mir nicht fehlen, das schwarze verrauchte Haus gegenüber, mitsamt dem alten Turm, in ein Feenschloß zu verwandeln. Zauber, Zauber, Phantasie! – *(Lauschend)* Welch lieblich, geistige Symphonien treffen mein Ohr? – – Beim Amor! ich will mich in ein alt Weib verlieben, in einem alten, baufälligen Haus wohnen, meinen zarten Leib in stinkenden Mistlaken baden, bloß um meine Phantasie zu scheren. Ist keine alte Hexe da mit der ich scharmieren könnte? Ihre Runzeln sollen mir zu Wellenlinien der Schönheit werden; ihre herausstehende schwarze Zähne, zu marmornen Säulen an Dianens Tempel; ihre herabhangende lederne Zitzen, Helenens Busen übertreffen. Einen so aufzutrocknen, wie mich! – He meine phantastische Göttin! – Wild, ich kann dir sagen, ich hab mich brav gehalten die Tour her. Hab Dinge gesehen, gefühlt, die kein Mund geschmeckt, keine Nase gerochen, kein Aug gesehen, kein Geist erschwungen –

WILD: Besonders wenn ich dir die Augen zuband. Ha! Ha!

LA FEU: Zum Orkus! du Ungestüm! – Aber sag mir nun auch einmal, wo sind wir in der würklichen Welt jetzt. In London doch?

WILD: Freilich. Merktest du denn nicht daß wir uns einschifften? Du warst ja seekrank.

LA FEU: Weiß von allem nichts, bin an allem unschuldig. – Lebt denn mein Vater noch? Schick doch einmal zu ihm Wild, und laß ihm sagen, sein Sohn lebe noch. Käme soeben von den Pyrenäischen Gebürgen aus Friesland. Weiter nichts.

WILD: Aus Friesland? –

LA FEU: In welchem Viertel der Stadt sind wir dann?

WILD: In einem Feenschloß La Feu! Siehst du nicht den goldnen Himmel? die Amors und Amouretten? die Damen und Zwergchen?

LA FEU: Bind mir die Augen zu! (Wild bindet ihm zu) Wild! Esel! Wild! Ochse! nicht zu hart! (Wild bindet ihn los) He! Blasius. Lieber bissiger, kranker Blasius, wo sind wir?

BLASIUS: Was weiß ich.

WILD: Um euch auf einmal aus dem Traum zu helfen, so wißt: daß ich euch aus Rußland nach Spanien führte, weil ich glaubte, der König fange mit dem Mogol Krieg an. Wie aber die spanische Nation träge ist, so war's auch hier. Ich packte euch also wieder auf, und nun seid ihr mitten im Krieg in Amerika. Ha laßt mich's nur recht fühlen auf amerikanischen Boden zu stehn, wo alles neu, alles bedeutend ist. Ich trat ans Land – Oh! daß ich keine Freude rein fühlen kann!

LA FEU: Krieg und Mord! o meine Gebeine! o meine Schutzgeister! – So gib mir doch ein Feenmärchen! o weh mir!

BLASIUS: Daß dich der Donner erschlüg, toller Wild! was hast du wie der gemacht? Ist Donna Isabella noch? He! willst du reden! meine Donna!

WILD: Ha! Ha! Ha! du wirst ja einmal ordentlich aufgebracht.

BLASIUS: Aufgebracht? Einmal aufgebracht? Du sollst mir's mit deinem Leben bezahlen, Wild! Was? bin wenigstens ein freier Mensch. Geht Freundschaft so weit, daß du in deinen Rasereien einen durch die Welt schleppst wie Kuppelhunde? Uns in die Kutsche zu binden, die Pistole vor die Stirn zu halten, immer fort, klitsch! klatsch! In der Kutsche essen, trinken, uns für Rasende auszugeben. In Krieg und Getümmel von meiner Passion weg, das einzige was mir übrigblieb –

WILD: Du liebst ja nichts Blasius.

BLASIUS: Nein, ich lieb nichts. Ich hab's so weit gebracht, nichts zu lieben, und im Augenblick alles zu lieben, und im Augenblick alles zu vergessen. Ich betrüg alle Weiber, dafür betrügen und betrogen mich alle Weiber. Sie haben mich geschunden und zusammengedrückt, daß Gott erbarm! Ich hab alle Figuren angenommen. Dort war ich Stutzer, dort Wildfang, dort tölpisch, dort empfindsam, dort Engelländer, und meine größte Conquete machte ich, da ich nichts war. Das war bei Donna Isabella. Um wieder zurückzukommen – deine Pistolen sind geladen –

WILD: Du bist ein Narr, Blasius, und verstehst keinen Spaß.

BLASIUS: Schöner Spaß dies! Greif zu! Ich bin dein Feind den Augenblick.

WILD: Mit dir mich schießen! Sieh, Blasius! ich wünschte jetzt in der Welt nichts als mich herumzuschlagen, um meinem Herzen einen Lieblingsschmaus zu geben. Aber mit dir? Ha! Ha! *(Hält ihm die Pistole vor)* Sieh ins Mundloch und sag, ob dir's nicht größer vorkommt als ein Tor in London? Sei gescheit Freund! Ich brauch und lieb euch, und ihr mich vielleicht auch. Der Teufel konnte keine größre Narren und Unglücksvögel zusammenführen, als uns. Deswegen müssen wir zusammen bleiben, und auch des Spaßes halben. Unser Unglück kommt aus unserer eigenen Stimmung des Herzens, die Welt hat dabei getan, aber weniger als wir.

BLASIUS: Toller Kerl! ich bin ja ewig am Bratspieß.

LA FEU: Mich haben sie lebendig geschunden, und mit Pfeffer eingepökelt. – Die Hunde!

WILD: Wir sind nun mitten im Krieg hier, die einzige Glückseligkeit die ich kenne, im Krieg zu sein. Genießt der Szenen, tut was ihr wollt.

LA FEU: Ich bin nicht für'n Krieg.

BLASIUS: Ich bin für nichts.

WILD: Gott mach euch noch matter! – Es ist mir wieder so taub vorm Sinn. So gar dumpf. Ich will mich über eine Trommel spannen lassen, um eine neue Ausdehnung zu kriegen. Mir ist so weh wieder. O könnte ich in dem Raum dieser Pistole existieren, bis mich eine Hand in die Luft knallte. O Unbestimmtheit! wie weit, wie schief führst du den Menschen!

BLASIUS: Was soll's aber hier am Ende noch werden?

WILD: Daß ihr nichts seht! Um aus der gräßlichen Unbehaglichkeit und Unbestimmtheit zu kommen, mußt ich fliehen. Ich meinte die Erde wankte unter mir, so ungewiß waren meine Tritte. Alle gute Menschen, die sich für mich interessierten, hab ich durch meine Gegenwart geplagt, weil sie mir nicht helfen konnten. –

BLASIUS: Sag lieber nicht wollten.

WILD: Ja, sie wollten. Ich mußte überall die Flucht ergreifen. Bin alles gewesen. Ward Handlanger um was zu sein. Lebte auf den Alpen, weidete die Ziegen, lag Tag und Nacht unter dem unendlichen Gewölbe des Himmels, von den Winden gekühlt und von innern Feuer gebrannt. Nirgends Ruh, nirgends Rast. Die Edelsten aus Engelland irren verloren in der Welt. Ach! und ich finde die Herrliche nicht, die einzige, die da steht. – Seht, so strotze ich voll Kraft und Gesundheit, und kann mich nicht aufreiben. Ich will die Kampagne hier mitmachen, als Volontär, da kann sich meine Seele ausrecken, und tun sie mir den Dienst, und schießen mich nieder; gut dann! Ihr nehmet meine Barschaft, und zieht ...

(I.1)

Die drei so verschiedenen Freunde – der geniale Wild, der verträumt-schwärmerische La Feu und der blasierte, fade Blasius – leiden alle mehr oder weniger an der »gräßlichen Unbehaglichkeit und Unbestimmtheit« des Lebens, suchen vergeblich nach Sinn und Ziel für ihre Kraft und ihre Phantasie und erwarten sich in Amerika, »wo alles neu, alles bedeutend ist«, Erfüllung ihrer Existenz. Daß sie bei dieser Flucht vor sich selbst scheitern, liegt auf der Hand, denn die Widersprüche liegen in ihnen selbst. »Unser Unglück kommt aus unserer eigenen Stimmung des Herzens, die Welt hat dabei getan, aber weniger als wir«, sagt Wild in der oben zitierten Passage; damit kritisierte Klinger auch sich selbst, zeigte bereits Distanz zu den Stimmungsüberschwängen der Stürmer und Dränger. Wenige Jahre später verfaßte er eine Satire auf die Geniezeit: ›Plimplamplasko, der hohe Geist (heut Genie)‹.

3.5 Friedrich Schiller, Die Räuber. Ein Schauspiel

1773 befahl Herzog Karl Eugen von Württemberg dem Hauptmann Johann Caspar Schiller, seinen damals dreizehnjährigen Sohn Friedrich an die »Hohe Karlsschule« zu geben. Auf dieser Eliteschule (der »Sklavenplantage«, wie Schubart sie nannte) wurden unter strengstem militärischen Drill und der persönlichen Aufsicht des Herzogs begabte Schüler kostenfrei ausgebildet, um später Spitzenpositionen in Verwaltung und Militär zu besetzen. Karl Eugen nahm bei der Auswahl der Zöglinge nicht die geringste Rücksicht auf Kinder oder Eltern, erwartete aber ganz selbstverständlich Dank für seine Wohltaten. Das extreme Reglement erbitterte Schiller; selbst die privaten Lektüren waren vorgeschrieben, und nur heimlich gelangten einige der moderneren (oder aktuell diskutierten) Dichtungen in die Schule. Klopstocks ›Messias‹ las Schiller bereits mit vierzehn oder fünfzehn Jahren, die Dramen Shakespeares (in Wielands Übersetzung) vermittelte ihm sein Lehrer Abel (der seine Begabung erkannte und von Anfang an förderte). Plutarch gehörte zum offiziellen Kanon, doch las Schiller auch Gerstenbergs Hungertragödie ›Ugolino‹, Goethes ›Götz‹ und Leisewitz' ›Julius von Tarent‹.

Ursprünglich wollte Schiller Pfarrer werden, doch der Herzog verbot solche Pläne sofort. Nach einem Abstecher in die Juristerei wandte sich Schiller der Medizin zu. Im Dezember 1780 promovierte er und wurde Regimentsarzt in Stuttgart, immer noch unter dem persönlichen Befehl Karl Eugens stehend (so durfte er ohne dessen Erlaubnis die Stadt nicht verlassen). Die Erinnerung an diese totale Entmündigung, aus der sein rebellierendes Freiheitsbedürfnis erwuchs, hat Schiller zeitlebens nicht verlassen. Der Dienstplan der Karlsschule war hart, nur in gestohlenen Nebenstunden konnte Schiller sich der Dichtkunst widmen, die er als seine eigentliche Profession empfand – freilich nur heimlich, denn der Herzog durfte nichts davon wissen.

Den Stoff zu seinem dramatischen Erstling ›Die Räuber‹ fand Schiller in einem »Geschichtgen« Schubarts, das 1775 erschienen war. Mit den ersten Entwürfen begann er schon 1776; auf einem der erlaubten Spaziergänge las Schiller im Herbst 1780 ein paar Freunden aus der Karlsschule schließlich das fertige Manuskript vor. Da ein Verleger nicht zu finden war, ließ er 1781 eine anonyme Ausgabe auf eigene Kosten drucken. Die Schulden drückten ihn noch lange. In Mannheim, im benachbarten pfälzischen Ausland, interessierte sich der Intendant des dortigen Nationaltheaters, v. Dalberg, für das Stück, verlangte aber von Schiller weitreichende Umarbeitungen, so die Verlegung der Handlung von der Gegenwart in die Mitte des 15. Jahrhunderts, und änderte selbst schließlich noch vieles ab. Da Schiller den Erfolg, daß sein Werk überhaupt aufgeführt wurde, nicht gefährden wollte, ordnete er sich Dalbergs Wünschen unter.

Dalbergs Inszenierung war aufwendig, unter den Darstellern befanden sich berühmte Schauspieler, darunter August Wilhelm Iffland. Die Wirkung war ungeheuer: »Das Theater glich einem Irrenhause, rollende Augen, geballte Fäuste, stampfende Füße, heisere Schreie im Zuschauerraum! Fremde Menschen fielen sich in die Arme, Frauen wankten, einer Ohnmacht nahe, zur Thüre. Es war eine allgemeine Auflösung wie im Chaos, aus dessen Nebeln eine neue Schöpfung hervorbricht!« (Bericht eines Augenzeugen)

Schiller war heimlich aus Stuttgart herübergekommen, was ihm einen vierzehntägigen Arrest und das Verbot eintrug, mit »Ausländern« zu korrespondieren. Herzog Karl Eugen untersagte ihm schließlich überhaupt das Schreiben literarischer Texte. Da flüchtete Schiller am 22. September 1782 nach Mannheim. Der Bruch mit Karl Eugen war endgültig. Erst 1793 konnte Schiller seine Eltern wieder besuchen; der Herzog »ignorierte« ihn, schließlich konnte er schlecht seinen berühmtesten Zögling verhaften lassen.

Schillers Drama, zeitlich schon von den Hauptwerken des Sturm und Drang entfernt, ist nicht mehr eindeutig dieser Epoche zuzuschreiben. Wohl gibt es die oppositionelle Grundstimmung der intellektuellen Jugend Ende der siebziger Jahre wieder: ihre Wut über die Machtstrukturen des aufgeklärten Absolutismus, die dem Genie keine Möglichkeiten der Entfaltung ließen; ihr berauschendes Gefühl einer unbegrenzten Tatkraft, die nach Befreiung von den Fesseln religiöser und moralischer bürgerlicher Ordnungen drängte. Schiller konkretisierte in seinem Stück diese »enthusiastischen Träume von Größe und Wirksamkeit« (›Vorrede zur ersten Auflage, 1781‹), zeigte aber dabei vor allem die Gefahren solchen Freiheitstaumels, solcher durch keine Moral eingedämmten Kraft. Die Hybris, sich gottgleich, unabhängig vom Schicksal zu wähnen und seine Bestimmung allein in sich selbst zu suchen, entlarvte er als tödlichen Irrtum. Schiller, der von der Notwendigkeit einer vernünftigeren und besseren Welt überzeugt war, wollte – ganz aufklärerisch – die Menschen von der Bühne herab erziehen; bei allem Vernunftoptimismus aber stellte er dem weltfremden empfindsamen Tugendideal der Hochaufklärung, ihrer Utopie einer ständeübergreifenden Humanität die »Fratze« der menschlichen und der gesellschaftlichen Realität entgegen. Die ganze Natur des Menschen, seine extremen Möglichkeiten zwischen Himmel und Hölle, wollte er dem Publikum vor Augen führen – darin nahm er, ganz Stürmer und Dränger, Shakespeare zum Vorbild.

Schiller war früh und nachhaltig geprägt von dem Eindruck eines dualistischen Prinzips, das den ganzen Weltbau zu bestimmen schien, und nach dem der Mensch in Geist und Körper, in ein tierisches und ein göttliches Wesen gespalten sei. Diese Überzeugung übertrug er auch in seine Dichtung. Zu Schillers Eigenarten gehört die antithetische Struktur; aus der Dialektik des Entgegengesetzten entwickelte er später seine philosophischen Theorien, bezogen seine Dramen ihre Spannung. In den ›Räubern‹ stehen zwei Brüder im Mittelpunkt, die gegensätzlich veranlagt sind und entgegengesetzte Prinzipien vertreten, so daß sie sich fast wie zwei komplementäre Hälften zueinander verhalten. Das Motiv der ungleichen Zwillinge bzw. Brüder war im Sturm und Drang besonders beliebt, fand darin doch das Gefühl des Widerstreits extremer Anlagen im eigenen Selbst sinnfälligen Ausdruck.

Zwei Handlungen laufen in den ›Räubern‹ parallel: Die »Schloßhandlung« mit Franz Moor im Mittelpunkt und die »Räuberhandlung« um Karl Moor sind aufeinander bezogen, ohne daß sich jedoch die Hauptfiguren je begegneten. Dieses dramaturgische Konzept unterstreicht den Widerspruch in den Charakteren der ungleichen Brüder. Karl, älterer Sohn des regierenden Grafen von Moor, ist der vom Schicksal Begünstigte, der neben dem Erstgeburtsrecht alle Gaben der Natur genießt, in allen äußeren und inneren Vorzügen einer Idealfigur der Geniezeit entspricht: Schönheit, eine empfindsame Seele, die »bei jedem Leiden in weinende Sympathie dahinschmelzt«, ebenso wie männlicher Mut, feuriger Geist, Offenheit usw. machen ihn liebenswert und bewunderungswürdig. Der Jüngere, Franz Moor, ist schon rein äußerlich geschlagen von der Natur und begründet damit seinen Haß auf den strahlenden Bruder:

FRANZ: ... Ich habe große Rechte, über die Natur ungehalten zu sein, und bei meiner Ehre! ich will sie geltend machen. – Warum bin ich nicht der erste aus Mutterleib gekrochen? Warum nicht der einzige? Warum mußte sie mir diese Bürde von Häßlichkeit aufladen? Gerade mir? Nicht anders, als ob sie bei meiner Geburt einen Rest gesetzt hätte. Warum gerade mir die Lappländersnase? Gerade mir dieses Mohrenmaul? Diese Hottentottenaugen? Wirklich, ich glaube, sie hat von allen Menschensorten das Scheußliche auf einen Haufen geworfen und mich daraus gebacken. Mord und Tod! Wer hat ihr die Vollmacht gegeben, jenem dieses zu verleihen und mir vorzuenthalten? Könnte ihr jemand darum hofieren, eh er entstund? Oder sie beleidigen, eh er selbst wurde? Warum ging sie so parteilich zu Werke?

Nein! nein! Ich tu ihr Unrecht. Gab sie uns doch Erfindungsgeist mit, setzte uns nackt und armselig ans Ufer dieses großen Ozeans _Welt_ – Schwimme, wer schwimmen kann, und wer zu plump ist, geh unter! Sie gab mir nichts mit; wozu ich mich machen will, das ist nun meine Sache. Jeder hat gleiches Recht zum Größten und Kleinsten, Anspruch wird an Anspruch, Trieb an Trieb und Kraft an Kraft zernichtet. Das Recht wohnt beim Überwältiger, und die Schranken unserer Kraft sind unsere Gesetze.

(I.1)

Die schicksalhafte Ungleichheit akzeptiert Franz nicht; er leitet daraus das Recht auf Selbsthilfe ab. Die Umstände, in die er hineingeworfen ist, gewaltsam zu seinem Vorteil zu verändern, gilt Franz als Naturrecht des Stärkeren. Der im Geniebegriff enthaltene Anspruch auf ungehinderte Entfaltung und Selbstverwirklichung zeigt sich hier als nackte Gewalt, die alle sittlichen Kategorien außer Kraft setzt. In Franz entwarf Schiller das Modell eines durch und durch amoralischen Menschen, einer herzlosen, rein denkerischen Größe, deren skeptischer, sezierender Verstand fast zwangsläufig in eine »Philosophie der Verzweiflung« mündet. Alle Erfindungsgabe, allen Geist setzt Franz nur ein, um ein »Originalwerk« der Zerstörung zu ersinnen. Die Macht des Gewissens als einer auf Gott verweisenden moralischen Instanz verachtet er als lächerlichen Mechanismus, »die Narren in Respekt und den Pöbel unter dem Pantoffel zu halten«. Zwischenmenschliche Bindungen wie Blutsverwandtschaft und Liebe erklärt er in kaltem Zynismus als Schwindel und repressiven Zwang: »Das ist dein Bruder! – das ist verdolmetscht: Er ist aus eben dem Ofen geschossen worden, aus dem du geschossen bist – also sei er dir heilig! – Merkt doch einmal diese verzwickte Konsequenz, diesen possierlichen Schluß von der Nachbarschaft der Leiber auf die Harmonie der Geister, von ebenderselben Heimat zu ebenderselben Empfindung, von einerlei Kost zu einerlei Neigung.«

In Franz' nihilistischem Weltbild sind positive (gemeinschaftliche) »Pakta« nicht vorstellbar, ist der Mensch reduziert auf Triebe und Instinkte, der Verstand dient nur als satanisches Werkzeug zu ihrer Befriedigung: »Ich will alles um mich her ausrotten, was mich einschränkt, daß ich nicht *Herr* bin. *Herr* muß ich sein, daß ich das mit Gewalt ertrotze, wozu mir die Liebenswürdigkeit gebricht.«

Franz schafft sich mit böser Gewalt die Welt, die er braucht, um seine Ziele zu erreichen. Ganz im Sinne der Lavaterschen Physiognomik ist der abgrundhäßliche Kerl schon äußerlich das Urbild eines Verbrechers. Sein erstes Wort in dem Gespräch mit dem Vater ist ein »Aber«, das einen Widerspruch anzeigt und seine Fürsorglichkeit als Heuchelei entlarvt: »Aber ist Euch auch wohl, Vater? Ihr seht so blaß.« Des Vaters Liebe zu dem älteren Sohn Karl, von jeher ein Stachel in Franz' Seele, will er vernichten. So unterschlägt er einen Brief Karls, der gewisse studentische Verfehlungen in Leipzig eingesteht und um die väterliche Verzeihung bittet, schiebt einen gefälschten vor, Karl sei wegen Schulden, Mord und Vergewaltigung zum steckbrieflich gesuchten Verbrecher geworden. Spitzfindig verdreht er des Vaters verwöhnende Liebe zur Ursache der wollüstigen Ausschweifungen des Bruders, unbarmherzig und kalt berechnend martert er die Gefühle des Alten, bis dieser bereit ist, Karl zu verstoßen. Auch den Auftrag, an seiner Statt dem Bruder zu antworten, listet er dem gebrochenen, widerstandslosen Vater ab; gegen dessen ausdrückliche Weisung schreibt er Karl, der Vater habe ihn auf ewig verflucht und enterbt.

Es gehört zu den Merkwürdigkeiten dieses Stücks, daß der alte Moor auf Franz' Intrige hereinfällt, ihm blindlings alles glaubt. »O daß Ihrs begreifen lerntet! daß Euch die Schuppen fielen vom Auge!«: Das Motiv der Verblendung – hier von Franz pervertiert, denn er will den Alten ja blind machen – taucht immer wieder in dem Drama auf und verweist auf die Selbsttäuschungen, denen die Personen des Stücks erliegen, und die sie schuldig werden lassen. Der alte Moor »soll zärtlich und schwach sein, und ist klagend und kindisch« – »mehr Betschwester als Christ«, wie Schiller in seiner detaillierten Selbstrezension ausführt. Die larmoyante Leichtgläubigkeit des Vaters entlarvt seine Liebe zu Karl als ebenso unwahr, wie sein Urteil über den Sohn falsch, ja im Wortsinne gefälscht ist.

Auch der »gute« Sohn Karl ist von Anfang an im Protest gezeigt; das Stichwort »Prometheus« – der den Stürmern und Drängern als Symbol selbstbewußter Auflehnung gegen jede Fremdbestimmung, auch gegen die Götter, galt (vgl. S. 231 ff.) – fällt gleich in

Karls zweitem Satz. In ihren großen Freiheitsgebärden, ihrer Opposition gegen Bevormundung durch Konvention und enge Gesetze stimmen die Brüder durchaus überein; allerdings zielt Franz von Anfang an, kunstvoll planend und kalkulierend, auf Zerstörung jeder rechtlichen Ordnung, auf Verrat am Bruder und Mord am Vater, während den »Universalkopf« Karl die geniale Tat als solche reizt, seine außerordentlichen Fähigkeiten zu jeder Seite offen sind und nur durch unglückliches Schicksal fehlgeleitet werden.

Mag der Vater »goldene Träume« für seinen Sohn gehegt haben, Karl selbst hat eigene Vorstellungen von Größe. Ihn ekelt vor dem »tintenklecksenden Säkulum«, dem »schlappen Kastratenjahrhundert«, das die Helden der Vorzeit zu jämmerlichem Schulstoff und Gegenstand schreibstubengelehrter Spekulationen herabwürdigt; er schimpft die »abgeschmackten Konventionen«, die die »gesunde Natur verrammeln«, die den Menschen so domestiziert und deformiert haben, daß er unter einer geheuchelten höflichen Maske nur seine kleinliche, kriecherische, zur Mitmenschlichkeit unfähige Sklavenseele verbirgt. Karl trotzt den Verhältnissen, die seiner grandiosen Selbstverwirklichung im Wege stehen, ihm Willen und Denken einschränken:

MOOR: ... Nein, ich mag nicht daran denken. Ich soll meinen Leib pressen in eine Schnürbrust und meinen Willen schnüren in Gesetze. Das Gesetz hat zum Schneckengang verdorben, was Adlerflug geworden wäre. Das Gesetz hat noch keinen großen Mann gebildet, aber die Freiheit brütet Kolosse und Extremitäten aus. Sie verpalisadieren sich ins Bauchfell eines Tyrannen, hofieren der Laune seines Magens und lassen sich klemmen von seinen Winden. – Ah! daß der Geist Hermanns noch in der Asche glimmte! – Stelle mich vor ein Heer Kerls wie ich, und aus Deutschland soll eine Republik werden, gegen die Rom und Sparta Nonnenklöster sein sollen.

(I.2)

Das ist die schockierende Sprache der Stürmer und Dränger, ihr ins Kolossalische und Extreme gesteigertes Selbstgefühl. »Auf den Boden stampfend«, »aus vollem Halse lachend«, den Degen auf den Tisch werfend wird Karl laut Bühnenanweisung gezeigt. Sein wilder aufrührerischer Gestus, auch seine republikanische Begeisterung sind jedoch nicht so ernst zu nehmen, sie sollen vielmehr die revolutionäre Energie veranschaulichen, die in Karl steckt, seine übertriebene Empfindung, die er, wie die Stürmer und Dränger allgemein, mit Tatkraft gleichsetzt, und der er zum Opfer fallen wird. Der »lohe Lichtfunke Prometheus'« wird in den Händen des Menschen leicht zur vernichtenden Flamme, die auch das eigene Ich zerstört.

Ein gewisser Widerspruch liegt in Karls Person, der hier wilde Schimpfreden führt und sich rebellisch gebärdet, dabei aber bereits den Reuebrief an seinen Vater geschrieben hat. Sein Kamerad Spiegelberg, Karls *alter ego* und böser Geist in einem, der selbst von einer Verbrecherkarriere träumt, will Karl zur Fortsetzung des »freien« Lebens animieren, aber, in Erwartung der väterlichen Verzeihung, behauptet sich dessen andere, edlere Natur. Karl winkt Spiegelberg ärgerlich ab:

> Glück auf den Weg! Steig du auf Schandsäulen zum Gipfel des Ruhms. Im Schatten meiner väterlichen Haine, in den Armen meiner Amalia lockt mich ein edler Vergnügen. Schon die vorige Woche hab ich meinem Vater um Vergebung geschrieben, hab ihm nicht den kleinsten Umstand verschwiegen, und wo Aufrichtigkeit ist, ist auch Mitleid und Hilfe. Laß uns Abschied nehmen, Moritz. Wir sehen uns heut, und nie mehr. Die Post ist angelangt. Die Verzeihung meines Vaters ist schon innerhalb dieser Stadtmauren.
>
> (I.2)

Doch Franzens Brief enthält nur den Fluch und die Enterbung durch den Vater. Auch Karl bezweifelt keinen Augenblick die Echtheit des Briefs, traut dem Vater sofort solche Gemeinheit zu. Wie bereits die Erinnerung an die Schatten der väterlichen Haine und an seine Braut Amalia besänftigend auf sein Gemüt wirkte – seine Sprache fügte sich deshalb auch zu ruhigen, geschlossenen Sätzen –, so tobt jetzt, nach dem Ausgestoßen-Sein aus dieser Welt des Friedens und der Liebe, ein Sturm von Haß und Empörung durch seine Brust:

> MOOR *(tritt herein in wilder Bewegung und läuft heftig im Zimmer auf und nieder, mit sich selber):* Menschen – Menschen! falsche, heuchlerische Krokodilbrut! Ihre Augen sind Wasser! Ihre Herzen sind Erzt! Küsse auf den Lippen! Schwerter im Busen! Löwen und Leoparden füttern ihre Jungen, Raben tischen ihren Kleinen auf dem Aas, und Er, Er – Bosheit hab ich dulden gelernt, kann dazu lächeln, wenn mein erboster Feind mir mein eigen Herzblut zutrinkt – aber wenn Blutliebe zur Verräterin, wenn Vaterliebe zur Megäre wird, o so fange Feuer, männliche Gelassenheit, verwilde zum Tiger, sanftmütiges Lamm, und jede Faser recke sich auf zu Grimm und Verderben.
> . . .
> Warum ist dieser Geist nicht in einen Tiger gefahren, der sein wütendes Gebiß in Menschenfleisch haut? Ist das Vatertreue? Ist das Liebe für Liebe? Ich möchte ein Bär sein, und die Bären des Nordlands wider dies mörderische Geschlecht anhetzen – Reue, und keine Gnade! – Oh ich möchte den Ozean vergiften, daß sie den Tod aus allen Quellen saufen! Vertrauen, unüberwindliche Zuversicht, und kein Erbarmen!
>
> (I.2)

Die Tugenden der Sanftmut und Gelassenheit über Bord werfend, steigert sich Karl zu wilder Aggression; Feuer, Tiger, wilde Bären werden Symbole seines Hasses, ozeanisch unbeschränkte Kraft begehrt er in seiner Rachelust. Rasch verkehrt sich für ihn die Welt der erinnerten und erträumten Harmonie in ihr extremes Gegenteil, in eine Welt, die von Schwertern und Feuer, von Verrat, Feindschaft und Verderben gezeichnet ist.

Dennoch spricht Karl selbst in diesem Augenblick stürmischster Rebellion eine auffallend nominale Sprache. Die kraftgenialische Emotionalität der Stürmer und Dränger machte sich Luft in einem dynamischen Verbalstil (in dem die sinntragenden Wörter ausdrucksstarke Verben waren), doch Schiller läßt Karl Moor noch im höchsten Affekt, den die Satzfetzen und Ausrufe signalisieren, Substantive auf Substantive häufen, das heißt, er unterlegt dem Pathos der Verzweiflung einen statischen Nominalstil, der auf verstandesmäßige Reflexion verweist. Daß die Vernunft auch im Augenblick der Leidenschaft nicht ganz ausgeschaltet scheint, läßt Hoffnung auf vernünftige Einsicht und Umkehr zu. Abstrakta wie »Vatertreue, Liebe, Reue, Gnade, Vertrauen« usw. deuten auf die sittliche und religiöse Weltordnung hin, die für Karl zusammengestürzt ist, und auf die er sich doch gerade erst besonnen hatte. Seine Ausdrucksweise verrät, daß er die Orientierung an dieser Weltordnung im Grunde nicht aufgegeben hat.

Im Gegensatz zum typischen Sturm-und-Drang-Drama, das Originale, Individuen auf die Bühne stellen wollte, sind Schillers Helden Träger abstrakter Ideen. Um die Auseinandersetzung zwischen menschlicher Willkür und göttlicher Ordnung, zwischen einer von Eigensucht und Gesetzlosigkeit regierten Welt und dem von Liebe und Erbarmen bestimmten Gesellschaftsideal geht es in den ›Räubern‹. Als Gewissenskonflikt haben die beiden Brüder diesen Widerstreit in sich auszutragen.

Die Realität des Dramas zeigt eine gestörte, disharmonische Welt. Die Familien- und Vaterordnung, die der alte Moor vertritt, hat sich als schwach und brüchig erwiesen, ließ sie sich doch durch Franz' Intrigen in ihren Grundfesten – Vertrauen und Liebe – mühelos erschüttern (»strafbar«, »verdammlich«, »grausam« nennt Franz des Vaters zärtliche Liebe zum Bruder). Die empfindsame Hochaufklärung hatte die patriarchalisch strukturierte Familie zum Ideal des gesellschaftlichen Zusammenlebens stilisiert, daher kann Karl, als dieses Ideal für ihn zusammengebrochen ist, seine »Privaterbitterung gegen den unzärtlichen Vater [...] in einen Universalhaß gegen das ganze Menschengeschlecht [auswüten]« (Selbstbesprechung im ›Wirtembergischen Repertorium‹).

MOOR: Siehe, da fällts wie der Star von meinen Augen! was für ein Tor ich war, daß ich ins Käficht zurückwollte. – Mein Geist dürstet nach Taten, mein Atem nach Freiheit, – *Mörder, Räuber!* – mit diesem Wort war das Gesetz unter meine Füße gerollt – Menschen haben Menschheit vor mir verborgen, da ich an Menschheit appellierte, weg dann von mir Sympathie und menschliche Schonung! – Ich habe keinen Vater mehr, ich habe keine Liebe mehr, und Blut und Tod soll mich vergessen lehren, daß mir jemals etwas teuer war! Kommt! kommt! – Oh ich will mir eine fürchterliche Zerstreuung machen – es bleibt dabei, ich bin euer Hauptmann!

(I.2)

Spiegelberg, der eitle Schurke, der Karls Tatenbereitschaft und Freiheitsgesten ins Gemeine, Verbrecherische verzerrt, hat die Gunst der Stunde genutzt und während Karls wütender Raserei die Kameraden zur Gründung einer Räuberbande verführt, die immer noch mehr Glück versprach als Wasser und Brot im Schuldturm. Doch entgegen seinen Hoffnungen wählen die Kumpanen nicht ihn, sondern Karl zu ihrem Anführer.

Im Gegensatz zu Spiegelberg verrät Karl Moor bei aller Gesetzlosigkeit, die er aus Verzweiflung begeht, doch nie sein Herz und sein Gewissen. War er nach seinem leichtfertigen Studentenleben zu Reue und Umkehr bereit, so ist er auch als Räuberhauptmann immer wieder von Skrupeln geplagt, nachdenklich, verantwortungsvoll – ein »edler« Verbrecher, ein Robin Hood der böhmischen Wälder, der die Bauernschinder, die Bigotten, die Prasser und Schelme schröpft und den Armen hilft. Seine Karriere als Räuberhauptmann war nur ein verhängnisvoller Irrtum, in den er sich immer tiefer hineindrängen ließ; sie war von Anfang an zum Scheitern verurteilt, da sie auf doppelter Täuschung beruhte: auf der arglistigen seines Bruders und der eigenen. Als Karl den Pakt mit den Räubern schloß, war er nicht er selbst, sondern blind vor Raserei. »Unglaublich«, einen »Traum«, eine »Täuschung« nennt er im ersten, richtigen Gefühl die erbarmungslose Härte und Kälte des Vaters.

Die mit Füßen getretene Menschlichkeit will Karl sühnen mit »Blut und Tod«. Dabei hat er die Umkehrung der Welt in eine bestialische, elende mitverschuldet. Auch er hat ohne Vertrauen gehandelt, als er auf die Intrigen seines Bruders hereinfiel. Wäre seine einzigartige Liebe zu seinem Vater (»so liebte kein Sohn«) wahrhaftig, aufrichtig, hätte ihm sein Herz die Wahrheit sagen müssen. Wie glaubhaft war seine mit Pathos vorgetragene »unüberwindliche Zuversicht« in den erbarmenden Vater, wenn sie so rasch zu überwinden war? In seiner Verblendung zweifelt Karl letztlich an Gott, denn der Vater hat, stellvertretend für Gott, die (christliche) Sündenvergebung bei aufrichtiger Reue verweigert. Jetzt macht sich Karl selbst zum Arm der Vorsehung, zum Vollstrecker einer höheren Gerechtigkeit.

Die breit angelegte Exposition des Dramas, der I. Akt, schließt mit der Begegnung von Amalia und Franz auf dem Moorschen Schloß. Franz will, wieder mit infamen Lügen, Karls Braut Amalia erobern. Sein Haß und Ehrgeiz sind erst befriedigt, wenn er dem Bruder auch die Braut abspenstig gemacht hat. Amalia aber läßt sich in ihrer unbedingten Liebe und Treue zu Karl nicht beirren; sie bildet die einzige ungebrochene Figur des Dramas. Aus ihrer Liebe bezieht sie die Kraft, ihr Leid zu ertragen und sich Franz zu widersetzen.

Als »aufgeklärt« und »modern« hat Schiller seine Figuren in einem Brief an Dalberg bezeichnet und deshalb ihrer spätmittelalterlichen Kostümierung nicht zustimmen wollen. Gerade in der Figur des Franz führt er die Grenzen und Gefahren »eines aufgeklärten Denkens und liberalen Studiums« *in extremis* vor:

FRANZ VON MOOR *(nachdenkend in seinem Zimmer):* ... Philosophen und Mediziner lehren mich, wie treffend die Stimmungen des Geists mit den Bewegungen der Maschine zusammenlauten. Gichtrische Empfindungen werden jederzeit von einer Dissonanz der mechanischen Schwingungen begleitet – Leidenschaften *mißhandeln* die Lebenskraft – der überladene Geist drückt sein Gehäuse zu Boden – Wie denn nun? – Wer es verstünde, dem Tod diesen ungebahnten Weg in das Schloß des Lebens zu ebenen! – den Körper vom Geist aus zu verderben – ha! ein Originalwerk! – wer das zustand brächte! – Ein Werk ohnegleichen! – Sinne nach, Moor! – Das wär eine Kunst, die's verdiente, dich zum Erfinder zu haben.

(II.1)

Die ganze Pervertierung der sittlichen Weltordnung zeigt sich, wenn das schöpferische Genie sich in einem »Originalwerk« vollendet, das im perfekten, spurenlosen Mord am eigenen Vater besteht. Die Materie zu besiegen: den Körper des Vaters allmählich durch eine Mechanik aus »Jammer, Reue, Selbstverklagung« und schließlich »Verzweiflung« zu ertöten – diese Kunst reizt ihn, bedeutet ihm Triumph in seiner eigenen Verzweiflung. Er läßt dem Vater einen Bericht vorlügen, Karl habe in hoffnungslosem Gram über seine Verstoßung den Tod in der Schlacht gesucht. Wie erhofft, reagiert der Vater mit heftigsten Schuldgefühlen, »schreiend, sein Gesicht zerfleischend«, und bricht zusammen. Franz bereitet schon das Begräbnis vor, muß aber enttäuscht feststellen, daß der Vater nur in eine todesähnliche Ohnmacht gefallen war. Schließlich sperrt ihn Franz in einen verwünschten Turm, wo er verhungern soll.

Schiller hat sein Drama als Familientragödie nach dem Muster eines bürgerlichen Trauerspiels entworfen, erweiterte es aber dann um eine eminent politische Dimension. Franz, der die höfische Intrige ins Spiel bringt und damit Familie und patriarchalische Herrschaft, die sein Vater verkörpert, zerstört, erklärt sich in der Erwartung der Amtsnachfolge als Ausbund eines Despoten:

FRANZ: ... Weg dann mit dieser lästigen Larve von Sanftmut und Tugend! Nun sollt ihr den nackten Franz sehen, und euch entsetzen! Mein Vater überzuckerte seine Forderungen, schuf sein Gebiet zu einem Familienzirkel um, saß liebreich lächelnd am Tor, und grüßte sie Brüder und Kinder. – Meine Augbraunen sollen über euch herhangen wie Gewitterwolken, mein herrischer Name schwebe wie ein drohender Komet über diesen Gebirgen, meine Stirne soll euer Wetterglas sein! Er streichelte und koste den Nacken, der gegen ihn störrig zurückschlug. Streicheln und Kosen ist meine Sache nicht. Ich will euch die zackigte Sporen ins Fleisch hauen, und die scharfe Geißel versuchen. – In meinem Gebiet solls so weit kommen, daß Kartoffeln und Dünnbier ein Traktament für Festtage werden, und wehe dem, der mir mit vollen, feurigen Backen unter die Augen tritt! Blässe der Armut und sklavischen Furcht sind meine Leibfarbe: in diese Liverei will ich euch kleiden! *(Er geht ab.)*

(II.2)

Einen der heftigsten Vorwürfe gegen Fürstenwillkür und Unterdrückung enthält diese Passage, die Schiller nur deshalb wagen konnte, weil sie als phantasierte Ausgeburt eines Schurken keine aktuell-politische Anspielung zu enthalten schien. Die Kluft zwischen einer vorbildlichen patriarchalischen Herrschaft und Franz' bösem Despotismus, die Entfernung zwischen Ideal und Wirklichkeit wollte Schiller durch Verzeichnung ins Karikaturhafte um so eindrücklicher veranschaulichen: Von einer starken Erschütterung versprach er sich einen starken moralischen Effekt, ganz im Sinne der Wirkungsästhetik der Hochaufklärung. Wenn Schiller in den ›Räubern‹ einen schwachen Vater und Regenten zeigt, der einer ernsteren Herausforderung nicht mehr gewachsen ist, heißt das: Das Modell einer patriarchalisch geordneten Ständegesellschaft ist hinfällig geworden und gehört einer »goldenen« Vergangenheit an. (»Elysiumsszenen«, eine »dichterische Welt« nennt Karl die friedliche Idylle seiner Kindheit, in die er nicht zurückkehren kann.) Die Gegenwart wird bestimmt von den Söhnen des alten Moor, deren fehlgeleitete Freiheitsentwürfe in Despotismus und Anarchie ausarten. Aber die Erfahrung von Freiheit, die zum modernen, aufgeklärten Individuum gehört, führt eben auch, richtig gehandhabt, zu einer humaneren, d.h. bürgerlichen Gesellschaft; diese Hoffnung wird am Ende des Schauspiels ein Stück verwirklicht.

In seiner Anmaßung, die Natur zu korrigieren, will Franz das System des Unrechts, unter dem er gelitten hatte, fortsetzen und perfektionieren. Von allen gefürchtet zu werden, bedeutet ihm Macht; selbst nichts zu fürchten (etwa einen rächenden Gott), dünkt ihn höchste Freiheit. Aber die »rachekundige Nemesis« wird ihn, den gräßlich Einsamen, am Ende doch ereilen. Von gleicher frevelhafter Selbstanmaßung zeugt Karls Versuch, die mangelnde Gerechtigkeit in der Welt auszugleichen. Auch er muß scheitern, da er sich zur Verwirklichung seiner Ideale der Hilfe von Verbrechern bedient und schuldlose Opfer in sein Strafgericht mit hineinreißt.

MOOR: ... O pfui über den Kindermord! den Weibermord! – den Krankenmord! Wie beugt mich diese Tat! Sie hat meine schönsten Werke vergiftet – da steht der Knabe, schamrot und ausgehöhnt vor dem Auge des Himmels, der sich anmaßte, mit Jupiters Keile zu spielen, und Pygmäen niederwarf, da er Titanen zerschmettern sollte – geh, geh! du bist der Mann nicht, das Rachschwert der obern Tribunale zu regieren, du erlagst bei dem ersten Griff – hier entsag ich dem frechen Plan, gehe, mich in irgendeine Kluft der Erde zu verkriechen, wo der Tag vor meiner Schande zurücktritt. (Er will fliehen.)

(II.3)

Wieder ist Karl, der Rebell aus Verirrung, zur Umkehr bereit, zur Rückkehr in die alte Ordnung, allein die Realitäten, die er umschaffen wollte, halten ihn jetzt zurück. Der Wald ist umzingelt von einer feindlichen Übermacht; der Bande wird Generalpardon angeboten, wenn sie ihren Hauptmann ausliefere, aber die »Mordbrenner« verraten ihren Anführer nicht. Diese unbedingte Treue, die Karl jetzt nach verzweifeltem Gefecht die Freiheit rettet, wird ihn später um so verhängnisvoller an die Bande ketten.

Karl ist viel mehr passiver, leidender Held als sein Bruder Franz, der die Steine des Verderbens ins Rollen gebracht hat und ständig neue Schritte unternimmt, seine bösen Ziele zu erreichen. Wie schmerzlich-verzweifelt Karl im Grunde sein Räuberdasein lebt, zeigen seine Fluchtversuche, seine Selbstanklagen und Anfälle von Melancholie: er »verschwemmt« im Anblick der untergehenden Sonne, seine weiche empfindsame Seele trauert angesichts der lieblichen Landschaft, der Schönheit der Welt. Wehmütig sehnt er sich zurück in den Zustand der kindlichen Unschuld. Das zwischen Himmel und Hölle ausgespannte Ich, das bestimmt, verurteilt scheint, »Götterpläne« zu machen und »Mäusegeschäfte« zu verrichten, hat sich selbst verloren.

Getrieben von der Sehnsucht, die »Elysiumsszenen« seiner Kindheit noch einmal zu erleben, den unwiederbringlich verlorenen paradiesischen Frieden noch einmal zu atmen, lassen ihn zu dem Schloß seiner Väter zurückkehren. Der den Vater zu »goldenen Träumen« veranlaßt hatte, ist selbst in der Maske eines Grafen von Brand als idealische Figur nicht zu verkennen. Der alte einfache Hausdiener erkennt ihn, und Amalia erweist ihre Treue, indem sie sein »göttliches« Wesen auch in dem vermeintlichen Fremdling spürt. Die Begegnung mit seiner verlorenen Jugend, die so viel Glück versprochen hatte, steigert Karls inneren Konflikt zu höchster Spannung, bis die Entdeckung des eingekerkerten Vaters die Katastrophe auslöst.

Auch als Karl verkleidet nach Hause zurückkehrt ist, um vor allem die Geliebte noch einmal zu sehen, begegnet er seinem Bruder nicht. Franz durchschaut jedoch die Verkleidung; er sieht sich schon um den Lohn seiner furchtbaren Mühen betrogen und will den Bruder ermorden lassen. Ihm, der ganz aus der Negation lebt, ist Mord nur die Umkehrung des Liebesakts:

FRANZ: ... Es kommt alles nur darauf an, wie man davon denkt, und der ist ein Narr, der wider seine Vorteile denkt! Den Vater, der vielleicht eine Bouteille Wein weiter getrunken hat, kommt der Kitzel an – und draus wird ein Mensch, und der Mensch war gewiß das letzte, woran bei der ganzen Herkulesarbeit gedacht wird. Nun kommt mich eben auch der Kitzel an – und dran krepiert ein Mensch, und gewiß ist hier mehr Verstand und Absichten, als dort bei seinem Entstehen war – Hängt nicht das Dasein der meisten Menschen mehrenteils an der Hitze eines Juliusmittags, oder am anziehenden Anblick eines Bettuchs, oder an der waagrechten Lage einer schlafenden Küchengrazie, oder an einem ausgelöschten Licht? – Ist die Geburt des Menschen das Werk einer viehischen Anwandlung, eines Ungefährs, wer sollte wegen der *Verneinung seiner Geburt* sich einkommen lassen, an ein bedeutendes Etwas zu denken?

(IV.2)

Aber Franz, den kalten Rationalisten, holt schließlich doch sein Gewissen ein. Eine »ganze Hölle von Furien« jagt ihn, auf schauerliche Weise muß er die Existenz Gottes erfahren. Das Gewissen, das er als »Possen« und »Weihnachtmärchen« verhöhnt hat, läßt sich nicht abtöten. In der Nacht wird er von schlimmen Alpträumen verfolgt. Halb wahnsinnig vor Angst rettet er sich zu seinem alten Diener Daniel, der seine Vision des Jüngsten Gerichts anhören muß.

FRANZ: Plötzlich traf ein ungeheurer Donner mein schlummerndes Ohr, ich taumelte bebend auf, und siehe, da war mirs, als säh ich aufflammen den ganzen Horizont in feuriger Lohe, und Berge und Städte und Wälder, wie Wachs im Ofen zerschmolzen, und eine heulende Windsbraut fegte von hinnen Meer, Himmel und Erde – da erscholls wie aus ehernen Posaunen: Erde, gib deine Toten, gib deine Toten, Meer! und das nackte Gefild begonn zu kreißen und aufzuwerfen Schädel und Rippen und Kinnbacken und Beine, die sich zusammenzogen in menschliche Leiber, und daherströmten unübersehlich, ein lebendiger Sturm: Damals sah ich aufwärts, und siehe, ich stand am Fuß des donnernden Sina, und über mir Gewimmel und unter mir, und oben auf der Höhe des Bergs auf drei rauchenden Stühlen drei Männer, vor deren Blick flohe die Kreatur –

DANIEL: Das ist ja das leibhaft Konterfei vom Jüngsten Tage.

FRANZ: Nicht wahr? das ist tolles Gezeuge? – Da trat hervor Einer, anzusehen wie die Sternennacht, der hatte in seiner Hand einen eisernen Siegelring, den hielt er zwischen Aufgang und Niedergang und sprach: Ewig, heilig, gerecht, unverfälschbar! Es ist nur *eine* Wahrheit, es ist nur *eine* Tugend! Wehe, wehe, wehe dem zweifelnden Wurme! – da trat hervor ein Zweiter, der hatte in seiner Hand einen blitzenden Spiegel, den hielt er zwischen Aufgang und Niedergang und sprach: Dieser Spiegel ist Wahrheit; Heuchelei und Larven bestehen nicht – da erschrak ich und alles Volk, denn wir sahen Schlangen- und Tiger- und Leopardengesichter zurückgeworfen aus dem entsetzlichen Spiegel. – Da trat hervor ein Dritter, der hatte in seiner Hand eine eherne Waage, die hielt er zwischen Aufgang und Niedergang und sprach: tretet herzu, ihr Kinder von Adam – ich wäge die Gedanken in der Schale meines Zornes! und die Werke mit dem Gewicht meines Grimms! –

DANIEL: Gott erbarme sich meiner!

FRANZ: Schneebleich stunden alle, ängstlich klopfte die Erwartung in jeglicher Brust. Da war mirs, als hört ich meinen Namen zuerst genannt aus den Wettern des Berges, und mein innerstes Mark gefror in mir, und meine Zähne klapperten laut. Schnell begonn die Waage zu klingen, zu donnern der Fels, und die Stunden zogen vorüber, eine nach der andern an der links hangenden Schale, und eine nach der andern warf eine *Todsünde* hinein –

DANIEL: O Gott vergeb Euch!

FRANZ: Das tat er nicht! – die Schale wuchs zu einem Gebirge, aber die andere, voll vom Blut der Versöhnung hielt sie noch immer hoch in den Lüften – zuletzt kam ein alter Mann, schwer gebeuget von Gram, angebissen den Arm von wütendem Hunger, aller Augen wandten sich scheu vor dem Mann, ich kannte den Mann, er schnitt eine Locke von seinem silbernen Haupthaar, warf sie hinein in die Schale der Sünden, und siehe, sie sank, sank plötzlich zum Abgrund, und die Schale der Versöhnung flatterte hoch auf! – Da hört ich eine Stimme schallen aus dem Rauche des Felsens: Gnade, Gnade jedem Sünder der Erde und des Abgrunds! du allein bist verworfen! – *(Tiefe Pause)* Nun, warum lachst du nicht?

DANIEL: Kann ich lachen, wenn mir die Haut schaudert! Träume kommen von Gott.

FRANZ: Pfui doch, pfui doch! sage das nicht! Heiß mich einen Narren, einen aberwitzigen, abgeschmackten Narren! Tu das, lieber Daniel, ich bitte dich drum, spotte mich tüchtig aus!

DANIEL: Träume kommen von Gott. Ich will für Euch beten.

FRANZ: Du lügst, sag ich – geh den Augenblick, lauf, spring, sieh, wo der Pastor bleibt, heiß ihn eilen, eilen, aber ich sage dir, du lügst.

DANIEL:*(im Abgehn)*: Gott sei Euch gnädig!

FRANZ: Pöbelweisheit, Pöbelfurcht! – Es ist ja noch nicht ausgemacht, ob das Vergangene nicht vergangen ist, oder ein Auge findet über den Sternen – hum, hum! wer raunte mir das ein? Rächet denn droben über den Sternen einer? – Nein, nein! – Ja, ja! Fürchterlich zischelts um mich: Richtet droben einer über den Sternen! Entgegengehen dem Rächer über den Sternen diese Nacht noch! Nein! sag ich – Elender Schlupfwinkel, hinter den sich deine Feigheit verstecken will – öd, einsam, taub ists droben über den Sternen – wenns aber doch etwas mehr wäre? Nein, nein, es ist nicht! Ich befehle, es ist nicht! Wenns aber doch wäre? Weh dir, wenns nachgezählt worden wäre! wenns dir vorgezählt würde diese Nacht noch! – Warum schaudert mirs so durch die Knochen? *Sterben!* warum packt mich das Wort so? Rechenschaft geben dem Rächer droben über den Sternen – und wenn er gerecht ist, Waisen und Witwen, Unterdrückte, Geplagte heulen zu ihm auf, und wenn er gerecht ist? – warum haben sie gelitten, warum hast du über sie triumphieret? – (V.1)

Angeklagt von seinem »inneren Tribunal«, will Franz sich dennoch keiner höheren Gewalt beugen. Hin- und hergerissen zwischen Todesangst, Entsetzen und verzweifeltem »Riesentrotz« befiehlt er schließlich doch den Pastor zu holen, schleudert ihm noch einmal seine ganze blasphemische Philosophie entgegen, um in seinem »öden Reich des Nichts« dann doch den »Arm des Vergelters« zu spüren. Dennoch ist Franz Moor auch im Untergang noch standhaft und von einer gewissen Größe. Als die Räuber auf Befehl Karls bereits sein brennendes Schloß nach ihm durchsuchen, weigert er sich immer noch, seine Sünden zu bereuen; er erdrosselt sich mit seiner Hutschnur.

Auch Karl quält sein unbestechliches Gewissen; seine Mordbrennereien hatte er nur mit dem Fluch des Vaters rechtfertigen können, jetzt, da er das ganze Ausmaß seiner Verirrung begriffen hat (»oh ich Ungeheuer von einem Toren – voll Liebe sein Vaterherz ... Es hätte mich einen Fußfall gekostet«; IV.3), muß er sich eingestehen, daß sein ganzes verfehltes Leben auf gemeinem Betrug aufgebaut war. Er ist eben nicht der »Selbsthelfer«, der wie Goethes Götz von Berlichingen sich gegen das Unrecht sein Recht nimmt (und wenn er dabei zugrundegehen sollte), er ist nur ein Verbrecher. Aber nicht der Betrug an ihm, sondern der ungeheuerliche Frevel an dem geliebten Vater zwingt ihn zur Rache.

Der völlig gebrochene Vater Moor erkennt in seinem Retter den Sohn nicht mehr; er rechtet nicht mit seinem Schicksal, sieht darin nur die gerechte Strafe für seine Schuld:

DER ALTE MOOR: Ja, ich hab einen Sohn gequält, und ein Sohn mußte mich wieder quälen, das ist Gottes Finger – o mein Karl! mein Karl! wenn du um mich schwebst im Gewand des Friedens. Vergib mir. Oh vergib mir!

RÄUBER MOOR *(schnell):* Er vergibt Euch. *(Betroffen)* Wenn ers wert ist, Euer Sohn zu heißen – Er muß Euch vergeben.

DER ALTE MOOR: Ha! Er war zu herrlich für mich – Aber ich will ihm entgegen mit meinen Tränen, meinen schlaflosen Nächten, meinen quälenden Träumen, seine Knie will ich umfassen – rufen – laut rufen: Ich hab gesündigt im Himmel und vor dir. Ich bin nicht wert, daß du mich Vater nennst.

(V.2)

Zur Verkehrung der Welt in diesem Drama gehört die Umkehrung des biblischen Gleichnisses vom verlorenen Sohn: Nicht nur sind beide Söhne verloren, haben beide auf ihre Weise den Vatermord begangen – der alte Moor hat selber als Vater versagt und damit die Söhne vernichtet. Den Jüngeren machte er zum Verbrecher, da er ihm seine Liebe verweigerte, den älteren, weil er ihn erst verzärtelte und dann blind und töricht verstieß. Den Mord durch Verzweiflung, den Franz so perfide ausgeklügelt hatte, muß schließlich Karl vollziehen: indem er sich als Hauptmann der Bande von Räubern und Mördern zu erkennen gibt. Jetzt erst stirbt der alte Moor wirklich, er ist der Urheber auch dieses Verbrechens. Die ›Räuber‹ sind das Drama des verlorenen Vaters.

Auch für Amalia gibt es in der häßlich gewordenen Welt keinen Platz mehr. Sie, die Kraft und Empfindsamkeit, Verstand und Gefühl zu schöner Ganzheit zusammenschließt, kann auch noch die aberwitzigsten Widersprüche in sich fassen; auch den Verbrecher Karl liebt sie noch: »Mörder! Teufel! Ich kann dich Engel nicht lassen.« Aber für Karl gibt es kein Zurück mehr, die Räuber fordern seinen Eid ein. In ihrer Verzweiflung bleibt Amalia nur der Tod:

AMALIA *(reißt ihn zurück):* Halt, halt! Einen Stoß! Einen Todesstoß! Neu verlassen! Zeuch dein Schwert, und erbarme dich!

RÄUBER MOOR: Das Erbarmen ist zu den Bären geflohen – ich töte dich nicht!

AMALIA *(seine Knie umfassend):* Oh um Gottes willen, um aller Erbarmungen willen! Ich will ja nicht Liebe mehr, weiß ja wohl, daß droben unsere Sterne feindlich voneinander fliehen, – Tod ist meine Bitte nur. – Verlassen, verlassen! Nimm es ganz in seiner entsetzlichen Fülle, verlassen! Ich kanns nicht überdulden. Du siehst ja, das kann kein Weib überdulden. Tod ist meine Bitte nur! Sieh, meine Hand zittert! Ich habe das Herz nicht zu stoßen. Mir bangt vor der blitzenden Schneide – dir ists ja so leicht, so leicht, bist ja Meister im Morden, zeuch dein Schwert, und ich bin glücklich!

RÄUBER MOOR: Willst du allein glücklich sein? Fort, ich töte kein Weib!

AMALIA: Ha Würger! Du kannst nur die Glücklichen töten, die Lebenssaten gehst du vorüber. *(Kriecht zu den Räubern)* So erbarmet euch meiner, ihr Schüler des Henkers! – Es ist ein so blutdürstiges Mitleid in euren Blicken, das dem Elenden Trost ist – euer Meister ist ein eitler feigherziger Prahler.

RÄUBER MOOR: Weib, was sagst du? *(Die Räuber wenden sich ab.)*

AMALIA: Kein Freund? auch unter diesen nicht ein Freund? *(Sie steht auf.)* Nun denn, so lehre mich Dido sterben! *(Sie will gehen, ein Räuber zielt.)*

RÄUBER MOOR: Halt! Wag es – Moors Geliebte soll nur durch Moor sterben! *(Er ermordet sie.)*

(V.2)

Mit dieser letzten, höchsten Schuld, die Karl Moor konsequent auf sich lädt, befreit er sich von seinem Eid. Der ist nun bezahlt, »mit Wucher bezahlt«. Jetzt endlich ist sein Weg frei, findet er zu Selbstachtung und Ehre zurück. Er wird sich einem ordentlichen Gericht ausliefern, das allein das von ihm verletzte Recht wiederherstellen kann. Damit öffnet sich das Stück zu einem eigentlich untragischen Schluß.

RÄUBER MOOR: O über mich Narren, der ich wähnete die Welt durch Greuel zu verschönern, und die Gesetze durch Gesetzlosigkeit aufrecht zu halten. Ich nannte es Rache und Recht – Ich maßte mich an, o Vorsicht, die Scharten deines Schwerts auszuwetzen und deine Parteilichkeiten gutzumachen – aber – O eitle Kinderei – da steh ich am Rand eines entsetzlichen Lebens, und erfahre nun mit Zähnklappern und Heulen, daß *zwei Menschen wie ich den ganzen Bau der sittlichen Welt zugrund richten würden.* Gnade – Gnade dem Knaben, der *Dir* vorgreifen wollte – *Dein* eigen allein ist die Rache. *Du* bedarfst nicht des Menschen Hand. Freilich stehts nun in meiner Macht nicht mehr, die Vergangenheit einzuholen – schon bleibt verdorben, was verdorben ist – und was ich gestürzt habe, steht ewig niemals mehr auf – Aber noch blieb mir etwas übrig, womit ich die beleidigte Gesetze versöhnen, und die mißhandelte Ordnung wiederum heilen kann. Sie bedarf eines Opfers – eines Opfers, das ihre unverletzbare Majestät vor der ganzen Menschheit entfaltet – dieses Opfer bin ich selbst. Ich selbst muß für sie des Todes sterben.

RÄUBER MOOR: Nimmt ihm den Degen weg – Er will sich umbringen.

RÄUBER MOOR: Toren ihr! Zu ewiger Blindheit verdammt! Meinet ihr wohl gar, eine Todsünde werde das Äquivalent gegen Todsünden sein, meinet ihr, die Harmonie der Welt werde durch diesen gottlosen Mißlaut gewinnen? *(Wirft ihnen seine Waffen verächtlich vor die Füße)* Er soll mich lebendig haben. Ich gehe, mich selbst in die Hände der Justiz zu überliefern.

RÄUBER: Legt ihn an Ketten! Er ist rasend worden.

RÄUBER MOOR: Nicht, als ob ich zweifelte, sie werde mich zeitig genug finden, wenn die obere Mächte es so wollen. Aber sie möchte mich im Schlaf überrumpeln, oder auf der Flucht ereilen, oder mit Zwang und Schwert umarmen, und dann wäre mir auch das einzige Verdienst entwischt, daß ich mit Willen für sie gestorben bin. Was soll ich gleich einem Diebe ein Leben länger verheimlichen, das mir schon lang im Rat der himmlischen Wächter genommen ist?

RÄUBER: Laßt ihn hinfahren! Es ist die Großmannsucht. Er will sein Leben an eitle Bewunderung setzen.

RÄUBER MOOR: Man könnt mich darum bewundern. *(Nach einigem Nachsinnen)* Ich erinnere mich, einen armen Schelm gesprochen zu haben, als ich herüberkam, der im Taglohn arbeitet und eilf lebendige Kinder hat – Man hat tausend Louisdore geboten, wer den großen Räuber lebendig liefert – dem Mann kann geholfen werden *(Er geht ab.)*

(V.2)

Das große Gedankenexperiment ist durchgespielt: Franz' Vision des Jüngsten Gerichts beweist das Wirken der göttlichen Gerechtigkeit; sein Tod ist nicht tragisch, er ist die Konsequenz seines Atheismus, der in die Verdammnis führt. Deshalb stirbt er durch Selbstmord. Der kalt Berechnende wird angesichts des Todes von seinen unterdrückten Gefühlen heimgesucht; Karl dagegen, seine komplementäre Hälfte, den seine übertriebene Empfindung schuldig werden ließ, findet am Ende zu vernünftiger Einsicht. Er erkennt mit Schrecken, daß der »ganze Bau der sittlichen Welt zugrund« ginge, wenn der heroische Wille zur Selbsterweiterung nicht maßvoll und in sozialer Verantwortung in Tat umgesetzt wird. Die Weltordnung zu bestätigen und zu versöhnen, opfert er sich selbst. Seine Hoffnung kann sich auf die Gewißheit gründen, daß die Vergebung dem reuigen Sünder gewiß ist, denn auch sie ist Bestandteil der christlichen Weltordnung. In sie ist er zurückgekehrt.

Der etwas übermoralische Schluß mag zu einem Stück extremer Haltungen passen. Mit der versöhnlichen Schlußpointe, einer Geste des Helfens, endet das Drama der Verzweiflung, das Franz mit seinem Widerspruch (»Aber«) begonnen hatte. Freiwillig, »mit Willen«, hat sich Karl Moor wieder in die sittliche Welt eingeordnet; nicht zufällig oder »mit Zwang und Schwert« zu enden, sei das »einzige Verdienst«, das ihm bliebe, sagt er. Schon in seinem ersten Drama hat Schiller also die Freiheit, sich in die Notwendigkeiten zu fügen, als moralischen Sieg formuliert – das war seine Lösung, sich mittels der Vernunft über die Grenzen des Menschen zu erheben. Hierin kündigt sich bereits der Klassiker Schiller an.

4.1 Idylle

Der empfindsame Dichter Salomon Geßner wollte mit ein wenig ländlichem Realismus den idyllischen Traum eines natürlich-unschuldigen Daseins intensivieren; die zeitlosen Formen arkadischen Glücks hat er mit bürgerlichen Tugenden aufgefüllt und sie damit aktualisiert, dennoch blieben seine Idyllen »Gemählde [der] Einbildungskraft« (vgl. S. 139ff.). Im Sturm und Drang verliert die Gattung weitgehend ihren fiktionalen Charakter – und damit den Reiz des Spielerisch-Leichten. Statt irrealer Schäferfiguren gehören nun Bürger und Bauern zum »Personal« der Idyllen.

In den Bauernidyllen Friedrich, gen. Maler Müllers bildet die bäuerliche Arbeit, bei der die Familie zusammensitzt – etwa die ›Schaf-Schur‹, das ›Nusskernen‹ – den atmosphärischen Hintergrund, vor dem existentielle Probleme wie Rechtsbrüche durch schurkische Amtsrichter, gegen die es für den einfachen Mann kaum Berufungsmöglichkeiten gab, die mangelnde Fürsorge durch die Landesherren oder auch die unmenschliche Behandlung der verführten Unschuld, die von einer autoritären Gesellschaft zum Kindsmord getrieben wird, zur Sprache kommen.

Weit aggressivere Sozialkritik übt Johann Heinrich Voß in seiner ›Pferdeknecht‹-Trilogie, einer Art »Anti-Idylle«, auf die später eingegangen wird. Die größte Breitenwirkung allerdings, über den Sturm und Drang hinaus, hatte Voß mit seinen behaglich biedermeierlichen Familienidyllen: In ›Der siebzigste Geburtstag‹, die ›Kirschenpflückerin‹ oder ›Luise‹ beschreibt er ausgiebig die deutsche Pfarrfamilie, junge Mädchen fröhlich bei Arbeit und Gesang. Genügsamkeit und Beschaulichkeit, die das Schäferglück traditionell mitbestimmten, werden bei ihm realistisch in Morgenmantel, Hauspostille und bürgerlichem Interieur verdinglicht. Die Familienidyllen, die uns heute eher nach Spießbürgerglück klingen, wurden Ende des 18. und vor allem im 19. Jahrhundert hoch geschätzt – und auswendig gelernt.

Johann Heinrich Voß

Johann Heinrich Voß, Mitglied des Göttinger »Hains« und berühmter Homer-Übersetzer, dichtete seine Idyllen in klassischen Hexametern, deren Pathos das beschriebene deutsche Biedermeier in unseren Augen eher komisch kontrastiert. Dabei übersieht man allerdings das »Revolutionäre« an dieser Dichtung, das in der Anwendung der klassisch-homerischen Form auf die bürgerliche Alltagswelt lag. Daß Voß die aus der Antike tradierte Gattung zur Darstellung des Bürgers nutzte, zeugt von dem Selbstbewußtsein des Standes Ende des 18. Jahrhunderts.

Der siebzigste Geburtstag

Bei der Postille beschlich den alten christlichen Walter
Sanft der Mittagsschlummer in seinem geerbten Lehnstuhl,
Mit braunnarbichtem Jucht voll schwellender Haare bepolstert.
Festlich prangte der Greis in gestreifter kalmankener Jacke,
Denn er feierte heute den siebzigsten frohen Geburtstag;
Und ihm hatte sein Sohn, der gelahrte Pastor in Marlitz,
Jüngst vier Flaschen gesandt voll alten balsamischen Rheinweins
Und gelobt, wenn der Schnee in den hohlen Wegen es irgend
Zuließ', ihn zu besuchen mit seiner jungen Gemahlin.
Eine der Flaschen hatte der alte Mann bei der Mahlzeit
Ihres Siegels beraubt und mit Mütterchen auf die Gesundheit
Ihres Sohnes geklingt und seiner jungen Gemahlin,
Die er so gern noch sähe vor seinem seligen Ende!
Auf der Postille lag sein silberfarbenes Haupthaar,
Seine Brill', und die Mütze von violettenem Sammet,
Mit Fuchspelze verbrämt, und geschmückt mit goldener
                    Troddel.

Mütterchen hatte das Bett' und die Fenster mit reinen Gardinen
Ausgeziert, die Stube gefegt und mit Sande gestreuet,
Über den Tisch die rotgeblümte Decke gebreitet
Und die bestäubten Blätter des Feigenbaumes gereinigt.
Auf dem Gesimse blinkten die zinnernen Teller und Schüsseln,
Und an den Pflöcken hingen ein paar stettinische Krüge,
Eine zierliche Ell', ein Mangelholz, und ein Desem. *[eine Art Waage]*
Auch den eichenen Schrank mit Engelköpfen und Schnörkeln,
Schraubenförmigen Füßen, und Schlüsselschilden von Messing,
(Ihre selige Mutter, die Küsterin, kauft' ihn zum Brautschatz:)
Hatte sie abgestäubt, und mit glänzendem Wachse gebohnert.
Oben stand auf Stufen ein Hund und ein züngelnder Löwe,
Beide von Gips, Trinkgläser mit eingeschliffenen Bildern,
Zween Teetöpfe von Zinn und irdene Tassen und Äpfel ...

Die Familie als natürliche Form menschlichen Zusammenlebens gewinnt in der bürgerlichen Idylle zentrale Bedeutung, Arkadien wird gewissermaßen ins Haus verlegt. Die Tugenden, die Geßners Schäfer auszeichneten, zieren nun den Hausvater, das »Mütterchen«, den zum »gelahrten Pastor« avancierten Sohn nebst Gemahlin, die, versteht sich, kein Wetter scheuen würden, den Alten zu seinem Geburtstag zu ehren. Gutes wollen sie tun, allesamt, und mit Gottvertrauen und Beharrlichkeit verfolgen sie ihr Ziel. Der Lohn ist sichtbar: Ein Bild der Zufriedenheit und gegenseitigen Liebe, der Reinlichkeit und Ordnung strahlt dieser bürgerliche Haushalt aus, in dem sich dank Sparsamkeit und Rechtschaffenheit ein gediegener Besitz angesammelt hat.

In dem groß angelegten »ländlichen Gedicht in drei Idyllen«: ›Luise‹, das gern und viel nachgeahmt wurde, hat Voß mit liebevoller Genauigkeit gewissermaßen ein Muster humanen Bildungsbürgertums entworfen. Die patriarchalisch goldenen Zeiten, die Homer besang, ließen sich auch im deutschen Pfarrhaus, in Grünau beispielsweise, abspiegeln. Klassische Idealität war keine »schöne Grille« (Herder), sondern historische Realität, die wiederholbar war, wie es das selbstbewußte Bürgertum im ausgehenden 18. Jahrhundert glaubte. Wie in einem Genrebild sind bei Voß die milieutypischen Interieurs (nach außen projizierte Merkmale deutscher Innerlichkeit) erfaßt; das äußere Bild des Friedens und der Harmonie stimmt mit dem redlichen, gottesfürchtigen, empfindsamen Charakter der Familie überein.

Den konkreten Vorwurf der Idylle – die Geburtstagsfeier des Töchterleins, ihre Verlobung und Verehelichung mit dem jungen Nachbarspfarrer – hat der Verfasser zum Anlaß genommen, die edle Menschlichkeit und Intaktheit der Familie vorzuführen.

[...]
»Ja, du geliebte Tochter, ich bin auch fröhlich! so fröhlich,
Als die singenden Vögel im Wald hier oder das Eichhorn,
Welches die luftigen Zweige durchhüpft um die Jungen im Lager!
Achtzehn Jahr sind es heute, da schenkte mir Gott mein geliebtes,
Jetzt mein einziges Kind, so verständig und fromm und gehorsam!
Wie doch die Zeiten entfliehn! Zehn kommende Jahre, wie weithin
Dehnt sich der Raum vor uns! und wie schwindet er, wenn wir zurücksehn!
Gestern erst geschah es, so daucht es mir, als ich im Garten
Ging und Blätter zerpflückt' und betete, bis nun mit einmal
Fröhlich die Botschaft kam: Ein Töchterchen ist uns geboren!
Manches beschied seitdem der Allmächtige, Gutes und Böses.
Auch das Böse war gut, denn Seine Gnad' ist unendlich!
Weißt du, Frau, wie es einst nach langer Dürre geregnet,
Und ich, Luis' auf dem Arme, mit dir in der Frische des Gartens

Atmend ging; wie das Kind nach dem Regenbogen emporgriff
Und mich küßte: Papa! da regnet es Blumen vom Himmel!
Streut sie der liebe Gott, damit wir Kinder sie sammeln? –
Ja, vollblühende Segen und himmlische streuet der Vater,
Welcher den Bogen der Huld ausspannete: Blumen und Früchte!
Daß wir mit Dank einsammeln und Fröhlichkeit! Denk' ich des Vaters,
O dann erhebt sich mein Herz und schwillt von regerer Inbrunst
Gegen unsere Brüder, die rings die Erde bewohnen:
Zwar verschieden an Kraft und Verstand, doch alle des Vaters
Liebe Kindlein, wie wir! von einerlei Brüsten genähret!
Und nicht lange, so geht in der Dämmerung eins nach dem andern
Müde zur Ruh, von dem Vater im kühlen Lager gesegnet,
Hört süßträumend der Winde Geräusch und des tropfenden Regens,
Schläft und erwacht gestärkt und verständiger. Kinder, wir freun uns
Alle vereint, wenn Gottes verklärterer Morgen uns aufweckt!
›Dann erfahren auch wir wahrhaft, daß Gott die Person nicht
Ansieht, sondern in allerlei Volk, wer ihn fürchtet und recht tut,
Der ist ihm angenehm!‹ – O Himmelswonne! wir freun uns,
Alle, die Gutes getan nach Kraft und redlicher Einsicht
Und die zu höherer Kraft vorleuchteten: freun uns mit Petrus,
Moses, Konfuz und Homer, dem liebenden und Zoroaster
Und, der für Wahrheit starb, mit Sokrates, auch mit dem edeln
Mendelssohn! Der hätte den Göttlichen nimmer gekreuzigt!«

Der weltbürgerliche Pfarrer von Grünau fühlt sich in seiner über
Staats-, Religions- und Völkergrenzen hinwegreichenden Mensch-
lichkeit mit den großen Religionsstiftern und Philosophen einig.
Auch mit seiner literarischen und empfindsamen Bildung geht der
Pfarrer »hausieren«: Wie vertraute Bekannte – zwischen Kaffee im
Grünen und Pfeifengeschmauch – werden die Dichter um den
Göttinger »Hain« vorgeführt, aufgezählt wie der Inhalt des Pick-
nickkorbs oder der stattliche Hausrat. Geistiger und materieller
Besitz hatten für Voß, der sich dank humanistischer Bildung vom
Sohn eines freigelassenen Leibeigenen hochgearbeitet hatte, einen
wichtigen Stellenwert.

[...] Sie umschauten die weithin lachende Landschaft,
Plauderten viel und sangen empfundene Lieder von Stolberg,
Bürger und Hagedorn, von Claudius, Gleim und Jacobi,
Sangen: »O wunderschön ist Gottes Erde!« mit Hölty,
Welcher den Tod anlacht', und beklagten dich, redlicher Jüngling!
Unter den Wandelnden sprach die alte verständige Hausfrau:
»Kinderchen merkt, wie die Sonne hinabsinkt, fast zu den Wipfeln
Jenes Walds und vom Dorfe die Betglock' über den See summt!
Tau weissagt das Gewölk, das duftige: welcher den Kräutern
Wachstum bringt, doch leicht den gelagerten Menschen Erkältung! ...«
                    (Luise. Erste Idylle. Das Fest im Walde)

Von erhabenen menschheitsverbrüdernden Gefühlen zum banalsten: »Kinder, der Kaffee wird kalt!«, von feierlich vorgetragenen Mahnungen an den Schwiegersohn, das Berufsethos des Pfarrers betreffend, bis zu »Spargel und Blumenkohl und Melonen« im Pfarrgarten, von fliegensummender Mittagsschlaf-Erbauung bis zur Vermählung, die der Vater aus spontanem Impuls bereits am Brautabend vollzieht, und an der die benachbarte Gräfin, mit dem Pfarrhaus in schönstem Einverständnis lebend, gerührt teilnimmt, – spannt der klassische Hexameter mühelos Idee und Alltag, Wunsch und Wirklichkeit zu einem idyllischen Ganzen zusammen.

Ganz anders, nämlich ironisch und aggressiv, nutzt Voß das Genre der Idylle in seiner Trilogie ›Die Leibeigenschaft‹. Bezugnehmend auf Vergils erste Ekloge, in der zwei Bauern – der eine vom Hof geprügelt, der andere im patriarchalischen Schutz seines Herrschers lebend – im bukolischen Wechselgesang auftreten, läßt Voß die Pferdeknechte Michel und Hans miteinander reden; sie zeichnen jedoch ein gemeines Bild feudalistischer Praktiken, das ganz unidyllisch soziale Wirklichkeit wiedergibt.

MICHEL: Pfingsten wird klar. Ohne Hof ist der Mond, und hängt wie ein Kahn da,
Ehemals pflegt' ich mich wohl am heiligen Abend zu freuen;
Aber nun schallt mir das Festgebeier, wie Totengeläute!
HANS: Michel, nicht so verzagt! Sieh, alles holt sich auf morgen
Kalmus und Blumen und Mai! Man ruht doch einmal vom Frondienst!
Laß uns ein wenig singen! Es klingt so prächtig des Abends!
Und die Pferde sind gut getüdert, und Lustig ist wachsam.
Ringsum duften die Maien, und lieblich röcheln die Frösche,
Und die Nachtigall schlägt dazwischen (wie sagst du noch Michel?)
Wie durch den Salm der ganzen Gemeine die Stimme Lenorens.
Weißt du: Schon locket der Mai? Das ist dir ein kostbares Stückchen!
Sonntag lernt' ich's von unserm Küster, (er hatt' es auf Noten!)
Als ich den bunten Kapaun mit jungen Enten ihm brachte.
Soll ich? Du brummst den Baß, oder pfeifst dazu auf dem Maiblatt.
MICHEL: Siehst du dort bei dem Mühlenteich was weißes im Mondschein?
Dort! Und kennst du sie, Hans, die dort vergeblich ihr Brauthemd,
Ach vergeblich jetzt bleicht? und nötigst mich dennoch zum Singen?
HANS: Wohl! Lenore bewacht in der ströhernen Hütte die Leinwand!
Eben hört' ich ihren Gesang durch das Mühlengeklapper.
Aber was sagst du, Michel? Sie bleicht vergeblich ihr Brauthemd?
Schenkt euch nicht unser Herr bei dem Ährenkranze die Hochzeit?
MICHEL: Je! Such Treu und Glauben bei Edelleuten! Betrieger! Schelme sind...
HANS: Pst! Ihm könnt' es sein kleiner Finger erzählen!
MICHEL: Laß ihn erzählen, was wahr ist! Verspricht der Kerl mir die Hochzeit,

Und die Freiheit dazu, für hundert Taler! Mein Alter,
Mit dem kahlen wackelnden Kopf, und mein krüpplicher Bruder,
Den der Kerl an die Preußen verkauft, und den die Kalmucken,
Tatern und Menschenfresser im Kriege zu Schanden gehauen,
Scharren alles zuhauf, Schaumünzen mit biblischen Sprüchen,
Blanke Rubel, und schimmliche Drittel, und Speciestaler;
Und verkaufen dazu den braunen Hengst mit der Blässe,
Und den bläulichen Stier, auf dem Frühlingsmarkte, für Spottgeld.
Michel, sagen sie, nimm das bißchen Armut, den letzten
Not- und Ehrenschilling, und bring's dem hungrigen Junker!
Besser, arm und frei, als ein Sklave bei Kisten und Kasten!
Wasser und trocknes Brot schmeckt Freien, wie Braten und Märzbier!
Weinend bring ich's dem Kerl; er zählt es: Michel, die Hochzeit
Will ich euch schenken; allein ... mit der Freiheit ... Hier zuckt er die
    Achseln.
HANS: Plagt den Kerl der Teufel? Was schützt denn der gnädige Herr
    vor?
MICHEL: Hans, der Hund, den man hängen will, hat Leder gefressen.
Sieh, da hab' ich sein Gras ihm abgeweidet, zu flache
Furchen gepflügt, sein Korn halb ausgedroschen, und Gott weiß.
Kurz, die Rechnung ist höher, als hundert Taler. Ich dürfte,
Munkelt' er noch, nur geruhig sein; er hätte Vermutung,
Wer ihm neulich vom Speicher den Malter Rocken gestohlen.
HANS: Michel, hättst du das erste getan, so wär' es kein Wunder.
Welche Treue verlangt der Junker von dem, der beständig,
Unter dem Prügel des Vogts, mit Schand' und Hunger und Not ringt?
Doch für das letzte verklag' ihn bei unserm gnädigsten Landsherrn;
Denn ich will's dir bezeugen, Johann der Lakai hat den Rocken,
Mit Erlaubnis der gnädigen Frau, vom Speicher gestohlen!
MICHEL: Hans! das Nachtmahl nehm' ich darauf! Ich bin ganz
    unschuldig!
Seit der leidigen Hoffnung, hab' ich nicht Bäume geimpfet?
Nicht gezäunt? nicht die Hütte geflickt? nicht Graben geleitet?...
Aber verklagen! Durch wen? Wo ist Geld? Und erfährt es der Herzog?
Und die Minister, Hans? die Minister? Man weiß wohl ein Rabe
Hackt dem andern die Augen nicht aus!... Ja, sing nur, Lenore!
Sing und spring auf der Wiese herum, du freie Lenore!
Frei soll dein Bräutigam sein! Er ist's! Bald tanzen wir beide
Unsern Hochzeitsreigen, im langen jauchzenden Zuge,
Über Hügel und Tal... nach dem Takt, den der Prügel des Vogts
    schlägt!...
Aber du weinst? Um den Jungfernkranz, den die Dirnen dir rauben?
Trockne die Tränen! Du wirst ja ein freies glückliches Ehweib,
Bald die glückliche Mutter von freien Söhnen und Töchtern!...
Hans! mich soll dieser und jener! Ich lasse dem adlichen Räuber
Über sein Dach einen roten Hahn hinfliegen, und zäume
Mir den hurtigsten Klepper im Stall, und jage nach Hamburg!
HANS: Aber, Michel, die Kinder!...
    (Die Leibeigenschaft. Erste Idylle. Die Pferdeknechte)

In bittere Ironie, dann in Haß schlägt Michels maßlose Enttäuschung um ob der gemeinen Willkür des Junkers, der ihm den versprochenen Loskauf verweigert: Er will dem »adlichen Räuber« aus Rache sein Haus anzünden! Doch Hans beruhigt, beschwichtigt den aufgebrachten Freund mit biblischen Ermahnungen (»Die Rache ist mein, spricht der Herr«) und lenkt ihn mit einem Märchen ab.

In der zweiten Idylle, ›Der Ährenkranz‹, hat der Baron patriarchalisch wie ein gütiger Landesvater gehandelt und einem Dorf tatsächlich die Freiheit geschenkt. Henning als der beste Sänger der Gemeinde soll anläßlich des Erntefestes ein Lied zum Preis des gnädigen Herrn singen. Die Kluft zwischen der rauhen Wirklichkeit der ersten Idylle und dem Ideal eines humanisierten Adels ist damit wieder geschlossen; die Freiheit mußte nicht gewaltsam erkämpft werden, sondern wurde gnädigst gewährt. Deutlich läßt sich hier die Empörung des Stürmers und Drängers Voß ablesen, die aber nicht in revolutionäres Feuer umschlug, sondern sich resignativ und vernünftig in die Utopie einer neuen Menschlichkeit rettete.

In einer dritten Idylle, die Voß später hinzufügte, hat er ein bürgerlich gesinntes Gutsherren-Ehepaar die Aufhebung der Leibeigenschaft von ihrer moralischen und ökonomischen Seite diskutieren lassen, ehe es, der demütigen Bitte des Pfarrers folgend, in einem feierlichen Akt die Freilassung vollzog.

Das Schwanken zwischen sozialkritischer Anklage und empfindsamem Einlenken ist typisch für den sozialen »Aufsteiger« Voß. Die eigene Biographie macht seinen Haß gegen das Rechtsinstitut der Leibeigenschaft doppelt verständlich, den jedoch spätere positive Erfahrungen, vor allem mit dem Großherzog von Baden, der ihm eine Pension aussetzte, wenigstens teilweise aufwiegen konnten.

Friedrich Müller, gen. Maler Müller

In seiner »pfälzischen Idylle« von der ›Schaf-Schur‹ (1775) stellt Maler Müller das Genre selbst in Frage, thematisiert die Diskrepanz zwischen der poetischen Fiktion, wie sie traditionsgemäß die Idylle darstellt, und der bäuerlichen Realität. Sein Bauer Walter zerreißt in seiner derben Kreatürlichkeit den feinen Schleier, der die Sehnsucht nach der schöneren Welt und die Wirklichkeit spielerisch verband. Ganz Natur und ganz den irdischen Realien zugewandt, erbost sich der Bauer über die ätherischen, stilisierten Schäferinnen und Schäfer (spielt dabei vermutlich auf Geßners ›Idyllen‹ an):

GUNTEL: O gehn doch Vater, – – – immer alte Lieder, weiß so hübsche neue, die will ich – –

WALTER: Halts Maul mir über die alte Lieder zu raisonieren, oder ich schlag dir eins hinters Ohr – – – Was weißtu von alten Liedern ... gelt das hat dir gewiß wieder dein Schulmeister in Kopf gesetzt; gelt?

GUNTEL: Oh!

WALTER: Weiß immer so sauberes Zeug vorzubringen der Narr; *(stemmt sich auf'n Ellenbogen gegen sie)* Appropo Guntel, hat er dir gestern nichts geklagt? Hab ihn des Henkers wild gemacht. – Saß da bei meinen Bienen im Garten; da bringt er mir, weiß der Guckuck was für ein Buch, heißt Idyllen, gedrucktes, so von Schäfern, schreit, lärmt und jubiliert und gaudiert sich wegen des Zeugs so drinnen steht; liest mir dann auch hin und wieder etliches vor, das ich nicht wohl verstund und lobt so hoch und so scharf daß mir mein Seel die Geduld ausging und ich ihm frei heraus gestand: Possen Herr Gevatter, pur Possen! – Da hättet ihr nur sehen sollen wie so ärgerlich er den Kopf geschüttelt. Was? das Possen, das? Ei freilich sagt ich wo gibts dann Schäfer wie diese? Was? das Schäfer, das sind mir kuriose Leute, die weiß der Henker wie leben, fühlen nicht wie wir andre Menschen Hitze oder Kälte; hungern oder dursten nicht; leben nur vom Rosentau und Blumen und was des schönen süßen Zeugs noch mehr ist, das sie bei jeder Gelegenheit einem so widerlich entgegen plaudern, daß einem mein Seel wider den Mann geht. – – Ah was? weiß auch, wie's in der Welt hergeht, und mein Treu, denk auch ein ehrlicher Kerl zu sein; geb gerne was not tut, bin froh und freu mich was die Gelegenheit mit sich bringt – mags vor Alters mit Schäfern freilich in diesem und jenem anders gehalten worden sein, aber's muß doch allemal so herauskommen, daß einer sehen kann, daß alles natürlich ist. – Aber sein Pack da ist nicht von Herzen lustig, nicht von Herzen traurig, alles im Traume nur, schwätzen wie die Schulmeisters von Großmut und hundert Sachen, die einen Schäfersmann nichts angehn, und das, Herr, was uns alle Tage vor Augen kommt, und ans Herz geht, davon pipsen sie kein Wort ...

Zu Maler Müllers »Realismus«, der natürlich auch noch stilisiert war, paßten weder eine gezierte Hochsprache noch klassische Verse, sondern nur eine der bäuerlichen Alltagswelt angenäherte, mitunter kernige Prosa, die auch Dialektformen aufnimmt. Der Sturm und Drang glaubte an den künstlerischen Wert des »Volkstons«, an das Genie des Unverbildeten. Müller entlarvt in der Figur des Schulmeisters satirisch die Weltfremdheit und den überzüchteten Dünkel von Vertretern der klassizistisch-gelehrten Kunstauffassung, die ja neben dem Sturm und Drang noch existierte:

SCHULMEISTER: ... *(lächelnd)* Denn sieht Er, mein lieber Herr Gevatter, warum wäre die Poesie eine so erhabene wichtige Wissenschaft, von Göttern erfunden und Königen und Kaisern ausgeübet, wie ich Ihm denn dies alles bei einer andren Gelegenheit sehr deutlich und mit vielen Beispielen zu beweisen mich anheischig mache – warum, wiederhol' ich, wären Schulen angelegt, warum Lehrer dazu bestellt, warum Regeln festgesetzt, warum so viele gelehrte Bücher darüber geschrieben worden? Wenn die Poesie, wie Er es meinet, eine so natürliche gemeine leichte Sache wär', *(noch lächelnder)* ei da dürfte ja mancher, der Gaben in sich fühlt, nur sich umschauen in der Natur, hier und da Achtung geben und, wie man's zu nennen pflegt, den Menschen studieren; er dürfte ja nur niederschreiben, grad' wie er sich ums Herze fühlet. – Das wär' ein gar leichtes, ein gar leichtes, nicht wahr? Aber was gäb' das für unsere Herrn Gelehrte? – Wo blieb' denn das Edle? he, he, he! – das Geschmackvolle, das Schöne, das Gelehrte, Herr Gevatter?

Gerade was der Schulmeister als gemeine Natürlichkeit lächerlich macht, entspricht der Kunstauffassung der Stürmer und Dränger, die sich gegen eine entsinnlichte, zu falschen Tugenden und verlogener Gelassenheit hochstilisierte Kunstnatur des Menschen zur Wehr setzten. Wirkliche Bauern und Bürger waren ihnen interessant genug, die Träume von Freiheit, sozialer Gerechtigkeit und harmonischer Gemeinschaft auszufüllen – und einzulösen. Der kräftig realistische Einschlag der neuen Idyllen verlangte auch nach konkreter Erfüllung der Wünsche: so gibt Voß seinen Leibeigenen die Freiheit, und Müller läßt seinen Walter zwar rumpelnd, aber gütig Mitmenschlichkeit üben. Die Zeit der bloß lieblichen, weltfernen Idyllen – »des schönen süßen Zeugs« – war vorbei.

4.2 Roman

Johann Wolfgang von Goethe, Die Leiden des jungen Werther

1774 schrieb Goethe in wenigen Wochen seinen Jugendroman ›Die Leiden des jungen Werther‹, der den Dichter über Nacht berühmt machte – zunächst in Deutschland, dann rasch in ganz Europa. »Es sind lauter Brandraketen! Es wird mir unheimlich dabei . . .«, sagte er 50 Jahre später. Tatsächlich schlug das schmale Bändchen wie eine Bombe ein: Die junge Generation tobte, bebte vor Begeisterung, wurde vom Werther-Fieber ergriffen; die orthodoxe Kirche (wiederum vertreten durch Hauptpastor Goeze) wollte es als unsittliches, jugendgefährdendes Machwerk verbieten lassen und fürchtete Sodom und Gomorrha für die Christenheit.

Werther wurde zum Idol. Sich wie er mit blauem Frack, ledergelber Weste und braunen Stulpenstiefeln zu kleiden, wurde modern; bis zu Selbstmorden in Werther-Manier ging die Identifikationsbegier der jungen Leser.

Was war so ungeheuerlich an diesem Buch, das wie kein anderes literarisches Werk die Gemüter des 18. Jahrhunderts erhitzte? Der äußere Handlungsablauf ist rasch erzählt: Der junge Werther kommt in eine Kleinstadt, um dort ein Amt im diplomatischen Dienst anzutreten. Vorläufig genießt er die idyllische Umgebung, zeichnet ein bißchen, lernt dann auf einem Ball Lotte kennen, die älteste Tochter des fürstlichen Amtmanns, und verliebt sich in sie. Lotte aber ist so gut wie verlobt mit Albert, einem fleißigen, ordentlichen Hofbeamten. Die kurze Zeit himmlischer Freundschaft, die er mit ihr genießt, wird durch Alberts Rückkehr von seiner Geschäftsreise beendet. Eine Weile versucht Werther, die Seelenverbundenheit mit Lotte weiterzuleben, aber das Dreiecks-Verhältnis wird so gespannt, daß Werther das Paar verläßt und in den Dienst des Grafen von C. tritt. Sein unmittelbarer Vorgesetzter ist ein Pedant, die Schreibtisch-Tätigkeit ödet Werther an; das »Zeremoniell«, die »Rangsucht« der Hofbeamten verdrießt ihn. Als man ihm auch noch in einer adeligen Gesellschaft als Bürgerlichem die Tür weist, verlangt er wütend seine Entlassung vom Hof. Er nimmt die Einladung des Fürsten an, ihn auf seine Güter zu begleiten. Aber der Fürst mit seinem »ganz gemeinen Verstande« und »garstig wissenschaftlichen« Kunstgerede langweilt ihn auch bald; so gehorcht Werther seinem Herzen und kehrt zu Lotte und Albert zurück. Seine Liebe zu Lotte ist leidenschaftlich und ausweglos. Um den beiden nicht im Weg zu stehen – er liebt so sehr, daß er fürchtet, entweder wahnsinnig zu werden oder Albert umzubringen –, erschießt Werther sich.

Der Stoff, der Selbstmord, war die Sensation, nicht die künstlerische Form. Auch war die Geschichte nicht frei erfunden, sondern von Goethe zum Teil selbst erlebt – was man wußte; das machte den Roman noch interessanter.

Der dreiundzwanzigjährige Rechtslizentiat Goethe sollte wie Vater und Großvater als Anwalt am Reichskammergericht in Wetzlar Berufserfahrung sammeln, kam im Mai 1772 in das von Juristen wimmelnde Städtchen, philosophierte, studierte Homer und Pindar und lebte seinem Genie mehr als seiner juristischen Laufbahn. Auf einem Ball lernte er am 9. Juni Charlotte Buff und ihren Verlobten, den Kammergerichtssekretär Christian Kestner, kennen. Er verkehrte viel in dem Haus des Deutschordens-Amtmanns Buff, in dem Charlotte nach dem Tod ihrer Mutter den Haushalt führte und die zehn jüngeren Geschwister versorgte. Das Verhältnis zu Charlotte und Kestner wurde immer enger und vertraulicher und von Goethes Seite »leidenschaftlicher als billig«. Am 11. September reiste er ohne Abschied von Wetzlar ab.

Unmittelbar darauf lernte er in Ehrenbreitstein Sophie von La

Roches Tochter Maximiliane kennen und war entzückt von der Sechzehnjährigen. Zwei Jahre später, als »Maxie« den erheblich älteren Kaufmann Brentano geheiratet hatte, entwickelte sich in Frankfurt ein ähnlich intensiver Umgang wie in Wetzlar mit Charlotte. Aber Brentano hatte nichts von der Großzügigkeit Kestners, sondern wies Goethe aus dem Haus.

Ein dritter historischer Vorfall ging in den Roman ein: Der Legationssekretär Jerusalem, den Goethe in Wetzlar kennengelernt hatte, erschoß sich in der Nacht vom 29. zum 30. Oktober 1772 aus unglücklicher Liebe zu einer verheirateten Frau. Die Nachricht machte Goethe sehr betroffen; den ausführlichen Bericht, den ihm Kestner von Hergang und Umständen dieser Verzweiflungstat schrieb, übernahm er ohne große Abwandlungen in den Roman.

Biographische Fakten Charlotte Buffs, der er Züge Maximilianes lieh, Kestners und Brentanos Persönlichkeiten, seinen eigenen Charakter und eigenes Erleben, dazu Jerusalems tragischen Tod verwob Goethe in seinem ›Werther‹ zu einem Kunstwerk aus Dichtung und Wahrheit, das gerade durch seine Folgerichtigkeit und Geschlossenheit beeindruckt. Die Sensationsgier des Publikums, das am Stoff klebte und den ›Werther‹ nach biographischen Elementen auseinanderzerrte, verdroß den Autor sein Leben lang.

Selbstmordideen, schreibt Goethe in seinem Erinnerungsbuch ›Dichtung und Wahrheit‹, seien bei deutschen Jünglingen damals beliebt gewesen, er selbst habe auch zu denen gehört, die – angesteckt von dem »ernsten Trübsinn« englischer Poeten, »aus Mangel an Taten«, »in der einzigen Aussicht, uns in einem schleppenden, geistlosen, bürgerlichen Leben hinhalten zu müssen« – ihren »Ekel vor dem Leben« kultivierten. Der Roman nahm diese Zeitstimmung auf; auch das erklärt seinen sensationellen Erfolg.

Eine »Apologie des Selbstmords«, wie man sie ihm vorwarf, wollte Goethe nicht schreiben – im Gegenteil: Der Roman zeigt die Problematik des ganz aus seinem Gefühl lebenden Menschen, der doch eigentlich das Ideal der Epoche war; wenn sie aber so ins Grenzenlose gesteigert wird wie bei Werther, verkehrt sich die göttliche Gabe der Gefühlsfähigkeit in Leiden.

Aber für diese indirekte Aussage hatte das damalige Publikum noch keinen Sinn; es war gewöhnt, daß der Autor offen seine erzieherische Position anzeigte. »Die wahre Darstellung aber hat keinen [didaktischen Zweck]. Sie billigt nicht, sie tadelt nicht, sondern sie entwickelt die Gesinnungen und Handlungen in ihrer Folge, und dadurch erleuchtet und belehrt sie«, schreibt Goethe in ›Dichtung und Wahrheit‹. Diese Form von »Belehrung« mußte erst gelernt werden. Im ›Werther‹ wird die auktoriale Erzählhaltung bewußt aufgegeben, die kommentierend das Geschehen einordnet, erklärt, relativiert, wie es z. B. Wieland tat; um eine möglichst direkte Identifikation zu erreichen, bedurfte es der unmittelbaren Wiedergabe des Erlebten.

Formal knüpft der ›Werther‹ an die Tradition des empfindsamen Briefromans an, doch während dort die Handlung aus der Sicht verschiedener Figuren geschildert wird, schreibt hier nur Werther und richtet alle Briefe (bis auf zwei an Lotte) an seinen Freund Wilhelm, dessen Antworten aber ausgespart sind. Das heißt: Werther will sich wohl äußern, aber nicht mit anderen befassen. Dieser Monolog in Briefen ist der angemessene Ausdruck für ein Individuum, das nur noch seinen Empfindungen lebt. Damit weist der ›Werther‹ deutlich über die Empfindsamkeit hinaus, die sich im Austausch »sympathetischer« Seelen erfüllte (um einen Lieblingsausdruck des 18. Jahrhunderts für jene Gleichgestimmtheit zu verwenden, die Ausdruck unerklärbarer inniger Verbindung zwischen den Menschen ist).

Am 10. Mai.

Eine wunderbare Heiterkeit hat meine ganze Seele eingenommen, gleich den süßen Frühlingsmorgen, die ich mit ganzem Herzen genieße. Ich bin allein und freue mich meines Lebens in dieser Gegend, die für solche Seelen geschaffen ist wie die meine. Ich bin so glücklich, mein Bester, so ganz in dem Gefühle von ruhigem Dasein versunken, daß meine Kunst darunter leidet. Ich könnte jetzt nicht zeichnen, nicht einen Strich, und bin nie ein größerer Maler gewesen als in diesen Augenblicken. Wenn das liebe Tal um mich dampft und die hohe Sonne an der Oberfläche der undurchdringlichen Finsternis meines Waldes ruht, und nur einzelne Strahlen sich in das innere Heiligtum stehlen, ich dann im hohen Grase am fallenden Bache liege, und näher an der Erde tausend mannigfaltige Gräschen mir merkwürdig werden; wenn ich das Wimmeln der kleinen Welt zwischen Halmen, die unzähligen, unergründlichen Gestalten der Würmchen, der Mückchen näher an meinem Herzen fühle, und fühle die Gegenwart des Allmächtigen, der uns nach seinem Bilde schuf, das Wehen des Allliebenden, der uns in ewiger Wonne schwebend trägt und erhält; mein Freund! wenn's dann um meine Augen dämmert, und die Welt um mich her und der Himmel ganz in meiner Seele ruhn wie die Gestalt einer Geliebten – dann sehne ich mich oft und denke: Ach, könntest du das wieder ausdrücken, könntest du dem Papiere das einhauchen, was so voll, so warm in dir lebt, daß es würde der Spiegel deiner Seele, wie deine Seele ist der Spiegel des unendlichen Gottes! – Mein Freund – Aber ich gehe darüber zugrunde, ich erliege unter der Gewalt der Herrlichkeit dieser Erscheinungen.

Werthers Gefühle sind hier so intensiv gesteigert, daß sie sich einer sympathetischen Gemeinschaft entziehen. Sie berühren die Grenzen menschlicher Erlebnisfähigkeit und können nur mehr allein erfahren werden. Als Teil der Natur spürt Werther glücklich die Nähe des Allmächtigen, dem er sich ähnlich fühlt in diesem Augenblick. Wenn die Welt und der Himmel ganz in seiner Seele ruhen, vollzieht er die Vereinigung mit Gott und der Natur – das Motiv der Geliebten taucht nicht zufällig auf –, erlebt er dieselbe säkularisierte *unio mystica* wie ›Ganymed‹ (siehe oben). Den Gedanken Spinozas, daß Gott sich nicht nur in der Natur offenbare, sondern die Natur selbst Gott sei *(deus sive natura)*, übernahm Goethe, wenn er Natur, Gott und Genie zu einer Einheit verschmolz.

In seiner Empfindungsfähigkeit erfüllt Werther die Genievorstellungen der Epoche, deshalb kann er sogar sagen, er sei »nie ein größerer Maler gewesen als in diesen Augenblicken«, wenn der Schöpfergeist ihn ganz ausfülle. Aber Werther erschöpft sich im inneren Erleben, das ihm keine Kraft und keine Distanz läßt, das Erlebte darzustellen. Dem Papier den lebendigen »Odem« einzuhauchen, daß es eigene Schöpfung und damit »Spiegel des unendlichen Gottes« werde, gelingt ihm nicht. Die Gewalt der Empfindungen und der Anspruch der Gottgleichheit erdrücken ihn. Das heißt: Wenn der Mensch ganz Natur ist, sich ganz diesem Gefühl hingibt, ist er unproduktiv; das heißt weiter: Mit höchster Sensibilität begabt, muß selbst der Talentierte empfindlich an seinem Ungenügen leiden und den übersteigerten Schöpfungsauftrag des Genies als lähmende Last erfahren. Der Mensch bleibt doch immer nur begrenzter Mensch, auch wenn er kraft seines Gefühls zuweilen ins Unendliche vorstoßen kann wie in solchem rauschhaften Aufgehen in der göttlichen Natur.

Das Umschlagen des Gefühls am Ende dieses berühmten Briefes vom 10. Mai von höchstem Glück zu ohnmächtiger Verzweiflung enthüllt bereits die ganze Tragik Werthers: Er lebt so sehr in seiner Innenwelt, daß er die Forderungen der Außenwelt (etwa aktiv und produktiv zu sein) nicht mehr erfüllen kann. Um den Verlust an äußeren Erfahrungen zu kompensieren, kultiviert er sein Alleinsein – und verliert sich dabei immer mehr. Die Natur, die keine feste Bindung verlangt, scheint ihm ideales Medium des Selbsterlebens. Werther kann sie aber gar nicht mehr als Gegenwelt wahrnehmen, in der er Ablenkung und Heilung finden könnte, sondern nur als Spiegel seiner Stimmungen. Aus sich heraustreten will er in der Natur, sich in den Hügeln und vertraulichen Tälern verlieren, nicht aber sich finden.

... Ich eilte hin, und kehrte zurück, und hatte nicht gefunden, was ich hoffte. O es ist mit der Ferne wie mit der Zukunft! Ein großes dämmerndes Ganze ruht vor unserer Seele, unsere Empfindung verschwimmt darin wie unser Auge, und wir sehnen uns, ach! unser ganzes Wesen hinzuge-

ben, uns mit aller Wonne eines einzigen, großen, herrlichen Gefühls aus-
füllen zu lassen. – Und ach! wenn wir hinzueilen, wenn das Dort nun
Hier wird, ist alles vor wie nach, und wir stehen in unserer Armut, in
unserer Eingeschränktheit, und unsere Seele lechzt nach entschlüpftem
Labsale.

(Am 21. Junius.)

Sich verlieren, versinken, sehnen, dahindämmern, träumen sind
Werthers Lieblingsbeschäftigungen; die irrationalen Seelenkräfte,
die der Sturm und Drang so aufwertete, führen, wenn sie gar nicht
mehr vernünftig reguliert werden, in letzter Konsequenz zum Todeswunsch, denn im Tod erst sind die irdischen Fesseln endgültig
aufgehoben.

Den Gedanken des Selbstmords deutet Werther bereits in seinem Brief vom 22. Mai an; alle realen Möglichkeiten des Menschen, sich einzurichten in seinen Grenzen, lehnt Werther für sich
ab.

Am 22. Mai.

Daß das Leben des Menschen nur ein Traum sei, ist manchem schon so
vorgekommen, und auch mit mir zieht dieses Gefühl immer herum. Wenn
ich die Einschränkung ansehe, in welcher die tätigen und forschenden
Kräfte des Menschen eingesperrt sind; wenn ich sehe, wie alle Wirksamkeit dahinaus läuft, sich die Befriedigung von Bedürfnissen zu verschaffen, die wieder keinen Zweck haben, als unsere arme Existenz zu verlän-
gern, und dann, daß alle Beruhigung über gewisse Punkte des Nachfor-
schens nur eine träumende Resignation ist, da man sich die Wände, zwischen denen man gefangen sitzt, mit bunten Gestalten und lichten Aussichten bemalt. – Das alles, Wilhelm, macht mich stumm. Ich kehre in
mich selbst zurück, und finde eine Welt! Wieder mehr in Ahnung und
dunkler Begier als in Darstellung und lebendiger Kraft. Und da schwimmt
alles vor meinen Sinnen, und ich lächle dann so träumend weiter in die
Welt. . . .

. . . Wer aber in seiner Demut erkennt, wo das alles hinausläuft, wer da
sieht, wie artig jeder Bürger, dem es wohl ist, sein Gärtchen zum Paradiese zuzustutzen weiß, und wie unverdrossen auch der Unglückliche unter
der Bürde seinen Weg fortkeucht, und alle gleich interessiert sind, das
Licht dieser Sonne noch eine Minute länger zu sehn – ja, der ist still und
bildet auch seine Welt aus sich selbst und ist auch glücklich, weil er ein
Mensch ist. Und dann, so eingeschränkt er ist, hält er doch immer im
Herzen das süße Gefühl der Freiheit, und daß er diesen Kerker verlassen
kann, wann er will.

Werther pflegt seinen Ekel vor den lauen Kompromissen des »normalen« Menschen. Er fühlt sich als Außenseiter, überlegen schaut
er auf die selbstgefälligen Lebenskünstler herab. Er will alles, die
ganze »Fülle des Herzens« – oder nichts. Selbst Tätigkeit, For-

schung, Phantasieträume können nicht darüber hinwegtäuschen, daß der Mensch überall an Grenzen stößt und »gefangen« ist in seinem irdischen Dasein. Das Leiden an der »armen« Existenz macht Werther stumm, d. h. nicht mehr kommunikationsfähig, er zieht sich in sich selbst zurück, überläßt sich seiner »Ahnung und dunklen Begier«: sich in der Fülle des Unendlichen aufzulösen. Die letzte Freiheit des Unangepaßten, des außer-ordentlich empfindenden Menschen liegt in der Selbstbestimmung des eigenen Todes. Das ist die ungeheuerliche Konsequenz des allein als Natur, d. h. allein als Gefühl definierten Menschen. Wenn er das Maß des Leidens nicht mehr »ausdauern« kann, muß er zugrunde gehen; die menschliche Natur hat ihre Grenzen. Nicht mehr christlich-moralische Wertmaßstäbe zählen, sondern das Empfinden des einzelnen. Das subjektive Gefühl wird zum Maß aller Dinge.

Der uneingeschränkte Subjektivismus würde die menschliche Ordnung zerstören und ins Chaos führen. Goethe stand selbst mitten im Sturm und Drang und erkannte doch schon, daß solche Maßlosigkeit nicht lebensfähig war. Seine Kunst lag darin, sich mit Werthers Sehnsüchten und Wünschen zu identifizieren – sonst hätte er ihn nicht so lebendig darstellen können – und sich doch gleichzeitig von solch jugendlichen Freiheitsvorstellungen zu distanzieren. Werther endet in der Selbstzerstörung; von zwei Parallelfiguren, die wie er unglücklich und unbedingt lieben, endet einer im Wahnsinn, der andere wird zum Verbrecher. – Wahnsinn, Mord, Selbstmord – das waren die Grenzwerte solch radikaler Subjektivität, die letzte Steigerung des exzentrischen Einzelgängers. Tragfähige Lösungen hatten die Kraftgenies des Sturm und Drang im Grunde nicht anzubieten. Desto stürmischer gebärdeten sie sich im Protest: Bürgerliche Gelassenheit, Gelehrtheit, Regeln und Ruhe, empfindsame »Mittellaune« waren rote Tücher für sie.

... »Ach ihr vernünftigen Leute!« rief ich lächelnd aus. »Leidenschaft! Trunkenheit! Wahnsinn! Ihr steht so gelassen, so ohne Teilnehmung da, ihr sittlichen Menschen, scheltet den Trinker, verabscheut den Unsinnigen, geht vorbei wie der Priester und dankt Gott wie der Pharisäer, daß er euch nicht gemacht hat wie einen von diesen. Ich bin mehr als einmal trunken gewesen, meine Leidenschaften waren nie weit vom Wahnsinn, und beides reut mich nicht: denn ich habe in meinem Maße begreifen lernen, wie man alle außerordentlichen Menschen, die etwas Großes, etwas Unmöglichscheinendes wirkten, von jeher für Trunkene und Wahnsinnige ausschreien mußte ...«

(Am 12. August.)

Das ist die Sprache der Geniezeit. In dieser dreifachen Steigerung – »Leidenschaft! Trunkenheit! Wahnsinn!« –, in diesen Bruchstükken von Sätzen offenbart sich Werthers außerordentliche Kraft des Gefühls; an anderer Stelle sind es abgebrochene Sätze, die seine Konfusion und Erregbarkeit anzeigen. Sich so von seinen Empfindungen mitreißen zu lassen, daß man nicht mehr Herr der Sprache ist, gehörte zu den Qualitäten des Stark-Empfindenden. Werther wollte lieber in diesen über ihn hereinbrausenden Gefühlen ertrinken, als sie klug kalkulierend in Schach halten.

... O meine Freunde! warum der Strom des Genies so selten ausbricht, so selten in hohen Fluten hereinbraust und eure staunende Seele erschüttert? – Liebe Freunde, da wohnen die gelassenen Herren auf beiden Seiten des Ufers, denen ihre Gartenhäuschen, Tulpenbeete und Krautfelder zugrunde gehen würden, die daher in Zeiten mit Dämmen und Ableiten der künftig drohenden Gefahr abzuwehren wissen ...

(Am 26. Mai.)

»Gelassene Herren«, »Gartenhäuschen«, »Krautfelder« – mit ganz wenigen Worten zeichnet Goethe da eine Lebenshaltung: den spießbürgerlichen Philister. Auch das war umwälzend neu in der Romanliteratur: so knapp und präzise Stimmungen wiederzugeben. Wie weitschweifig und verschnörkelt war noch Wielands Stil dagegen, wie indirekt, zwischen den Zeilen mußten seine Aussagen noch stehen!

Die unglückliche Liebe ist es nicht, die Werther in die Ausweglosigkeit treibt; sein Leiden liegt in seinem Wesen, das ihn die Enge der bürgerlichen Gesellschaft, ja der menschlichen Begrenztheit überhaupt, als unerträglich empfinden läßt. Das Gefühl für Lotte überdeckt nur zeitweilig seine Standortlosigkeit in der Welt, seine Resignation. – Welche Aufschwünge des Herzens kann das Mädchen in ihm auslösen!

Den 19. Julius.

»Ich werde sie sehen!« ruf' ich morgens aus, wenn ich mich ermuntere und mit aller Heiterkeit der schönen Sonne entgegenblicke; »ich werde sie sehen!« Und da habe ich für den ganzen Tag keinen Wunsch weiter. Alles, alles verschlingt sich in dieser Aussicht.

Auch Lotte ist kein Gegenüber, sondern sie soll – wie die Natur – Werthers Sehnsucht nach dem Unendlichen stillen. Sie ist ihm »heilig«, er hat »kein Gebet mehr als an sie«, seine Liebe zu ihr ist göttlich. Doch nur solange die Liebe unerfülltes Sehnen ist, kann sie so unendlich sein. Die großen Erwartungen, die Werther in Lotte setzt: daß sie ihn ganz ausfülle, daß er ganz mit sich eins wäre bei ihr, widersprechen der Realität, die eben auch von menschlicher Unzulänglichkeit geprägt ist. – Dieser Widerspruch reizte schon früh die Zeitgenossen (soweit sie nicht dem Werther-Fieber verfallen waren): Friedrich Nicolai läßt in seiner Parodie ›Die Freuden des jungen Werther‹ (1775) Albert verzichten und zeigt Werther zwischen Windeln und Kindern, seine etwas behäbig gewordene Lotte anlächelnd. Nichts bleibt da mehr von der Faszination des Himmelsstürmers übrig, der sich in schwärmerischem Sehnen nach dem Vollkommenen verzehrt: »Gott (macht) uns am glücklichsten..., wenn er uns in freundlichem Wahne so hintaumeln läßt.« Er darf wohl glauben, daß er »in seiner Hütte, an der Brust seiner Gattin, in dem Kreise seiner Kinder, in den Geschäften zu ihrer Erhaltung die Wonne, die er in der weiten Welt vergebens suchte«, finden könnte, aber erleben kann, darf er sie nicht.

Werther sieht in der vergeblichen Leidenschaft zu Lotte nur die Berechtigung, sich auf seinen Schmerz zurückzuziehen; sein ganzes mißlungenes Leben bündelt er in dieses Gefühl, bis es übermächtig wird. Die Natur als Projektionsgrund für seine Stimmungen gibt jetzt die zerstörerischen Kräfte, die in seiner Seele wüten, zurück:

Am 12. Dezember.

Lieber Wilhelm, ich bin in einem Zustande, in dem jene Unglücklichen gewesen sein müssen, von denen man glaubte, sie würden von einem bösen Geiste umhergetrieben. Manchmal ergreift mich's; es ist nicht Angst, nicht Begier – es ist ein inneres, unbekanntes Toben, das meine Brust zu zerreißen droht, das mir die Gurgel zupreßt! Wehe! wehe! und dann schweife ich umher in den furchtbaren nächtlichen Szenen dieser menschenfeindlichen Jahrszeit.

Gestern abend mußte ich hinaus. Es war plötzlich Tauwetter eingefallen; ich hatte gehört, der Fluß sei übergetreten, alle Bäche geschwollen und von Wahlheim herunter mein liebes Tal überschwemmt! Nachts nach eilfe rannte ich hinaus. Ein fürchterliches Schauspiel, vom Fels herunter, die wühlenden Fluten in dem Mondlichte wirbeln zu sehen, über Äcker und Wiesen und Hecken und alles, und das weite Tal hinauf und hinab *eine* stürmende See im Sausen des Windes! Und wenn dann der Mond wieder hervortrat und über der schwarzen Wolke ruhte, und vor mir hinaus die Flut in fürchterlich herrlichem Widerschein rollte und klang: da überfiel mich ein Schauer, und wieder ein Sehnen! Ach, mit offenen Armen stand ich gegen den Abgrund und atmete hinab! hinab! und verlor mich in der Wonne, meine Qualen, meine Leiden da hinabzustürmen! dahinzubrausen wie die Wellen!...

Dieses Erlebnis vom 12. Dezember ist das Gegenstück zur *unio mystica* des 10. Mai, bis in die »Wenn-dann«-Sequenz mit ihrer lyrischen Emphase hinein. Während Werther sich dort dem Himmel entgegensehnte, zieht ihn nun der Abgrund, das brausende

Wasser, an. Wieder verliert er sich in der Wonne, mit der Natur zu verschmelzen, die ihm jetzt als das »ewig offene Grab« erscheint. Der Tod bedeutet dem Pantheisten nur ein Zurückfließen in den Lebensstrom des Alls, in den Weltgeist, aus dem die Menschen entstanden sind.

Das Bild der überschwemmenden Fluten, das Toben und Brausen von Wind und Wasser mußte Werther überwältigen, veranschaulicht es doch seine leidenschaftlichen Gefühle, die sich Bahn brechen müssen, um das Herz nicht zu zerreißen. Die Metapher des Stroms nahmen die Genies, wie bereits im Lyrik-Kapitel erwähnt, gern für ihre gewaltige Schöpfer- und Gefühlskraft in Anspruch. Als »fürchterlich herrlich« empfindet Werther die wühlenden Fluten, weil sie ihm Freiheitsrausch und Vernichtung zugleich bedeuten.

In beiden Briefen finden wir eine »dynamisierte« Landschaft; nur sie konnte die innere Unruhe des Genies wiedergeben. Ein Bild der Wärme, irdischer Geborgenheit entwirft der Brief vom 10. Mai, die kleinen Bewegungen der Mückchen und Würmchen, sanftes Schweben und Wehen stehen für die Wonne zarter Gemütsregungen. Jetzt, in der menschenfeindlichen schwarzen Dezembernacht, bietet die Natur das »fürchterliche Schauspiel« der Überschwemmung, eine großartige Szene wilder Leidenschaft, die, einmal entfesselt, jeden verschlingt, der nicht fest auf dem Boden steht. Zum ersten Mal in der Literatur korrespondiert der Jahreszeitenwechsel mit dem inneren Zustand des Helden – ein Kunstgriff, der heute nichts Originelles mehr hat.

Ebenso wie die Natur spiegeln und steigern Bücher Werthers Stimmungen. Entsprachen zu Beginn des Romans Homer und Pindar seinem heiteren Glück, so ziehen ihn nun die dunklen, von Todessehnsucht erfüllten ›Ossianischen Gesänge‹ in ihren Bann. Mit dem Losungswort »Klopstock«, das Lotte und Werther beim Anblick eines Gewitters (in Gedanken an die Ode ›Die Frühlingsfeier‹) gleichzeitig zu »wonnevollsten Tränen« der sympathetischen Übereinstimmung rührte, war schon bei der ersten Begegnung der Stellenwert angezeigt, den beide der Literatur geben. In der Verdüsterung der letzten Lebenstage, vom Todesgedanken erfüllt, liest Werther Lotte zum Abschied aus dem ›Ossian‹ vor. Der wilde Zauber dieser lyrischen Prosa ist so mächtig, daß beide ihre Fassung verlieren (die die empfindsame Moral ihnen aufzwingt), »ihre Tränen vereinigten sie«, erst nach heißen Küssen und Umarmungen kehrt Lotte auf den Boden der Wirklichkeit zurück und flieht »bebend zwischen Liebe und Zorn«.

Das kurze rauschhafte Liebeserlebnis findet am nächsten Tag seine unmittelbare Fortsetzung im »Taumel des Todes«. »So traure denn, Natur! Dein Sohn, dein Freund, dein Geliebter naht sich seinem Ende.« Im ›Ossian‹ fühlte Werther seine Empfindungen bestätigt: Der Tod ist die mystische Vereinigung mit Gott, mit der Natur, mit Lotte. »Ich gehe voraus! gehe zu meinem Vater, zu Deinem Vater. Dem will ich's klagen, und er wird mich trösten bis du kommst, und ich fliege Dir entgegen und fasse Dich und bleibe bei Dir vor dem Angesichte des Unendlichen in ewigen Umarmungen.« Natur, Liebe und Gott fließen in einem einzigen großen Gefühl zusammen.

Dichtung ist im ›Werther‹ unmittelbarer Seelenausdruck geworden, ist selbst nur noch Gefühl. Der Leser gerät mit in den Sog der dunklen Leidenschaft, der sich Werther willig überläßt. Seine sich steigernde Emphase kontrapunktiert Goethe nun am Schluß, indem er den fiktiven »Herausgeber« von Werthers Briefen einschaltet, der in ruhigem Ton von der zunehmenden »Lebensmüde« und Seelenverwirrung des Helden, schließlich Werthers Tod und Begräbnis berichtet:

Um zwölfe mittags starb er. Die Gegenwart des Amtmannes und seine Anstalten tuschten einen Auflauf. Nachts gegen eilfe ließ er ihn an die Stätte begraben, die er sich erwählt hatte. Der Alte folgte der Leiche und die Söhne, Albert vermocht's nicht. Man fürchtete um Lottens Leben. Handwerker trugen ihn. Kein Geistlicher hat ihn begleitet.

Von dem sachlich-lapidaren Erzählstil des »Herausgebers« hebt sich um so greller Werthers krankhafte Realitätsferne ab, in die er sich mit seinen Stimmungen hineingesteigert hat. Goethe selbst hatte sich mit dem Schreiben des Romans wieder frei gemacht von den schwermütigen »Grillen«, in die ihn seine unglücklichen Leidenschaften versetzt hatten. Das »Hausmittel«, Wirklichkeit in Poesie zu verwandeln, hatte gewirkt. Diese Gnade des Genies war seinem literarischen Abbild nicht gegeben.

Wilhelm Heinse, Ardinghello und die glückseligen Inseln

In deutlichem Abstand zu den Hauptwerken des Sturm und Drang erschien 1787 eines der radikalsten Zeugnisse des Geniegedankens, der Roman ›Ardinghello und die glückseligen Inseln‹ von Johann Jakob Wilhelm Heinse (1746–1803). Der Thüringer Heinse, den schon während seines Studiums Wieland und Gleim förderten, ging 1774 zu Johann Georg Jacobi nach Düsseldorf als Mitarbeiter der Zeitschrift ›Iris‹, zu der auch Goethe Beiträge lieferte. 1780–1783 weilte er in Italien, danach wurde er kurpfälzisch mainzischer Bibliothekar. Wie kaum ein Zeitgenosse besaß Heinse die Fähigkeit, Kunstwerke sinnlich zu erfassen und in einer unerhört plastischen, direkten Sprache zu beschreiben. Ihm ist maßgeblich die Wiederentdeckung Rubens' zu verdanken. Das literarische Ergebnis seiner Italienreise – und zugleich seine bedeutendste Dichtung – wurde der Roman ›Ardinghello‹.

Der ›Ardinghello‹ ist der erste Künstlerroman der deutschen Literatur und zugleich die erste dichterische Darstellung des italienischen Renaissancemenschen mit seiner faszinierenden Mischung von höchster Kultur und bis zu gewissenloser Brutalität gehendem Tatmenschentum, leidenschaftlichem Genießen und hochgeistigem Philosophieren. Das Buch wurde Vorbild für zahlreiche spätere Romane.

Es scheint, als habe Wilhelm Heinse die Romanform ganz im Sinne des Barock gewählt, um wie Lohenstein ein Forum zu haben, seine ganze Gelehrsamkeit ausbreiten zu können, denn ungewöhnlich viel Raum erhalten die Beschreibungen einzelner Kunstwerke (Bilder Raphaels und Michelangelos, antiker Plastiken, darunter des ›Laokoon‹) und kunsttheoretische Erörterungen.

Dazu kommt, im zweiten Teil, eine »metaphysische Unterredung«, ein Gespräch über den Urgrund des Seins und damit notwendig auch über das Göttliche. Heinse diskutiert Grundgedanken der griechischen Philosophie von den Vorsokratikern bis Aristoteles; von immer neuem Aspekt aus betrachtet er die Lehre von den vier Elementen – Feuer, Wasser, Luft und Erde – als den Ursubstanzen der Welt, die von dem »Gefühl« als dem tiefsten und wichtigsten Sinn des Menschen bestätigt würden: »Und was dieser Sinn erkennt? *Warm und Kalt und Feucht und Trocken.*« Aus der Wahrnehmung ihrer »Grundverschiedenheiten« leitet Heinse die Existenz der vier Elemente ab, die genaugenommen nur verschiedene Erscheinungsformen ein und derselben Wesenheit seien. Diesen Widerspruch aber löst er auf in dem Grundsatz *»Eins ist Alles und Alles Eins.«* Wenn diese eine Wesenheit sich aber in die unendliche Vielfalt der Natur auffächern könne, dann müsse man auch, mit dem Griechen Xenophanes, sagen: *»Das Eins ist Gott.«*

Im Rückgriff auf die griechische Philosophie bestätigte Heinse, ohne dessen Namen zu nennen, Spinozas Pantheismus, der die Distanz zwischen Gott und der Schöpfung dadurch aufzuheben versucht hatte, daß er Gott als das in der Schöpfung wirkende geistige Prinzip definierte (worüber seinerzeit ein heftiger Streit entbrannt war). Der Mensch nun strebe nach der Vereinigung mit dem Göttlichen: »Eins zu sein und Alles zu werden, was uns in der Natur entzückt«, sei das edelste Ziel, »Harmonie mit dem Weltall ist das höchste Gut.« Hierin liege die höchste Glückseligkeit, denn die Seele des Menschen sei sein Anteil am Göttlichen, »der Mensch selbst ist gleichsam eine herumwandelnde Metaphysik«.

Wenn das Leben des Menschen Wille, Genießen und Wirken ausmachten, so habe derjenige, der am meisten zu diesen Dreien befähigt sei, auch den stärksten Anteil am Göttlichen und sei kaum mit dem Maß des normalen Sterblichen zu messen. Ardinghello, der Maler, Musiker, Kunstwissenschaftler, Politiker, Kriegsheld usw. in einem ist, kurz: ein Universalgenie, ist göttlich und steht weit über den Menschen. Mit Hilfe von Spinozas Lehre definierte, begründete, rechtfertigte Heinse die Sturm-und-Drang-Idee des Genies als Übermenschen.

Die Konzeption der Handlung ist eher schwach: Zu Beginn rettet Ardinghello einen jungen Venezianer vor dem Ertrinken; die beiden werden rasch Freunde, und nach ihrer Trennung richtet Ardinghello an den Freund Briefe mit seinen Gedanken und Erlebnissen (sie umfassen den größten Teil des Romans). Liebesabenteuer und Seeräuberepisoden, politische Händel und Entführungen zeigen den Helden immer wieder als universales Kraftgenie, das für sich selbst die Freiheit des Individuums über alle gesellschaftliche Norm setzt: »Warum sollen wir uns von Gewohnheiten und Gesetzen im Zaum halten lassen, die bloß für den Pöbel sind, eben weil er Pöbel ist, der sich nicht selbst regieren kann?« Das Herrenmenschentum, das in der Genie-Ideologie auch stekken konnte, gewann in Ardinghello gefährliche Gestalt.

Da für Heinse die Kunst nicht Überhöhung, sondern Teil der Lebenswirklichkeit war (»Das Leben selbst triumphiert über alles«), stellte für ihn die Begegnung mit der Kunst auch kein abstraktes ästhetisches Vergnügen dar und diente schon gar nicht zur moralischen Besserung, sondern war sinnliches, ja erotisches Erleben:

Die schulgerechten Antiquaren sprechen berauscht von der Venus des Praxiteles und seinem Liebesgott und mit Abscheu von Phrynen und Bathyllen, wie die Toren, die nicht wissen, was sie wollen. Freilich kömmt bei der geringsten Untersuchung das geheuchelte konventionelle Geschwätz zum Vorschein und die innre geheime Denkungsart, wo sich Drachen mit Tauben paaren. Die heiligen Katharinen spazieren nicht vom Wirbel bis zum Fuß nackend mit losgebundnen Haaren vor den Malern herum, und keine Lucrezia läßt sich so in der reinsten Beleuchtung allein mit allein von einem Pinsel- und Palettmann in beliebige Stellung legen; und kein Künstler kann von so festem Gletschereis sein, daß er bei Blikken von Sommersonnen nicht schmelzen sollte. Und doch wollen die ehrwürdigen Herrn bei dem allgemeinen Menschenverstand in keinen solchen Verdacht der Einfalt kommen, daß sie sich auf die Seite der züchtigen Koer stellten, welche die bekleidete Venus vorzogen und kauften, da sie die Wahl der nackten Gnidischen hatten, und noch bis heutzutage als Tröpfe verlacht werden.

Hiermit sehen wir das Nackende ... am Menschen jedoch entweder frech oder in unregsamer Albernheit ...

(IV. Teil: Rom, Dezember)

Zum Verständnis dieses Ausfalls gegen die aufgeklärt bürgerliche Moralenge und gegen Winckelmanns idealistische Kunstauffassung muß man wissen, daß Phryne und Bathylle ob ihrer außergewöhnlichen Schönheit berühmte Hetären des Altertums waren; der Hinweis auf die Bewohner von Kos ist beißende Ironie, denn die Venus des Praxiteles in Knidos war nackt, während die Koer im Altertum für ihre leichten, durchsichtigen Gewänder berühmt und berüchtigt waren ...

Seelisches Empfinden und körperliches Gefühl waren für Heinse eins; sein Weg, Kunst zu erfassen, war, sie sinnlich zu erfahren, durch Identifikation Wesen und Bestimmung des Kunstwerks nachzuempfinden: Was bei Herder Ergebnis seines Denkens war, fiel Heinse über die Intuition zu. Nur, daß Heinse den Begriff der sinnlichen Erfahrung eines Kunstwerks erheblich konkreter faßte, als es Herder je gewagt hätte. Über Tizians ›Venus Urbino‹ schreibt er:

Diese ist eine reizende junge Venezianerin von siebzehn bis achtzehn Jahren, mit schmachtendem Blick, aufs weiße widerstrebende Sommerbett, im frischen Morgenlichte, faselnackend vor innrer Glut von aller Decke und Hülle, bereit und kampfflüstern hingelagert, Wollust zu geben und zu nehmen; die, anstatt die Hand vorzuhalten, schon damit die stechende und brennende Süßigkeit der Begierde wie abkühlt und mit den Fingerkoppen die regsamsten gefühligsten Nerven ihres höchsten Lebens berührt.

Bezaubernde Beischläferin und nicht Griechenvenus, Wollust und nicht Liebe, Körper bloß für augenblicklichen Genuß.

Ihre Formen machen einen starken Kontrast mit der griechischen [mit der Ardinghello sie vergleicht]. Wie das Leben sich an dieser in allen Muskeln regt und sanft hervorquillt und hervortritt: und bei der Venezianerin der ganze Leib nur eine ausgedehnte Masse macht! Aber es ist schier nicht möglich, ein schmeichelnder und sich ergebender und süß verlangender Gesicht zu sehen.

Sie neigt den Kopf auf die rechte Seite, sonst liegt sie ganz auf dem Rücken. Das linke Bein in schöner Form ist reizend gestreckt, und das erhobne rechte Knie läßt unten die süße Fülle der Schenkel sehen. Der Kopf hat die Gestalt nach der Natur, ist aber, hingelassen nachdenkend mit dem zerfloßnen Körper, matt und wenig gebildet gegen die Griechin.

Die Blumen in der Rechten geben Hand und Arm durch den Widerschein bezaubernde Farbe und drücken den Leib zurück. Ihr Haar ist kastanienbräunlich und lieblich verstreut über die rechte Schulter mit einem Streif auf den linken Arm. Der Schatten an der Scham und die emporschwellenden Schenkel davor im Lichte sind äußerst wollüstig, so wie die jungen Brüste. Die großen grünlichtbraunen Augen mit den breiten Augenbrauen blicken in Feuchtigkeit. Sie ist lauter Huld, es recht zu machen in reizender sömmerlicher Lage, und gibt sich ganz preis, und wartet mit gierigem Verlangen furchtsamlich auf den Kommenden. Man sieht's ihr deutlich an, daß das Jungfräuliche schon einige Zeit gewichen ist, und sie scheint nur Besorgnis vor mehrern zugleich zu haben wegen der Eifersucht.

(V. Teil: Florenz, Jenner)

Es war kein Wunder, daß der ›Ardinghello‹ bei seinem Erscheinen einen Skandal hervorrief. Herder spottete; Goethe und Schiller verurteilten den Roman, dessen positiver Immoralismus sie erschreckte. Sie selbst hätten dies nie gewagt: Schon der ›Urfaust‹ befreit sich zwar mit Hilfe des Teufels von aller Moral, aber daraus entwickelt sich die Gretchen-Tragödie; das heißt, Goethe wagte den Immoralismus nur, um ihn zu verurteilen. Es gab aber auch enthusiastische Bewunderer des Romans, die ihrerseits wegen des »pornographischen« Inhalts ihrer Lektüre ins Zwielicht gerieten. Heinse jedenfalls war mit einem Schlag berühmt.

Den ersten Teil des Romans schließt, nach den vielen Begegnungen mit einzelnen Kunstwerken, eine lange theoretische Diskussion über das Wesen der Künste ab, in die unter anderem Lessings Gedanken aus dem ›Laokoon‹ aufgenommen sind (vgl. S. 37 ff.). Heinse will eine neue Art der Kunstbetrachtung lehren; Absicht und Weg – das philosophische Gespräch – sind also didaktisch, aufklärerisch, die Kunstauffassung selbst dagegen entspricht dem Sturm und Drang.

Ardinghello gerät zufällig in Rom in eine Künstlerrunde, die heftig über »Michelangelo, Raffael und Antiken« streitet, und mischt sich sofort in das Gespräch. Den Griechen Demetri, den Kopf der Runde, läßt Heinse Lessingsche Gedanken aussprechen: »Alle Kunst ist Darstellung eines Ganzen für die Einbildungskraft. Sie unterscheidet sich nach den Mitteln, die sie dazu braucht ... Aristoteles, und wer ihm folgt, schränkt die Poesie auf Handlungen ein ... aber selbst die griechischen Dichter haben sich nie diesem Gesetz unterworfen ... Die Bildhauerei und Malerei stellt Oberflächen von Körpern dar, die letztere, insoweit sie sich durch Farben zeigen.« Zwar seien der Dichtung Handlungen als Gegenstand am meisten angemessen, weil ihr Ablauf in der Zeit der Abfolge der Worte in der Poesie entspräche, aber immerhin könne sich der Zuhörer das Nacheinander »zusammendenken«. Indem sie die Einbildungskraft anrege, wirke die Poesie (wie Musik und Tanz) auf die Seele, rufe sie »Begeistrung« hervor, »eigentliche Seelenschönheit, tiefe, lebendige«. Dagegen sei »die beste [bildende] Kunst« unbeweglich, tot, »ein bloßes Denkmal verfloßnen Genusses oder Leidens für den Künstler selbst ... Welch ein Abstand von Poesie und ihrer Gewalt über die Herzen!« (III. Teil: Rom, Oktober)

Ardinghello aber gibt mit Verve der bildenden Kunst den Vorrang vor der Poesie, da ihre Werke »am geschwindesten in die Seele« drängen, während man bei der Dichtung »immer träumen [müsse] und nach Wirklichkeit haschen«. Gerade hierin, meint Demetri (der empfindsame Hochaufklärer), liege auch ihr Vorzug, denn der Mensch drücke nun einmal alle Regungen der Seele mit der Sprache aus. Demetris letztlich wirkungsästhetischer Ansatz steht gegen den schöpfungsästhetischen Ardinghellos (des Stürmers und Drängers): Zu großer Kunst sei nur ein Mensch mit großer, edler Natur fähig. »Wen beim Ursprung seiner Existenz nicht die Fackel der Gottheit entzündet, der wird weder ein hohes Kunstwerk noch eine erhabne Handlung hervorbringen. Schönheit ist Leben in Formen und jeder Regung, und nichts Totes ist schön ... Ideal [beruht] nicht auf bloßen Hirngespinsten, sondern die Natur selbst ist die ewige Regel: und ein Künstler muß von ihren Quellen schöpfen, wenn er neue Schönheit und neuen unsterblichen Reiz hervorbringen will.« (III. Teil: Rom, Oktober)

Heinse vertritt jenen Geniebegriff des Sturm und Drang, der Natur, großes Gefühl und künstlerische Schöpferkraft in der Idee des Originalgenies gleichsetzt, das Ardinghello in seiner universalen Begabung darstellt. Die wechselseitige Durchdringung von Kunst und Leben, für die sich Ardinghello einsetzt, beeinflußte zum Beispiel wesentlich die Idee des Romantischen bei Friedrich Schlegel.

Erhitzt und hochgestimmt von ihrem Gespräch kehren Demetri und Ardinghello zu den anderen Künstlern zurück, die sich im Park versammelt haben:

Wir gingen wieder hinunter; es war leer geworden, und die übrigen zogen auch noch von dannen. Endlich blieben ein halb Dutzend Mädchen, ebensoviel Künstler, Demetri, Tolomei und ich. Wir machten uns zusammen wieder auf den Saal, eine auserlesene Gesellschaft. Die Mädchen waren echte Römerinnen an Wuchs und Gestalt, mit der erhabnen antiken, noch republikanischen Gesichtsbildung, die auch auf fremde Fürsten wie nur Barbaren herunterschaut. Sie hätten, wie die alten, dem hohen Senat mit berichten lassen, wenn sie das Verbot gegen eine gewisse Lustbarkeit von ihnen nicht aufhüben, daß sie nicht mehr gebären wollten.

Paar und Paar stand im vertrauten Umgang miteinander; die reizenden Geschöpfe ließen sich von ihren Geliebten als Modelle brauchen und gaben ihre Schönheiten deren Kunst preis. Sie machten sich selbst Musik und tanzten lauter Nationaltänze, wo wenig gezogner, gedehnter, französischer Schritt, sondern immer neuer Freudensprung ist. Ich ließ dabei wacker auftischen und einschenken und wurde selbst von dem Wirbel ergriffen.

Nach Mitternacht ging es in ein echtes Bacchanal aus; das erhitzte Leben blieb nicht mehr in den gewohnten Schranken, und jedes tobte nach seinem Gefühl und seiner Regung. Demetri machte seinen Einfall zu einem spartanischen Tanz laut, und dieser wurde mit Jauchzen ausgeführt. Doch machte man vorher den feierlichen Vertrag, nichts Schändliches zu beginnen und die Leidenschaften bis ans lange Ziel gleich olympischen Siegern im Zügel zu halten, wie's braven Künstlern zieme.

Man entkleidete die Jungfrauen, die, Glut in allen Adern, sich nicht sehr sträubten, zuerst bis auf die Hemder, und schlitzte diese an beiden Seiten auf bis an die Hüften; und die Haare wurden losgeflochten. Demetri schlug die Handtrommel, und ich spielte die Zither.

Sie schwebten in Kreisen, drückten einzeln ihre Empfindungen aus, und jede enthüllte in den süßesten Bewegungen ihre Reize, bis Paar und Paar wieder sich faßten und hoben und wie Sphären herumwälzten. Es war gewiß ein Götterfest, soviel mannigfaltige Schönheit herumwüten und herumtaumeln zu sehen, und ich habe in meinem Leben noch kein vollkommner weiblich Schauspiel genossen.

Man holte hernach aus der nahen Villa Sacchetti Efeu zu Kränzen und belaubte Weinranken mit Trauben zu Thyrsusstäben, und jeder Jüngling warf alle Kleidung von sich. Es ging immer tiefer ins Leben, und das Fest wurde heiliger; die Augen glänzten von Freudentränen, die Lippen bebten, die Herzen wallten vor Wonne.

Wir führten auf die letzt allerlei Szenen auf, aus Fabel, komischen und tragischen Dichtern und Geschichte, in himmlischen Gruppen, wo eine wahrhaftige Phryne an Schönheit darunter mit errötendem und lächelndem Stolze sich endlich ganz nackend zeigte, in den verschämtesten und mutwilligsten Stellungen.

Tolomei wetteiferte mit ihr; er hatte wirklich Schenkel wie ein junger Gott, entzückend Feuer schon der Hand, und die Sprossen zum künftigen Strauchwerk waren an seinem Leibchen eben angeflogen.

Demetri glich dem Zeus, und ihm fehlte dazu nur Donnerkeil und Adler.

Die Phryne riß alsdenn der andern Schönsten das Hemd weg und beide den übrigen, und nun ward ich von ihr wie von einer wütenden Penthesilea gefaßt, der höchste bacchantische Sturm rauschte durch den Saal, der alles Gefühl unaufhaltbar ergriff, wie donnerbrausende Katarakten, vom Senegal und Rhein, wo man von sich selbst nichts mehr weiß und groß und allmächtig in die ewige Herrlichkeit zurückkehrt.

Gegen Morgen macht ich die Zeche richtig, und wir schwärmten im Geisterglanze des Vollmonds unter Chor und Rundgesang an dem Tiber vorbei und hernach durch die hehren Ruinen und Triumphpforten über den Tarpejischen Felsen.

(III. Teil: Rom, Oktober)

Sinnliches Erleben und künstlerisches Schaffen sind für Heinse nur zwei Seiten derselben Erfahrung. In seinen Tagebüchern schreibt er: »Wenn du weißt, was wirken und empfinden ist, ein und aus, hin und her, dieß ewige unvergängliche: so weißt du was Leben, Seele, Gott ist ...« Das berühmte Künstlerbacchanal ist gewissermaßen nur die Umkehrung oder die Folge der Diskussion um die Kunst. Die Loslösung von der engen bürgerlichen Moral, das freie Genießen des Lebens, auch der Sexualität, ist dem Genie erlaubt, bedingt geradezu erst seine Schöpferkraft.

In Rom lernt Ardinghello Fiordimona kennen, die seine Geliebte wird. So wie er, der Übermensch, Freiheit fühlt und sich nimmt, ist sie das freie Weib, das, körperlich und geistig vollkommen, sich über alle gesellschaftliche Moral erhebt: »Ein Frauenzimmer ist unklug, das mit einer Gestalt, die gefällt, erwuchs und Vermögen besitzt, wenn es sich das unauflösliche Joch der Ehe aufbinden läßt. Eine Göttin bleibt es unverheuratet, Herr von sich selbst, und hat die Wahl von jedem wackern Manne, auf solang es will.« (IV. Teil: Rom, November) Von allen Geliebten ist Fiordimona Ardinghello allein ebenbürtig.

Auf einer heimlichen Lustreise gelangen beide nach Terni:

Der Weg dahin ist voll reizender Aussichten; die Berge wölben sich immer einer höher als der andre weiter fort gen Himmel, um gleichsam dieses Paradies ganz von der irdischen Welt abzusondern. Die Sonne ging eben auf, als wir nach der Höhe zu ritten, gerade über dem Gebirg den Felsenriß hinein, worin eine herrliche See von befruchtendem Taunebel in der Mitte schwamm.

Der Wasserfall ist nun eine entzückende Vollkommenheit in seiner Art, und es mangelt nichts, ihn höchst reizend zu machen. Ein starker Strom, der feindselig gegen ein unschuldiges Völkchen handelte, muß sich, gebändigt durch einen tiefen Kanal stürmend, in wilden Wogen wälzen, mit allerlei süßem lieblichen Gesträuch umpflanzt, als hohen grünen Eichen, Ahornen, Pappeln, Zypressen, Buchen, Eschen, Ulmen, Seekirschen, und in die greuliche Tiefe senkelrecht an die zweihundert Fuß hinabstürzen, daß der Wasserstaub davon noch höher von unten heraufschlägt. Alsdenn tobt er schäumend über Felsen fort, breitet sich aus, rauscht zürnend um grüne Bauminseln, und hastig schießt er in den Grund von dannen, zwischen zauberischen Gärten von selbstgewachsnen Pomeranzen, Zitronen und andern Frucht- und Ölbäumen.

Sein Fall dauert sieben bis acht Sekunden oder neun meiner gewöhnlichen Pulsschläge von der Höhe bis zur Tiefe. Das Aufschlagen in den zurückspringenden Wasserstaub macht einen heroisch süßen Ton und erquickt mit nie gehörter donnernder Musik und Verändrung von Klang und Bewegung die Ohren, und das Auge kann sich nicht müde sehen.

Fiordimona jauchzte vor Freude in das allgewaltige Leben hinein und rief außer sich unter dem brausenden Ungestüm: »Es ist ein Kunstwerk so vollkommen in seiner Art als irgend eins von Homer, Pindar oder Sophokles, Praxiteles und Apelles, wozu Mutter Natur Stoff und Hand lieh.«

(V. Teil: Terni, Mai)

Der Roman enthält eine Fülle solch kostbarer Passagen. Der Wasserfall, als Bild elementarer Naturkraft und damit der Leidenschaft, war eines der Lieblingsmotive der Stürmer und Dränger, die es – wie später auch die Romantiker – immer wieder zum Rheinfall nach Schaffhausen zog. Auch Stolbergs Ostsee-Lieder gehören thematisch in diese Gruppe von Dichtungen, die das Wasser als Symbol der unendlichen, unbändigen Natur, der ständig bewegten Gefühle darstellten. So kann Fiordimona den »Sturz des Velino« als vollkommenes Kunstwerk begreifen.

Wer die Einheit von Natur, Leben und Kunst verwirklichen und genießen will, muß vorhandene gesellschaftliche Zwänge überwinden, muß ausbrechen; so ist es nur konsequent, daß der ›Ardinghello‹ als Gesellschaftsutopie endet: Mit einer erlesenen Schar von Ausnahmemenschen gründet Ardinghello auf den Kykladen einen Inselstaat, der die genialische Kunst- und Naturauffassung realisiert. »Wir kamen beieinander... in folgenden Grundbegriffen überein: Kraft zu genießen, oder, welches einerlei ist, Bedürfnis, gibt jedem Dinge sein Recht, und Stärke und Verstand, Glück und Schönheit den Besitz.«

Der freien Liebe auf den »glückseeligen Inseln« entzieht sich nur Fiordimona; sie bleibt, höchster freier Entschluß, Ardinghello treu. Wo das Leben selbst als Kunstwerk zelebriert wird, bedarf es keiner Kunst mehr; es gibt sie nicht auf den Inseln. Das höchste Ziel und Geheimnis war, »die Menschheit wieder zu ihrer Würde zu erheben. Doch vereitelte dies nach seligem Zeitraum das unerbittliche Schicksal.« (V. Teil: Ende des Romans)

Die meisten Versuche einer unbedingten Selbstverwirklichung endeten im Sturm und Drang in Melancholie und Vereinzelung, resignativ oder tragisch; der ›Ardinghello‹ bot erstmals eine vitale Utopie des Paradieses auf Erden, gestützt auf eine radikale Freiheitsidee. Deutlicher konnte die Absage an die kreuzbrave empfindsame Moral, konsequenter die Verwirklichung eines sinnenfrohen, lebensbejahenden Kraftmenschentums nicht ausfallen als in diesem Roman. So weit hat sich lange kein Dichter mehr hervorgewagt.

Mit der Entdeckung der italischen Landschaft wirkte der ›Ardinghello‹ weit hinein in die Romantik. Sein dionysisches Griechenlandbild, das des rauschhaften Genusses, faszinierte Hölderlin und Nietzsche. Sein Immoralismus und das Verdikt Goethes und Schillers mögen dazu beigetragen haben, daß er in der Literaturgeschichte lange totgeschwiegen wurde.

Karl Philipp Moritz, Anton Reiser
Ein psychologischer Roman

Karl Philipp Moritz (1756–1793) ist mit seinem autobiographischen Roman ›Anton Reiser‹ nur noch bedingt dem Sturm und Drang zuzurechnen. Die strenge Distanz, die Bändigung der Emotionen in ruhiger, klarer Sprache rückt das Werk in die Nähe der Klassik; andererseits kennzeichnet den Helden des Romans die gleiche maßlose Selbstbezogenheit, die sich bei den Stürmern und Drängern bis zu glücklichstem Freiheitstaumel steigern konnte. Im Gegensatz zum großartigen Ich-Gefühl der Kraftgenies steht hier jedoch ein Mensch im Mittelpunkt, der um sein bißchen Selbstbewußtsein kämpfen muß, dessen Leben ein einziges ruheloses Suchen nach Identität ist. Beides sind Erfahrungen, die das aller Transzendenz entbundene Individuum, zum Mittelpunkt der Welt geworden, machen konnte. ›Anton Reiser‹ besitzt aber auch spätaufklärerische Züge, da der Erzähler empfindend und vernünftig sein früheres Ich wahrnimmt und klären will und diese Erkenntnisse zur Belehrung seiner Leser nützt.

Vorläufer für Moritz' Roman waren die Autobiographien und Seelentagebücher der Pietisten, die den Weg zu ihrer Bekehrung genau beobachteten und festhielten, um sich selbst zu erziehen und ihre Erfahrungen anderen in der Gemeinde weitervermitteln zu können. In säkularisierter Form, ohne den religiösen Beweggrund, führen die autobiographischen Romane und Tagebücher im späteren 18. Jahrhundert diese genaue Seelenerforschung fort – das Individuum ist sich selbst als Gegenstand literarischer Gestaltung wichtig genug geworden.

Da Moritz bis zu seinem frühen Tod unter den Traumata seiner Kindheit litt, wird sein Bemühen, die Ursachen seiner Fehlentwicklungen aufzuschlüsseln, verständlich. Auf der Grundlage seiner Tagebücher entwarf er einen »psychologischen Roman«: Er erzählt die Geschichte seiner Kindheit und Jugend aus dem Blickwinkel eines distanzierten Autors – den inneren Abstand dokumentiert der Name Anton Reiser –, objektiviert seine persönliche Biographie durch pädagogisch-psychologische Deutungen zu einem exemplarischen Leben. Dabei war er, wie er in der Vorrede zum zweiten Teil versichert, peinlich auf »eine [...] wahre und getreue Darstellung eines Menschenlebens bis auf seine kleinste Nüancen « bedacht.

Das »künstlich verflochtne Gewebe« eines Lebens, das »aus einer unendlichen Menge von Kleinigkeiten besteht, die alle in dieser Verflechtung äußerst wichtig werden«, will Moritz darstellen. Bis zur krankhaften Selbstzerfaserung geht sein Interesse, die seelischen und körperlichen Zustände seines Helden zu zergliedern. Mit psychologischer Schärfe und illusionsloser Klarheit legt er die »kahle« und »armselige« Existenz Anton Reisers bloß; man glaubt zuweilen, einen Roman des 20. Jahrhunderts vor sich zu haben. Die Bedeutung der frühen Kindheitserfahrungen, die unsere moderne Psychologie entdeckt zu haben glaubt, hatte Moritz bereits erkannt (die Seitenangaben am Ende der Zitate beziehen sich auf die Taschenbuchausgabe des Insel-Verlages):

Die ersten Töne, die sein Ohr vernahm und sein aufdämmernder Verstand begriff, waren wechselseitige Flüche und Verwünschungen des unauflöslich geknüpften Ehebandes.

Ob er gleich Vater und Mutter hatte, so war er doch in seiner frühen Jugend schon von Vater und Mutter verlassen, denn er wußte nicht, an wen er sich anschließen, an wen er sich halten sollte, da sich beide haßten und ihm doch einer so nahe wie der andre war.

In seiner frühesten Jugend hat er nie die Liebkosungen zärtlicher Eltern geschmeckt, nie nach einer kleinen Mühe ihr belohnendes Lächeln.

Wenn er in das Haus seiner Eltern trat, so trat er in ein Haus der Unzufriedenheit, des Zorns, der Tränen und der Klagen.

Diese ersten Eindrücke sind nie in seinem Leben aus seiner Seele verwischt worden und haben sie oft zu einem Sammelplatze schwarzer Gedanken gemacht, die er durch keine Philosophie verdrängen konnte ...

Da er noch nicht acht Jahr alt war, gebar seine Mutter einen zweiten Sohn, auf den nun vollends die wenigen Überreste väterlicher und mütterlicher Liebe fielen, so daß er nun fast ganz vernachlässiget wurde und sich, sooft man von ihm sprach, mit einer Art von Geringschätzung und Verachtung nennen hörte, die ihm durch die Seele ging.

Woher mochte wohl dies sehnliche Verlangen nach einer liebreichen Behandlung bei ihm entstehen, da er doch derselben nie gewohnt gewesen war und also kaum einige Begriffe davon haben konnte?

Am Ende freilich ward dies Gefühl ziemlich bei ihm abgestumpft; es war ihm beinahe, als müsse er beständig gescholten sein, und ein freundlicher Blick, den er einmal erhielt, war ihm ganz etwas Sonderbares, das nicht recht zu seinen übrigen Vorstellungen passen wollte.

Er fühlte auf das innigste das Bedürfnis der Freundschaft von seinesgleichen: und oft, wenn er einen Knaben von seinem Alter sahe, hing seine ganze Seele an ihm, und er hätte alles drum gegeben, sein Freund zu werden; allein das niederschlagende Gefühl der Verachtung, die er von seinen Eltern erlitten, und die Scham wegen seiner armseligen, schmutzigen und zerrißnen Kleidung hielten ihn zurück, daß er es nicht wagte, einen glücklichern Knaben anzureden.

So ging er fast immer traurig und einsam umher, weil die meisten Knaben in der Nachbarschaft ordentlicher, reinlicher und besser wie er gekleidet waren und nicht mit ihm umgehen wollten, und die es nicht waren, mit denen mochte er wieder wegen ihrer Liederlichkeit und auch vielleicht aus einem gewissen Stolz keinen Umgang haben.

(I. Teil, S. 15–17)

Reisers ganzes Leben ist hier bereits vorgezeichnet. Doppelt elend dran, da er aus ärmsten Verhältnissen kommt und dazu noch von früh an die liebloseste Behandlung erleiden muß, hat er kaum eine Chance, Selbstwertgefühl zu entwickeln und bleibt zeit seines Lebens im höchsten Grade verletzbar. Exemplarisch führt diese Kindheitsszene das Grundmuster seines Verhängnisses vor: Zu seinesgleichen will er nicht gehören, und in die Gruppe der Besser-Situierten kommt er nicht hinein, obwohl er sich danach sehnt.

Soziale Ängste und Komplexe zwingen Anton Reiser von frühester Kindheit an zur Vereinsamung. Sein Name ist gleichsam programmatisches Symbol, abgeleitet vom heiligen Antonius, der sich in die Einsiedelei zurückzog, während ›Reiser‹ schon auf die unruhigen Wanderungen hindeutet, die ihn aus seiner Enge und seinem tristen Einerlei befreien sollen und doch auch nur Flucht vor sich selbst sind. Kaum daß er lesen kann, flüchtet sich der Knabe in die Welt der Bücher, frommer Erbauungsliteratur und der Bibel, später (heimlich) Märchen und Schnabels ›Insel Felsenburg‹. An Lektüren entzündet sich seine Einbildungskraft, sie vermitteln ihm die im wirklichen Leben vermißten Freuden und Tröstungen.

Der Vater ist ein heruntergekommener Regimentsmusiker, jähzornig und kalt. Er unterweist den Knaben streng nach den Regeln der Madame Guion, einer französischen Quietistin aus der Zeit Ludwigs XIV. – Der Quietismus war eine Richtung der katholischen Mystik, die strengste Askese, die »Ertötung« aller »Eigenheit« und aller sinnlichen Regungen forderte, da erst im Zustand völliger seelischer Ruhe die Vereinigung mit Gott stattfinden könne. Der schon 1687 vom Papst verurteilte Quietismus hatte eine Menge Berührungspunkte mit dem protestantischen Pietismus und dessen Lehre vom gottseligen Leben.

Phantasievoll und hochsensibel, wie Reiser ist, leidet er unter fürchterlichen Gewissensängsten als Folge dieser Erziehung. Immer wieder nimmt er Anläufe, ein frommes, gottseliges Leben zu führen, aber bei der Strenge, die er von sich fordern zu müssen glaubt (sich »Gott zuwenden heißt unaufhörlich an Gott denken«), muß er immer wieder seine Schwachheit erkennen und verzweifeln. Auch von daher konnte Reiser also nie zufrieden sein. Dennoch findet er in Augenblicken größter »Vernichtung« Trost und Erleichterung in der Vorstellung, »sich in einem Abgrunde der ewigen Liebe wie ein Tropfen im Ozean zu verlieren«. So sangen es auch die Guionschen Lieder, die der Vater vertont hatte.

Das Erfülltsein der Seele von Gott, ihre Zwiesprache mit ihm, sind dem Pietisten Beweis für sein Erwecktsein und damit Gewißheit der himmlischen Verheißung. (Pietistische Quietisten suchten also nur einen etwas anderen Weg zum Gotteserlebnis.) Den ständige Not leidenden Menschen der untersten Schichten bot der Pietismus mit der noch im irdischen Leben erfahrbaren Gottesbegegnung und der damit verbundenen Gewißheit der Belohnung im Jenseits wichtigen Trost und kompensatorischen Halt. Aufklärerisches Gedankengut blieb daher weitgehend beschränkt auf das gehobene Bürgertum.

Reisers erste Kindheitsjahre sind also geprägt von dem Gefühl, nicht geliebt zu werden, was gleichsam bedeutete, nicht liebenswert zu sein. Trotz seines enormen Lese- und Lerneifers darf er nur kurze Zeit die Lateinschule besuchen, an der er sich rasch an die Spitze gearbeitet hat. Seinen Traum, nun »die Laufbahn des Ruhms« anzutreten, muß er sich jedoch aus dem Kopf schlagen. Mit 12 Jahren gibt der Vater Anton nach Braunschweig in die Lehre eines pietistischen Hutmachers, wo er schändlich ausgenutzt und gedemütigt wird und ihn nur die Sonntagspredigten des Pastors Paulmann, für den er abgöttisch schwärmt, über Wasser halten. Als er beginnt, diesen Predigten nicht nur mit dem Herzen, sondern auch mit dem Verstand zu folgen, um sie hinterher aufzuschreiben, entwickelt er intellektuelle Fähigkeiten, die sich im Laufe der Jahre stärker gegen die einseitig emotional-pietistische Prägung der frühen Kindheit durchsetzen.

Nach abgebrochener Lehre lebt Anton wiederum in Hannover bei seinen Eltern, besucht die dortige Armenschule, wo er sich jetzt intensiver bemüht, durch Leistungen aufzufallen. Seine Lehrer verwenden sich für ihn, so daß er vom Prinzen von Hannover einen Freiplatz an der Lateinschule erhält, außerdem Freitische, wobei sich einige Familien regelmäßig abwechseln. Wiederum muß Reiser unter der »niederträchtigen Abhängigkeit« leiden; seine brillanten Leistungen in der Schule können die Erniedrigung und Demütigungen, die er als Almosenempfänger auszustehen hat, nicht wettmachen. »Anständig genährt und gekleidet zu sein gehört schlechterdings dazu, wenn ein junger Mensch zum Fleiß im Studieren Mut behalten soll.«

Zum traditionellen fürstlichen Mäzenatentum gehörte, neben der Förderung der Künste, die Übernahme der Ausbildungskosten für arme, aber durch Begabung auffallende Landeskinder. Nicht wenige Dichter des Sturm und Drang verdankten Schulbildung und Studium dieser Praxis der Elitenförderung. – Mit mehr innerer Sicherheit würde Reiser die unwürdige Behandlung durch seine »Wohltäter« oder etwa die plötzliche Konkurrenzsituation mit dem fein-erzogenen, hübschen Amtmanns-Sohn besser verkraften. So aber fällt er nur allzu rasch wieder in seine Selbstverachtung zurück, die ihm allen Ehrgeiz zum Lernen benimmt. (Dabei war es ja nur dieser Ehrgeiz, der ihm aus seinem sozial verachteten Stand hätte heraushelfen können; aber diesen fatalen Kreislauf konnte Moritz erst später mühsam durchbrechen.)

Wo sollte nun wohl bei ihm ein rühmlicher Wetteifer, Fleiß und Lust zum eigentlichen Studieren herkommen? – Er wurde ja ganz aus der Reihe herausgedrängt – er stand einsam und verlassen da – und suchte nur das, wodurch er sich immer noch mehr absondern und in sich selbst zurückziehen konnte; alles, was er für sich allein auf der Stube arbeitete, las und dachte, machte ihm Vergnügen, aber zu allem, was er in den Schulstunden mit andern gemeinschaftlich arbeiten sollte, war er träge und verdrossen; es war ihm immer, als ob er gar nicht dazu gehörte. –

Das war nun die schöne Erfüllung seiner Träume von langen Reihen von Bänken, auf denen die Schüler der Weisheit saßen, unter deren Zahl er sich mit Entzücken dachte, und mit denen er einst um den Preis zu wetteifern hoffte. –

Der Rektor, bei dem er wohnte, kam nun auch von seiner Reise wieder zurück und hatte seine Mutter mitgebracht, die seine Wirtschaft auf das genaueste einzurichten suchte. – Es wurde Winter, und man dachte nicht daran, Reisers Stube zu heizen – er stand erst die bitterste Kälte aus und glaubte, man würde doch endlich auch an ihn denken – bis er hörte, daß er sich bei Tage in der Gesindestube mit aufhalten sollte. –

Nun fing er an, sich um seine äußern Verhältnisse gar nicht mehr zu bekümmern. – Von seinen Lehrern sowohl als von seinen Mitschülern verachtet und hintangesetzt – und wegen seines immerwährenden Mißmuts und menschenscheuen Wesens bei niemand beliebt, gab er sich gleichsam selber in Rücksicht der menschlichen Gesellschaft auf – und suchte sich nun vollends ganz in sich zurückzuziehen.

(II. Teil, S. 173)

Scham und tödliche Angst, eine dumme lächerliche Figur zu machen, ziehen Demütigungen nachgerade an, und obwohl er das weiß, kann Reiser den Zirkel nicht durchbrechen. Selbst in einer Phase relativer Achtung bei den Mitschülern vernichtet ihn eine hingeworfene Bemerkung völlig; er reagiert darauf, indem er selbst noch kräftig über sich spottet – nur, um wenigstens die Wonne »des Unrechtleidens« zu haben. Sein kommentierendes reiferes Ich, der Autor Karl Philipp Moritz, aber findet Erklärungen, kommt auf die Erfahrungen seiner Kindheit zurück:

Es war die unverantwortliche Seelenlähmung durch das zurücksetzende Betragen seiner eignen Eltern gegen ihn, die er von seiner Kindheit an noch nicht hatte wieder vermindern können. – Es war ihm unmöglich geworden, jemanden außer sich wie seinesgleichen zu betrachten – jeder schien ihm auf irgendeine Art wichtiger, bedeutender in der Welt als er zu sein – daher deuchten ihm Freundschaftsbezeigungen von andern gegen ihn immer eine Art von Herablassung – weil er nun glaubte, verachtet werden zu können, so wurde er wirklich verachtet – und ihm schien oft das schon Verachtung, was ein anderer mit mehr Selbstgefühl nie würde dafür genommen haben. – Und so scheint nun einmal das Verhältnis der Geisteskräfte gegeneinander zu sein; wo eine Kraft keine entgegengesetzte Kraft vor sich findet, da reißt sie ein und zerstört wie der Fluß, wenn der Damm vor ihm weicht. – Das stärkere Selbstgefühl verschlingt das schwächere unaufhaltsam in sich – durch den Spott, durch die Verachtung, durch die Brandmarkung des Gegenstandes zum Lächerlichen. – Das Lächerlichwerden ist eine Art von Vernichtung und das Lächerlichmachen eine Art von Mord des Selbstgefühls, die nicht ihresgleichen hat ...

(III. Teil, S. 317f.)

Da Reiser keine »Ichheit« besitzt, kann er nicht allein aus sich leben, er braucht die Bestätigung von der Außenwelt. Im Zusammensein mit anderen, das für ihn stets eine »Vergleichung« bedeutet, erlebt sich Reiser aber immer als minderwertig, und erst im Alleinsein, durch denkendes Analysieren, kann er sich wieder einigermaßen aufrichten. So wechseln sich beide Existenzen, die des Alleinseins und die der Gemeinschaft mit anderen, nur in der Perpetuierung des Leidens ab. Die einzigen Augenblicke, in denen Reiser glücklich sein kann, sind Fluchten in die Welt der Bücher und des Theaters – oder in die Natur.

Bücher begleiten Reiser von früh an, sie entheben ihn seines »verhaßten« Daseins, nehmen so ganz Besitz von ihm, daß er oft zwei Leben zu führen meint. Zu empfindsam-schwärmerischen Exzessen, den »Ausschweifungen der Phantasie«, die ihm die Lektüre bringt, lernt er bald auch die »Wonne des Denkens« kennen; er verkriecht sich wochenlang auf den Dachboden und arbeitet dort systematisch erst Gottscheds Philosophie, dann Wolffs Metaphysik, später Werke der Geschichte und Dogmatik durch. Er lernt, sich eine schwierige Materie durch »Abschreiben des Hauptinhalts, Unterordnen und Klassifizieren« gründlich anzueignen. (Diese autodidaktischen Studien, sagt Moritz, hätten seinen Verstand mehr geschult als später die Vorlesungen an der Universität.) Nach diesen intensiven wissenschaftlichen Exkursen gewinnt das Poetische für Reiser doch wieder seine alte Anziehungskraft. Die Reihe der Autoren, die er begierig in sich hineinschlingt und in ihrem Eindruck auf sich reflektiert, gibt Einblick in den Lektüreplan eines Studenten dieser Jahre: Er reichte von Lessing über Bürgers ›Lenore‹, Hölty, Haller, Klopstocks ›Messias‹ und seine ›Oden‹, Kleists Gedichte, Youngs ›Nachtgedanken‹, Homer, Vergil, Horaz, Shakespeare in der Wielandschen Übersetzung, Goethes ›Werther‹, ›Ugolino‹ von Gerstenberg, Klingers ›Zwillinge‹ (mit dessen leidenschaftlich-zerstörerischem Guelfo sich Reiser besonders identifiziert) bis zum berühmten ›Musenalmanach für 1775‹ des Göttinger »Hains«. –

Seine »ausschweifende Ehrfurcht gegen Dichter und Schriftsteller« läßt Reiser davon träumen, sich selbst dem Dichterberuf zuzuwenden und andere zu der gleichen inneren Anteilnahme und Bewunderung zu bringen, wie er sie empfindet.

Die Poesie war seit Klopstock mit der Aura des Göttlich-Erhabenen umgeben, die, wie man glaubte, das dichterische Genie mehr seiner Empfindungskraft als seiner Gelehrtheit verdankte. Wie leicht konnte sich da ein zu tiefen Empfindungen fähiger Halbtalentierter bereits zum Dichter berufen wähnen, angereizt noch von der Vorstellung, etwas Einmaliges, Großartiges darzustellen! Auch Reiser zieht das Poetische und die Aussicht auf Ruhm, der seine elende Existenz gänzlich verändern würde, unweigerlich an. Aber genauso wie später auf dem Theater muß er mit seinen poetischen Versuchen scheitern, denn der wahre Kunsttrieb strebt nur nach Vollendung und schielt dabei nicht auf das Publikum. – Gegen Schluß des Romans resümiert der Erzähler über Reisers »Leiden an der Poesie«:

Wenn ihn der Reiz der Dichtkunst unwillkürlich anwandelte, so entstand zuerst eine wehmütige Empfindung in seiner Seele, er dachte sich ein Etwas, worin er sich selbst verlor, wogegen alles, was er je gehört, gelesen oder gedacht hatte, sich verlor, und dessen Dasein, wenn es nun würklich von ihm dargestellt wäre, ein bisher noch ungefühltes, unnennbares Vergnügen verursachen würde.

Nun war aber noch nicht ausgemacht, ob dies ein Trauerspiel oder eine Romanze oder ein elegisches Gedicht werden sollte; genug, es mußte etwas sein, das würklich eine solche Empfindung erweckte, wovon der Dichter gewissermaßen schon ein Vorgefühl gehabt hatte.

In den Momenten dieses seligen Vorgefühls konnte die Zunge nur stammelnde einzelne Laute hervorbringen. Etwa wie die in einigen Klopstockschen Oden, zwischen denen die Lücken des Ausdrucks mit Punkten ausgefüllt sind.

Diese einzelnen Laute aber bezeichneten denn immer das Allgemeine von groß, erhaben, Wonnetränen und dergleichen. – Dies dauerte denn so lange, bis die Empfindung in sich selbst wieder zurücksank, ohne auch nur ein paar vernünftige Zeilen zum Anfange von etwas Bestimmten ausgeboren zu haben.

Nun war also während dieser Krisis nichts Schönes entstanden, woran sich die Seele nachher hätte festhalten können, und alles andre, was würklich schon da war, wurde nun keines Blickes mehr gewürdiget. Es war, als ob die Seele eine dunkle Vorstellung von etwas gehabt hätte, was sie selbst nicht sein konnte und wodurch ihr eigenes Dasein ihr verächtlich wurde.

Es war wohl ein untrügliches Zeichen, daß einer keinen Beruf zum Dichter habe, den bloß eine Empfindung im allgemeinen zum Dichten veranlaßt und bei dem nicht die schon bestimmte Szene, die er dichten will, noch eher als diese Empfindung oder wenigstens zugleich mit der

Empfindung da ist. Kurz, wer nicht während der Empfindung zugleich einen Blick in das ganze Detail der Szene werfen kann, der hat nur Empfindung, aber kein Dichtungsvermögen. (IV. Teil, S.408 f.)

Das ist eine deutliche Absage an die Empfindsamkeit, die sich oft im Fühlen erschöpfte und keine weiterführenden Impulse auslöste. Diese Diskrepanz zwischen genialischem inneren Erleben und schöpferischer Kraft hatte ja auch Goethes Werther leidend erfahren. Im Gegensatz zu ihm versucht Reiser aber, sich seinem Problem zu stellen, es kritisch zu reflektieren, um aus dem falsch eingeschlagenen Weg wieder herauszufinden. Nicht zufällig sitzt er zu dem Zeitpunkt der oben zitierten Reflexion gerade an einem satirischen Aufsatz über die falsche »affektierte Empfindsamkeit«, die im Gefolge von Sternes ›Empfindsamer Reise‹ und Goethes ›Werther‹ zu einer Mode gefühlssüchtiger Schwärmerei ausgeartet war.

Die fremden Schicksale aus den Lektüren, die Reiser stellvertretend lebt, und eigene poetische Versuche lenken ihn von seinen Integrationsproblemen ab. Auch der Reiz fremder Gegenden, die für ihn immer mit einer neuen Aussicht in die Zukunft verknüpft sind, kann für einige Zeit den »inneren Schmerz« betäuben.

Sowie er nun schneller vorwärts ging, fühlte er auch nach und nach wieder sein Gemüt erleichtert; heitere Gedanken, reizende Aussichten und kühne Hoffnungen stiegen allmählich wieder in seiner Seele auf, und nun entstand in ihm ein Vorsatz, der ihn auf einmal über alle Sorgen hinwegsetzte und der ihn auf seiner ganzen Wanderung reich und unabhängig machte.

(IV. Teil, S. 335)

Es ist nicht die romantische Sehnsucht nach der Fremde, die Reiser nach draußen zieht in die Natur, sondern er genießt dort die Freiheit von Gesellschaft und Auseinandersetzung; er führt gleichsam seine kranke Seele spazieren.

Er ging also aufs neue mitten im Regen und Dunkel durch das hohe Korn querfeldein nach der Stadt zu – es war eine warme Sommernacht, und der Regen und die Dunkelheit waren ihm bei dieser menschenfeindlichen nächtlichen Wanderung die angenehmsten Gesellschafter – er fühlte sich groß und frei in der ihn umgebenden Natur – nichts drückte ihn, nichts engte ihn ein – er war hier auf jedem Fleck zu Hause, wo er sich niederlegen wollte, und dem Anblick keines Sterblichen ausgesetzt. – Er fand zuletzt eine ordentliche Wonne darin, durch das hohe Korn hinzugehen ohne Weg und Steg – durch nichts, nicht einmal durch ein eigentliches Ziel gebunden, nach welchem er seine Schritte hätte richten müssen. Er fühlte sich in dieser Stille der Mitternacht frei wie das Wild in der Wüste – die weite Erde war sein Bette – die ganze Natur sein Gebiet. –

(III. Teil, S. 320 f.)

Auch das Wandern wird bei Reiser ins Rauschhafte, Exzessive überzogen, seine nächtlichen ziel- und zeitlosen Spaziergänge versetzen ihn in verrückte Traumzustände, in denen sich seine Phantasie erhitzt – die »Lust zum Wandern« gewinnt »das völlige Übergewicht über die Vernunft«.

Gewisse Parallelen zum ›Werther‹ fallen auf: Das ganz große, freie Gefühl soll die Enge des realen Lebens sprengen; beide sehnen sich nach Chimären, so daß die Realität zwangsläufig enttäuschen muß.

[Reiser] sehnte sich ... doch wieder nach einsamen Spaziergängen, die ihm immer das reinste Vergnügen gewähret hatten; allein dies hatte er sich nun auch verleidet; denn gemeiniglich versprach er sich von einem solchen Spaziergange zu viel und kehrte verdrießlich wieder zu Hause, wenn er nicht gefunden hatte, was er suchte; sobald das Dort nun Hier wurde *[siehe Werthers Brief vom 21. Junius]*, hatte es auch alle seinen Reiz verloren, und der Quell der Freude war versiegt. –

Der Verdruß, der dann in die Stelle der gereizten Hoffnung trat, war von einer so groben, gemeinen und niedrigen Art, daß auch nicht der mindeste Grad von einer sanften Melancholie oder etwas dergleichen damit bestehen konnte...

(IV. Teil, S. 405 f.)

Sich schöne Aussichten auszumalen, ist etwas anderes als »an Ort und Stelle selbst zu sein und diese Aussichten wahr zu machen«. Reiser ist kein leichtsinniger Phantast, der glücklich mit seinen Träumen leben kann, aber er hat auch nicht die Kraft, entschlossen handelnd sein Schicksal in die Hände zu nehmen und zu verändern. Im Theater glaubt er schließlich, den ewigen Widerspruch zwischen Innen und Außen, Traum und Wirklichkeit für sich auflösen zu können: Die geliehene Existenz einer Rolle bietet immerhin die Chance, überhaupt ein Ich zu leben, wenigstens für ein paar Stunden, und Zustimmung, ja Beifall zu erhalten.

Und dann konnte er auf dem Theater alles sein, wozu er in der wirklichen Welt nie Gelegenheit hatte – und was er doch so oft zu sein wünschte – großmütig, wohltätig, edel, standhaft, über alles Demütigende und Erniedrigende erhaben – wie schmachtete er, diese Empfindungen, die ihm so natürlich zu sein schienen und die er doch stets entbehren mußte, nun einmal durch ein kurzes, täuschendes Spiel der Phantasie in sich wirklich zu machen.

(II. Teil, S. 170)

Reiser, der sich von der Bühne quasi eine Therapie erhofft, muß auch dies als Irrweg erkennen: Geben muß er auf der Bühne, nicht nehmen wollen.

Weil er von Kindheit auf zu wenig eigene Existenz gehabt hatte, so zog ihn jedes Schicksal, das außer ihm war, desto stärker an; daher schrieb sich ganz natürlich während seiner Schuljahre die Wut, Komödien zu lesen und zu sehen. – Durch jedes fremde Schicksal fühlte er sich gleichsam selbst entrissen und fand nun in andern erst die Lebensflamme wieder, die in ihm selber durch den Druck von außen beinahe erloschen war.

Es war also kein echter Beruf, kein reiner Darstellungstrieb, der ihn anzog; denn ihm lag mehr daran, die Szenen des Lebens in sich als außer sich darzustellen. Er wollte für sich das alles haben, was die Kunst zum Opfer forderte ...

Hätte er damals das sichere Kennzeichen schon empfunden und gewußt, daß, wer nicht über der Kunst sich selbst vergißt, zum Künstler nicht geboren sei, wie manche vergebene Anstrengung, wie manchen verlornen Kummer hätte ihm dies erspart!

(IV. Teil, S. 358)

In Goethes ›Wilhelm Meister‹ werden wir eine ähnliche Bemerkung über den wahren Schauspieler finden. – Falscher Kunsttrieb, seine schwärmerischen Vorstellungen von der Welt hindern Reiser immer wieder, »irgendeinen reellen Plan« einmal konsequent zu Ende zu bringen. Noch einmal, da er in Erfurt Mittel und menschliche Unterstützung gefunden hat, bricht er sein Studium jäh ab, um vielleicht doch noch bei der Speichschen Truppe in Leipzig unterzukommen (der Versuch, bei dem berühmten Ekhof engagiert zu werden, war schmählich gescheitert). Doch wieder muß Reiser seine Illusion mit bitterer Enttäuschung bezahlen; er erfährt bei seiner Ankunft in Leipzig, »daß der würdige Prinzipal dieser Truppe ... die Theatergarderobe verkauft habe und mit dem Gelde davongegangen sei. – Die Speichsche Truppe war also nun eine zerstreuete Herde.« Damit endet der Roman.

In erstaunlich moderner Weise analysiert Moritz, quasi aus dem Blickwinkel des Therapeuten, die Problematik seines Helden. Aus dem Abstand, den er nun als Dreißigjähriger hatte (das Buch endet mit der Beschreibung des etwa Zwanzigjährigen), kann er seinen Irrtum, sein ganzes Suchen und Scheitern, objektiv feststellen; damit hebt er seinen Roman über die reine Selbstbespiegelung hinaus. Sachlich-distanziert ist die Sprache dieser Seelenanalyse, sie ist dem psychologisch klärenden Ansatz angepaßt. Dennoch ist Moritz' Autobiographie alles andere als ein klinisch-kalter Bericht, durch die lebhafte innere Teilnahme, die noch durch die Distanz zu spüren ist, bewegt das menschliche Schicksal.

Der Erzähler läßt keinen Zweifel, daß Reisers Anlage *und* die Umstände seines Lebens bei der Ausbildung seiner komplizierten, ja neurotischen Persönlichkeit zusammenwirkten. In seinem Schicksal steckt, indirekt, auch Sozialkritik, denn sein Leiden erwuchs nicht zuletzt aus den starren Grenzen einer ständischen Gesellschaft, zu der die Unterwürfigkeit dem höher und besser Gestellten gegenüber ebenso gehörte wie der Hochmut gegen den Niedrigeren. Reiser hat nicht die Kraft, gegen diese Barrieren aufzubegehren; seine depressive Resignation ist Teil der allgemeinen Resignation des Bürgertums am Ende des 18. Jahrhunderts.

Nur ein einziges Mal lehnt er sich trotzig gegen sein Geschick auf; er hatte einem jungen Edelmann Unterricht gegeben, und der verabschiedete sich mit den Worten: »Ich habe die Ehre mich Ihnen zu empfehlen.«

Diese Worte ließen einen Stachel in seiner Seele zurück, den er vergeblich wieder herauszuziehen suchte – ob er dies gleich sich selber nicht eigentlich gestand, sondern seinen Unmut und Lebensüberdruß aus allgemeinen Betrachtungen über die Nichtigkeit des menschlichen Lebens und die Eitelkeit der Dinge herzuleiten suchte – freilich fanden sich denn auch diese allgemeinen Betrachtungen ein, die aber ohne jene herrschende Idee nur seinen Verstand beschäftigt, nicht aber sein Herz in Bewegung gesetzt haben würden. – Im Grunde war es das Gefühl der durch bürgerliche Verhältnisse unterdrückten Menschheit, das sich seiner hiebei bemächtigte und ihm das Leben verhaßt machte – er mußte einen jungen Edelmann unterrichten, der ihn dafür bezahlte und ihm nach geendigter Stunde auf eine höfliche Art die Türe weisen konnte, wenn es ihm beliebte – was hatte er vor seiner Geburt verbrochen, daß er nicht auch ein Mensch geworden war, um den sich eine Anzahl anderer Menschen bekümmern und um ihn bemüht sein müssen – warum erhielt er gerade die Rolle des Arbeitenden und ein andrer des Bezahlenden? – Hätten ihn seine Verhältnisse in der Welt glücklich und zufrieden gemacht, so würde er allenthalben Zweck und Ordnung gesehen haben, jetzt aber schien ihm alles Widerspruch, Unordnung und Verwirrung. –

(III. Teil, S. 315 f.)

Wie vorsichtig muß Moritz sein, bis er Reiser auch einmal den »Stachel« der sozialen Ungleichheit wahrnehmen und auch nach den gesellschaftlichen Ursachen seiner Depression fragen läßt! Wäre er mit seiner Begabung und seiner Neigung in die »richtige« Schicht hineingeboren, hätte er nicht so zerrissen und orientierungslos viele Jahre seines Lebens herumirren müssen.

Mit Hilfe der Psychologie, die er zur Selbstheilung einsetzte, vor allem mit seiner »Kraft des Denkens« konnte Moritz sich dennoch einen nicht unwichtigen Platz in der Gesellschaft erkämpfen. Die Freundschaft mit Goethe – der von ihm sagte, er »ist wie ein jüngerer Bruder von mir, von derselben Art, nur da vom Schicksal verwahrlost und beschädigt, wo ich begünstigt und vorgezogen bin« – hat sicherlich viel dazu beigetragen, daß Moritz Mut zum Arbeiten und zum Erfolg bekam; aber er blieb trotzdem zeit seines

Lebens ein Stiefkind der Gesellschaft, das seine Kirschkern-Zertrümmerungs-Spiele (die »kindische Rache am Schicksal«) auch als Erwachsener weiter betrieb, wie sein Bruder einmal berichtete.

Nach einigen Jahren Lehrtätigkeit am Philanthropinum des berühmten Pädagogen Basedow in Leipzig, später in Potsdam und Berlin, begründete Moritz 1783 das ›Magazin für Erfahrungsseelenkunde‹, das dem wachsenden Interesse für Psychologie entgegenkam. 1786 war Moritz in Italien, wo die Freundschaft mit Goethe ihren Anfang nahm. 1791 starb er, noch nicht 37 Jahre alt, als Professor für Altertumskunde an der Berliner Kunstakademie.

ANHANG

(Die folgenden Erläuterungen sollen lediglich eine erste Orientierungshilfe darstellen; ein literarisches Lexikon ersetzen sie natürlich nicht.)

Alexandriner: sechshebiger jambischer Reimvers mit 12 oder 13 Silben und einer Zäsur nach der dritten Hebung:
x x́ / x x́ / x x́ // x x́ / x x́ / x x́ / (x)
Allegorie: die bildhafte Darstellung eines abstrakten Begriffes, oft als Personifikation (z. B. Justitia mit Waage und Augenbinde)
Almanach: Jahrbuch für Wissenschaft und Literatur, ursprünglich mit Kalender; die poetischen *Musenalmanache* des 18. und 19. Jahrhunderts brachten meist noch unveröffentlichte Dichtungen eines Jahres zum erstenmal zur Kenntnis
Aphorismus: einzelner, kurzer Prosasatz, der in zugespitzter, oft witziger Form eine Lebensweisheit oder subjektive Erkenntnis formuliert
Arkadien: griechische Landschaft (Peloponnes); in der Literatur ist die ideale arkadische Landschaft als Schauplatz der Hirten- und Schäferdichtung zugleich typisches Szenarium und utopisches Wunschbild
Auktoriale Erzählhaltung: Perspektive des allwissenden, die Handlung überschauenden Erzählers, der kommentierend oder mit dem Leser diskutierend in den Ablauf der Erzählung eingreift

Bänkelsang: Moritaten und Prosageschichten der seit dem 17. Jahrhundert umherziehenden Jahrmarktsänger, die – zu monotoner Drehorgelmusik und auf einer Holzbank stehend – ihre Stücke vortrugen
Ballade: Erzählgedicht, das ein besonderes, meist tragisches Geschehen wiedergibt, oft in dramatisch zugespitzter, mit Dialogen durchsetzter Form; enthält nach Goethe Elemente aller drei poetischen Gattungen: lyrische (Liedcharakter), epische (Erzählung) und dramatische (Dialogform)
Barde: keltischer Dichter und Sänger, der bei kultischen Festen zu Harfenmusik Ruhm- und Preislieder zu Ehren der Götter und Helden des Stammes vortrug
Bîspel: im Mittelalter eine kurze Reimpaardichtung mit lehrhaftem oder satirischem Inhalt und moralischer Deutung
Blankvers: fünfhebiger Jambenvers ohne Reimbindung:
x x́ / x x́ / x x́ / x x́ / x x́ (x)
Bukolische Dichtung (Bukolik): Hirten- oder Schäferdichtung

Diskurs: Gespräch oder Abhandlung, im Französischen oft verwendet als Titel theoretischer Schriften (»discours«)
Distichon: Verspaar, bestehend aus einem Hexameter (mit sechs Daktylen: x́ x x) und einem Pentameter (ebenfalls sechs Daktylen, jedoch ohne Hebungen beim dritten und sechsten Daktylus)

Ekloge: in der römischen Literatur ein kurzes stimmungshaftes Hirtenge-
dicht in Monolog- oder Dialogform

Elegie: ursprünglich antike Gedichtform in Distichen, später wehmütig-
klagende Lyrik ohne Festlegung auf ein Versmaß, im Zeitalter des Idealismus Sehnsucht nach dem Ideal

Enjambement: Zeilensprung; über das Versende hinausgreifender Satz

Epigramm: kurzes Sinn- oder Spottgedicht, meist in Distichen

Exkurs: Anhang oder Einschub in einem wissenschaftlichen Text als
knappe Darstellung zu einem Einzelproblem

Exposition: Einführung in Vorgeschichte und Personenkonstellation des
dramatischen Konflikts

Fabel: 1. thematisch-stofflicher Grundplan der Handlung in Epik und
Drama; 2. zu Tier- und Pflanzenfabel

Fragment: unvollständig überliefertes oder unvollendetes Werk

Freie Rhythmen: metrisch ungebundene, reimlose, nur rhythmisch akzen-
tuierte Verse

Genre: franz. für »Gattung«

Gleichnis: poetische Veranschaulichung eines Gedankens oder (meist abstrakten) Vorgangs durch Vergleich mit (konkreten) Sachverhalten; im
Gegensatz zum einfachen, bildhaften Vergleich betrifft die Übereinstimmung nur einen einzelnen, aber wesentlichen Punkt, der dadurch
besonders erhellt wird

Hebung: betonte Silbe im Vers

Hexameter: antiker Vers aus sechs Daktylen:
x́ x x / x́ x x / x́ x x / x́ x x / x́ x x / x́ x (x)

Hymne: ursprünglich feierlicher Lobgesang zu Ehren eines Gottes oder
Helden; seit Klopstock auch Dichtung hohen Tones mit religiösen,
patriotischen Themen

Inversion: Änderung der üblichen Wortfolge, rhetorisch-poetisches Mittel zur Hervorhebung eines Wortes

Jambus: zweiteiliger antiker Versfuß aus einer unbetonten und folgenden
betonten Silbe: x x́.

Kadenz: metrische Form des Versendes (männlich: betonte Silbe = Hebung; weiblich: unbetonte Silbe = Senkung).

Katharsis: nach Aristoteles' Poetik die am Ende der Tragödie durch Mitleid und Furcht ausgelöste Reinigung der Seele im Sinne einer Affekt-
entladung

Locus amoenus: lieblicher Ort, stilisierter Schauplatz (mit Bäumen, Wiesen, Bächen oder Quellen, Grotten usw.)

Manierismus: ursprünglich kunstgeschichtlicher Epochenbegriff; besonders auf die deutsche Literatur des Barock übertragen die Bezeichnung

für den »Schwulst- und Prunkstil« (groteske Verzerrungen, Verschlüsselungen, gekünstelte Sprache)

Metapher: bildliche Veranschaulichung eines abstrakten Begriffs oder einer Eigenschaft, wobei Vergleichspartikel (»wie«) entfallen, z.B. die Wogen der Begeisterung

Metrum: Versmaß oder Versfuß

Mimesis: seit der Antike Grundbegriff der Ästhetik, die »nachahmende« künstlerische Darstellung von Natur, bzw. Wirklichkeit bezeichnend

Ode: ursprünglich Chorgesang in der griechischen Tragödie; allgemein lyrische Form des Erhabenen, feierlicher Ergriffenheit, die sich von Lied und Hymne durch Distanz und strenge Formgebung unterscheidet

Oxymoron: rhetorische Figur, Verbindung zweier einander sich eigentlich widersprechender Begriffe (»der Schultern warmer Schnee«)

Parabel: lehrhafte Erzählung zur Veranschaulichung eines abstrakten Gedankens

Retardierendes Moment: Verzögerung oder Unterbrechung der Handlung, meist im vorletzten Akt eines Dramas, soll durch die Andeutung von Scheinlösungen des Konflikts die Spannung steigern

Rhapsode: wandernder griechischer Dichter-Sänger der Antike, der i.a. improvisierend Götter- und Heldenepen vortrug

Satire: literarische Darstellung menschlicher Schwächen und Laster, um sie durch Übertreibung der Lächerlichkeit und Verachtung preiszugeben

Senkung: unbetonte Silbe, vgl. Hebung

Ständeklausel: von Aristoteles abgeleitete Forderung, in der Tragödie nur hohe Standespersonen auftreten zu lassen, um durch die »Fallhöhe« der Dramenfiguren die Tragik des Scheiterns besonders anschaulich zu machen, während umgekehrt in der Komödie nur nichtadelige (niedrige) Personen der Lächerlichkeit preisgegeben werden dürften

Syntax: Teil der Grammatik, Lehre vom Satzbau

Topos: Gemeinplatz, Klischee; Topoi sind in der Literatur traditionelle Versatzstücke des Erzählens inhaltlicher oder formaler Art

Utopie: von dem Staatsroman ›Utopia‹ [Nirgendwo] des Thomas Morus abgeleitete Bezeichnung für einen fiktiven gesellschaftlichen oder politischen Idealzustand

Zäsur: Einschnitt in einen Vers, der durch ein Wortende oder ein Satz-, bzw. Nebensatzende entsteht, dabei jedoch den Rhythmus des Verses nicht wesentlich unterbricht

Die abgedruckten Textausschnitte sind, soweit möglich, allgemein zugänglichen, auch als Taschenbuch erhältlichen Ausgaben und Anthologien entnommen, zum Beispiel »Die deutsche Literatur. Texte und Zeugnisse« (erschienen bei dtv). Die Quellenhinweise wurden so abgefaßt, daß die Zitate in jeder Textausgabe aufgefunden werden können; auf genauere Angaben wurde daher verzichtet. Bei folgenden Werken, die keine hinreichenden Gliederungsmerkmale aufweisen, mußten Seitenzahlen angegeben werden:

Karl Philipp Moritz, Anton Reiser. Ein psychologischer Roman, hg. von Max von Brück, Frankfurt a. M. 1979 (it 433)

Sophie von La Roche, Geschichte des Fräuleins von Sternheim, hg. von Barbara Becker-Cantarino, Stuttgart 1983 (Reclam UB 7934)

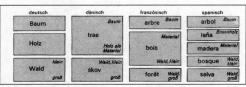

Gliederung des Wortfeldes *Holz* in verschiedenen europäischen Sprachen

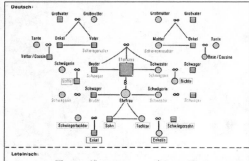

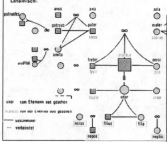

System der Verwandtschaftsbezeichnungen im Deutschen und L

dtv-Atlas
zur deutschen Sprache
von Werner König
Tafeln und Texte
Mit 155 farbigen Abbildungsseiten
Originalausgabe
dtv 3025